BIBLIOTHECA SARDA

N. 11

In copertina:
Giuseppe Biasi, *Sollevarono a sedere la fanciulla...*,
illustrazione per novella di G. Deledda pubblicata nella *Lettura*, 1912

Grazia Deledda

NOVELLE

VOLUME QUINTO

a cura di Giovanna Cerina

In collaborazione con la SFIRS
e le Province di Cagliari, Sassari,
Nuoro, Oristano

Riedizione delle opere:
La casa del poeta, Milano, Fratelli Treves, 1930;
Il dono di Natale, Milano, Fratelli Treves, 1930;
La vigna sul mare, Milano-Roma, Treves-
Treccani-Tumminelli, 1932.

© Copyright 1996
by ILISSO EDIZIONI - Nuoro
ISBN 88-85098-54-1

SOMMARIO

PREFAZIONE

Il volume comprende tre raccolte: *La casa del poeta* (1930), *Il dono di Natale* (1930), *La vigna sul mare* (1932), pubblicate da Treves negli anni di maggior successo dell'opera deleddiana dopo il conferimento del Nobel, nel 1927. Nello stesso anno esce *Annalena Bilsini*, accolto con vivo interesse dai critici a molti dei quali la novità di un romanzo "padano" sembra tradire l'identità sarda della scrittrice. Ma in realtà, al di là della dislocazione geografica e dell'aspirazione costante a rinnovare temi e modalità narrative, *Annalena Bilsini* è la conferma di una fedeltà profonda al mondo contadino (più di quello urbano vicino alla sua esperienza d'origine e alla sua competenza narrativa). Non è una fuga dalla Sardegna, che ritorna con l'insolito paesaggio delle rovine di un'antica città nel romanzo *Il vecchio e i fanciulli* (1928), di cui aveva dato notizia prima della partenza per Stoccolma. Questo orientamento narrativo aperto a una duplice prospettiva trova conferma nel romanzo *Il paese del vento* (1931) dove sono rappresentati i luoghi dell'infanzia e il paesaggio marino di Cervia.

Le novelle di questo volume, e più in generale quelle dell'ultimo decennio, riflettono un campo esteso di esperienze in un vagabondare della memoria e della fantasia in spazi e in piani temporali diversi. Nella gamma delle forme narrative, accanto a racconti lunghi che rinnovano il gusto dell'intreccio e a novelle che rielaborano moduli tradizionali di tipo popolare, prevalgono testi brevi, sulla misura dell'elzeviro, che colgono scene di vita o delimitano una situazione, un momento di crisi, un incontro, dove più che i fatti contano i piccoli gesti, le emozioni, i sogni, i moti spesso allusi della coscienza; resta in essi talvolta qualcosa di incompiuto che tuttavia lascia trapelare il senso di una esperienza. Si va gradualmente modificando il rapporto tra la realtà esterna e il personaggio: il paesaggio si condensa in scorci o, sfumando i contorni realistici dei luoghi più riconoscibili, crea atmosfere rarefatte attraverso un linguaggio che ricerca movenze liriche e risonanze simboliche; così come il personaggio tende a ritrarsi dalla realtà per rifugiarsi nella solitudine di spazi individuali. Ciascuno, a suo modo, porta il peso di un'inquietudine emblematica di una condizione esistenziale dominata da un senso precario e inquieto della vita («il nostro grande affanno è la lenta morte della vita»), talvolta disperante (*Il bacio del gobbino*, *La morte della tortora*), che non trova risposte metafisiche ma cerca conforto in un'intesa con la natura.

Le tre raccolte nel loro insieme presentano un mosaico di figure, forme narrative, luoghi in gran parte noti ma di continuo variati nel gioco dei colori, nelle prospettive, nella sapiente gradazione delle atmosfere: paesaggi del Mantovano, della Romagna, località termali, il quartiere Italia della «Roma nostra» e i luoghi di Barbagia.

Il dono di Natale raccoglie diciassette novelle (corredate nella prima edizione Treves da altrettante illustrazioni a colori di G. Rosso): alcune sono fiabe, spesso ibride, che combinano motivi tratti dalla tradizione popolare europea, altre invece ritraggono figure e momenti quotidiani che la narrazione smussa dalle asperità realistiche attraverso il filtro di uno sguardo innocente o incantato.

C'è una felicità inventiva nel ritorno alla narrazione pura; ora è la stessa scrittrice che rievoca in forme favolose episodi della sua adolescenza, leggende o storie fiabesche, ora introduce figure di narratori orali; e in questa veste compaiono anche la nonna, piccola e magica come una *jana*, che riandava col ricordo al tempo di una lunga nevicata, e il padre che raccontava ai figli le storie di Giaffà. Grazie alla scelta di una prospettiva distanziata nel tempo o vicina al punto di vista infantile, riemerge «l'isola delle leggende» e dell'infanzia nella dimensione mitica di una «realtà ritrovata» (L. Nicastro) in cui si colloca la fase aurorale della sua formazione di narratrice. Figure, ambienti, esseri fantastici, antiche tradizioni festive, come quella del Natale, rappresentano uno scenario suggestivo e plausibile per storie esemplari, che hanno come protagonisti bambini o ragazzi (che «non hanno voglia di studiare») ai quali sono indirizzate; come in anni ormai lontani, quando scriveva novelline per "Il paradiso dei bambini". Il patrimonio popolare non è utilizzato come documento folklorico ma come parte di un vissuto personale e collettivo rielaborato con consapevolezza letteraria attraverso l'adeguamento dei moduli popolari a forme più complesse di racconto.

Nella rappresentazione scenografica di situazioni che simulano nella scrittura il rito del raccontare a voce (in una struttura narrativa di racconto nel racconto), la cucina si trasforma in luogo magico; risuonano le voci dei personaggi fabulatori, ciascuno con un proprio repertorio spesso specializzato; voci che affascinavano i «padroncini» con leggende di santi o avventure di banditi o storie dove «il tragico si mescolava al comico» come accade nella vita che è «un po' rossa, un po' azzurra». Ritornano le antiche tradizioni, seppure non bene integrate nel tessuto dell'intreccio, programmaticamente didascalico, nella novella *Il dono di Natale*, che propone un esempio di bontà, secondo le più scontate storie natalizie: il bambino, Felle, figlio di ricchi pastori porta un pezzo di agnello ai vicini poveri, per i quali la nascita di un fratellino nell'ora in cui nasce Gesù è come un dono, un evento miracoloso: secondo la leggenda, infatti, le ossa dei bambini nati nella notte di Natale «non si disgiungeranno mai», fino al giorno del Giudizio Universale.

Con più coerenza è costruita la novella *La fanciulla di Ottàna* che combina liberamente motivi fiabeschi della tradizione sarda e della fiabistica europea. Altre favole sono una commistione di episodi e leggende dell'infanzia: la grande nevicata (in un'atmosfera raccolta e ovattata come «il petto di un colombo»), le storie raccontate intorno al camino, le figure care, le serate festive, il pane, i dolci, le suggestive tradizioni. E magica appare, in *L'anellino d'argento*, l'Isola, dove aleggiano piccolissime fate, abitatrici di case preistoriche, scavate nelle rocce, *sas domos de janas*. Nei deliri di un ragazzo visionario, tormentato dalle febbri malariche, compaiono *janas* e altri esseri fantastici: folletti, vampiri, giganti, nani. Il ragazzo parla anche di un anello dai colori dell'iride, trovato in un giorno di tempesta, nel punto preciso in cui comincia l'arcobaleno: chi lo possiede ha il potere di raccontare cento e una storia in una sola sera. Come il ragazzo anche la scrittrice, adolescente visionaria, trova un giorno nel bosco di Valverde un anello, che conserva ancora come un amuleto magico da cui proviene il suo talento di narratrice. Una notazione in chiave magica che richiama una metafiaba di Capuana, il *Raccontafiabe*.

Nel racconto si trasfigura anche una realtà severa come quella barbaricina che impone alle ragazze un apprendistato alla vita pratica. Una giovanissima Deledda collabora con altre donne alla preparazione del pane. Ma la fatica si stempera nell'animazione della casa e nel ritmo rituale del lavoro accompagnato dalla voce dell'infornatrice che racconta aneddoti di vita paesana e leggende. Gesù va in giro per i paesi sardi, come in altre leggende di sapore evangelico, e mette alla prova una donna dal cuore cattivo (*Il pane*). Altro narratore accreditato è il protagonista della novella *Il vecchio Moisè*, simile a un profeta, che fa parte della lunga serie di servi ieratici come Proto e ziu Taneddu, veri e propri maestri nell'arte del racconto. Moisè, che insegnava ai bambini come si abbrustoliscono le ghiande, raccontava storie antiche che risalivano al tempo della nascita di Gesù, quando gli uomini erano semplici e innocenti e il loro mondo era popolato di esseri fantastici, buoni e cattivi; o storie più recenti, di quando era bambino, di beffe a suo danno in occasione del Natale.

Anche *Il voto* ha un'esemplarità originaria valorizzata dalla descrizione della situazione narrativa orale, al tempo di una grande nevicata. Si racconta del pellegrinaggio di una povera madre a S. Francesco e dell'incontro con i banditi. Il ravvedimento del bandito buono, che rende i soldi rubati dal cattivo, è l'evento prodigioso che richiama leggende di tipo evangelico, con qualche accenno a un malessere economico e sociale.

Il pastorello è invece una storia vera, di tempi moderni: il protagonista, Coeddu (nome che in Sardegna si dà al diavolo), è un ragazzo diverso e immerso nel fantastico che la madre vorrebbe mandare in America dove vive il padre (un riferimento al problema dell'emigrazione, motivo presente anche in *Chi la fa l'aspetti*); ma nella fantasia del ragazzo l'America è un paese lontano, che fa paura. E proprio da quel paese lontano arriva il tesoro, che aveva illusoriamente cercato nei boschi e fra le rocce e che gli consente di realizzare il suo sogno di diventare pastore, senza più paura di emigrare.

Uno spazio è riservato in alcune novelle, come *Mirella* e *La storia della Checca*, al tempo presente, a momenti di vita romana. Protagonista della prima è la piccola nipote, la cui vitalità gioiosa allieta la casa. Quasi a esorcizzare in modo giocoso la paura per il suo futuro la Deledda le dedica una filastrocca, secondo un uso augurale della sua gente. Della seconda è protagonista una gazza, amica intelligente e discreta con la quale ha stabilito una tacita intesa, quasi un intermittente colloquio che si svolge a più riprese. In questa e in molte novelle degli ultimi anni un interesse ecologico si accompagna a una sensibilità quasi francescana nella sua attenzione verso gli animali e la natura. Della gazza scruta i comportamenti, cerca di comprenderne i sentimenti e il desiderio di libertà nei reiterati tentativi di fuga.

Infine a Roma è ambientata un'avventura di ragazzini (*I ladri*) che mal si amalgama con il tono dominante della raccolta.

Le raccolte *La casa del poeta* (ventinove novelle) e *La vigna sul mare* (ventisei novelle) presentano un insieme di testi che possono essere considerati congiuntamente.

Un gruppo di novelle è dedicato al mondo ignorato e indifeso dei bambini e degli adolescenti cui la scrittrice guarda con attenta sollecitudine e con sorprendente intuito psicologico.

Le novelle *Voli* e *Il lupo nel baule* hanno come protagoniste due adolescenti. Nella prima una servetta quindicenne vive con paura e sconcerto i primi turbamenti d'amore affascinata dalle millanterie dello stravagante "signorino". Nella seconda il senso di paura e di ansia di una servetta ancora bambina, in casa di padroni anziani, si concretizza in una densa metafora animale: «il lupo nel baule», un'immagine che sollecita interpretazioni psicanalitiche e rende concreta la paura irrazionale del buio e del disagio vissuto in un ambiente estraneo.

Seppure in modo generico, la Deledda tenta interpretazioni scientifiche quando intende i turbamenti d'amore come malattia dello spirito, o cita Lombroso e le leggi dell'eredità («a cui nessuno ora crede più»). La sua capacità di addentrarsi con felici illuminazioni nella sfera psicologica del personaggio è guidata, più che da sostegni culturali, dalla conoscenza che lei vantava del «cuore umano».

11

Più a rischio sono i ragazzi di ambienti poveri, come i protagonisti della novella *La zizzania*, il cui titolo richiama una nota parabola evangelica usata in funzione educativa da un maestro deamicisiano, sul «modello disusato di qualche antico apostolo».

La Deledda tende a valorizzare nei suoi significati esemplari sia la tradizione popolare ed evangelica, sia la vita della natura. Gli animali in particolare sono «argomento di poesia» e suggeriscono, con la coerenza istintiva dei loro comportamenti, consonanze simboliche con la vita degli uomini.

Nella novella *Storia di un cavallo* la trama si svolge sul modello del bozzetto rusticano: un vecchio e malandato cavallo trascorre la sua vita integrato in un mondo di fatiche e di stenti fino a comprendere le ragioni del padrone affrontando insieme «il problema della loro esistenza». La gelosia sconvolge l'armonia di una coppia di canarini all'arrivo di un terzo in una novella che richiama le analogie ammaestrative delle favole di animali (*Il terzo*).

La generosità dell'uomo a confronto con la generosità gratuita e spontanea del cane appare dettata da «piccoli calcoli». L'incontro tra il personaggio che racconta e un cane smarrito è funzionale al richiamo esemplare che appare forzato; più agilmente il racconto si muove nella descrizione di un ampio paesaggio marino che pare sconfinare nell'estremità della terra, in una solitudine di dune immacolate, appena turbata da un cimitero di conchiglie «sparse come ossa bianche in un campo di battaglia» (*Il cane*, nella raccolta "Il flauto nel bosco"). In armonia con il paesaggio, maestoso nella sua aspra solitudine, vivono un vecchio eremita e un'aquila. L'equilibrio che sembra perfetto è infranto dall'irruzione di personaggi estranei. L'aquila cessa quindi di essere la compagna del vecchio per assurgere a simbolo della sua coscienza risentita; la sua fuga dalla «rocca principesca» e il suo grido suonano come condanna di un atto volgare, che viola l'intatta purezza dei luoghi, e forse anche dell'ingenua acquiescenza del padrone (*L'aquila*).

Più sofferto è l'interesse umano della Deledda per il mondo dei diversi cui si è soliti guardare con diffidenza mista a paura. Prototipo della diversità è il gobbo che trae ispirazione dal vivo da un personaggio che la scrittrice incontrava a Cervia.

A questo essere deforme, figura ambigua di *puer-senex*, la superstizione popolare attribuisce un potere misterioso, benefico e malefico insieme. Per sfatare i pregiudizi dei "normali" basta scoprirne l'innocenza indifesa dietro cui si cela una condizione infelice, il desiderio di essere amati (*La fortuna*). Con implicazioni più complesse lo stesso tema è svolto nella novella *Il piccione*. La scena, che si apre sulla spiaggia cervese battuta dal vento, prepara l'incontro tra due personaggi, un gobbo e la signorina Agata, gobba anche lei, che rappresentano due modi contrastanti di vivere la diversità: lui ilare, generoso, disposto all'amicizia, lei senza speranza d'amore, ombrosa e diffidente. Il grumo amaro del suo rancore verso la vita si scioglie dinanzi all'amore protettivo del gobbino per un piccione rimasto solo. La novella è orientata prevalentemente sul punto di vista di Agata, così da coglierne da vicino i mutamenti psicologici e da vedere attraverso i suoi occhi le «immagini poetiche» come quella del gobbino: «uno gnomo del mare, sbucato fuori dalle caverne della scogliera, con la luna piena in mano». La psicologia del diverso, già accennata in Agata, è approfondita con notevole sagacia nella descrizione di una passione d'amore, sconvolgente e morbosa, che nasce e si sviluppa parassitariamente all'ombra dell'amore degli altri; e si complica nell'angoscia del rimorso fino alla tragica fine (*Il bacio del gobbino*).

In situazioni analoghe di marginalità o di autoesclusione si trovano, dimissionari dalla vita, vecchi solitari o personaggi eccentrici attorno ai quali fioriscono storie quasi in forma di leggenda.

Uno strano vecchio vive in un'isola senza nome (*Tesori nascosti*) dominata dalle maestose solitudini di un paesaggio, pietrificato e morto come quello della luna, e dalla presenza di fantasmi che si annidano dietro i sassi. I colori metallici e lucenti delle miniere d'argento accrescono il fascino stregato del sito, custodito dal vecchio, che perpetua con la sua mentalità superstiziosa l'incantesimo dei luoghi; anche la giovane pallida nipote, che vive nel paese, ha stranamente legato il suo destino a quello della miniera. L'arrivo di un ingegnere, figura estranea, costituisce, come accade altre volte in racconti e romanzi, l'elemento di rottura, che incrina la malia di una situazione bloccata.

In un ambiente idillico trova rifugio un singolare eremita che vive felice nella sua casa presso il fiume. La natura, con la quale il personaggio vive un rapporto simbiotico, reagisce con violenza a un'ingiustizia scatenando, in difesa del suo amico, la forza impetuosa del fiume che gonfia le sue acque in uno stravolgimento inquietante del paesaggio (*La casa del rinoceronte*).

Emerge da un ricordo dell'infanzia un eccentrico personaggio, uno straniero malamente integrato nella comunità barbaricina: la deformazione del suo nome, Mossiù Però, il «costume da caccia un po' brigantesco» e il suo strano linguaggio (un misto di francese, italiano e sardo) sottolineano la sua diversità. Ma agli occhi delle bambine egli appare come un personaggio fiabesco che nasconde il suo segreto in una stanza chiusa, misteriosa come quelle delle fiabe (*Il segreto di Mossiù Però*). La novella contiene una scheggia, fra le tante disseminate nelle novelle degli ultimi anni, che fa «presagire l'iridato autobiografismo dell'opera estrema: *Cosima*» (E. Cecchi). Sono in tal senso esemplari le novelle in prima persona *Partite* e *I primi passi*, che ricostruiscono alcuni episodi plausibilmente autobiografici: il primo amore e la prima delusione, perché il bellissimo Giglio dagli occhi di cristallo le preferisce una servetta agreste, ardente come un corbezzolo, nella prima; nella seconda sono rievocate le sue esperienze scolastiche e letterarie: la scuola nel vecchio convento, la maestra, la prima novella pubblicata e le prime amarezze.

In questa prospettiva memoriale si colloca anche *Racconti a Grace*. La novella, che ha un singolare impianto e sviluppo narrativo, si svolge sul filo di un monologo mentalmente rivolto a un'ipotetica nipote e giocato tra memoria e fantasticheria, tra piani temporali diversi. Dal presente in cui si colloca l'"io" narrante s'immagina un viaggio futuro, fra venti o trent'anni, a Cervia; un viaggio velocissimo, di sole due ore, in aereo, modernissimo mezzo di trasporto; e il pensiero della scrittrice corre al suo primo viaggio a Cervia, al lungo tragitto durato dodici ore, più tre fermate. «Ma questo viaggio, cara la mia Grace, è un portento di rapidità in confronto a quello mio primo». Senza contare quello «sui plaustri latini, ai tempi della mia beata infanzia». «Infanzia» è il segnale di uno slittamento del pensiero nel tempo, quando la fanciullezza, la primavera, la festa (la bella sagra di Sant'Efisio) coincidevano, come simboli inter-scambiabili dell'età magica della vita. E per questo il viaggio in diligenza e in treno da Nuoro a Cagliari appare favoloso, come anche la bellissima città, con lo spettacolo stupefacente della festa. Ma la legge della vita non risparmia neppure la gioia innocente dell'infanzia. Dopo tanti anni è in lei ancora vivo il ricordo di una cocente umiliazione, inflitta dagli "straicittadini" agli sprovveduti «rusticoni» nuoresi.

«I plaustri latini», la diligenza, il treno, l'aereo, segnano le tappe di una esperienza di vita e allo stesso tempo registrano le accelerazioni del tempo nella civiltà della macchina, a contrasto con i ritmi lenti di una Sardegna arcaica.

È adombrata la figura della scrittrice anche nella novella *Il sesto senso*, incentrata su quel momento di crisi che vive l'artista dinanzi alla pagina bianca. L'effetto paralizzante è tale che sembra indotto da una presunta azione ipnotica. La scrittrice contrasta l'incantamento con antidoti scaramantici, mescolando vecchie (fatture e scongiuri di marca antropologica) e nuove credenze (la suggestione ipnotica che allude alla parapsicologia).

Queste due ultime novelle possono entrare a buon diritto nello spazio narrativo riservato alle donne che, di raccolta in raccolta, tracciano le linee, pur frammentate, di un affollato universo femminile: donne artiste, donne umili, giovani inquiete, insofferenti, ansiose di cambiar vita, ma anche sognatrici; e vecchie signore che vivono nella solitudine o nella nostalgia del passato.

La natura salva dall'umiliazione e dalla disperazione la protagonista della novella *Il fidanzato scomparso*: l'episodio riprende un motivo che ha un'eco autobiografica (una sorella della Deledda era stata abbandonata dal fidanzato) ma è soprattutto una storia di amore e di attesa sostenuta da un adeguato ritmo narrativo che scade nella conclusione in un simbolismo convenzionale.

Una giovane moglie in crisi nella novella *La vigna sul mare* cerca una via d'uscita in un amore proibito; ma la morte tragica di un ragazzo sconosciuto la distoglie dai suoi pensieri e la coinvolge in una allucinazione fantastica di trasfigurazioni marine. Gioca un ruolo importante il paesaggio che riflette il conflitto e la rapida metamorfosi psicologica: prima il mare in tempesta e una spiaggia desolata, poi agli occhi della donna che guarda dalla finestra il mare si trasforma in una verde vigna dai grappoli d'oro: immagini preziose, di gusto liberty, esiti di una ricerca stilistica che trova nuovi ritmi, nuovi effetti di colore, nuove simbologie.

Il tono si fa a volte più severo, con qualche punta moralistica contro i vizi borghesi di donne volubili e capricciose (*Il vestito di seta cangiante*), viziate e prepotenti, come nella novella *La donna nella torre*, che riprende il motivo classico della bisbetica domata.

In una solitudine sofferta come abbandono e resa inquieta dalla paura vive la vecchia zitella zia Margotta (*L'arco della finestra*), custode sospettosa del suo piccolo tesoro. L'incertezza della sua condizione è drammatizzata dalla furia di una notte di pioggia e da increspature di sapore fantastico, come l'improvvisa e misteriosa comparsa, nell'infuriare della tempesta, dell'ambigua figura di un nipote.

I personaggi deleddiani raramente rifiutano la vita, più spesso l'accettano saggiamente paghi di piccoli preziosi scampoli di esistenza: la dolcezza di un paesaggio, gli occhi di un bambino, un ricordo luminoso dell'infanzia, un sogno o una fantasticheria; o alla vita rinnovano la loro fiducia con un gesto: così una vecchia suora consegna alla superiora il suo prezioso medaglione, un pegno d'amore tenuto per anni segreto, per pagare le spese della festa che allieta una volta all'anno la severa vita monacale. È una singolare novella che vede la scrittrice interessata a sorprendere la femminilità che si nasconde entro le mura claustrali nel gesto di una suora e nella gioia condivisa da tutte (*Festa nel convento*).

Si differenzia dalle altre per l'ampio articolato sviluppo dell'intreccio e soprattutto per lo sdoppiamento umoristico del personaggio la novella *Il rifugio*. È la storia di una moderna Cenerentola che vive chiusa nella prigione dorata della villa maritale, come sospesa nel vuoto dei giorni senza amore. Il parco, i fiori del giardino non esercitano alcun richiamo, sostituiti dalla fredda bellezza dei fiori finti che lei confeziona con maniacale perizia: in queste «parodie di rose» (che suggeriscono una risonanza

crepuscolare) si riflette l'inautenticità della vita di Alys, principessa triste, "altra" dalla Alice di un tempo, povera ma felice, che
sognava il principe azzurro. Il contrasto tra l'una e l'altra è messo
in luce dai punti di vista alterni e insieme complementari della
nonna e del medico di famiglia. Il motivo dell'arte salvifica (un
ritorno a motivi romantici di vecchie novelle) blocca le aperture
problematiche del racconto.

Con più libertà e sicurezza espressiva la Deledda rimaneg-
gia la forma popolare della leggenda in vari racconti ambienta-
ti in contesti lontani dalla Sardegna.

Il cieco di Gerico è l'unica novella (un po' farraginosa) che
fa riferimento alla Sardegna introducendo la figura di un nobile, don Felix, trasferitosi temporaneamente a Roma. Nella casa
di periferia di una vecchia serva di famiglia si incontrano altri
sardi che soffrono il distacco amaro e forzato dalla loro terra.
Ma la trama è giocata anche sulla presenza di un singolare personaggio di suora che diffonde nel racconto un clima di miracolo, un soffio di leggenda. Più vicine a questa forma narrativa
sono *La sorgente*, dove Gesù e Pietro si aggirano in luoghi geo-
graficamente indeterminati, e *La leggenda di Aprile* (che sviluppa il motivo di un proverbio popolare), in cui questo mese
dell'anno si incarna in un adolescente che vive la turbolenza
della sua crescita come gestazione irruente della natura.

Analogo adattamento ha il racconto *La ghirlanda dell'anno* che arieggia un mito georgico: il giardino si trasforma in un
microcosmo regolato dal ritmo vitale della natura. I fiori an-
nunciano il nascere e il morire delle stagioni che la Deledda
contempla leggendovi la parabola della vita che si rinnova nel
ciclo eterno del tempo. E, nel momento del maggior rigoglio, si
insinua la tristezza per la precarietà delle cose e per la morte
che la vita ha insita in sé.

Questa ambivalenza accompagna la condizione psicologica ed esistenziale della scrittrice in un momento difficile della
sua vita, quando avverte i primi sintomi della malattia sulla
quale tace con riserbo, o meglio con quella sua inclinazione
antropologica a nascondere e a nascondersi.

Ambientato in Romagna è un racconto-leggenda, *Il sogno di
San Leo*, che utilizza modalità del fantastico folklorico, sul filone

delle novelle toponomastiche. Il racconto ha slanci narrativi di un fantastico surreale, soprattutto nell'immagine suggestiva del volo da un monte all'altro degli arnesi da tagliapietre che serviranno a Leo per scolpire i fregi e i capitelli della sua chiesa. Un'impostazione fantastica tesa a cogliere l'irruzione del mistero nella quotidianità della vita anche in tempi moderni è la novella *L'avventore*, decisamente e arditamente ambientata in una bottiglieria romana, frequentata da personaggi umili e innocenti nella loro semplicità, innamorati di Dio ma anche del vino. L'atmosfera è turbata dall'ingresso di uno strano cliente, dagli occhi azzurri, distinto ed elegante come «un nobile da cinematografo». Il gesto dell'avventore, dall'ambigua e misteriosa identità, che viene in aiuto di Mercedes, la venditrice di giunchiglie e di fiori di campo, ha una forza simbolica che per un attimo diffonde nella bottiglieria un'aura di miracolo. L'effetto fugace ha un tocco di realismo magico (senza per questo voler istituire un rapporto diretto con Massimo Bontempelli).

Si passa a Roma con la novella *Ritorno in città*. Un "io" identificabile con la scrittrice coglie l'occasione di un assegno da cambiare per una passeggiata in pieno centro dalla sua casa in periferia: un tuffo nella vita affollata della capitale (non più oggetto di descrizione, ma quasi rimossa dal suo campo percettivo dopo la novella *I giuochi della vita*). Mentre percorre le strade del centro in automobile – segno di benessere cui la scrittrice accenna con compiacimento ironico – riemerge all'improvviso l'immagine a lei più cara di un'altra strada, la "via majore" di Nuoro. È un rapido flash, un sintomo del risveglio della memoria, che riporta alla luce immagini del passato.

Nella novella *Contratto* l'intreccio si snoda a partire da un cartello con la scritta «Villa da vendere» che fa nascere l'illusione di una vita nuova, placando l'inquietudine di una donna imbrigliata nella cura assillante della casa, diventata oggetto di un amore maniacale. In quella villa si potrebbe ricominciare da capo, riconquistando spazi di libertà perduta, vivendo la vita come l'eco di un solo giorno, senza più libri, quadri e incombenze quotidiane. La libertà è nella fuga, che diventa un vagabondaggio smarrito dei suoi passi e dei suoi pensieri, simile a quello di un'eroina da fiaba sperduta nella foresta e che all'improvviso giunge in un luogo di salvezza. È una novella interessante per la modernità del tema e per la sincerità senza condizionamenti con cui si affronta un motivo difficile, inusuale; una ribellione che nasce da una presa di coscienza dei mille condizionamenti che vincolano in un rapporto fagocitante la donna ai suoi doveri, entro le pareti della casa soffocante come una prigione. Una virata coraggiosa rispetto agli stereotipi di donne madri e spose esemplari in cui cade, specie in alcune delle ultime novelle.

Nella novella *La Roma nostra* il titolo evoca la retorica fascista coeva (spunto di datazione storica è l'inno *Giovinezza* suonato in musica zingaresca da un organino), ma il contenuto contraddice il richiamo alla Roma imperiale: la «Roma nostra» è quella della periferia, il quartiere nato a opera di provinciali, che con i loro risparmi hanno costruito i villini, dipinti nei tenui colori delle case dei loro villaggi. E dei loro villaggi serba il ricordo anche la coltivazione del giardino, dove la palma non si vergogna di fare ombra al prezzemolo: non il parco dannunziano né l'ironico orto gozzaniano, ma l'accordo dei fiori e delle piante decorative, delle ombrose palme e dei cedri del Libano con i prodotti utili dell'orto. C'è una forte identità con questo ambiente e il recupero dell'umanità umile di quanti lavorano e conducono la loro vita, ignorata dai "modernissimi": le nuove figure, cioè, che animano la città indifferente e che la Deledda sente estranea, dove la poesia non esiste più perché il cuore degli uomini si è indurito, mentre ancora palpita in questa periferia. Quando tutti sono al lavoro il quartiere si svuota e diventa il regno delle massaie che stendono i panni e di piccoli artigiani come lo stagnaio, l'ombrellaio, il venditore di rame, la donna che col carro porta l'acqua acetosa. Scorci di esistenze semplici, colti con sensibilità femminile e con un'inesausta curiosità per la vita.

La scrittrice non ha esperienza né sa cimentarsi con personalità complesse o eminenti, ma coglie aspetti inediti della Roma più segreta. Tuttavia si riconosce in qualche modo romana, persona che si è fatta da sé, partecipe di un'identità legata al quartiere (le cui vie hanno il nome delle città d'Italia, come se le varie province si fossero accorpate) che conserva una dimensione di villaggio. Questo luogo, dove ha vissuto la stagione della maturità, con le sofferenze e le soddisfazioni che la vita le ha dato, rappresenta una tappa, un porto da cui salpare per lontani viaggi: verso Stoccolma, ricordata non come città del suo trionfo internazionale, ma come «la metropoli scintillante ai confini della terra abitata»; e «verso il paese dei cipressi, che ci sembra qui limitrofo, ed è invece oltre i confini della terra».

Il *topos* narrativo del viaggio, individuato come struttura compositiva che caratterizza i romanzi deleddiani (G. Bàrberi-Squarotti), è ricorrente anche nei testi brevi nella misura più contenuta della passeggiata, del pellegrinaggio, di itinerario fantastico o della memoria. Nella conclusione di questa novella si stabilisce tra viaggio reale e viaggio metaforico un'ambigua relazione nel segno di sconfinate lontananze: immagine di straniato stupore la prima, «la metropoli scintillante»; immagine familiare, nella sua malinconia crepuscolare, la seconda, «il paese dei cipressi». L'altrove, non luogo metafisico, è un paese «oltre i confini della terra», ma radicato nella terra: quasi il luogo di un ritorno all'ombra di un cipresso che nell'orto della casa paterna alimentava «un inesauribile filo di sogni» intrecciando il suo destino a quello di un'adolescente visionaria, auspice di un primo lontanissimo viaggio che a lei apriva «le strade del mondo».

Giovanna Cerina

NOVELLE

VOLUME QUINTO

LA CASA DEL POETA

IL FIDANZATO SCOMPARSO

Avevamo cambiato di casa, – racconta la mia amica, – e si lavorava per mettere gli oggetti a posto.

Nel salotto da pranzo, al piano di sopra, la serva, in mezzo a ondate di paglia e di pezzi di carta, tira fuori dalle ceste le scodelle e i piatti immersi nella segatura: pare una chioccia che dia vita ai suoi pulcini, e della chioccia ha pure il selvaggio senso di difesa quando Fausto e Billa, i miei fratellini, accennano a volerla aiutare.

– Alla larga, alla larga – grida, agitando in cerchio la scopa.

Ma si solleva, e dimentica anche le tazze più fini quando vede arrivare il mio fidanzato; i suoi occhi ridiventano giovani e belli, e pare che la fidanzata sia lei. Io però non sono gelosa, anzi ho l'impressione che tutte le donne debbano essere innamorate di lui, o almeno che sia la sua bellezza, unita alla sua cordialità generosa di forte, a spandere un riflesso di amore e di soggezione ovunque egli passi.

Anche sul viso appassito di mio padre si spande un'aria giovanile; e piccolo come egli è, stretto alle braccia dalle mani del futuro genero alto più di lui di tutta la testa, sembra un fanciullo. Infine, il mio fidanzato è in mezzo a noi come l'albero sopra i cespugli, come una divinità sopra i suoi adoratori: e io penso che basterebbe un suo cenno perché tutte le cose intorno, nel disordine delle stanze, si mettessero a posto da loro.

Tutti insieme andiamo a visitare il salotto da ricevere, lo studio del babbo, e anche la cucina dalla quale, per la scaletta di una piccola terrazza, si scende nel giardinetto. La cucina, tutta moderna, verniciata d'un bianco brillante sul quale risalta meglio il blu dei recipienti smaltati, con quella terrazza aperta sul verde, piace al mio fidanzato; ma soprattutto gli piacciono le camere del piano superiore, le cui finestre sono altrettanti quadri di paesaggio: quello della mia camera, con uno sfondo di cielo rosso e inciso su questo un profilo di monti lilla, sopra il verde acceso delle quercie di un ciglione, egli dice che sembra un paesaggio nordico estivo.

La carta della mia camera è di un lieve azzurro tutto ramato d'oro, e dà un tremolìo agli occhi che la guardano: anche sul soffitto c'è un rosone azzurro nel centro e intorno una lievissima decorazione dorata, di foglie e di ghiande di quercia.

– Era meglio metterci dell'uva: così t'illudevi di essere sotto un pergolato – dice il babbo, che ha ripreso a mettere a posto gli oggetti, aiutato più o meno efficacemente dai bambini.

– Non si vive di solo pane, – osserva il fidanzato; – questa camera è bella e dà l'impressione di un rifugio fuori del mondo, di un giardino in fondo al mare.

E lo sguardo ch'egli volge intorno, con gli occhi che pare riflettano questa lontananza fuori della realtà, mi fa quasi male.

– Andiamo adesso in terrazza – dico sottovoce, correndo fuori della camera.

Andiamo in terrazza, e questa volta ci lasciano finalmente soli.

Anche la terrazza, lastricata di mattonelle bianche e con la balaustrata di finto marmo, è bella e pulita come una sala: egli osserva che ci si può offrire una festa da ballo. Quando? Egli intreccia le sue dita alle mie e un brivido mi scuote tutta: ho l'impressione appunto che una grande festa si svolga intorno a noi con tutta la sua folle ebbrezza di musica, di danze e di colori.

Ci affacciamo alla balaustrata, e nel cerchio del braccio di lui, che cinge la mia persona, io mi sento come il filo dentro la perla della quale partecipa allo splendore. Di fuori non vedo più nulla, o vedo il panorama come i miopi, a macchie, sfumato e fantastico. Se egli si volesse buttar giù io lo seguirei, dentro il suo braccio, come il suo braccio stesso, felice solo ch'egli mi considerasse appunto, anche nella sua distruzione, una cosa esclusivamente sua.

Ma egli non pensa a gettarsi giù; è calmo, fermo anche nel suo desiderio di me, padrone di sé stesso come lo è della sua piccola fidanzata.

Per togliermi dall'incanto quasi angoscioso che mi lega anche lo sguardo, dico sottovoce:

– Laggiù, vedi, sotto quella linea di cipressi velati dall'azzurro della pianura, c'è la mia mamma, ci sono i nonni. Io salirò spesso quassù per stare con *loro*.

– Per adesso stai con me, – egli dice, – i morti coi morti, i vivi coi vivi.

– Per me la mia mamma è sempre viva: soltanto che è lontana, ma io penso ed agisco come se ella mi fosse vicina.

Egli si solleva e mi trascina con sé di corsa fino alla balaustrata opposta, donde si vede tutta una città nuova, una città quasi orientale, tanto le case e i palazzi sono bianchi e i giardini pieni di cedri del Libano, di palmizî e di gigli in fiore: l'odore di questi e dei tigli fioriti dà all'aria un sapore di liquore, reso più forte dalle parole che egli mi dice. Il ricordo dei morti quindi svanisce. I vivi coi vivi. Ho l'impressione che le sue parole mi restino scritte sulla carne, anche perché egli sfiora il mio collo, la mia spalla e il mio braccio con piccoli baci che sono formati solo del suo alito.

– Ti ho portato un regalo – dice infine, sollevandosi.

– Che cosa, che cosa? –. Penso subito a un gioiello, e resto quasi disillusa quando egli trae dalla tasca interna della giacchetta una piccola penna d'oro, che per la forma, il colore e la leggerezza sembra quella di una pernice.

– Ecco il sindaco, che offre la penna d'oro agli sposi.

– Ascolta, – dice, poi china la testa, provando con l'unghia il pennino, e come ascoltando una vibrazione misteriosa sèguita: – tu devi scrivermi sempre con questa penna. E devi scrivermi tutto, di te, quando non saremo vicini.

Io ho un senso di paura, ma prendo subito la penna, tocco anch'io il pennino con la punta dell'unghia e ascolto: una vibrazione distinta sale dal mio cuore col suono delle mie parole.

– Noi saremo sempre vicini, anche se la sorte dovesse separarci fino alle estremità della terra.

Allora egli mi prende per mano e ritorniamo giù.

Giù mio padre si affatica a collocare i materassi sui letti. Anche Fausto e Billa ne trascinano uno, spingendosi a vicenda, finché rotolano assieme, seppelliti dal materasso. Il fidanzato si affretta a salvarli; quei birboni per compenso lo tirano con loro e solo la sua agilità gli risparmia la brutta figura di cadere anche lui. Le camere sono piene delle risate di tutti: anch'io rido, ma non so perché ho quasi terrore di questa letizia risonante che scuote le cose. Ho nascosto la penna dentro la scollatura del vestito e la sento come una freccia nel cuore.

Mio padre invita il fidanzato a rimanere a cena con noi.

– È la notte di San Giovanni; è la prima notte che passiamo qui. Rimani.

Egli si scusa, sebbene avvinto e incalzato dai bambini che non vogliono lasciarlo andare.

– Un'altra sera, cari, un'altra sera.

Anch'io non ho piacere che egli resti, perché per cena abbiamo solo uova e salumi.

Lo riaccompagno giù; ma prima di andarsene egli m'invita a spingerci fino al ciglione in fondo alla strada, dove comincia la campagna. Ci sediamo un momento sulla proda coperta di fieno; è quasi notte, ma nel crepuscolo luminosissimo si vedono ancora le quercie verdi, l'erba sanguinante di papaveri, i canneti glauchi, le macchie gialle della ginestra fiorita.

È la sera di San Giovanni: si sentono già i rumori della festa, lo strido selvaggio delle cornette e qualche sparo: d'un tratto un fuoco si accende come da sé sulla china opposta della valle, e illumina il paesaggio con un riflesso rosa.

– Bisogna che vada – egli dice, riversandosi invece sull'erba. – Perché, perché non possiamo stare sempre così? Perché non possiamo sposarci stanotte e dormire qui? Domani, – riprese, sollevandosi di scatto, – domani non posso tornare: esco tardi dall'ufficio e adesso siamo lontani. Verrò dopo domani, domenica. Vuoi darmi un bacio?

Poi ridiscendiamo il sentiero, ed egli se ne va, nella sera incantata.

L'incanto durò fino alla domenica seguente.

Il sabato venne il tappezziere e mise le tende: una lieve penombra ondulò sul fulgore delle stanze, come il velo sopra la culla dei bambini. D'altronde era necessario, perché già le mosche si precipitavano dentro casa, con disperazione di Giglina, la serva.

Dico serva per modo di dire, poiché questa Giglina era per noi più che una parente, e ricordandola adesso, a distanza di anni, mi pare un personaggio fiabesco, una figura di sogno. Nei miei sogni ancora ella ritorna infatti, e nel quadro della mia realtà interna ha il posto che le fantesche bibliche occupano in certi quadri antichi dell'Ultima Cena. Era la nostra provvidenza, il braccio destro della casa. Ci amava? Io non lo so ancora; non ci accarezzava né baciava mai, rude piuttosto; e Fausto e Billa avevano paura della sua scopa. Era una della Sabina, forte, sebbene già anziana; e nel profilo fine, lucido, come d'argento molto usato, nelle trecce bionde attorte, nell'aria stanca del viso, aveva ancora l'impronta della sua vecchia razza: dava del *tu* a nostro padre ma non parlava con lui se non interrogata.

Quel sabato lavorò per dieci donne: lavò i pavimenti; spostò mobili pesanti, lucidò gli ottoni; e con lei lavoravo anch'io, mossa da una forza alata come quella degli ubbriachi. Misi a posto la biancheria e i vestiti; ecco, i miei sono tutti nel mio piccolo armadio, nascosti dietro lo sportello a specchio, come le fanciulle di una leggenda raccontata da Giglina.

«Queste fanciulle, dunque, avevano tutte dato convegno all'amante in un angolo del bosco, dietro il ruscello; e vi arrivarono una dopo l'altra senza vedersi perché non avevano testa: la testa l'avevano perduta nel pozzo dell'amore: ma quando giunsero, i giovinotti le riconobbero dai loro vestiti».

I miei vestiti sono lì, nascosti dietro l'acqua dello specchio; sono lì, senza vita per l'ansia dell'attesa, pronti a gonfiarsi e svolazzare di gioia appena egli arriva. Egli li conosce tutti; ed io li tocco con religione, uno ad uno, perché hanno vissuto con lui: sopratutto mi piace questo che è a capofila della marcia immobile dentro l'armadio, questo di crespo verde-rosato, che ricorda il corrugarsi del mare al tramonto: lo indossavo ieri, quando siamo saliti sulla terrazza, quando ci si è seduti sul ciglione: ancora odora di fieno, ancora lo vedo illuminarsi e risplendere al riflesso del fuoco sopra i canneti della valle.

Anche i cappelli sono a posto, nelle loro nicchie dell'altro reparto dell'armadio; e le scarpette, accanto alle mie quelle di Billa, anch'esse sembrano sorelle.

Nei cassetti del comò ecco disposto il mio modesto corredo: in quelli di sopra la roba per l'estate, in quelli giù la roba per l'inverno. Che accadrà da adesso all'inverno? Quando ti indossavo ancora, bianca maglia che sembri una corazza di velluto, buona contro gli assalti crudeli della tramontana, il mondo era per me un caos perché ancora non conoscevo il mio fidanzato. Me lo ha portato aprile, coi venti fecondi, come portava i pollini alla terra: e la vita s'è schiusa in me, e il mio cuore si è aperto come la rosa sfolgorante nel cespuglio giovane. Che sarà accaduto quando tu, bianca guaina di lana che ancora hai l'innocenza e il tepore dell'agnello, raccoglierai di nuovo il mio corpo? Forse non avrò più bisogno di te, tanto calore l'amor mio infonderà alla mia carne. E tutto, tutto potrà accadere, ma non che questa fiamma si spenga.

Nel primo cassetto del comò avevo disposto le mie cianfrusaglie, – seguitava a raccontare la mia amica, – e quando lo aprivo mi pareva di vedere un piccolo giardino: ne veniva fuori un profumo di viola; e i colori delle cose, le striature dei nastri, il verde del mio scialle di seta, un guanto bianco aperto con le cinque dita di giglio, la cintura di borchie con scarabei dorati, risaltavano sul fondo della carta giallina come su quello di un viale. Giù nella profondità c'era poi qualche cosa di azzurro che nascondeva un mistero grande come il cielo: era la mia sciarpa di velo, con la quale avevo avvolto le lettere di lui. Le avevo avvolte così per sottrarle alla curiosità di Fausto e di Billa, che conoscevano il segreto di aprire i cassetti anche chiusi a chiave; e del resto non osavo rileggerle neppure io, ma le sapevo a memoria; ne avevo succhiato le parole, e il mio sangue se n'era imbevuto: quando le ripensavo me le sentivo quasi sotto la pelle, in ramificazioni tenaci che come l'edera mettevano foglie e radici assieme: e quando sentivo che anche lui pensava così di me, e che la vita fisica dell'uno era anche fisicamente la vita dell'altro, mi sembrava di morire, più che per la gioia d'amore, per un senso di mistero che non permette di essere esplorato. È come il pensare al mistero di Dio, che non si può conoscere completamente se non dopo morti; e forse nep-

pure allora, perché è qui, in vita, in noi, ma così grande e inesplicabile che la ragione si perde solo a volerlo approfondire.

Così, io capisco quelli che si uccidono o diventano pazzi
per amore.

La domenica il tempo si rinfrescò d'improvviso, forse per
effetto di qualche temporale lontano. Apro la finestra e mi sento
stordita: mi pare di aver fatto un lungo viaggio e di trovarmi in
un luogo assolutamente sconosciuto, in un altipiano, o in riva al
mare: e del mare gli alberi del ciglione hanno l'ondulare agitato,
sospinti qua e là da una forza che sembra loro interna; ogni foglia ha un movimento diverso, un colore diverso, verde e grigio, verde e azzurro, secondo la luce. L'odore dei tigli fa male a
sentirlo, tanto è forte e dolce, e il cielo è tutto un pergolato di
nuvole bianche, d'un bianco così fermo che anche lo sfondo
del cielo pare fatto di nuvole azzurre.

Ricordo tutti questi ed altri particolari perché sono rimasti
impressi indelebili in me come quei tatuaggi che gli amanti
barbari si incidono sulle carni vive, per ricordo di amore.

Faceva quasi freddo, ed io provavo un senso di tristezza, di
spostamento: tutto mi pareva diverso e straniero, e quel tradimento improvviso della stagione mi ricordava tante acerbe storie di tradimenti umani, lette o sentite raccontare.

Ho d'improvviso l'allucinazione del dubbio: anche lui un
giorno potrà cambiare; o forse anche io. E questo è il vertice
della disperazione: ho voglia di buttarmi giù dalla finestra, giù
in mezzo al mare degli alberi in tempesta, per castigarmi di
questi pensieri di peccato contro il nostro amore: poi mi scuoto e rido: perché non devo essere anch'io come le cose intorno? Una forza che è necessaria per rinnovare e rinfrescare la
nostra vita, un temporale d'anima ci rannuvola ed agita: fra poco tutto passerà e la vita sarà più bella.

Pensiamo piuttosto a godere bene la giornata, in attesa del
grande momento. Il solo pensiero che rivedrò le sue pupille,
mi risolleva fino a Dio.

Giglina è fuori per la spesa; io preparo il bagno domenicale per i ragazzi. Essi dormono ancora, e non so quale dei due svegliare per primo; mi dispiace rompere il loro sonno sacro. Entro nella camera di Fausto, attigua a quella del babbo: c'è già un odore di uomo, nella piccola camera tutta sottosopra. Egli ha buttato via i guanciali e giù le coperte, e dorme bocconi, lungo e nudo come un selvaggio sul margine del bosco. È bello e forte: la linea pura del dorso e delle gambe dritte ricorda quella delle statue greche: una lieve peluria copre già la sua pelle dorata, che anche nel sonno rabbrividisce di vita: le dita dei suoi piedi si agitano: forse egli corre, nel sogno, o gioca al pallone; io tuttavia esito a svegliarlo, anche perché so che il suo sonno è prepotente; vado quindi nella camera della piccola Sibilla, attigua alla mia.

Qui si sente il mio influsso diretto, poiché tutto è in ordine e dall'uscio aperto della mia camera entra già l'aria fresca e nuova. La bambina dorme fra le coperte rimboccate, ma anche lei ha tentato di venirne fuori come da una guaina troppo stretta, e sta supina, col viso di melagrana sommerso nella nuvola dei grandi capelli bruni, le belle braccia lunghe aperte, le mani offerte a raccogliere qualche cosa: pare che dopo aver nuotato in un'acqua tranquilla stia abbandonata sulle onde che la portano lontano nel mare della gioia.

Nel pomeriggio il tempo si schiarì: solo grandi sospiri di vento scuotevano di tanto in tanto la serenità dell'aria. Lo stesso avveniva dentro di me: ogni tanto andavo a guardare l'orologio a pendolo che mi rispondeva col suo battito impassibile ed era la sola cosa veramente viva di fronte a me.

Ero rimasta sola in casa. Giglina profittava della sua vacanza domenicale, il babbo e i ragazzi erano usciti, per ritornare all'ora in cui sarebbe arrivato lui.

Io mi aggiro sperduta nella casa, e avrei paura, se nei giardinetti attigui non sentissi il calpestìo sulla ghiaia, lo sbruffare degl'innaffiatori e gli stridi dei bambini, che mi rivelano l'esistenza d'innumerevoli vicini di casa. Questi vicini sono membri di numerose famiglie di piccoli impiegati; e i buoni padri profittano anch'essi della vacanza domenicale per sistemare economicamente i loro giardini. Sento che tutti guardano verso la nostra casa come io guardo l'orologio; per curiosità, per accorciare il tempo in attesa di qualche cosa di nuovo; ma io rispondo alla loro curiosità con l'impassibile battito del mio cuore rivolto a una cosa eterna che non può riguardarli. Non ho desiderio di conoscere nessuno, di farmi vedere da nessuno: anche gli oggetti della casa, adesso che sono al loro posto, non hanno più vita per me. Tutta la mia vita è in un punto solo, centrale; nell'attesa di lui.

Finalmente sono le cinque. Neppure l'orologio ha più vita per me, adesso, poiché l'ora è suonata. Adesso non esiste più che la mia attesa. Mi metto alla finestra e guardo la lontananza della strada come prima guardavo l'orologio: le persone che passano mi danno anch'esse l'impressione delle lancette che camminano una dietro l'altra e non si raggiungono mai.

Ecco mio padre coi ragazzi che tornano frettolosi per paura di aver fatto tardi: io ho rimorso di aver accorciato la loro passeggiata, ma il loro stesso affrettarsi mi dà un senso di malessere; un'ombra sorge dalla profondità dell'anima mia come un grido di civetta nel silenzio sereno della notte.

Nel vedermi sola alla finestra, i ragazzi si voltano a guardare se in fondo alla strada si vede la nota figura; e quando il loro viso si rivolge in qua mi sembra diverso, quasi invecchiato.

Giunto sotto la finestra, mio padre domanda:

– Non è ancora venuto?

Io accenno di no. Egli trae l'orologio, lo guarda, lo rintasca. Perché non dice nulla?

I ragazzi salgono di corsa su da me e con un salto si affacciano alla mia finestra: Fausto mi preme con tutto il peso del suo corpo e dice con crudeltà:

– Vedrai che quel maramaldo non torna più.

Io mi sento schiacciata, come sepolta da un terremoto: con tutte le mie forze cerco di liberarmi dal peso, e riesco a respingere il ragazzo; ma il senso di oppressione mi rimane, e non parlo perché la mia gola è chiusa, ostruita come una strada dove è accaduto un disastro.

D'un tratto Billa grida: – Eccolo, eccolo!

Il mondo s'illumina ancora: il disastro è stato solo un cattivo sogno; ma subito, come nei giorni sinistri d'inverno, il sole è di nuovo sepolto dalle nuvole.

Non era lui, era un passante che gli somigliava.

E la cosa più terribile era che il babbo non veniva su, non parlava: dopo qualche momento uscì di nuovo e andò sino in fondo alla strada; e anche il suo modo di camminare era diverso, o meglio era come nei primi giorni dopo la morte della mamma.

Egli va fino all'angolo della strada, guarda, poi svolta. Ed io ho un senso di terrore, come se anche lui sia sparito per sempre: un senso di terrore, di solitudine, di responsabilità mortale: mi sembra di essere rimasta sola coi miei fratellini in un luogo inumano, soli, abbandonati da tutti.

Ho voglia di gridare per richiamare il babbo; poi la speranza ch'egli si sia inoltrato nella strada per andare incontro all'altro rischiara di nuovo la mia angoscia. Ma egli riappare solo, rasentando il muro come voglia nascondersi a me: le tenebre mi riprendono; tuttavia ho un senso di riconoscenza religiosa per la riapparizione del babbo, e sento che veramente la radice della mia vita è in lui. Finché c'è lui noi siamo tutti ancora come i fiori e i frutti attaccati alla pianta: egli è la nostra speranza, la nostra forza di vivere.

Mi scuoto; penso alla sua pena e soffro doppiamente per la sua pena, ma sento che bisogna alleviarla nascondendo la mia com'egli tenta di nascondermi la sua.

Scendo giù da lui, seguìta dai ragazzi che presentendo anch'essi qualche cosa di fatale non parlano più ed hanno gli occhi pieni di curiosità e di spavento. Il babbo sta seduto accanto alla finestra del salottino da pranzo e legge il giornale: ha gli occhiali e sembra calmissimo, troppo calmo veramente.

Poiché io non riesco a parlare egli solleva gli occhi di sopra le lenti che tiene un po' giù sul naso, e domanda:

– A che ora ti aveva detto che veniva?

– Non ha precisato l'ora, ma io credevo che venisse come sempre alle cinque.

– Può darsi che venga più tardi; sono appena le cinque e tre quarti – egli osserva, e si rimette a leggere il giornale.

Basta il suono della sua voce per riaccendere la mia speranza; però c'è qualche cosa in aria che toglie il respiro.

Anche i ragazzi si ritirano, si nascondono come gli animali all'avanzarsi di un'eclisse di sole; io vado in cucina, tento di fare qualche cosa, metto su l'acqua a bollire per cuocere i fagiuolini già ripuliti da Giglina; ma ho un senso di nausea: mi pare che mai più il cibo possa entrare nella mia bocca.

Dopo un sospiro, la mia amica seguitò a raccontare.

Poi torno su, ricomincio ad aggirarmi nelle camere e sento di essere come un tossico che serpeggia nel corpo di un malato: la quiete della casa è avvelenata dalla mia inquietudine.

Le ore passano con me, sinistre compagne della mia pena; sento di nuovo i vicini di casa ronzare come un popolo d'insetti felici sotto il fogliame primaverile; ricevono visite, ridono, prendono il gelato: i bambini schiamazzano. Li invidio e li odio. Mi pare che loro tutti si beffino della mia angoscia, vendicandosi della mia prima indifferenza verso la loro semplice felicità.

Giglina è tornata e apparecchia la tavola: ha scambiato poche parole col padrone e non fa osservazioni; ma d'un tratto me la vedo comparire davanti, lunga, mortificata, ed ho l'impressione che i suoi capelli siano diventati bianchi.

Mi chiama per il pranzo, con voce sommessa, come se nella casa ci sia un morto. Un impeto di orgoglio mi solleva.

– Vengo subito – grido, e mi slancio giù per le scale come fanno i ragazzi, di volo, aggrappata alla ringhiera.

E quando tutti siamo riuniti a tavola, il coraggio di parlare, di combattere la mia e l'altrui inquietudine, mi accende come un guerriero davanti alla battaglia.

– Non capisco perché non è venuto, – dico con una voce che non mi sembra la mia, – a meno che non sia malato o non gli sia capitata una disgrazia.

– Dio non voglia. Del resto, se era malato avrebbe mandato ad avvertire.

– E se gli è capitata una disgrazia? – io insisto. – Ricorda quel tuo collega che la scorsa domenica è andato sotto un'automobile.

– Era vecchio e non ci sentiva. Macché disgrazia! Avrà avuto qualche impegno; forse l'affare che doveva concludere sabato l'avrà rimandato ad oggi.

– No, no. Allora sarebbe venuto ieri, o avrebbe mandato un espresso. Io credo invece che gli sia accaduto qualche cosa di triste, oppure...

– Oppure?

– Che non voglia tornare più.

La parola feroce è detta; ed è come il tuono che apre la tempesta. Meglio così, piuttosto che l'incubo delle nuvole chiuse.

– Tu sei pazza – dice il babbo, ma anche la sua voce è diversa.

– Sarò pazza, ma vedrai che è così. Era una cosa troppo bella, quasi sovrannaturale, il nostro fidanzamento – io rispondo con voce sommessa: e d'un tratto mi alzo, vado nel vano della finestra e piango forte.

Billa mi corse accanto, mi si avvinghiò forte e cominciò a piangere anche lei: del che Fausto rise sghignazzando; ma subito il suo cattivo strido si storse e cadde come quello di un uccellaccio colto dal piombo del cacciatore.

Il babbo gli aveva dato uno schiaffo.

Questa tragedia secondaria annullò in qualche modo la mia; cessai di piangere, confortai Billa, e tutte e due allacciate torniamo a tavola. La sorellina si volge a Fausto con un viso vendicativo e beffardo che mi fa sorridere: mi sembra il viso stesso del mio dolore che guarda e sfida la realtà crudele.

– Dopo tutto, – dico, – io non ho fatto nulla per meritarmi il suo abbandono; e se egli mi ama tornerà; se non mi ama, peggio per l'anima sua. Non è mio marito, dopo tutto.

– Così mi piaci – esclama il babbo, e un senso quasi di gioia, di vera gioia, mi solleva tutta, nel vedere che il suo viso s'è rischiarato, che la mia forza si riflette in lui, che sono io, insomma, a far coraggio a lui.

E, certo per ricambiarmi il dono, egli prende a scherzare sulla mia paura, e finisce col promettermi una cosa che io non osavo, per la mia stessa paura ed anche per orgoglio, domandargli:

– Domani andrò a vedere cosa diavolo gli è capitato.

Delle notizie che il giorno dopo egli portò serbo un ricordo aggrovigliato e torbido come quello dei cattivi sogni.

E tutto, del resto, fu un sogno, prima e dopo, uno di quei sogni mortali dai quali invano si tenta di risorgere. Ci si dice: sogno, mi sveglierò; ma intanto si rimane sepolti sotto le sue ali nere e fredde di vampiro che ti succhia l'anima, amica mia.

Mio padre, dunque, era stato in casa di lui per domandare notizie. Egli abitava una camera mobiliata, presso una signora straniera che non lo vedeva mai perché anche lei impiegata in un negozio. Ebbene, egli aveva pochi giorni prima pagato puntualmente la pigione, e dopo la sera di San Giovanni non era più riapparso in casa. Anche lei paurosa di una disgrazia aveva telefonato alla Questura e agli ospedali, ma nulla risultava di lui.

La camera egli l'aveva lasciata in ordine, con poche carte senza interesse e oggetti di vestiario *invernali*. Tutto il resto, compresa la sua valigia, era sparito. Egli dunque era partito: per dove? Perché? Anche al suo Ufficio, una Banca succursale di banche straniere, nessuno lo aveva più veduto. I suoi colleghi commentavano in vari modi la sua scomparsa: solo il Direttore, interrogato da mio padre, non faceva induzioni, non dava notizie. Eppure forse lui solo *sapeva*.

Fu la notte più lunga della mia vita: fu come la notte di una partoriente. Di tanto in tanto mi assopivo, poi il dolore mi risvegliava, più forte, più insistente: boati di maremoto salivano dalle mie viscere, e tutto era scroscio di rovina: ma sentivo che da quel disastro qualche cosa doveva salvarsi, forse la più preziosa, come avviene appunto nei disastri materiali.

Io non avevo nulla da rimproverarmi; null'altro che di essermi abbandonata ciecamente ad un amore fuori dei nostri tempi, e di aver troppo veduto Dio nelle pupille di un uomo.

Quest'uomo adesso mi appariva mostruoso, inconcepibile. E cominciavo quindi a spiegarmi il mistero di certi delitti contro natura; di bambine violate e uccise: non aveva fatto altrettanto di me, lui? Ma sentivo in fondo che questo sentimento era odio: dopo tutto egli avrebbe potuto farmi davvero del male, anche la sera di San Giovanni, sul fieno odoroso di voluttà.

E le sue parole: «Perché non possiamo stare sempre qui? Perché non possiamo sposarci stanotte e dormire qui?» mi riaprivano il cuore. Un mistero ben diverso da quello della crudeltà dei mostri doveva incalzarlo; una legge che egli doveva aver infranto per amarmi, e che adesso lo riprendeva suo malgrado: ed egli era scomparso, per salvarsi e per salvarmi da una più grande sciagura.

Ma il mio dolore non intendeva ragione: e mi riprendeva, più duro, quasi palpabile. Ed era il grande, l'eterno Dolore compagno dell'uomo, alla cui legge anch'io avevo tentato di sfuggire perdendomi nell'amore.

Di parenti, secondo il suo dire, egli non aveva che alcuni zii, nel paesetto natio, e il nonno col quale non andava d'accordo. Questo vecchio montanaro, testardo e denaroso, pretendeva che il mio fidanzato vivesse con lui, nel paese, per badare alla sua roba: era quindi contrario al nostro matrimonio, anche perché odiava la città, e riteneva le donne di città tutte perverse.

Io avevo tentato di placarlo, con graziose letterine, ma senza mai ottenere risposta. Adesso l'idea che il vecchio irriducibile avesse convinto il nipote a lasciare la città e la fidanzata, mi nutriva ancora di speranza. D'accordo col babbo, scrissi dunque al Sindaco del paesetto, per chiedere notizie: la risposta timbrata e scritta con termini burocratici, fu come un attestato di morte: nessuno, al paese, neppure il nonno, sapeva nulla dell'uomo scomparso.

Il Direttore della Banca divenne poi la mia ossessione. *Lui* parlava qualche volta di quest'uomo, con rispetto ma anche con un certo compatimento. Ecco il profilo che ne tracciava: «È un uomo per il quale nella vita non esiste che il denaro; il denaro semplicemente per quello che è: una merce. Ricchissimo, egli gioca freddamente in Borsa come i vecchi giocano al biliardo: e guadagna sempre. Lavora tutto il giorno, e tutte le sere va a teatro. Ha una grande casa e vive solo. Ebreo, odia la campagna e per riposarsi va a Londra o nelle grandi città marinare delle quali però lo interessa solo il traffico. Eppure compra continuamente libri e opere di arte, ma non so se legge i primi e ama le seconde. In fondo è un pover'uomo: soffre di stomaco e non l'ho mai veduto sorridere».

La mia ossessione, dunque, era che il Direttore della Banca *sapesse*: il pensiero di cercarlo, di interrogare i suoi occhi, di sondare col mio dolore la sua coscienza, diventava un'idea fissa.

L'induzione più elementare che io e il babbo si faceva, era che una donna ci fosse di mezzo: un legame precedente aveva sciolto il nostro.

Per salvarsi da qualche minaccia potente, egli s'era forse fatto mandare lontano, in qualche Banca, all'estero: il Direttore l'aveva aiutato.

E folli progetti svolazzavano come rondini pazze nel crepuscolo della mia coscienza. Oh, non sono rondini, sono pipistrelli! Anche se io riesco ad avvicinare il vecchio ebreo, anche se riesco a sedurlo e a farlo parlare, il destino non muta: nessun mago ha mai cambiato la sorte di un uomo, come nessun alchimista ha trovato il segreto dell'oro.

Se lui mi avesse veramente amato non sarebbe fuggito; anche la morte, sopratutto la morte, avrebbe aspettato con me. Un amore così, io sola potevo intenderlo, oltre che sentirlo; ed è rimasto con me, intero, e con esso il pericolo della morte: e io non so, io non so come e se potrò vincerlo.

Ti dirò che mio padre continuò per qualche tempo nelle sue ricerche, anche lui convinto che se una disgrazia misteriosa, magari un delitto non aveva fatto scomparire l'uomo, il Direttore della Banca *sapeva*. Ma dopo un secondo colloquio con lui perse la speranza di sapere qualche cosa.

– È come parlare con un albero, anzi peggio ancora, poiché l'albero ti risponde almeno con un sussurro – dice, la sera del giovedì, ritornando a casa più tardi del solito: ed io osservo che egli, nel rimettere il cappello, ha ripreso il gesto stanco dei tempi di dolore quando già però cominciava a rassegnarsi per la sparizione della mamma.

Quel gesto mi fa trasalire fin dentro le viscere, perché mi accorgo che io invece spero e aspetto ancora.

Nella notte chiara di luna, mentre mio padre innaffia il giardinetto tutto odoroso come un solo fiore, io e i ragazzi andiamo fino al margine della valle, sul posto dove sono stata con *lui*. Billa, che il chiaro di luna trasforma in una zingara mora, si arrampica su un querciuolo, donde manda il suo saluto di cuculo al padre rimasto a casa: Fausto invece si sdraia silenzioso accanto a me, sul fieno ancora piegato dell'altra sera.

Il dolore mi romba dentro come un vulcano, ma la presenza di Fausto m'impedisce di rotolare sulla terra e urlare. Fausto s'è fatto serio, in questi giorni: s'è anche allungato come per il desiderio di farsi presto uomo e vendicarmi: non parla mai del fatto, ma ci pensa continuamente; i suoi occhi sono scuri; spesso egli aggrotta le ciglia e stringe i denti sporgendo la mascella: allora ha un'aria buffa che fa ridere, mentre io sento che dentro di lui soffia un vento di tragedia.

D'un tratto esclama, parlando fra sé:

– Ma ne ho proprio piacere! – Poi balza in piedi e scuote con furore l'albero sul quale Billa adesso imita il lamento della civetta.

– Smettila, scimmia, se no sradico la pianta – urla con una voce d'uomo. Il verde argenteo dei rami ha un bagliore livido: Billa ride e strilla, ed anch'io mi scuoto dalla mia angoscia per partecipare al contrasto fraterno. Riesco a strappare Fausto dal tronco della quercia, ed egli ne vien via con un pezzo di corteccia in mano: non potendo di più ha scorticato l'albero; e torna a buttarsi per terra tutto nervoso e agitato.

Per calmarlo gli domando:

– Di che cosa avevi piacere, poco fa?

– Beh, senti, – egli dice, strappando il fieno dalla terra come le piume da un uccello vivo, – c'è quel mio compagno di scuola, Ghiron, che sta nella casa dove eravamo noi, ti ricordi? Che mi domandava sempre: «Tua sorella quando si sposa? Tua sorella quando si sposa?». Un giorno io gli risposi seccato: «Prima delle tue». Sai che sono cinque sorelle una più brutta dell'altra. Beh, dunque, martedì l'ho veduto al Cinematografo. E ricomincia:

«Tua sorella quando si sposa?». E mi guarda e ride: tanto che io credo che egli sappia già qualche cosa. Sa tutto e maligna su tutto, quella gente lì. Beh, lasciami finire: oggi lo vedo ancora; e sai cosa è accaduto? Suo fratello Andrea è scappato di casa: s'è portato via tutta la sua roba, mille lire in denaro e gioielli. Il padre è andato alla Questura centrale, ha portato la fotografia di Andrea e per mezzo di raccomandazioni ha messo in moto tutte le Questure del Regno. Il Commissario Finzi, quello famoso, ha promesso di scovare Andrea: intanto però Ghiron sconta la sua beffa contro di noi.

– C'è poco da beffare – dico io con tristezza. – Quella povera madre…

Eppure perché quel dolore lontano s'infiltra nel mio con una perversa vena di conforto? Che io sia per diventare doppiamente disgraziata? Infelice e cattiva? No: ma il constatare che il dolore è retaggio comune, amaramente conforta.

D'un tratto Fausto striscia col corpo sul fieno e mi si avvicina in modo che Billa non senta le nostre parole.

– Senti, ho un progetto: perché non andiamo, tu ed io, alla Questura centrale?

– A far che?

– Si parla col Commissario Finzi: gli si porta la fotografia che tu possiedi. Vedrai che quello te lo scova. Se tu vedessi che viso ha Finzi: un viso d'aquila.

– Lasciami – dico io, poiché Fausto mi si è aggrappato addosso e pare voglia portarmi subito alla Questura. – Tu sei pazzo.

Ma egli non mi lascia; e d'improvviso lo sento come gonfiarsi; stringe i denti, poi spalanca la bocca, mi morde la spalla, e infine piange come un bambino bastonato. Billa tace, sull'albero: e il pianto dell'adolescente è il pianto stesso del dolore che, come il canto dell'amore, si rifugia nella notte per chiedere a sé stesso il segreto del suo mistero.

Un senso di terrore mi preme contro il ragazzo che dunque è come uno strumento che suona il mio patire; e mi pare di essere un'appestata che comunica il suo male alle persone intorno. Ma da questa profondità di miseria, piano piano risalgo, mi ritrovo a galla, riapro gli occhi salati di lagrime come quelli del naufrago, e rivedo la terra della speranza: bisogna farsi forza e cercare di guarire per guarire gli altri.

– Fausto, – dico tranquilla, – qual è l'oggetto che hai più caro?

Come il pugno che si dà sulle spalle al bambino che ha il singhiozzo, per farglielo cessare, quella domanda colpisce e distrae il ragazzo in modo da far tacere il suo male. Solleva la testa e pensa.

– Tutti gli oggetti che possiedo mi sono egualmente cari. Perché?

– Pensa ad uno di essi.

– Ma perché? Che t'importa?

– Te lo dirò poi. Pensa a uno di essi.

– L'orologio a bracciale – suggerisce Billa che è scivolata dall'albero e fa le smorfie alla sua ombra.

– L'orologio a bracciale – egli ripete, suggestionato.

– Ebbene, Fausto, vogliamo scommettere il tuo orologio a bracciale che io fra tre mesi ho un altro fidanzato?

Fausto tace, e il suo silenzio m'impressiona quasi come il suo pianto. Egli non crede alle mie parole; neppure io. Ma lo specchio terribile che rifletteva il nostro dolore s'è già incrinato; anzi, d'un tratto pare che cada e con un tinnìo cristallino si frantumi per sempre.

È Billa che ride. Rido anche io. Riso di beffa, di speranza e di gioia; sfida istintiva al destino che noi possiamo vincere sempre opponendo l'amore al dolore.

Ed io mi sollevo, sicura che non vedrò più i miei occhi nel terribile specchio.

Dopo una sosta pensosa la mia amica continuò.

Molto tempo è passato.

Io mi domando spesso che cosa sarebbe accaduto di me, dopo la scomparsa di lui, se si vivesse ancora nella vecchia abitazione: forse la morte.

Qui, oltre all'amore per i miei, la natura mi ha salvato: e non faccio della poesia, no, ma della religione, quando penso che forse lo spirito della mamma, riavvicinandosi a me, si è trasfuso nella terra: e la terra mi è stata madre una seconda volta, mi ha fatto rinascere.

Mia madre era giovanissima, quando è morta: amava la vita con quell'ardore che solo le donne, come lei, oriunde dalle grandi campagne favolose del mezzogiorno, possono frenare e nascondere. La città, forse, l'ha fatta morire prima del tempo: la città che alle anime diritte e primitive risponde col suo viso di prisma iridato e allucinante, arido sotto il suo falso splendore.

E se non proprio lo spirito della mamma, quello che animava il suo corpo, certo lo spirito eterno della razza rivive in me e mi salva. A volte ho come un vertiginoso senso di ricordo, che mi fa intravedere una terra lontana dove le donne sono pari ancora agli uomini, quindi rispettate e temute: forse le terre boscose dove le amazzoni si tagliavano il seno perché il braccio si tendesse meglio a scoccare la freccia. Una parte del cuore vivo me la sono tagliata anch'io, certo, con la ferma volontà di combattere il dolore nemico, di farne anzi una preda.

Per molto tempo, però, anche lo spirito di *lui* è vissuto intorno a me, nelle cose che aveva veduto, che avevano conservato il riflesso dei suoi occhi e il suono delle sue parole.

Così divenni e sono ancora amica della natura. Quando dopo i giorni di arsura innaffio le piante e i cespugli, le foglie mi sorridono, grate del benefizio. Sorridono, col loro scintillare, come scintillano le pupille degli uomini nei momenti di gioia; ed io sento che non è un riflesso esterno, un effetto dell'acqua; è lo spirito della terra che ringrazia. Allora provo quasi un senso di voluttà panica nel rendere felici le piante assetate: ho l'impressione che lo zampillo dell'acqua sgorghi dalle mie dita e che un ponte di perle mi unisca alla bellezza della natura: l'arancio, promessa di vita, il crisantemo, promessa di morte, il rosaio e la vite, che rallegrano e destano le illusioni dell'uomo, s'inghirlandano di luce, a mia volontà, come sotto la pioggia del buon Dio.

E quando Dio, dimentico o irato, manda la lunga siccità, io lo sostituisco, nel mio giardino; penso però che l'acqua della fontana è ancora quella creata da Lui, e dopo aver dissetato la terra stendo la mano fangosa per lavarla sotto lo zampillo corrente; l'acqua sobbalza, e una croce di perle giunge a solcare e ribenedire il mio viso inaridito dalla siccità della vita.

IL BACIO DEL GOBBINO

Il gobbino entrava in tutte le case del paese e, volendo, avrebbe potuto sapere i più segreti affari delle famiglie che le abitavano. Ma non voleva: era onesto fino alla manìa, e per questo gli avevano dato il posto di portalettere, anche per le raccomandate e le assicurate, con uso di bicicletta quando si trattava di distribuire espressi e telegrammi, o di andare lontano.

In bicicletta dunque andava tutti i giorni a portare *Il Sole* alla fattoria Busoni, e pedalando sull'argine come sulla lama di un coltello, con la gobba che pareva una terza ruota del veicolo, cantava e fischiava allegro come un fringuello.

Quel giorno però si sentiva insolitamente preoccupato; di tanto in tanto fermava la macchina come volesse scendere, e guardava una lettera che premeva forte col pollice sui giornali tenuti con la mano sinistra. Era una lettera sopraffina, con la busta orlata d'oro, indirizzata alla signorina Rachele Busoni, figlia unica del ricco fattore: una lettera, infine, che odorava di dichiarazione d'amore come odora il bocciolo della rosa sebbene ancora sigillato.

Per vincere la tentazione di portarsela accanto al viso e odorarla davvero, il gobbino riprende a pedalare vertiginosamente, senza vedere altro che la china verdissima dell'argine e in fondo il tremolare dei pioppi confuso con quello dell'acqua gialla del fiume.

Ma non si può correre così dritti fino al mare: la fattoria è nell'interno della valle, e quasi d'iniziativa propria la bicicletta si piega, scivola per il sentiero obliquo della china a destra, imbocca il viottolo fitto di siepi e vi sparisce come nella gola di un pescecane.

Nel viottolo, dopo la grande luce ed il caldo dell'argine, il gobbino provò un senso notturno di freddo, di buio: adesso poi bisognava andare adagio, perché il terreno era sabbioso ed umido: andò adagio, dunque, e istintivamente, come sicuro di non essere veduto neppure da sé stesso, si avvicinò la lettera al viso. Tutti i suoi sensi si accesero: gli parve di vedere, con una visione esasperata e palpabile fino all'allucinazione, la bruna e grassotta Rachele col viso riverso sotto quello dell'ùomo che le scriveva: così gli erano passate sott'occhio centinaia di cartoline illustrate, dalle quali bastava staccare il francobollo per leggervi sotto frasi d'amore doppiamente proibite. E l'impressione, più che il pensiero, che egli era per l'eternità scacciato dal paradiso terrestre dell'amore, gli mutò il sangue in veleno.

Prima di arrivare alla fattoria, che sorgeva allo sbocco del lungo viottolo, nascose la lettera fra i giornali; poi penetrò di furia, per il portone sempre spalancato, nella grande aia che precedeva la casa colonica. E proprio nella porta d'ingresso, come nella cornice di un quadro, gli appare la figura bruna e rosea di Rachele. Alle sue spalle s'intravedeva una tavola con panieri di grosse pesche di un nero rossiccio peloso e l'ombelico verde, e in fondo alla stanza un'altra porta con un festone di vite dal quale pendevano grappoli duri brillanti come stalattiti.

Si sentiva un grande mugghiare di bovi nel fitto del podere, e tutto intorno, dalle tacchine con la testa d'argento e la gala rosa della gola, ai grossi galli di fiamma i cui bargigli di scarlatto e la cresta grassa schizzavano lussuria, tutto denotava l'opulenza del luogo.

– C'è il giornale – disse il gobbo, fermandosi, con un piede giù dalla bicicletta.

Senza rispondere, la ragazza tese la mano per prendere *Il Sole*.

Il gobbo guardava come gli uccelli, con uno sguardo circolare che gli permetteva di vedere anche dietro di sé senza voltarsi. Quando fu certo che nessuno era nell'aia e nella casa, disse sottovoce:

– Ho pure una lettera per lei.

Come scottata da una fiamma ella balzò e si fece rossa fin sulle braccia nude.

– Dà qui.

L'esitazione di lui, che pareva volesse chiederle qualche cosa in cambio, le fece metter mano al portamonete. Egli si avvide dell'atto e a sua volta arrossì: trasse la lettera di mezzo i giornali e gliela buttò quasi in viso; poi se ne andò di volo.

Più affabile fu lei, quando il giorno dopo e nei seguenti egli tornò col giornale e lettere d'affari. Lo aspettava, gli andava incontro, e un giorno si spinse fino al viottolo: giusto quel giorno egli aveva una lettera simile alla prima, ma come la prima la teneva nascosta fra i giornali.

– Nulla – disse, fermandosi con un piede su e uno giù; e fissava la ragazza negli occhi con gli occhi verdi venati di rosso.

– Non è vero – disse lei ansimando. – Tu sei cattivo. Dammi la lettera.

– Gliela do, ma ad un patto.

– Di' pure, di'.

– Lei mi dà un bacio.

– Ah, brutto... birbone.

– Lei voleva dire un'altra parola; ma non me ne importa.

– Beh, ti do il bacio; ma prima voglio la lettera.

Egli saltò a terra: era piccolo, davanti a lei, come una scimmia. Disse:

– Ecco la lettera; la prenda. Ma se non mi dà il bacio badi che un'altra volta non gliene consegno più; le do a suo padre.

Ella piegò la lettera e la nascose rapidamente in tasca, volgendosi d'istinto a guardare se nel viottolo passava qualcuno: e poiché nessuno passava, in quella specie di corridoio arboreo, che con la sua corsìa di erba e di fiori curiosi e complici, pareva fatto apposta per gl'incontri amorosi, sospirò comicamente rassegnata: dopo tutto i mezzani bisogna pagarli. Si piegò, dunque, baciò la guancia, del resto fresca e liscia, del gobbino; ma egli, che non intendeva questo, si attaccò a lei tenacemente, le si arrampicò addosso, davvero come una scimmia, e non la lasciò finché non solo l'ebbe baciata in bocca, ma coi suoi canini di topo non le addentò il labbro inferiore.

Nei giorni seguenti, non con un certo senso di diffidenza e di vago timore, si accorse che di quelle lettere non ne arrivavano più. Rachele doveva aver informato il pretendente di quanto era avvenuto, e questi non scriveva più, ma forse meditava una facile vendetta. E poiché le lettere non arrivavano di lontano, il gobbo adesso pedalava con sospetto, guardandosi ogni tanto indietro, per paura che qualcuno lo inseguisse con un robusto manganello in mano.

La ragazza inoltre non si faceva più vedere; questo era il maggiore castigo. Rivederla sulla soglia, sullo sfondo marino dell'altra porta sui prati, chiederle perdono con gli occhi, – perdono, perdono, non per averla offesa, ma per averla forse addolorata ed umiliata, – questa era l'ossessione del povero gobbino.

E con il permesso della contadina, che adesso riceveva la posta, egli appoggiava la bicicletta al muro e girava intorno alla fattoria come cercando di rubare qualche cosa o di ritrovare qualche cosa perduta: ma nulla si vedeva intorno alla casa, se non le grosse galline razzolanti e gli allegri anatroccoli, e l'ombra del gelso sulle finestre socchiuse del piano superiore.

Egli calcolava l'altezza del gelso e il modo di arrampicarvisi per vedere nell'interno delle camere; poi se ne tornava via triste e avvilito. No, la cosa che egli sperava di rubare, era il perdono di lei; e la cosa che egli aveva perduto per sempre, la pace del suo cuore e della sua coscienza, non si trovava più a cercarla in tutta la terra.

Un giorno si fece coraggio e domandò alla contadina dove si trovava la signorina Rachele.

– È malata.

– Che ha?

– Mah, l'è un affare strano, che neppure il dottore lo indovina. Bisognerà forse chiamare il professore di Parma.

Alle insistenze trepidanti di lui spiegò meglio l'affare strano.

– È un male in bocca: al labbro inferiore le è venuto un tumore, come l'abbia punta una mosca maligna. Se è il carbonchio, addio.

– Da quando è stato?

– Da martedì, dopo che tu hai portato la posta.

Egli andò via stordito. Altro che il manganello del pretendente: era quello del buon Dio che picchiava sodo sulla sua gobba perversa.

E furono giorni di pena indicibile: poiché le notizie della malata erano gravi, e nonostante le visite in automobile del professore di Parma, il tumore maligno si allargava e si sprofondava mortalmente.

Il gobbo andò in chiesa, e piegato nell'ombra come un demonio deforme schiacciato dall'angelo risplendente, ritrovò preghiere sublimi.

– Signore, tu mi avevi dato un povero corpo ma un'anima ricca; e tutto io ho capovolto in un momento. Io volevo conservare l'anima mia nel mio corpo come l'olio puro d'oliva nell'orcio gobbo, per ripresentarla a te tutta luce e tutta fiamma. Perché mi hai abbandonato, Signore? Che posso io offrire adesso in sacrificio perché il mio veleno di serpe sparisca dalle vene della mia vittima?

Si piegò fino a terra, baciò il pavimento polveroso; e quando si sollevò gli parve di aver finalmente ritrovato l'amante che il Signore gli negava su questo mondo.

La sera stessa Rachele fu giudicata fuori pericolo. L'ascesso s'era crepato; la febbre, durante la notte, diminuì, e all'alba scomparve coi sogni maligni degli uomini fuori delle vie del Signore.

La gioia di lei era tale che concedeva perdono anche al gobbo velenoso.

Ma quando il grido delle tacchine in amore e il muggito tonante dei tori salutarono il sorgere del sole, un urlo di terrore scompose la maestà dell'ora.

Rachele si buttò giù dal letto, aprì la finestra, e davanti a lei, mentre di sotto la contadina chiamava aiuto, vide il cadavere del portalettere, investito dai raggi diamantini del sole, pendere da un ramo del gelso: e vi si dondolava come uno di quei gobbini d'argento che le donne tengono attaccati alle loro catenelle in segno di buona fortuna.

LA LEGGENDA DI APRILE

Dei figli dell'Anno, Aprile era il più bello, alto, già, e nervosamente robusto, sebbene ancora in crescenza, come gli snelli abeti giovani delle radure del bosco. Bonaccione, anche, laborioso e innocente, coltivava, col padre, i campi e i frutteti tutti in fiore, e gli orti dove la tenera freschezza degli erbaggi era tale che neppure le farfalle, per non sciuparli, li sfioravano. La madre lo adorava: gli altri figli erano lontani e, aspettandone il ritorno, ella viveva solo della presenza di questo suo diletto fanciullo: tale, almeno, ella lo considerava ancora, sebbene Aprile la sopravanzasse di tutta la testa.

La loro casa era sul margine fra le terre coltivate e l'abetaia che s'inerpicava sui monti: casa comoda, sebbene contadinesca, dove tutti lavoravano e quindi nulla mancava.

Ma un giorno un velo d'ombra vi si diffuse. Aprile, dopo essere stato a messa nel villaggio, era tornato pallido e con le carni fredde come quando sta per venire la febbre: e alle premure della madre aveva, per la prima volta in vita sua, risposto sgarbatamente.

Ella fece subito, quasi con paura, il suo esame di coscienza: ma trovò che il suo maggior peccato verso il figliuolo era quello di volergli troppo bene. Eppure le pareva che il malessere di Aprile dipendesse da lei: e se lo sentiva con angoscia in tutta la persona.

A tavola, egli quasi non toccò cibo; e rispose risentito anche al padre che, al solito, scherzava e filosofava su tutte le cose.

– Sai cos'è il tuo male? Male di stagione: mal d'amore.

Aprile si alzò, respinse con un calcio la sedia e se ne andò senza più parlare. La madre parve svenire: il padre la rassicurò:

– Ma va là, sono i primi calori.

Infatti erano giornate di un caldo eccezionale. Nel pomeriggio soffiava già il vento estivo di ponente e il frutteto gettava via i suoi ultimi fiori, infastidito della loro poesia. Anche Aprile

s'era tolto il suo vestito di lana e si aggirava qua e là, scarmi-
gliato, imbronciato e inoperoso: oppure dormiva, e allo svegliarsi sbadigliava lungamente e si irritava per ogni piccola
contrarietà. La madre era la sua vittima rassegnata e dolente.

Al padre dispiaceva sopratutto che Aprile disertasse il lavoro e che nell'orto, non più irrigato, gli erbaggi ingiallissero e si
seccassero: però si spiegava l'umore del giovine e tentava di
spiegarlo alla moglie.

– In questa stagione tutte le creature hanno bisogno d'amore. È tempo di cercare una sposa per il nostro Aprile.

Cercavano, enumerando ad una ad una tutte le fanciulle di
loro conoscenza. Ma, secondo la madre, nessuna era adatta per
il figliuolo: chi aveva un difetto, chi l'altro; chi era troppo povera e di cattivo lignaggio, chi troppo ricca o pericolosamente
bella. Del resto, quando davanti al giovine bisbetico si parlava
di queste presumibili spose, egli le scherniva, le disprezzava e
le rifiutava tutte. Questo era un conforto strano per la madre;
perché in fondo ella era gelosa della donna che gli avrebbe
portato via il figlio.

Tuttavia Aprile era innamorato: crudamente, mortalmente
innamorato. Di tutte e di nessuna.

Quella seconda domenica del mese che portava il suo nome, aveva veduto in chiesa, per la prima volta, le donne giovani
del paese sgusciare dalle loro vesti scure, nonostante la presenza di Dio, come durante una di quelle antiche tregende, delle
quali si sentiva vagamente raccontare. Il sangue gli urlava nelle
vene, per il desiderio e l'orrore del peccato. All'uscita della messa si era fermato davanti alla porta della chiesa, guardando negli
occhi, una per una, le giovani donne: qualcuna aveva risposto
con lo sguardo: una specialmente, la più sfrontata e sensuale, la
figlia del becchino, che aiutava il padre a seppellire i morti.

E negli occhi di lei, verdi e perlati, simili a quelli della civetta, egli aveva veduto tutto l'abisso dell'amore carnale.

Adesso questi occhi lo perseguitavano dovunque egli andava: e per dimenticarli e per ritrovarli, andava, andava, di
qua, di là, al bosco, al fiume, ai prati più lontani dove il verde

dell'erba pareva acqua stagnante. Ma non amava la donna: né lei, né altra. O meglio ne amava una che non esisteva, che era forse lassù nelle rovine del castello in cima al monte, ma che egli non avrebbe conosciuto mai.

– Turbolenze della sua età – diceva il padre, puntandosi l'indice sulla fronte. – Mi viene un'idea, moglie mia. Facciamo venire in casa, come servente, qualche bella ragazzina: quando se la troverà accanto vedrai che si placherà: e se qualche conseguenza ne avviene, il rimedio si troverà.

La moglie non approvava: in fondo al cuore ella preferiva Aprile irrequieto ma suo, piuttosto che sedotto da una servente qualunque. Ma poiché il marito le assicurava che avrebbe portato in casa una fanciulla di buona razza, accondiscese.

Venne la sedicenne Guendalina del boscaiuolo, che odorava di funghi, alta anche lei, con due lunghe trecce nere che, quando ella si piegava sui fornelli, ci andavano dentro e prendevano fuoco. Era ancora stordita e un po' stecchita, è vero, con gli occhi azzurri vuoti; ma appunto per la sua innocenza piacque alla madre di Aprile. Accadde però come quando si era tentato di dare una compagna al corvo addomesticato che tenevano in casa: invece di accogliere con amore la femmina, l'uccellaccio l'aveva uccisa a beccate.

Aprile, rientrato dalle sue scorribande, guardò la fanciulla come una nemica mortale: non poteva ucciderla, anche perché la madre vigilava, ma andò fuori di nuovo, tutto in tumulto. Capiva il tranello, sentiva l'affetto che Guendalina destava nella madre, e a sua volta gli pareva di essere derubato di qualche cosa e scacciato via da un luogo che era stato sempre esclusivamente suo.

Camminò a lungo, fino alla cima del monte. Tra le rovine del castello le cornacchie si abbandonavano a un'orgia primaverile: sbucavano da ogni angolo, si facevano dispetti, si rincorrevano nell'azzurro del cielo con giovani stridi d'amore. Indispettito, il giovine si arrampicò sulle rovine, tirando sassi dentro i nascondigli, dai quali gli uccelli fuggivano spaventati.

Giunto sull'avanzo di uno spalto, sedette sull'erba che vi cresceva e guardò ai suoi piedi le chine coperte di felci, il bosco, la valle fiorita. Il mondo sembrava un giardino, ma egli vi si sentiva escluso come Adamo dal paradiso terrestre. Un dolore infinito lo avvolse: il dolore della sua impotenza ad amare, mentre l'amore rideva e vibrava anche in cima alle foglie secche delle felci vecchie. E desiderò profondamente la morte.

– Ma che anche gli altri soffrano con me: sopratutto mia madre.

Si stese sull'orlo dello spalto, supino, e chiuse gli occhi. Ed anche l'infinito occhio azzurro del cielo parve chiudersi con desiderio di morte. Le nuvole lo coprirono: dai nascondigli delle rovine sbucarono i venti, spazzando via le cornacchie come foglie nere. Il freddo incrinò l'incanto della primavera: e il lamento delle cose, giù dall'acqua del fiume fino ai cespugli che coronavano le rovine, parve il pianto per la morte di Aprile.

La madre, non vedendolo tornare a casa, andò a cercarlo. L'istinto la guidava; sentiva come la traccia dell'odore di lui lungo i sentieri del bosco e tra le felci vecchie e nuove calpestate dal suo passaggio. Il vento la respingeva, la gelava tutta; ma il suo dolore e il suo rimorso erano più forti della bufera; e vinsero le pietre delle rovine, e il terrore delle tenebre che le trasformavano in mostri. Finché giunse allo spalto dove Aprile, già freddo, bianco e duro come una statua, agonizzava. La madre si strappò le vesti per coprirlo, tentò di scaldarlo col suo alito, se lo mise in grembo come il Cristo deposto: e non piangeva, non parlava. I venti urlavano per lei, e all'alba, quando tutto si placò, le cornacchie curiose, dall'orlo delle buche, allungarono il collo per guardare il gruppo della madre e del figlio morti assieme.

Per questo la leggenda popolare dice che Aprile fece morire la madre a furia di freddo.

A consolare il padre arrivò quella mattina stessa il figlio Maggio, quello che non aveva scrupoli, che era l'amante anche della Luna, e a ogni donna che incontrava, fosse pure una vecchia bacucca, regalava un bacio e una rosa.

LA PROMESSA

Coperti di stracci, abbrustoliti dal freddo, con certi scarponi che affondavano nelle pozzanghere come draghe nel porto, tuttavia sani, allegri e sudicioni a più non posso, i bambini della lavandaia se ne stavano quasi tutto il giorno davanti alla finestra bassa della cantina, dove la madre, vera figura da "novecento", tutta ossa e ventre, con la grande faccia ovale e nivea dentro una cuffia di capelli neri ridotti a stoffa, lavava e sbatteva i panni con un fracasso da terremoto.

Ogni tanto uno dei bambini si attaccava all'inferriata della finestra e si sporgeva su quella bolgia livida di fontana in tempesta, di panni sporchi, di lenzuola attortigliate come serpenti grigiastri.

– O ma', ho fame.

– Ecco, tesoro.

La madre si allungava e gli porgeva un pezzo di pane umido, che il bambino succhiava come un frutto. Su e giù, nelle due strade larghe, alle quali la via privata, in pieno possesso dei figli della lavandaia, faceva da ponte, passavano ragazzini impellicciati, coi guanti di lana, i berrettini rossi che ricordavano l'estate coi suoi papaveri; passavano le balie vestite di azzurro, spingendo le carrozzelle con dentro gl'infanti caldi sotto le loro coperte di felpa; e il sole, che non si degnava di penetrare nella via privata, li accompagnava benevolo; ma i nostri bambini non si curavano di loro, non li invidiavano, non li conoscevano. Avevano caldo, anche se erano intirizziti; e per esaltarli bastava un ciottolo che si sbattevano l'un contro l'altro senza misericordia; e quel pezzo di pane, e quello sguardo nero e dorato della madre, che veniva su dalla fontana come il raggio della stella nel pozzo.

E poi c'era la distrazione delle commissioni.

– Pippo, va dal fornaio e ti fai dare un pezzo di sapone: pagherò poi io.

Pippo è appena tornato di scuola, ma non intende di fare il compito. Corre più volentieri dal fornaio: i fratelli lo seguono; uno inciampa, gli altri ridono; Pippo salta la catena che sbarra l'ingresso della via privata; impone alla fratellanza di non seguirlo oltre, scompare. Minuti di trepida attesa. Tornerà Pippo? O se lo porta via quel signore grigio terribile che ruba i bambini e li sgozza in un prato? Momenti di sollievo e di pazza allegria. Pippo torna col sapone avvolto in un foglio di carta turchina. Dato il sapone alla madre, questo foglio, che ha il colore del cielo invernale, rimane di sua proprietà: ma egli deve difenderlo contro la bramosia dei fratelli, e corre su e giù agitandolo come una bandiera trionfale. Grida, risate, male parole: la felicità dei poveri è fatta di questo.

Non sempre le commissioni erano allegre.

– Pippo, va dalla signora Carlotta, e le dici così: la mamma prega di scusarla se ancora non le ha portato la biancheria, perché ha il piccolo Lello malato con la febbre alta.

Pippo andò, ma questa volta solo. I fratelli rimasero aggruppati, un po' intontiti e freddolosi, davanti alla finestra della camera attigua a quella della fontana, dove il piccolo Lello giaceva nel grande letto comune: e contro i vetri chiusi schiacciavano il naso rosso moccioso, come fiutando l'odore di morte che saliva dalla tetra dimora.

Ma il ritorno di Pippo, il solo che, del resto, non aveva mai perduto la sua prepotente gioia di vivere, li riaccese come freddi candelini spenti. Egli agitava le mani con le dita aperte, chiudeva gli occhi per frenarne il fulgore, stringeva le labbra e scuoteva la testa con una meraviglia che rasentava lo spavento.

– Che cosa ho visto io! Che cosa ho visto io!

Ma non voleva, non riusciva a dirlo.

– Oh, abbasso le mani! Se continuate a pizzicarmi così, non ve lo dico davvero.

Gli altri insistono con violenza.

– Ho veduto un uccello che parla, ecco!

Sorpresa di tutti. Domande sopra domande. È un pappagallo? Un corvo? Una gazza? Niente, niente. È un uccello che ha gli occhi celesti, le ali celesti, la punta del becco celeste. Sta sulle scale della vecchia e stramba signora Carlotta, e saluta chi entra.

– Ma va, sarà un uccello meccanico.

– Proprio! Va a toccarlo e senti che beccate. Mi ha detto: buon giorno; poi ha chiamato il cane e lo ha deriso: gli ha detto: Lino, somaro! Lino accorre sempre che si sente chiamare dall'uccello, perché sa che allora c'è gente. Com'è la sua voce? Come quella di nostro cugino Romoletto.

Romoletto era un sordomuto, educato da certi preti.

I bambini si misero ad imitarne poco cristianamente la voce inumana, correndo fino alla porta chiusa della signora Carlotta, davanti alla quale si fermarono come prima intorno alla loro finestra. Ma ben altro il mistero che scendeva dalle scale della vecchia straniera: mistero di favola, di cose belle sovrannaturali.

Suonarono il campanello: poi scapparono, mentre una parrucca bionda appariva come una scopa alla finestra.

– Cattifi pampini, cattifi pampini!

Diventarono davvero cattivi, o almeno più irrequieti del solito. Volevano a tutti i costi vedere e sentire l'uccello, e la vecchia signora, chiusa nella sua fortezza, rappresentava per loro la strega che nasconde il tesoro. Quindi, in permanenza, davanti alla sua porta, montavano uno sulle spalle dell'altro per guardare nel buco della serratura, suonavano il campanello, lanciavano sassolini alle finestre. Finché la signora Carlotta non minacciò di buttar loro addosso una catinella d'acqua bollente. Fosse stata fredda, l'avrebbero magari accettata; ma l'acqua bollente scotta, e può far morire.

Questo lo affermò la madre, quando glielo vennero a raccontare. C'era anche il padre, anche lui piccolo e rosso come un ragazzino, col vestito chiazzato di calce e in testa il berretto di carta dei muratori. Stanco e affamato, mentre la moglie preparava la zuppa di fagioli, si aggirava intorno al letto dove il bambino malato apriva e chiudeva ogni tanto gli occhi di sorcio, e pensava che avrebbe dato volentieri metà del suo sangue per far guarire subito il suo piccolo Lello.

Ma Lello forse non era tanto malato come i genitori credevano, perché tendeva le orecchie al chiacchierìo dei fratelli raccolti intorno al fornello a carbone sul quale bolliva la pentola dei fagioli.

Si parlava dell'uccello. Di che si doveva parlare, al mondo, se non dell'uccello celeste? Anche la madre, sebbene preoccupata per il bambino, prendeva parte alla conversazione: e Pippo, invece di fare il compito di scuola, raccontava per la centesima volta la sua avventura.

– Mi ha detto: buon giorno: poi ha detto: Lino, somaro; poi ha detto…

– Ma se io, tante volte che sono andata dalla signora Carlotta, non l'ho mai veduto? – insiste la madre, anche per mettere in calma i bambini.

– Eh, si vede che lo ha da pochi giorni.

– L'uccello…

È il piccolo malato che interviene. Nel sentirne la voce appannata, la madre trasalisce come se invece del figlio fosse davvero un uccellino a parlare.

– Lello, tesoro, amore.

È sopra il bambino, ne respira il fiato ardente, ne beve le parole.

– Mamma, portami l'uccello.

Ella guarda verso la finestra. È ancora giorno, il crudo eppure roseolilla giorno di febbraio, che vuol morire e non muore, che è triste eppure ha una promessa di gioia.

– Sì, cocco mio bello, domani ti porterò l'uccello.

I bambini tacciono, quasi spaventati da questa promessa meravigliosa più di quella del crepuscolo di febbraio. Ma Lello si lamenta, anzi piange; e quel pianto senza forza, quasi senza voce, sgretola il cuore del padre.

– Maria, prova ad andare dalla signora Carlotta. Se no ci vado io e le fracasso i vetri delle finestre.

La sua voce è digrignante: par di sentire i vetri rompersi. Che soddisfazione per i bambini; che gioia di vendetta; e che speranza di vedere finalmente l'uccello!

La madre si mise le scarpette belle, quelle che aveva da quando ancora andava a ballare; si avvolse la testa nella sciarpa azzurra e uscì. Sapeva che il suo viaggio era perfettamente inutile; che la signora Carlotta non le avrebbe aperto, anche perché a quell'ora l'uccello doveva dormire: eppure arrivò fino alla porta della vecchia, e più in là ancora, fino all'angolo della

strada grande, dove quell'usuraia della sora Gilda, l'abbacchia-
ra, vendeva, nel suo buco puzzolente come un pollaio, galline
e cacciagione.

E fu per chiederle uno di quei melanconici tordi morti
sdraiati sul banco con le ali ancora dorate dal riflesso della loro
vita felice, per portarlo al bambino e dargli ad intendere che
era l'uccello addormentato. Poi tornò indietro, scuotendo la testa dentro la sciarpa. No, non è più tempo d'illusioni: neppure
i bambini poveri ci credono più.

Ma la sua promessa fu tanto dolce, tanto convinta, quando
sfiorò con un battito d'ali azzurre il viso del bambino: – Lellino,
cocco, l'uccello dorme, poverino, non bisogna svegliarlo; ma
domani te lo porterò, vedrai, parola di mamma te lo porterò...
– che persino il marito, il selvaggio manovale che dall'alto dei
tetti in costruzione lanciava bestemmie e parole di fango al cielo e alla terra, ci credette e se ne rallegrò.

IL SICARIO

Nessuno, fra quelli che sapevano del suo terribile mestiere, e più o meno si erano serviti o contavano di servirsi di lui, lo chiamava con questo nome; anzi tutti lo consideravano, almeno superficialmente, come un giustiziere; perché in realtà egli non si prestava alle richieste *esecuzioni* se non in casi eccezionali, quando cioè si trattava di una giusta vendetta o di levar di mezzo un individuo nocivo alla pace di un uomo o di una famiglia.

E studiava minutamente, se non profondamente, la *causa*, prima di venire ad una decisione irrevocabile: senza scrupoli superiori, senza principî religiosi, senza superstizioni.

Egli non credeva in Dio, né in una vita futura: non credeva nella giustizia ufficiale, anzi la sua prima esecuzione era stata per conto suo, dopo aver perduto una causa che da piccola era diventata grande, che dalla pretura era finita in cassazione e lo aveva rovinato. E la ragione era da parte sua. La sua casa era stata messa all'asta, i suoi mobili venduti: egli si morsicava le mani per la rabbia, per il dolore dell'ingiustizia, e il suo sangue si era placato solo nel veder scorrere quello del suo persecutore.

Diventato assassino, l'autorità giudiziaria non lo aveva punito, neppure ricercato: quindi gli era rimasto un senso quasi ironico, se non cinico, della libertà che ha l'uomo di farsi giustizia da sé.

Una sera, nei primi tempi di miseria e di avvilimento, ubriaco di vino e di amarezza, aveva parlato di questa sua convinzione ad un amico che si lamentava con lui di essere a sua volta perseguitato e minacciato di rovina e di morte da un suo avversario.

– Toglilo di mezzo: non c'è altro.

Ma l'amico era un debole, un pauroso: e lo disse, aggiungendo però che se avesse trovato qualcuno disposto ad aiutarlo non gli sarebbe dispiaciuto.

L'ubbriaco domandò:

– Quanto offri?

E si guardarono negli occhi come devono guardarsi i demoni.

Adesso, dopo molti anni e molte prove ben riuscite, si presentava un caso speciale.

L'uomo, che si era ricostruito una fortuna e spesso viaggiava commerciando in cavalli, capitò un giorno da una vedova, giovane ancora e di una bellezza inquietante e proterva. L'abitazione di lei sorgeva in mezzo ad una nuvola azzurrognola di oliveti, a mezza costa del monte sul cui cocuzzolo il paesetto bigio pareva germogliato dalla pietra stessa: ed ella era tanto ricca che, in quel luogo dove gli uomini cavalcavano sugli asini, possedeva persino cavalli da vendere.

Andarono a vederli, nel prato in pendìo, sul cui verde, quasi nero per l'ombra del poggio sovrastante, essi pascolavano, bianchi, duri, squadrati e come abbozzati nel marmo. Erano infatti solide bestie da fatica, e l'uomo, dopo averli guardati in bocca e palpati da tutte le parti, ne rimase soddisfatto.

Rientrati nella casa, dopo il contratto la donna offrì da bere: un vino forte e profumato che l'uomo, sebbene bevitore, non conosceva ancora e che forse per questo gli accese subito il sangue. In realtà erano la presenza e i modi della donna che lo eccitavano: poiché ella lo guardava in modo strano, coi grandi occhi neri e gialli, tempestosi, non lusinghieri, anzi come animati da una luce di odio e di diffidenza.

E la ragione, poiché egli parlava invece bonario e amico, gliela spiegò lei senz'altro.

– Voi rassomigliate straordinariamente ad una persona che io conosco e che forse anche voi conoscete: il mugnaio giù dell'oleificio a vapore. Siete forse parenti?

– Mai visto, mai conosciuto, mai sentito nominare – rispose l'uomo, con pacata ironia. – E voi?

– Io? Pur troppo l'ho conosciuto. Mi ha truffato in mille modi.

– Questo non è lusinghiero per la mia rassomiglianza. E spero che voi non mi sogguardiate così, nel timore che io gli rassomigli anche nei precordi.

– Sì, sì, – ella disse ridendo, rassicurata; – i vostri occhi sono diversi: sono quelli di un galantuomo.

Egli non li abbassò; poiché, di fronte a lei, si sentiva non solo galantuomo, ma anche, almeno per il momento, generoso ed amico.

Allora ella cominciò a raccontare le truffe del mugnaio, che, secondo la legge, non erano neppure truffe, perché ella gli aveva prestato denari senza interessi né cambiali, ed egli non pensava a restituirli.

– Anche l'olio delle mie olive egli si è tenuto, l'inverno scorso, con la promessa di farmelo vendere bene: e lo ha venduto, sì, maledizione a lui, ma a suo profitto.

– Ma, scusate una domanda indiscreta; voi non avete uomini, dico parenti, col fegato sano, per farvi rispettare?

– Io non ho nessuno: io non sono del paese: ho qualche parente del povero mio marito, ma questi uccellacci, che stanno su al paese, mi odiano perché il defunto mi ha lasciato la sua roba. Essi sono i primi a rallegrarsi quando una disgrazia mi capita.

L'uomo sorseggiava il suo vino e diventava pensieroso: il suo antico istinto di giustiziere si ridestava, in forma però nobile, quasi tenera. Domandò:

– Ma in che veste si presentava l'amico?

– Ah, è una lunga storia – ella disse con un gesto vago; – ve la racconterò un'altra volta, se ci rivedremo.

Si rividero; poiché egli trovò molte scuse per tornare da lei. Ella lo riceveva arcigna, sempre più arcigna e diffidente a misura che egli si mostrava più amico e disinteressato; e per quanto egli ritornasse sull'argomento del mugnaio, ella non raccontava la lunga storia promessa. Ma egli l'aveva già indovinata. Un giorno disse:

– Ho finalmente conosciuto il mio sosia. Di belle cose si vanta, a vostro riguardo.

Ella scattò, lunga e tesa, con le mani simili ad artigli: e parve buttarsi sull'uomo per graffiarlo, mentre egli rideva e apriva le braccia come per accoglierla sul suo petto e consolarla.

Allora ella si piegò sul camino acceso, prese un tizzone ardente e segnò con esso una croce di fuoco sul pavimento. Disse con voce rauca:

– Nessuno sapeva ciò che egli è stato veramente per me; ma poiché adesso egli se ne vanta, giuro a Dio che andrò a mettere fuoco alla sua casa.

– Calma, calma – disse l'uomo, disarmandola del tizzone: – adesso parleremo: datemi da bere.

Agitata, ella andò a pigliare il vino; sedettero accanto al fuoco, poiché il tempo era già freddo, ed ella raccontò la lunga storia di amore, di tradimento e di rapina.

– Egli ha profittato di me perché sono donna sola e senza difesa. In ultimo, dopo avermi spremuto come un limone, disse che, sì, avrebbe mantenuto la promessa di matrimonio, ma a patto che io gli facessi donazione di tutto il mio. A tal punto è arrivato questo assassino; ma adesso tocca a me.

L'uomo si alzò, depose il bicchiere sulla tavola, tornò a sedersi accostando la sedia a quella di lei. Si sentiva tutto caldo di generosità. La donna gli piaceva, per il suo stesso odio, per l'ardore che, più che dalle sue parole, sgorgava dai suoi gesti e dagli occhi terribili: e perché non si lamentava, non chiedeva aiuto, ma proponeva di vendicarsi da sé. Le domandò, sottovoce, accostando il viso al viso di lei:

– Se io facessi qualche cosa per voi, sareste contenta?

Ella trasalì: lo guardò negli occhi: ed egli ricordò gli occhi del suo primo mandante.

Quel giorno stesso fece una prima esplorazione intorno all'oleificio. Era una semplice costruzione nera, coi muri quasi trasudanti olio; dentro si sentiva il rombo della macchina che sgretolava le olive. Un grosso cirro di fumo usciva dalla ciminiera e il rigagnolo nero e grasso dei rifiuti sboccava da un buco accanto alla porta. Tutto era triste intorno ai dirupi brulli, e sulla china sotto l'edificio, sparsa di pietre vulcaniche: si sentiva, quasi, che l'uomo appollaiato lì col suo mestiere non poteva essere un uomo di buoni sentimenti.

Anche i contadini allampanati e neri, coi lunghi baffi spioventi, che scendevano con gli asini carichi di sacchi di olive, avevano una figura grottesca e sinistra: o era il negoziante di cavalli che vedeva così, tutto brutto, perché brutti erano i suoi pensieri?

In fondo, questa volta egli non era *convinto*: sentiva di essere spinto da una specie di fatalità, e lontano dalla presenza della donna e dal fascino sensuale ch'ella esercitava su di lui, il suo odio irragionevole contro il mugnaio si spegneva.

Ad ogni modo, per curiosità, volle conoscere davvero il suo sosia. La scusa non gli mancava: voleva acquistare un barile d'olio. Entrò dunque nel frantoio e domandò del padrone. E provò un senso di gioia quando un vecchio che badava alla macchina gli rispose che il padrone era malato.

Egli s'interessò subito a questa malattia.

– Mah! È salito l'altro giorno al paese e dice che ha bevuto un bicchiere di vino con un forestiere. Tornato qui ha cominciato a sentir dolori e vomitare. Egli crede di essere stato avvelenato: oggi però si sente meglio.

– Si può vedere?

Glielo fecero vedere. Stava sdraiato vestito su un lettuccio, in una camera ingombra di orci d'olio e di cestini d'olive verdi: intorno al polso aveva attortigliato un rosario; sul tavolino accanto, davanti a una statuina della Madonna, ardeva una lampadina votiva.

Il mercante di cavalli non trovò neppure la grande rassomiglianza pretesa dalla vedova. Il mugnaio, forse per il suo male e per la barba non rasa che gli anneriva le guance, pareva più vecchio di lui, con gli occhi chiari e freddi, quasi del colore delle olive intorno. Fuori della finestra si vedeva, nel tramonto freddo, un paesaggio biancastro e pietroso che sembrava disegnato col gesso su una lavagna: e il mercante doveva ricordarsi di tutto questo come del quadro più tetro ch'egli avesse veduto nella sua vita.

La sua figura vi campeggiò solo per pochi minuti, ed egli scambiò solo qualche frase col mugnaio malato: poi se ne andò col cuore libero, perché, dopo aver provato per la prima volta in vita sua una sensazione misteriosa di paura, quasi fosse penetrato in un luogo inumano dove regnavano, invisibili, i mostri peggiori della fatalità, aveva deciso di non impicciarsi oltre negli affari della vedova.

Tre giorni dopo fu arrestato. Il mugnaio era morto, avvelenato davvero, gridando, nel delirio delle sue ultime ore, che il forestiere col quale aveva bevuto su al paese era lo stesso venuto a contrattare un barile d'olio.

Invano il mercante provò il contrario: la giustizia degli uomini, che inconscia lo aveva spinto nella via del delitto, inconscia lo punì per il solo delitto che egli non aveva commesso.

Dio volendo, dopo una lunga siccità invernale che pietrificava la terra e le piante, era tornata una classica notte di vento, di pioggia potente, di lampi e di tuoni. La casa tremava tutta, ma pareva per gioia, per accompagnare lo sfregamento di mani del proprietario, per rispondere al fremito dei campi che si ubbriacavano di acqua.

– Finalmente, eh, Mariù. Che, già dormi, con questa musica?

La moglie era a letto da un pezzo, e se ne stava rannicchiata dalla sua parte, tremante e felice anche lei, ma con un senso di paura in fondo all'anima. Pregava, e solo quando il marito, mezzo nudo, con le coscie e le gambe rossastre chiazzate di ricciolini neri, i grandi piedi gelati, fece scricchiolare col suo corpo pesante la stoppia del saccone, aprì gli occhi e le parve, per il riflesso della finestra illuminata dai lampi, che fiammeggiassero anch'essi. Poi si ricoprì, e la voce del marito le arrivò di lontano, quasi echeggiante sotto le coltri di piuma. Era una voce cattiva, anzi beatamente crudele.

– Pensa, Mariù, a quelli che si trovano sperduti nei campi, senza riparo, o viaggiano senza ombrello. Eh, chi poteva pensare, oggi, con quel cielo sereno, che sarebbe venuta la bufera? Meno male che il pericolo della grandine oramai è passato. Piove che Dio la manda. Era tempo.

La moglie pregava, ringraziando Dio della sua bontà. L'uomo rise, come in sogno.

– Eh, sì, c'è della gente che viaggia, con questo tempaccio. E noi siamo qui al riparo, nel nostro buon letto, con tutte le cose intorno in ordine, le bestie ben governate, il campo che si ristora. Non possiamo lamentarci. Mio padre diceva: «Quando la va male la vada sempre così».

– Così sia – rispose sottovoce la donna.

– Anche per la nostra piccola sono contento. Che si poteva desiderare di più? Un buon matrimonio, con un galantuomo ricco e gagliardo; e sopra tutto vivere a una certa distanza. Quando si è troppo vicini non mancano gli attriti, i dissapori, i malintesi: così, loro due vivono lì, a otto chilometri di distanza, e noi viviamo qui: ci si vede tutte le feste, e sono veramente feste per tutti. Lo so, tu avresti desiderato tenerti la piccola attaccata alle gonne vita natural durante; e con essa anche lo sposo: ma voi donne vedete tutto facile, tutto semplice, mentre la vita è una cosa difficile.

La vita, – rincalzò con voce grossa, sebbene la moglie non fiatasse, – è come tutte le altre cose; come le bestie, come le piante, come le erbe: bisogna tenerla a freno, potarla, falciarla: o, se ti pare meglio, è come la barba, che se tu non te la radi ogni otto giorni, con fastidio, con pericolo di tagliarti, t'invade il viso e ti fa scacciare dal consorzio degli uomini civili.

La moglie non risponde. Da tanti anni è abituata alla rude filosofia che il marito usa mettere in pratica quotidianamente. E pensa piuttosto alla "piccola" che per lei non solamente è ancora piccola, ma è addirittura bambina, nata da pochi giorni, ancora muta, cieca, informe, eppure già bella, sensibile, vibrante di vita.

Le pare sia il giorno del battesimo: la comare tiene tra le braccia la neonata, vestita di rosa, e il prete pronunzia le parole solenni.

– Credo. Rinunzio.

– Credo. Rinunzio – rispondono in coro gli astanti.

Solo lei, la piccolina, non risponde; anzi, agita i pugni con una forza che fa sorridere la madre; e smorfie di protesta, di noia, di disgusto le smuovono il visino come se un sogno tempestoso le agiti l'anima ancora addormentata.

Ma il padre sorveglia tanto la madre quanto la figlia, e nel quadro gaio e dorato del battesimo la sua figura grezza, dominante, con gli occhi neri, la barba nera, le sopracciglia che sembrano baffi, è ancora più significativa di quella del sacerdote.

Lo stesso cipiglio riapparve sul viso di lui, sollevatosi sulle coltri, quando tra il fragore della bufera si sentì picchiare alla porta.

La moglie, che già si era assopita, non si dava pena: chi sarà? Chi non sarà? Forse un vicino che ha urgente bisogno di qualche cosa; forse uno dei problematici disgraziati viandanti senza rifugio, dei quali parlava poco prima il marito. Penserà lui, il marito, a rispondere.

Egli infatti, insolitamente silenzioso si era già buttato dal letto, aveva acceso il lume e si vestiva: e lo faceva non con troppa fretta, quasi anzi con ostentata lentezza, come per darsi il tempo di preparare una risposta al visitatore importuno. Ma il cuore gli batteva forte, riecheggiando i colpi alla porta, e le dita gli tremavano nel cercare i bottoni del vestito. Questo suo silenzio, questo suo esitare impensierirono la donna. Qualche ombra le passò nella mente; ed anche il suo cuore si destò quasi mugolando. La sua testa d'oro e d'argento affiorò sui guanciali e le coltri, come uscendo da un'onda schiumosa: gli occhi grandi e azzurri di bambina spaventata cercarono invano quelli del marito.

Egli già lasciava la camera, portandosi via il lume.

– Signore, Signore – invocò la donna, e stette ad ascoltare, nel caos della bufera, del letto scoperto, dell'agitazione del suo cuore.

L'uomo, giù, doveva aver aperto la porta perché non si sentiva più bussare; e doveva adesso parlamentare nell'ingresso col visitatore importuno, perché non tornava su.

La moglie si sollevò a sedere, tendendo meglio le orecchie; ma solo il rumore della tempesta gliele feriva: e le pareva che la pioggia fredda e furibonda le penetrasse fino al cuore.

E non osava muoversi oltre, con un senso di terrore panico. Ma un grido salì dalla strada, fece tremare la camera e la illuminò con la luce della folgore.

– Mamma!

La donna si precipitò dal letto, si precipitò per le scale, fu nell'ingresso. In camicia, scarmigliata, pareva fuggisse da un incendio. Il marito stava sulla porta appena dischiusa, lapidato dalla pioggia, e parlava con la persona alla quale impediva di entrare. Appena si accorse che la moglie era alle sue spalle si volse di scatto, livido, col viso bagnato come di un sudore di lotta, e aprì di più la porta, ma sbarrandola con la stanga delle braccia nerborute: ed ella vide la figura che già le stava nelle pupille smarrite.

La figlia era lì, pallida e grondante d'acqua come un'annegata, e invano domandava di entrare.

– Mamma, mamma...

– Figlia mia, che hai fatto?

Entrambe tentarono di smuovere l'uomo, per ricongiunger-
si; ma egli non si smoveva, anzi adesso aveva ripreso la sua
aria di beffa crudele e pareva prendesse gusto alla lotta.

– Mamma, mamma! Sono fuggita di casa, perché lui mi ha
parlato male. Non voglio più stare con lui. Voglio tornare a casa. Sono fuggita, a piedi, così, così...

La madre appoggiò la testa sul collo dell'uomo, come volesse morderlo; invece piangeva.

– Basta, – egli disse allora, – la scena ha da finire: io e questa signorina andiamo a *casa sua* in bicicletta.

– Lasciala almeno entrare ad asciugarsi.

– Nulla! Altrimenti prende il vizio di queste passeggiatine,
e non si sa dove si va a finire. Su, porta qui le biciclette e il mio
cappotto. Oh, a chi dico? Mica tante smorfie: vedi che accendono la luce nelle case accanto.

– Mamma, mamma, – mugolò la figlia, raggomitolandosi
sulla soglia, – fammi entrare, per l'amore di Cristo. Io non torno indietro, no: io muoio, io mi uccido.

– Porta qui le biciclette, perdiosanto, o stanotte le buscate
bene tutte e due. Non mi far staccare le mani dalla porta.

Le due voci risuonavano assieme, come in un duetto tragi-
comico, accompagnato dal coro della bufera.

– Mamma, per amore di Cristo...

La donna si passò una mano sul viso, come strappandosi un
velo; ancora una volta rivedeva la sua piccola bambina, vestita di
rosa dal fulgore di un lampo, aspersa dal lavacro del battesimo.

– Credo. Rinunzio.

E andò a prendere una dopo l'altra le biciclette e il cappotto
del marito. Portò anche uno scialle, per la *piccola*; ma fu rifiutato.

La piccola era già ben coperta dal suo scialle di pioggia e
di obbedienza al destino.

E con l'allontanarsi delle biciclette la furia della pioggia e
del vento si placò: la tempesta parve fare ala, come un popolo

in tumulto che si calma al passaggio di un viatico, a quei due che l'attraversavano con la forza del loro dolore.

Poiché anche l'uomo si sentiva, in fondo, pieno di angoscia: l'angoscia della volontà che si sovrappone ad ogni istinto di ripiegamento e di riposo.

Ma quando furono nella casa degli sposi, e questi si riconciliarono, un po' per amore, molto per il dominio inesorabile che oramai li teneva, egli, senza volerlo, senza neppure saperlo, si sentì vicino ai grandi primi uomini che con la violenza avevano creato le leggi per i loro simili.

LA CASA DEL POETA

Finché era vissuto l'antico proprietario della casa già appartenuta al poeta morto, i non troppo frequenti né numerosi, ma raffinati e commossi visitatori, se ne erano andati sempre contenti. Poiché il signore e custode di questa specie di tempio li riceveva con gentilezza e gioia, quasi venissero per lui: apriva uno dopo l'altro tutti gli usci della casa; indicava con meticolosa precisione gli angoli e gli oggetti più imbevuti della vita del poeta; in modo che la figura mortale di questi balzava dalla sua parola come da un ritratto del tempo, colorita, palpabile, parlante.

E i visitatori andavano via, non solo contenti, ma quasi allucinati, come avessero veduto nella casa del poeta morto lo stesso poeta miracolosamente resuscitato.

Adesso il nuovo proprietario si trovava impicciato e mortificato.

Già, era un vecchio scapolo, egoista e misantropo, ritornato nella piccola città a godersi la pensione di un lungo impiego governativo: le visite, anche quelle fatte a lui personalmente, lo seccavano; e spesso, chiuse le finestre e la porta, non aveva aperto a chi bussava.

Questa volta però si trattava di un alto personaggio che veniva molto di lontano, appunto per visitare la casa, e che in precedenza aveva chiesto di essere ricevuto il tal giorno, alla tale ora.

All'ora precisa indicata, il personaggio arriva: è a piedi, vestito come un qualsiasi altro umile mortale, con un viso stranamente mobile, a momenti giovane, a momenti vecchio, gli occhi nascosti da rotondi occhiali scuri.

Il proprietario stesso lo riceve, segretamente ansioso, introducendolo subito nel salottino al pianterreno. Salottino che, con le sue poltrone e il divano coperti di fodere di tela grigia, la mensola con sopra un vassoio di frutta di marmo destinate ad una gelida eternità, avrebbe chiuso il cuore anche di un visitatore contadino, senza la finestra aperta su una specie di parco del quale non s'indovinava il limite.

L'uomo s'era tolto gli occhiali e fissava quello sfondo con gli occhi grigi incantati.

Forse era breve, il giardino della casa del poeta, ma sembrava appunto senza confini, come egli lo aveva cantato, coi suoi alberi antichi, i cui tronchi mille e più mila cuori di edera lucente rivestivano; e fra un tronco e l'altro festoni di rampicanti, gelsomini e passiflore. Solo le macchie rosse delle rose porporine spandevano chiazze di colore sul verde ombroso e quasi boschivo del luogo: bastava però quel chiarore di fiamma sanguigna per dare una luce calda al giardino e allo stesso salotto. Con voce velata, il visitatore domanda:

– Il giardino appartiene alla casa? Il poeta ha piantato almeno uno di questi alberi?

Il proprietario non lo sa; ma per non fare cattiva figura risponde:

– Credo, sì, che alcuni siano stati piantati da lui.

– Sì, quella paulonia, al centro, è stata piantata da lui.

Il visitatore parla come fra di sé, rispondendo alla sua domanda: e il proprietario lo guarda con lieve stupore, volgendosi poi a fissare la pianta della quale ancora non sapeva il nome.

Il suo stupore crebbe a misura che si procedette nella visita. Poiché era l'altro che gli faceva da guida e gli svelava il mistero di ogni cosa.

– Questa è l'antica cucina, ancora paesana, con le pareti affumicate, le padelle di rame, le graticole, gli spiedi. E questo il camino – disse, fermandosi a guardare la cenere ammucchiatavi dentro come un monticello grigio su uno sfondo di nuvole nere. – Qui, d'inverno, era il suo rifugio prediletto, specialmente alle cimase della sua vita: l'infanzia, e gli ultimi anni, quando ai suoi ammiratori infidi il suo cuore pareva già spento peggio di questo camino, mentre continuava a sfolgorare come il sole che a noi sembra tramontato.

– E questa è la scala: la prima rampata è di granito rosso, patinato dal tempo: le altre, sì, ecco, sono di scalini in muratura, ricoperti di lastre di lavagna. Sulla parete di mezzo una finestra vuota guarda da una rampata all'altra; e affacciandovisi, il poeta, fanciullo, ebbe forse le prime sensazioni di un'arte introspettiva quale fu la sua.

– Questo il pianerottolo fra la sua camera da letto e il suo studio: gli serviva anche da spogliatoio. I suoi vestiti stavano attaccati dentro questo armadio a muro.

Fu il visitatore a sollevare una tenda di stoffa gialla che nascondeva l'armadio; e sul fondo polveroso della parete gli attaccapanni di ferro arrugginito parvero spaventarsi per la luce improvvisa: era invece un ragno che risaliva rapido un filo invisibile della sua tela, e spariva come sciogliendosi nella luce stessa che lo aveva disturbato.

Prima dello studio, al contrario degli altri visitatori, questo volle vedere la camera da letto.

Qui non parlò, ed anzi parve piegarsi e raccogliersi riverente, quasi in atto di preghiera: e il proprietario stesso ebbe voglia di interrogarlo. Non lo fece, per risparmiarsi di nuovo una troppo cattiva figura; ma guardò con occhi nuovi, scrutatori e profondi, la grande camera triste per sé stessa, come le altre però rallegrata dalla sinfonia del giardino. Poiché le cime degli alberi raggiungevano le finestre, adesso su un chiarore azzurro e roseo di cielo già vespertino, il cui riflesso dava alle pareti giallastre toni dorati e caldi.

La banalità provinciale dei mobili vecchi svaniva in questa atmosfera di poesia; e per la prima volta il proprietario *vide* sul letto di ferro, coperto da una coltre di seta canarina scolorita, il poeta che sognava, il poeta che moriva.

Il visitatore riprese a parlare quando finalmente furono nella stanza di fronte alla camera da letto: ampia, anche questa, con le finestre che ripetevano il quadro, la luce, i colori del tramonto sul giardino.

– E questo era il suo studio: e qui resta davvero l'alito della sua vita. Poiché non è nella cucina o nella sala da pranzo, e neppure nella camera da letto, vi sia pur egli nato e morto, che l'artista vive e muore: è nella stanza dove egli ha creato le sue opere.

– Gli scaffali sono ancora quelli, – disse poi, toccandone le mensole, come per assicurarsi che non s'ingannava; – legno solido, di rovere: lo scrittoio è lo stesso, semplice e nudo, coi quattro cassetti dove egli riponeva i suoi manoscritti. L'ordine più perfetto regnava intorno; l'ordine, segno del vero genio. E quando egli lavorava, il poeta, voleva il silenzio nella sua casa: forse per questo non si è creato una famiglia. Solo, con la sua arte. Eppure, – aggiunse il visitatore, che si era seduto davanti allo scrittoio e appoggiandovi i gomiti reclinava il viso fra le mani, – l'amore riempì la sua vita, dal primo all'ultimo giorno: amore per tutto e per tutti, dall'amante all'amico, dall'ultima foglia di questi suoi alberi alla stella che, ecco, adesso vi spunta sopra e ancora riflette gli occhi di lui. La potenza di questa passione è rimasta nei suoi libri; per questo, dopo averli letti, ci si muove di lontano e si viene qui in pellegrinaggio, come si va ad un santuario o verso una fonte miracolosa, per ritrovare qui, dove egli è stato uomo mortale come noi, la salute dello spirito malato.

Lentamente, come si era seduto, il visitatore si alzò: rimase un momento con le mani appoggiate allo scrittoio, gli occhi rivolti al mirabile sfondo della finestra: e le sue labbra parvero mosse da una preghiera silenziosa.

Tremavano invece, come quelle dell'uomo che sta per dare e ricevere il primo bacio d'amore.

Il proprietario della casa si sentì preso anche lui da una suggestione di rispetto, quasi di rimorso. Gli parve di esser lui davvero il visitatore, di conoscere solo allora la grandezza del luogo che abitava. E, sia pure per un momento, anche nel suo vecchio cuore succhiato da una lunga vita inutile, si compì il miracolo del quale parlava l'altro.

FAMIGLIE POVERE

Povera e numerosa era la famiglia del salinaro, raccolta come una tribù di selvaggi in certe catapecchie davanti alle quali il mare, nei giorni burrascosi, appariva come uno straccio sporco sbattuto dal vento, e d'estate le saline, simili a cave di calce, bruciavano gli occhi a chi le fissava.

L'uomo ed i figli più grandetti lavoravano laggiù, mangiati dal sale e dalla malaria: in casa rimaneva la moglie sempre gravida e con un grappolo di marmocchi intorno; rimanevano i vecchi nonni invalidi ed una sorella scema: chi andava e veniva continuamente in giro, era la suocera, la vecchia Geppa, che doveva essere stata generata in un momento di burrasca, perché non stava mai ferma e dava l'idea di un albero maestro tentennante al vento con intorno la vela attorcigliata e rotta.

Dopo i maschi, la Geppa era quella che si rendeva più utile alla famiglia; poiché non tornava una volta a casa senza il grembiale colmo di roba. Non che domandasse l'elemosina, che anzi non guardava in faccia nessuno, e neppure rispondeva se un viandante le chiedeva il nome di una strada, ma cercava, e cercando si trova sempre qualche cosa: fascinotti di legna nella pineta, fuscelli lungo la spiaggia, more e pigne, oggetti anche di valore abbandonati dai bagnanti e sepolti dalla rena, pesci buttati dai pescatori della sciabica, funghi ed erbe, qualche zucca, o grappoli d'uva sporgenti dai campi dei contadini; infine radici buone anche per i continui disturbi dei bambini.

I bambini non l'amavano, forse perché li costringeva a trangugiare questi amari intrugli: e neppure i grandi la vedevano di buon occhio.

C'era qualche cosa di strano, quasi di inumano, in lei, nei suoi occhi rotondi e fissi, come quelli delle vipere, nei suoi larghi piedi di palmipede, nell'andatura veloce e silenziosa: quando lei non era in casa si respirava meglio, mentre il suo riapparire, alla sera, sulla porta grigia e ventosa della catapecchia, dava un senso di fantastico, come s'ella fosse stata a commettere del male, ma in un mondo di spiriti, e cacciata via da questi ritornasse sulla terra con le ombre della notte.

L'aprirsi ed il vuotarsi del suo grembiale riconciliava un po'
tutti, con lei e con la realtà.

Un giorno d'autunno il bambino ultimo, nato da pochi giorni appena, mentre la madre lo allattava, rifiutò il seno di lei e si
mise a piangere forte; un pianto che pareva quello di un uomo
disperato. La donna si accorse che non aveva più latte: pallida,
anzi azzurra in viso, s'accostò il bambino agli occhi, quasi volesse nutrirlo con le sue lagrime: egli però non si chetava; e
d'un tratto lo si vide cadere dalle braccia di lei come un frutto
che si stacca dal ramo; ed ella piegarsi come a raccoglierlo.

Era morta.

Nello scompiglio dell'ora solo la vecchia Geppa taceva.
Aiutò il salinaro a stendere la donna sul letto, e quando si con-
vinse che nulla c'era da fare, prese il bambino, il cui pianto risonava più forte fra quello degli altri, quasi egli si sentisse il
più toccato dalla disgrazia, e lo portò fuori, per svagarlo e farlo
tacere. Ed anche durante la giornata ella non rientrò a casa.

Il salinaro, istupidito dall'angoscia, coi capelli ed i lunghi
baffi gialli spioventi come quelli di un annegato, quando si
recò al paese per denunziare la morte della moglie, – per esaurimento del sangue, aveva dichiarato il medico della salina, –
fece ricerca di lei.

Sì, l'avevano veduta entrare da una contadina benestante,
che allattava un bambino, poi scendere verso la spiaggia, e nel
pomeriggio battere alla porta della villa del podestà, dove c'era
una grossa balia nera con le mammelle lunghe e gonfie come
quelle di una vacca.

Domandava l'elemosina del latte per il bambino.

Il salinaro non approvò questo metodo; non per orgoglio,
ma per bile: poiché anche lui odiava la suocera e la considerava come un'intrusa: e quando alla sera ella tornò col bambino
sazio adagiato sopra il grembiale colmo di patate, la strapazzò
malamente. I ragazzi ed i bambini mangiarono tuttavia, condite
col sale, le patate che ella mise a bollire, e fu lei che accese un
candelino per rischiarare l'ombra intorno alla figlia morta.

Venne il giorno dopo il prete, per conto della direzione della salina, e prima di portar via la donna, parlò in disparte col vedovo.

Era un pretaccio selvatico, col viso scuro di barba, i gambali sotto la sottana, le scarpe coi chiodi: lo si vedeva sempre in bicicletta, e viveva anche lui in una casupola addossata alla chiesetta del cimitero, del quale era cappellano.

Senza tanti preamboli disse:

– Si tratta di dare il vostro ultimo bambino alla sorella della contadina Signani, dalla quale vostra suocera ieri lo ha portato per farlo allattare. Il cognato della Signani è fattore delle tenute del conte Lanza: sta bene, quindi, e poiché non ha figli desidera adottarne uno. Darebbe anche qualche cosa. Si capisce.

Disse forte questo «si capisce» battendo il pugno come per applicare il timbro ad un contratto.

Il salinaro abbassò la testa; si morse le labbra; poi disse:

– Lei mi garantisce che il bambino sarà trattato bene?

– Perdio!

– Allora le darò una risposta domani.

Fu quindi tenuto una specie di consiglio di famiglia. I vecchi genitori del salinaro, resi insensibili dalla miseria e dalla malattia, furono del parere di dar via il bambino, per il suo stesso bene...

Geppa invece, intorno alla quale adesso, smarriti nel vuoto improvviso lasciato dalla madre, i nipotini si stringevano con affetto, disse la cruda verità:

– Volete venderlo per non dargli da campare.

Bastò questo perché l'uomo, indeciso e angosciato, si sollevasse crudele.

– È proprio così, sapristi!

Il bambino intanto piangeva, rifiutando di succhiare un pezzettino di zucchero avvolto in uno straccetto ch'ella inumidiva con la sua saliva. Era adagiato sul letto della madre, e la vecchia aveva l'impressione che la povera morta fosse ancora lì, lunga, col viso triste, del colore del mare sotto la luna.

– Figlia, – le diceva, – perché non parli al cuore di tuo marito? Ed anche a quello del prete scervellato? Parla, tu che adesso lo puoi; altrimenti gli faccio la festa, io, a quel corvo maledetto, mediatore del diavolo.

Quando vide il genero uscire ed avviarsi al cimitero, ch'era a metà strada fra il paese e la salina, sentì davvero di odiare il prete: e pensò a chi poteva rivolgersi per difendersi da lui o per convincerlo almeno a non intromettersi oltre nella triste faccenda.

A chi rivolgersi? Ma allo stesso padrone della balia nera, che era pure padrone del paese: al podestà.

E quasi si sentisse già forte della protezione di lui riprese il bambino e s'avviò coi suoi lunghi passi di cammello. Fece un largo giro per evitare d'incontrare il salinaro, finché arrivò alla spiaggia battuta già dal vento d'autunno e quindi disabitata. La casa del podestà era appunto vicina al mare, distaccata alquanto dal paesetto del quale apparivano già i pioppi, sul cielo cremisi, i tetti ed i comignoli fumanti.

Col bambino che piagnucolava sempre, ella infilò senz'altro il cancello aperto del giardino del podestà, andò diritta fino alla casa, e lì davanti all'atrio si fermò di botto, impalata, con un fitto dolore al cuore, come se uno spiedo scatenato a tradimento dal suolo le si conficcasse dal calcagno in su: poiché fra le colonne del portico, illuminate dal chiarore ultimo del giorno, stavano a confabulare tre figure: quella rosea e benigna del podestà, quella nera del pretaccio del cimitero e quella gialla del salinaro.

Nell'accorgersi della vecchia, questi balzò come un gallo infuriato.

– Sapristi, eccola qui la strega. Che siete venuta a fare?

Ella s'era subito rianimata.

– Venivo a chiedere un po' di latte alla balia, perché la creatura muore.

E non sapeva che con quest'esagerazione segnava la sorte del bambino: poiché il podestà, al quale gli altri due domandavano appunto l'autorizzazione di concederlo ai contadini, incerto

fino a quel momento, pensò che era atto d'umanità acconsenti-
re. Non solo, ma chiamò la balia possente perché tenesse il
bambino con sé fino al momento della consegna.

– Di latte ne hai tanto da poter fare il cacio – le disse per
complimento.

La vecchia tornò indietro stordita. Questa era la giustizia
degli uomini, questi gli scherzi della sorte. E le sembrava di essere tutta vuota; di camminare come uno scarabeo al quale i
compagni hanno mangiato le viscere, e pure vive ancora.

Anzi correva: in pochi minuti fu davanti al cimitero e lì si
piantò in agguato feroce. Gli occhi le luccicavano infiammati
come l'occidente ventoso; e le parole di minaccia s'indurivano
in proposito inesorabile.

– Questa sera ti faccio la festa, corvaccio della morte.

Quasi ad aiutarla le si presentò fra l'erba, ai suoi piedi, il
mozzicone di un'antica piccola croce di ferro, forse divelta e
sbalzata dal vento; ella l'afferrò come una spada e si nascose
meglio dietro il muro.

Ma il prete non tornava. Dal suo posto ella vedeva la parte
nuova del cimitero, dov'era stata sepolta la figlia, e le pareva
un cortile pieno di sassi, senza un fiore, senza cipressi. La pineta però fasciava il muro: sopra le cime dei pini profilate di smeraldo, il cielo brillava sempre più violetto; e si sentiva scendere
di lassù un mormorìo monotono come se gli alberi recitassero
in coro, musicato dal vento, un vespro per i buoni morti.

Il prete non tornava. Ma dentro la sua casupola doveva esserci qualcuno, perché il fumo uscì dal comignolo corto e nero
come una pipa, e un odore dolce ed acuto di cipolle fritte arrivò sino alla vecchia.

Allora ella ricordò che anche il prete aveva una famiglia da
mantenere: la vecchia madre ed una torma di nipotini, figli di
un fratello marinaio morto in un naufragio.

L'odore delle cipolle le ricordò anche la sua catapecchia ed
i bambini che aspettavano lei ed il suo grembiale: ma appunto
il pensiero che, a causa del prete, quel giorno, l'ira le aveva fatto trascurare la solita raccolta, riaccese il suo rancore.

Ed ecco, mentre pensa così, una specie di sassata la colpisce alle spalle. Si volge, credendo di essere scoperta, e nell'atto stesso si sente colpita alla testa. Erano grosse pigne che il vento staccava dagli alberi e nel cadere si aprivano come scatole dalle quali balzavano i pinòli maturi. Molte ce n'erano per terra, alcune intatte, altre, sfarfallate, che al crepuscolo parevano spoglie d'uccelli.

L'istinto della raccolta la vinse: appoggiò la croce al tronco di un pino, prese le cocche del grembiale fra i denti; e in breve, per opera della mano destra e della sinistra, il grembiale fu gonfio, duro, pesante.

Allora ella se ne andò, paurosa adesso d'incontrare il prete, lasciando la piccola croce dov'era caduto il suo odio.

VETRINA DI GIOIELLIERE

Era la prima volta che la sposina usciva sola e senza scopo, così, per pigliarsi un po' di sole lungo la grande strada parallela alla viuzza quasi popolare dove lei e il suo giovane marito avevano trovato il loro modesto ma felice nido. Anche in questo nido – due camere e cucina, al terzo piano di una vecchia casa riattata – penetrava un po' di sole; ed ella n'era uscita timidamente, anzi con una certa trepidazione, come se vi lasciasse dentro dei bambini incustoditi, o un tesoro in pericolo di venir rubato; ma una volta giù, nella via traversale e poi nella grande strada sfolgorante di sole, di insegne, di cristalli e di vetrine, era stata vinta dall'ebbrezza della città in quell'ora del pomeriggio autunnale, quando solo la gente sana, che non ha molto da fare e da pensare, si gode la dolcezza di andarsene in giro senza altro scopo che quello di passare il tempo. Ella camminava dunque con calma e prudenza, risalendo il largo marciapiede a destra, con l'intenzione di non attraversare la strada: si divertiva anzi a guardare i gruppi di gente ferma ad aspettare il tranvai e, quando questo arrivava, a vederne la discesa e l'assalto dei passeggeri, le gambe ben calzate delle donne, i loro visi dipinti, le coppie che proseguivano il loro viaggio a piedi.

Ecco appunto una bella coppia classicamente moderna e cittadina, che balza ridendo sul marciapiede e cammina davanti a lei che ne rimane come abbagliata. L'uomo è alto, giovanissimo, bianco e biondastro, vestito tutto inappuntabilmente in grigio: la donna è piccola; sembra una bambina, ma una bambina perversamente precoce: magra, vestita di verde, con gli occhi verdi rifulgenti nel viso truccato in pallido, e che ricorda alla sposina campestre la perfida mantide religiosa che saltella intorno al maschio bonaccione. Ma in fondo ella l'invidia e l'ammira. Ecco una donnina che si gode e si godrà la vita in tutti i suoi sensi: che non avrà mai figli, e denari sempre; e mai invecchierà. Tutte le cose belle saranno sue: e Dio sa com'è bella la sua casa.

A questo pensiero la sposina trasalì: ricordava la sua casetta lasciata sola, con le piccole cose che aspettavano il suo ritorno;

il sole che scivolava piano piano dalla camera da letto, quasi gli dispiacesse di andarsene; la cucina silenziosa, il fuoco spento: e le parve di commettere peccato e offendere Dio seguendo con cattivi pensieri – forse desideri – la scia di profumo dell'altra donna.

Eppure ella era trascinata da quella scia come da una rete pericolosa: e, quasi senza volerlo, anche lei si fermò, quando la coppia si fermò, davanti alle vetrine di un gioielliere.

Dapprima ebbe l'impressione che tanti occhi la guardassero, dietro i cristalli che partecipavano anch'essi alla natura dei gioielli custoditi: occhi di zaffiro e d'onice, di smeraldo, di opale; ed anche di rubino: occhi, questi, di passione, di avidità, di una cupa e sanguinante gioia di vivere: occhi che, pur di avere tutta l'indefinibile ricchezza che offre la città, non si chiudono davanti al mostro del delitto.

E la sposina chiuse i suoi, un momento, abbagliata e quasi presa da uno smarrimento di terrore.

L'altra invece rideva, i suoi denti scintillavano più delle collane di perle, e con la guancia rasente a quella del suo compagno, protesi tutti e due verso il cristallo come a bere in una fontana, diceva con la sua voce canora:

– Guarda, Nino, è proprio eguale a quella che hai ordinato tu.

Risponde la voce calda di lui:

– Lo vedo bene: e questo mi secca.

– Ma perché? Quando il valore…

La frase è spezzata dall'urto e dal mormorìo di una folla che d'improvviso si rovescia sul marciapiede. Grida, proteste, risate, imprecazioni. Un tranvai ha deragliato e gli altri che lo seguono sono costretti a fermarsi in una lunga fila che alla sposina sembra una costruzione di casette ambulanti.

Ella si diverte di nuovo a guardare: la coppia elegante è sparita, ingoiata dalla folla; ma quante altre belle donnine le sfilano davanti: gambe d'argento, bocche di porpora, occhi simili a quelli della vetrina del gioielliere: e quasi tutte hanno, come agili Diane in veste succinta di caccia, gettati sull'omero, volpi, martore, ermellini che forse un giorno furono conigli, ma che a lei sembrano davvero ermellini.

E di nuovo si sente smarrita, provinciale e quasi vecchia in mezzo a quel mondo di movimento e di bellezza.

La sera, nella lucida cucina che serviva anche da sala da pranzo, ella raccontò le sue impressioni al marito. Non era più mortificata, ma neppure serena come le altre sere: le rimaneva negli occhi un riflesso delle cose vedute, quasi le avesse vedute per la prima volta. Il marito, sebbene anche lui d'origine contadinesca, era molto più esperto di lei: anzi, aveva nel viso acuto, nella bocca sottile, tutta la furberia maliziosa e allegra dell'uomo campestre diventato abile cittadino.

– Ah, la vetrina al numero 222: eh, la conosco.

Senza guardare la sposa, anzi col viso basso sul piatto colmo di un certo risotto dorato che era una delle specialità culinarie di lei, egli scuoteva la testa e sorrideva. Sorrideva alla buona vivanda; sorrideva per l'ingenuità appassionata della sposa, ma sopratutto perché si sentiva profondamente felice. Disse poi:

– Tutte quelle donnine? Belle, vero; fiori di canagliette, poveracce: non metterti in mente d'invidiarle: tu non conoscerai mai le loro lagrime.

– E chi le invidia?

– Beh, di' la verità, però: un anello, almeno uno, te lo hai desiderato.

Ella guardò i piccoli anelli che aveva alle dita, e spalancò gli occhi meravigliati in viso allo sposo.

– Ma ti pare? Chissà quanto costano.

– Di' la verità, bambina: qualche cosa l'hai pure desiderata.

– Ebbene, sì, te lo dico: c'è un nidino d'oro con dentro i pulcini d'oro.

Egli la guardò: era tutta rossa in viso, sfavillante di sincerità. E anche il viso di lui, gli occhi celesti, le ali dei suoi capelli dorati si illuminarono di una gioia che era anche l'allegria di uno che vuol combinare una burla.

Disse, con esagerata serietà:

– Il nido: i pulcini. Simbolo ottimo. Questi sentimenti altamente ti onorano: e avranno il loro meritato guiderdone.

Ella era abituata ad esser presa in giro da lui: quindi gli

sbatté lievemente sulle spalle la salvietta e protestò ma senza forza:

– Adesso basta con le tue ironie.

Ma egli parlava sul serio: e un giorno, il giorno della festa di lei, – l'ora dei suoi venti anni, – entrò nella piccola casa il nido d'oro con dentro i pulcini d'oro: il tutto grande come un mezzo guscio di nocciola.

Ella aprì la scatoletta indovinando quello che conteneva; e non parlò: ma stette a lungo tranquilla a guardare il dono, come si trattasse di una conchiglia o di un fiore: poi si alzò di scatto e si mise a ballare. E pareva lo facesse anche lei per burla, per imitare i modi del marito; ma era veramente per una gioia infantile e profonda. Egli disse:

– Ecco la vera felicità.

Ed ella pensò che nessuna delle donnine che si fermavano davanti alla vetrina del gioielliere sarebbe mai stata davvero felice come lei.

Eppure, ogni volta che usciva sola e faceva la solita passeggiata senza mai decidersi ad attraversare il fiume travolgente e rumoroso della strada grande, si fermava davanti alla vetrina, forse più pericolosa ancora della strada. Un altro nido aveva sostituito il primo: lei, naturalmente, non lo desiderava più, ma era un po' gelosa che altri potesse averlo. Il nido però rimaneva lì; nessuno pensava di comprarlo; e le donne che guardavano la vetrina come si guarda il cielo stellato, non lo vedevano neppure.

Solo un pomeriggio di novembre, già umidiccio e giallo, una bambina con un funghetto verde in testa disse alla signora ancora giovane che l'accompagnava:

– Lo vedi il nidino? Me lo compri per la mia festa? Me lo compri, vero? Di' che me lo compri; ma su, dillo!

– Santa pazienza – rispose la donna. – C'è tempo ancora: eppoi, che te ne fai?

– Così, mi ci diverto. Eppoi, cosa vuoi che costi?

81

– Costerà, costerà.

– Ma che costare! Se tutta la roba che c'è qui è falsa.

La donna lo sapeva, e quindi non protestò né dimostrò sorpresa. Chi cadde da un'altezza prodigiosa e protestò con violenza fu il cuore della sposa. Ah, traditore, imbroglione e turlupinatore di un marito!

Ma il furore le passò lungo la strada, si disperse col profumo delle belle donnine, si fece a poco a poco consolazione e allegria: e quando fu alla svolta per tornare a casa, ella si volse e guardò la folla che passava sui marciapiedi come la vedesse per la prima volta. E la vedeva, sì, per la prima volta, nella sua crudele realtà: come le gemme e gli ori falsi nella vetrina del gioielliere.

FERITI

I padroni erano venuti a passare il tempo della vendemmia nella casa colonica: moglie, marito, signorina e signorino. La signorina faceva la cura dell'uva, e non pensava ad altro; i genitori al contrario preferivano quella dei polli e dei tacchini arrosto; il signorino si rimpinzava di frutta, di carne, di quanto gli capitava sotto mano, e si annoiava a morte.

Aveva quattordici anni. Più che noia, la sua era la scontentezza o meglio l'irrequietudine variabile dell'età e della stagione. I lunghi bagni di mare, i giochi violenti della spiaggia lo avevano seccato e teso come una corda che sta per rompersi. Adesso la campagna piatta e monotona, con le sue greggie di vigne e di frutteti bassi troppo carichi di cose da mangiare, gli sembrava un luogo di pena; e nei contadini dalla voce rauca e grassa, nelle loro donne senza carne, bruciate dalla fatica e dall'abbondante figliolanza, e in questa figliolanza stessa, a dire il vero composta quasi tutta di bambini brutti, sudici, seminudi, non vedeva che una umanità inferiore, animalesca.

Forse per legge di contrasto, gli piacevano invece le bestie: eccolo incantato a guardare i monumentali giovenchi grigi, ancora aggiogati, all'ombra di un platano, dopo la fatica della prima aratura. Sono ancora ansanti, con le grandi corna nere eguali e perfette come levigate da uno stesso artista, gli occhi rassegnati e buoni.

E le anatre, le oche maestose, i pulcini d'oro, il cane mattacchione, i gatti semiselvaggi e ladri, la donnola legata e irrequieta che guardava con occhi scintillanti come goccie di rugiada nera, tutti gli piacevano e lo stupivano.

Una mattina stava appunto da un quarto d'ora a spiare chino sul basso della siepe una piccola talpa che si affacciava ogni tanto tra le foglie come anch'essa spiando quel lungo e ignoto animale innocuo, quando sentì i due figli gemelli del capoccia vociare a poca distanza, contrastandosi un oggetto del quale non si capiva la natura. Le loro voci, già aspre e violente, lo

83

avevano altre volte irritato; poiché i due ragazzi, che litigavano sempre, avevano pretese da padroni, e si trovavano d'accordo solo nel maltrattare gli altri bambini.

Lasciò dunque il suo posto di osservazione e si allungò per veder meglio: e subito si fece rosso in viso e digrignò i denti.

I due gemelli, camusi e gialli come cinesi, vestiti con certe vecchie maglie rosse che li facevano apparire più selvaggi, questionavano per un uccellino che uno di essi teneva stretto nella mano già grande e ossuta.

Nell'accorgersi del padroncino stettero zitti, quasi odorando il vento infido, e quello che teneva l'uccello tentò di svignarsela. Ma il padrone lo raggiunse presto coi suoi lunghi e volanti passi di corridore.

– Gabriele… – mormorò il ragazzo.

– Anzitutto ti ho già avvertito di non chiamarmi col mio nome solo e di non darmi del tu, poi mi dici dove hai preso quell'uccello.

Anche la sua voce era la voce rauca e rombante degli adolescenti in crescenza: e spaurì ma irritò in pari tempo il gemello, che guardò coi suoi occhi verdi sfrontati il giovane e già autoritario padrone.

– Non l'ho preso io. L'ha preso ieri il babbo ch'è andato a caccia: è ancora ferito.

Questa notizia parve sbalordire Gabriele.

– Fa' vedere.

L'altro aprì le dita, ma l'uccello, invece di passare nella mano di Gabriele, sgusciò giù e cadde a terra svolazzando. Era miseramente mutilato, con una grande raggiante ala d'argento e d'azzurro e l'altra sanguinante mozzata di tutte le sue penne e di un pezzo di carne alla sommità.

Quando si ricompose, richiudendo le ali, e la punta di quella sana sopravanzò la breve coda, apparve tuttavia bellissimo, con la testina bruna coronata di una stella d'argento, le zampine palmipedi, e due grandi occhi tutti neri nei quali a Gabriele apparve per la prima volta il mistero del dolore senza speranza.

Egli s'inginocchiò; prese l'uccello e se lo strinse al petto; lo sentì palpitare contro la sua mano; e gli parve che il suo cuore rombasse.

Poi si sollevò, inquisitore, feroce.

– Perché tuo padre ha sparato contro quest'uccello?

– Che ne so io? Perché era a caccia.

Con la mano libera Gabriele afferrò il polso del ragazzo e si piegò quasi volesse morderlo.

– Piantala, con quegli occhi! – urlò. – Non voglio essere guardato così. E rispondi: perché tuo padre ha portato a casa quest'uccello? Da mangiare non è buono.

Allora l'altro gemello, ch'era rimasto a rispettosa distanza, gridò:

– Per quello che gli pare e piace.

E sparve. Gabriele non si degnò neppure di guardare da quella parte; le sue unghie mordevano il polso del ragazzo, i suoi occhi se lo divoravano vivo. Smarrito, il gemello cercò di difendere il padre.

– Lo ha portato a casa per farci divertire.

Mai avesse parlato così. Gabriele gli torse il braccio e cominciò a farlo girare attorno a sé, tempestandolo di calci furibondi, da tutte le parti, fin dove la sua gamba lunga e snodata e il suo piede da calciatore potevano arrivare. E fu un torneare fantastico, perché l'avversario reagiva, con agilità serpentina, valendosi anche del braccio libero, mentre Gabriele non cessava di stringere l'uccello al suo petto ansante. Finché tutti assieme in mucchio non caddero sull'erba della radura, e il gemello batté la testa sul tronco abbattuto che li aveva fatti inciampare: allora mugghiò, come un toro ferito.

Gabriele fu il primo a sollevarsi: vide il sangue stillare dal sopracciglio destro dell'avversario, e si placò; anzi un istinto di paura lo spinse a guardarsi intorno: ma gli parve di essere in un luogo sconosciuto e quasi incantato. Non si vedeva anima viva nella distesa dorata della vigna che sconfinava con la serenità cilestrina dell'orizzonte: e solo laggiù, dietro la linea boschiva dei frutteti, il fumo che sbocciava dallo stelo di un comignolo ricordava che altri uomini, oltre quei due lì, nemici per la vita, esistevano nel mondo.

Il vinto si era sollevato sul tronco e annaspava l'aria come tentando di galleggiare; poi ricadde sul fianco: il sangue continuava a solcargli la guancia, ma erano poche gocce lente, come di sudore, e Gabriele si rassicurò. Disse, spietato:

– E non fiatare, sai, con nessuno. Altrimenti faccio mandar via tuo padre. Capito?

Poi se ne andò, facendo culla delle mani all'uccello ferito.

Lo portò nella sua camera, lo mise sul letto, e poiché l'infelice tentava di sgusciar via gli formò una specie di nido con l'asciugamano. Per un momento l'uccello parve assopirsi; ma appena Gabriele si allontanò per cercargli del cibo, svolazzò di nuovo, fino a precipitare giù dal lettuccio: il ragazzo lo trovò con l'ala sana tesa e tremante, gli occhi grandi pieni d'angoscia. Sul tappeto chiaro una macchia di sangue segnava come un piccolo garofano stroncato dallo stelo.

Allora cominciò una lunga pena per l'adolescente: una pena femminea, materna, mai provata. Girò per la casa, finché non trovò una sporta, il cui fondo imbottì di ovatta: di là dentro l'uccello non poteva uscire né farsi più male: e infatti vi si accovacciò, come usava sulle gramigne fresche dell'arenile nei giorni felici che non dovevano tornare mai più. E per quante cose buone il suo salvatore gli porgesse, non apriva il lungo becco nero né muoveva la piccola testa segnata dall'astro del dolore.

Finché la serva non si accorse del dramma e mise il cespuglio rossastro della sua testa sopra la sporta che Gabriele le aveva portato via di cucina.

– Benedetto da Dio! Ma questo è un uccello di mare, e non mangia che pesciolini freschi.

Gabriele sollevò il viso mortificato con gli occhi scintillanti di speranza.

Il mare non è vicino al podere, ma neppure così lontano da non arrivarci in bicicletta: ed egli corre a prendere proprio la bicicletta sulla quale il capoccia è andato a caccia nella pineta del lido. Nell'ingresso della casa colonica, dove stanno appoggiate alla parete le biciclette dei contadini, c'è una insolita confusione: i bambini bisbigliano, spiando intorno ad un uscio socchiuso; dall'uscio di contro vien fuori una donna pallida, con un bicchiere d'aceto e uno straccio in mano; il secondo gemello, congestionato in viso, con gli occhi di vetriolo, balza davanti a Gabriele e gli dice a denti stretti:

– Sei tu che hai ferito mio fratello? È svenuto e forse muore.

Gabriele porta fuori la bicicletta: l'altro cerca d'impedirglielo e riceve, con una spinta che gli fa mancare il respiro, questa formale promessa:

– Se non la smetti ti dò tanti di quei cazzotti che svieni tu pure.

E via sulla bicicletta fulminea, verso la marina, in cerca di pesciolini vivi per l'uccello ferito.

STORIA DI UN CAVALLO

In apparenza sembrava ancora giovane, nobilmente fermo sulle zampe, coi lunghi garetti sottili, tutto nero, lucido e grasso; ma bastava osservargli la bocca e gli occhi per indovinare la sua età: gli occhi erano appannati, violacei; e in bocca gli rimanevano sei denti gialli come fave secche. Eppure aveva ventiquattro anni.

– Ma ventiquattro anni, per un cavallo, e un cavallo che è stato anche da corsa, sono come i miei ottanta suonati. Con la differenza che io me la sgambetto ancora e faccio i miei bravi piccoli affari, mentre Fortunato vegeta, e gli viene l'asma solo a condurlo all'abbeveratoio.

Parlando così, il padrone esagerava: perché, invece, l'ora più bella della sua lunga giornata di noia era per il vecchio cavallo appunto quella dell'abbeveratoio. E, a dire il vero, il padrone ce lo mandava più per fargli fare una passeggiata che per altro. La strada in pendio era sempre la stessa di un tempo, quando il figlio più giovane e avventuroso dell'ottuagenario la percorreva col giovane morello, recandosi alle corse paesane, delle quali vinceva immancabilmente il primo premio: e il cavallo, che il vecchio possidente teneva sacro come un ricordo del figlio morto da valoroso in guerra, pareva ricordasse il passato, perché nel sentire l'odore dei canneti della valle protendeva di qua e di là la testa melanconica, aprendo le froge e respirando forte. Quando poi la strada sboccava sullo stradone, a mezza costa del monte, dove la lunga vasca d'acqua bruno-verde dell'abbeveratoio invitava alla fermata, i suoi occhi si animavano e raccoglievano il riflesso della grande valle chiara di vigne, di olivi, di seminati: poi si volgeva per bere, svogliato e lento, mentre il servo che lo conduceva, anche lui vecchio, anche lui mezzo pensionato nella casa del ricco padrone, scambiava qualche parola coi radi passanti che scendevano dal paese o vi risalivano.

– E questa bestia, dunque, ancora campa?
– Pare di sì, se ancora beve e mangia.

– Ma di' al tuo padrone che lo mandi alla concia, e i soldi che spende per mantenerlo li passi a me.

– Va, e prova a dirglielo tu, se ne hai il coraggio. Del resto, neppure alla concia ci vogliono oramai, caro compare Fortunato.

Al colpo della manaccia del servo il cavallo trasaliva, sollevando la testa, e le gocce che gli calavano dalle narici parevano lagrime.

Un giorno il padrone si ammalò e mandò a chiamare il parroco per confessarsi. Il prete era giovane, intelligente e spregiudicato: non si meravigliò quindi per la straordinaria abbondanza e varietà dei peccati del ricco vecchione; ma quando si giunse alla fine e vide il grande viso grigio e barbuto del malato solcarsi di ansietà, e gli occhi chiudersi forte come per un dolore fisico, indovinò che altro e di ben grosso c'era.

– Altro?

L'uomo riaprì gli occhi, che in quel momento rassomigliavano a quelli del cavallo quando riflettevano la valle dorata dal sole.

– C'è questo. Mio figlio Alessio, quello morto in guerra, desiderava un cavallo da corsa. C'era un mio compare, non ricco, ma onesto e laborioso contadino, che ne possedeva uno: un puledro natogli per caso dalla giumenta da tiro, già domato, bello e rapido come una saetta. Vado e dico: «Compare, vendetemi il puledro; lo chiameremo Fortunato, e tale sarà. Per i denari, grazie a Dio, non avete che a dire una cifra».

Così dicendo, – proseguì il malato, richiudendo gli occhi, – io toccai la cintura, dove tenevo la borsa. Mai lo avessi fatto. Il compare, che dapprima ascoltava benevolo, si fece nero in viso, come per una crudele offesa. Poi rise; un riso stridente che mi sega ancora l'anima. Dice: «Il mio cavallo? Se me ne dessero in cambio uno d'oro non lo cederei neppure a mio fratello». E non ci fu verso di fargli mutare parere. Ma appunto per il rifiuto, il mio Alessio s'innamora del cavallo e lo vuole a tutti i costi. Io stesso mi sentivo punto, perché il compare non cedeva la bestia per semplice orgoglio: se io gliela avessi chiesta in regalo me l'avrebbe data: l'accenno alla borsa, con la sicurezza che dà il denaro, lo aveva invece offeso e indignato. Così ne nacque una vera inimicizia.

Una notte ignoti ladri tentarono di penetrare nella stalla dove il compare teneva prigioniero il puledro: egli incolpò mio figlio, che per lo sdegno minacciò di ucciderlo. Si passarono brutte giornate: io avevo paura di una grave disgrazia, e cominciai ad odiare con tale veemenza l'uomo al quale un tempo volevo un bene da fratello, che giorno e notte lo coprivo di maledizioni. Arrivato sono al punto di chiedere a Dio la sua morte; infatti, il giorno di Sant'Anna, sì, il 26 luglio del 1906, andai alla messa, e al momento dell'Elevazione domandai la grazia di essere liberato dal mio nemico. E nello stesso tempo imprecavo, poiché egli mi aveva condotto a quel punto. «Maledetto tu sii, – dicevo, – per il tuo orgoglio e le tue calunnie; che tu possa morire questa notte, e l'anima tua reietta penetri nel corpo del tuo cavallo infernale».

Ebbene, – riprese il malato, ansando ancora al ricordo, – la stessa notte l'uomo morì: nella stalla si sentirono strepitare i cavalli, e quello che aveva provocato tanti guai fu il giorno dopo trovato gonfio e di un colore più nero del solito. Nessuno sapeva della mia maledizione; io solo, da quel giorno, mi trovo con questa davanti a Dio, che me ne chiede conto. Saranno superstizioni; ma la mia coscienza è diventata come un tumore maligno. Dopo la morte dell'uomo, quando il cavallo fu guarito del suo gonfiore, gli eredi stessi vennero ad offrirmelo: lo presi, e mio figlio lo portò a tutte le corse del circondario. Egli non sapeva che cavalcava un'anima in pena, e che un'altra anima in pena ero io, sempre pauroso che gli accadesse una disgrazia. Dopo la morte sua gloriosa, io tenni il cavallo per ricordo di lui, ma sopratutto per quella fissazione mia. Tante volte ho pensato di ammazzare la bestia, per liberarmene, ma non ne ho mai avuto il coraggio.

Il prete, con voce quasi ironica, tentò di rassicurare il vecchio.

– Il vostro peccato è sopratutto di superstizione, di offesa a Dio. Se Dio si lasciasse convincere dalle maledizioni degli uomini, a quest'ora il mondo sarebbe distrutto: e il castigo voi lo avete già avuto nella vostra pena stessa.

L'altro scuoteva la testa sul guanciale, non convinto né confortato, e non si chetò neppure dopo avuta l'assoluzione.

Nella notte lo sentirono vaneggiare, parlando col cavallo

come con una persona viva; e rifaceva anche la voce del compare morto.

– Compare, non mi dispiace altro che di vivere prigioniero e inoperoso: questa umiliazione, no, non ve la perdonerò per l'eternità.

Nel sentirsi aggravare, il vecchio chiamò il servo che accudiva al cavallo.

– Ascoltami: tu hai qualche anno ancora da campare, perché voi poveri siete più sani e più forti dei ricchi, malanno a noi. Ti raccomando Fortunato: lo farai pascolare in libertà, quando il tempo è buono; quando farà freddo lo riporterai nella stalla. In cambio ti lascio in eredità il mio frantoio e l'altro cavallo buono. Accetti? Sì, bravo, dammi la mano.

Il servo prese nella sua la mano umida e ardente del padrone, e giurò che avrebbe trattato il cavallo come un cristiano. Nei primi tempi, infatti, dopo la morte del vecchio, mantenne la promessa. Era ancora la buona stagione: il cavallo fu portato al pascolo in un prato della valle, sotto la verde scalea delle vigne che saliva fino al cielo; ma parve soffrirne: brucava svogliatamente l'erba d'autunno, e la notte starnutiva e non si sdraiava mai. Ogni volta che andava a vederlo, il suo nuovo padrone lo trovava deperito, sempre più magro, tonto e triste: e in fondo desiderava che morisse, per potersene liberare.

Gli si ammalò, invece, e morì in pochi giorni il cavallo giovane, quello da tiro e da fatica. Fu per il vecchio servo una vera tragedia: poiché era già il tempo delle olive, e per campare, non ricevendo più dagli altri eredi del padrone morto sussidio alcuno, egli contava sulla rendita del frantoio.

Un giorno di autunno, che già cominciava a far freddo e a piovigginare, andò a riprendere Fortunato per riportarlo a casa. Lo trovò affacciato alla muriccia del prato, tutto nero e intirizzito sullo sfondo della caligine; e gli parve che lo aspettasse.

– Come va, compare?

Gli occhi del cavallo si animarono e rivolsero uno sguardo quasi umano al nuovo padrone: quando poi questi gli diede il solito colpo con la mano aperta, nitrì a lungo. E il vecchio si sentì echeggiare quel nitrito nelle vene, come un brivido misterioso provocato da un senso di rivelazione panica.

Da tanto tempo il cavallo non nitriva più.

L'uomo gli prese la testa fra le mani, come quella di un suo simile, poi lo fissò negli occhi.

– Tu indovini il mio pensiero, creatura di Dio. Sì, sono venuto a riprenderti con l'intenzione di attaccarti al frantoio. Il tuo padrone morto mi maledirà; ma vivere bisogna.

Lo attaccò al frantoio: e si vide una cosa straordinaria. Il cavallo parve ringiovanire: tirava la macina con forza; non si fermava se non quando il padrone lo fermava.

E ancora stanno lì, tutti e due, a lavorare assieme, felici come due giovani che hanno risolto il problema della loro esistenza.

COSE CHE SI RACCONTANO

Questa la raccontava il grande e decorativo Aroldo, mentre sparecchiava la tavola: la raccontava al benevolo e curiosissimo scrittore, del quale era cuoco, cameriere e, insomma, *factotum*.

– Mi stia a sentire: lei, che scrive tante storie sorprendenti, non ne ha mai forse immaginata una come questa. Quando dunque stavo nella Clinica, dove facevo da cuoco, da cameriere e sopratutto da infermiere, venne portata, di notte, al pronto soccorso, una signorina giovane giovane, bellissima, che aveva tentato di uccidersi. Prima si era sparata alla testa, poi al cuore; ma si era ferita solo al polmone, e sebbene il suo stato fosse gravissimo si tentò di salvarla. L'accompagnava la madre, che aveva un aspetto alquanto equivoco; mentre la signorina, bianca e bionda, sembrava un serafino. Dopo averla curata, il professore ordinò che le si dessero, di ora in ora, due cucchiai di brodo ristretto. Ed ecco, la mattina dopo, il professore viene giù in cucina, per le solite ordinazioni, e mi dice: «Senti, Aroldo, tu mi devi fare un piacere: il brodo, al numero due, lo porti tu: perché la madre della malata dice che finora il brodo non è stato buono. Eh?». Quando il professore nitriva quell'*eh?* tutto il personale tremava. Io dunque mi ci misi d'impegno e preparai un brodo che avrebbe fatto risorgere Cristo al primo, non al terzo giorno.

E lo porto. La signora lo assaggia e dice: «Benissimo». Io imbocco la signorina, che sta ad occhi chiusi e sembra una statua di cera: e così si continua, fino a sera: a sera l'infelice parve riaversi. Aprì un momento gli occhi e mi fissò: e fu come se un tempo mi avesse conosciuto e adesso, pur nel suo deliquio, mi riconoscesse. L'impressione che ne provai fu quasi di terrore: come se anch'io vedessi un morto riaprire gli occhi e fissarmi. Mi spiego meglio: come se il morto guardasse un'ultima volta nel mondo solo per la mia persona. E tanta fu la mia impressione che tornai giù in cucina e dissi alla suora: «Io, dal numero due non ci voglio andar più». E infatti non ci andai.

Andai a letto, piuttosto, stanco morto, e mi addormentai come una pietra. Ma verso la mezzanotte un sogno strano mi fece svegliare. Dunque, nel sogno mi si accostò una giovane donna. Era quella del numero due, ma sana, fresca, vestita da ballerina: però sembrava anche un angelo. Si piegò su di me e sottovoce mi disse:

«Aroldo, mi dai un bacio?».

Io ricordavo perfettamente ch'ella era a letto, in agonia, e l'idea di darle il bacio, *il bacio che lei voleva*, mi destò un senso di ripugnanza. Quindi feci un cenno di rifiuto. Allora ella piegò la testa sul seno, come fanno gli uccelli per pettinarsi col becco le piume, e con i denti trasse dal suo corpetto una spilla. E con questa spilla, dopo avermi alquanto scoperto, mi punse sul braccio segnandovi, come un tatuaggio, la lettera B. Poi sparve. Io sentii il dolore delle punture, vidi da queste stillare il sangue.

Mi svegliai tutto in sudore e mi misi a gridare, tanto erano il turbamento e l'angoscia che sentivo. Accorse quasi tutto il personale della Clinica, e tutti videro sul mio braccio la lettera sanguinante. La vide anche la suora mia compagna di cucina, e quando mi sentì raccontare il sogno impallidì e mise la sua mano sulla mia bocca.

«Taci, cristiano. La disgraziata è morta pochi momenti fa, mentre tu sognavi. Era una ballerina».

Il segno mi rimase sul braccio per oltre un mese. Lo esaminò il professore, lo esaminarono altri scienziati: nessuno volle darmi la spiegazione della cosa. Notare, che io ignoravo completamente che la poveretta era una ballerina, suicida per amore. Lei, che sa tante cose, che ne dice?

Lo scrittore, un barbone che rassomigliava a San Gerolamo nella spelonca, seduto su una poltrona di vimini, fumava la pipa, piegandosi ogni tanto a sputare abbondantemente dentro una conculina etrusca. Come San Gerolamo (a parte l'ambiente lussuoso intorno), una vecchia cornacchia spelacchiata lo accompagnava: cioè stava appollaiata sulla traversa inferiore della poltrona, e ogni tanto pizzicava teneramente il sedere dell'uomo illustre.

Egli aveva ascoltato il racconto del bellissimo Aroldo con una intensità nascosta quanto esasperata: tutta la sua sensibilità d'uomo e d'artista vibrava ad ogni parola del servo; e un brivido – l'eterno brivido del mistero – gli percorse lo spirito e la carne alla conclusione della strana avventura.

Spirito e carne, ragione e senso, furono subito in guerra e in tumulto dentro di lui. E, sinceramente, cercò di dare al suo domestico, che in quel momento era, per lui, solo un uomo alle prese con un problema doloroso della sua anima, la spiegazione del mistero. Tuttavia la sua voce era leggera, ironica e crudele come quella di un giovine senza cuore, che parla a un vecchione semplice e ostinatamente sentimentale.

– Amico mio, i casi sono due. Uno lo spiega la scienza, e altamente mi meraviglio che il vostro bravo professore e i suoi non meno ottimi colleghi non ve lo abbiano spiegato. Ve lo spiego subito io, alla meglio, perché non m'intendo molto di scienza: voi, dunque, che, a parte i complimenti, siete un bel ragazzo e di buoni costumi, nel vedere l'infelice fanciulla morente per amore, ne avete sentito una pietà profonda. Dalla pietà all'amore, voi lo sapete già, c'è un solo passo: e questo passo voi lo avete fatto mentre portavate il secondo brodo alla bella signorina. Senza saperlo, voi pensavate: ella vivrà ed io potrò un giorno possederla. Ed ecco, al fluido del vostro pensiero, o meglio al calore del vostro desiderio, il corpo di lei si rianima: ella riapre gli occhi e vi guarda: rivede in voi l'uomo, il maschio che potrà un giorno ridarle l'amore e il piacere, per la cui perdita ella ha tentato di morire; e vi ama e vi desidera anche lei. Voi lo sentite, con tutta la vostra carne; ma la vostra ragione vi impedisce di tornare dalla moribonda. E questa muore pensando a voi: e voi la sognate nell'attimo della sua morte: la sognate col vostro istinto carnale, che ha già indovinato la natura e lo stato della donna: le punture della spilla ve le siete fatte da voi, nel momento sonnambolico fra il sogno e il completo risveglio: e i vostri famosi professori non vi hanno saputo dir niente perché o non hanno capito niente, o si infischiavano del vostro *caso*.

Il giovine ascoltava, turbato, con le mani rosse ferme sulla tovaglia, la testa di Apollo piegata sul petto. Quando il padrone smise di parlare, per sputare ancora, la bella testa si sollevò, quasi con sdegno, e il viso si tramutò in quello di Cristo. Ed egli disse queste sole parole:

– Non è vero niente.

Anche la cornacchia, venuta fuori dalla gabbia della poltrona e che guardava il suo beneamato padrone di sotto in su, ora con uno ora con l'altro occhio, fischiò protestando.

E di nuovo lo scrittore si trovò come davanti a un muro nero, interminabilmente lungo e alto; ma una sua fessura lasciava penetrare un raggio più luminoso di quelli del sole. Riprese a parlare, con accento ben diverso del primo: accento di vera umanità; dello spirito che ascolta e ripete la parola eterna.

– E allora, ragazzo mio, non c'è che la seconda spiegazione. Tu hai sentito pietà della ragazza: la pietà da uomo a uomo, che non conosce sesso né tempo: la stessa pietà che io sento adesso per te, per il dolore eterno del nostro comune destino. Insomma, l'amore dettato da Dio. E l'anima della fanciulla, nell'andarsene, ti è venuta a salutare. E ti chiedeva un bacio, che tu non hai voluto darle, perché ella era già spirito, mentre tu eri ancora materia.

Il giovine sentiva voglia di piangere: eppure non sembrava convinto.

– E le punture di spilla, allora?

Lo scrittore allargò le braccia, col fiore della pipa fra le dita. Era già infastidito.

– Ah, di questo, non so proprio più dirvi nulla.

BORSE

Ai tempi del comunismo, il sor Pio ciabattino aveva procurato qualche dispiacere ai signori, e specialmente alle signore della contrada. Per conto suo, egli non si moveva dal suo bugigattolo, ch'era nel sottosuolo d'una casa all'angolo fra due grandi strade nuove: ma grosso e austero, imponente, salvo il paragone, come un pontefice in trono, tra un foro e l'altro della sua lesina, fori che egli praticava con gusto lento e perverso come si trattasse di farlo sulla pelle dei suoi clienti ricchi, predicava la rivoluzione sociale.

L'uditorio era sempre composto di serve, dei loro spasimanti disoccupati, di ragazzine povere già andate a male, e di monelli.

Le conseguenze erano che questi ultimi davano senza tregua l'assalto alle cancellate dei giardini intorno, e con canne e uncini devastavano le piante e i rosai dei signori: una ragazzina diede senz'altro fuoco ad una catasta di legname di una casa in costruzione, e le serve, d'intesa ferrea fra di loro, domandarono l'aumento dei salari.

Sebbene orgoglioso di quest'ultimo risultato, il sor Pio guardava egualmente arcigno le intraprendenti ragazze: anzi le odiava più che i loro stessi padroni: eccole lì che scendono come alci la scaletta del sottosuolo dove lui, circondato dalla plebaglia delle scarpe sgangherate dei clienti che *possono aspettare*, lavora vestito di cuoio, cupo, duro e tondo più di un rinoceronte: scendono mettendo in vista fin dove si può le gambe calzate di rosa, con pacchetti bene avvolti fra le mani massacrate dai geloni.

– Oh, bellissimo sor Pio, bisogna che questi tacchi siano pronti per stasera: altrimenti il signorino mi accoppa.

– Andate a morire ammazzati, tu, il tuo signorino e tutta la sua razza ruffiana e bastarda.

La cameriera, una biondina anemica per il troppo ballare, svolge dalla carta gli scarponcini gialli col tacco appena ròso, e tenta di sedurre l'uomo parlando male dei suoi padroni.

– Buono, sor Pio, non è oro tutto quello che luce. Il signorino, con tutto il lusso della madre e il da farsi del padre, non ha che questo paio di scarpe. Adesso è in casa che studia, in pantofole.

Il ciabattino dà uno sguardo di traverso, prima alle scarpe in questione, poi all'esercito boccheggiante e vinto delle ciabatte povere che aspettano.

– Vedi che ho da fare? E di' al tuo signorino che queste scarpe le può mettere benissimo ancora: verrà un giorno in cui andrà anche lui scalzo, a faticare coi contadini e i lavoratori dei porti, e si bacerà il gomito se avrà la sua razione di pane e il suo rifugio per la notte.

– E noi, sor Pio?

Egli non risponde: probabilmente neppure lui sa dove si andrà a finire.

Infatti adesso i tempi sono cambiati. Le serve della contrada diminuite di numero; diminuiti i quattrini, le chiacchiere, ed anche le scarpe da aggiustare: e queste terribilmente devastate.

Anche quelle del signorino, portate senza tanti involgimenti dalle ruvide mani della sora Concetta, faccendiera di tutto il quartiere, hanno i tacchi ben consumati e una spaccatura fra le rughe del tomaio.

– Che la pezza non si veda, mi raccomando – dice la donna con la sua voce da ubbriacona.

Il sor Pio guarda con pietà le scarpe: con pietà; eppure cupamente beffardo domanda:

– Che, deve andare a sposarsi, con queste calzature?

La sora Concetta è una romana papale, di quelle che danno del pane a *lo* pane, e del vino a *lo* vino: non ama quindi gli scherzi, e battendosi l'indice sulla fronte dice all'uomo:

– Sei già vecchio, ma la tua capoccia è sempre da affittarsi.

Questa considerazione lascia il ciabattino pensieroso.

Sì, invecchiando, egli sentiva nel suo cervello turbolento qualche spazio vuoto, e non riusciva più a riempirlo col collocare a modo suo i ranghi dell'umanità. Si vedono succedere certe cose, nel mondo! Le rivoluzioni avvengono senza che nessuno si scomodi a farle, e, a parlare all'antica, il mondo è proprio fatto a scale: chi le scende e chi le sale.

La famiglia del Signorino le scendeva, anzi le aveva già scese più che a metà. E il ciabattino, slegando i lacci delle scarpe

mortificate che odoravano ancora del piede delicato del giovine, risaliva coi suoi ricordi questa scala: rivedeva ancora il corteo di lusso, che uscendo dal villino di fronte al suo bugigattolo,
aveva condotto al battesimo il bel bambino vestito di azzurro;
rivedeva la balia nera e sgargiante come un'ottentotta da fiera;
poi la bambinaia tedesca dura e lunga che pareva avesse in-
ghiottito un palo da telegrafo; e infine rivedeva *lui*, solo, il bambino dai riccioli chiari, arrampicato alle balaustrate delle loggie,
sporgersi in giù con le braccia aperte come un uccellino che
vuol tentare il primo volo. Di bambino divenuto ragazzo, si era
poi allungato e imbrunito; ed un giorno di autunno, dopo la solita assenza estiva, il ciabattino lo aveva veduto irrompere fuori
del cancello come un giovane levriere sfuggito al laccio, alto e
agile, con le gambe nude ed un pacco di libri sotto il braccio.

Andava a scuola: e tanto andò a scuola che si trasformò in
professore. Neppure sotto questo aspetto si impose al sor Pio:
era troppo bello, troppo fresco, troppo fortunato, per farsi amare o almeno rispettare da lui.

C'erano giorni, anzi, che l'odio più schietto e le imprecazioni
più romanesche del vecchio troglodita lo accompagnavano. Erano i giorni di sole, d'inverno, quando l'uomo sbucava dalla sua
caverna come l'ippopotamo dal fondo melmoso del fiume, e,
trasportati i suoi strumenti e le sue ciabatte sul marciapiedi caldo, mentre con le mani e con la bocca lavorava di lesina, di spago, di pece e di rabbia, vedeva a fianco del villino di fronte, in
uno spazio battuto e recinto ad uso sportivo, il giovine, vestito di
bianco e con le scarpe di silenzio, esercitarsi con gli amici e le
amiche, ai giuochi più snodati e smossi. Tutti erano vestiti di
bianco, anche le ragazze, fatte della sola bellezza efebica del loro viso, sospese sempre sulla punta dei piedi e con le braccia
frullanti come le stecche iridate delle ali della libellula, con qualche nota di rosso o di verde che pareva un riverbero della loro
ebbrezza di vita. Nel silenzio montano del mattino d'inverno, i
loro gridi risonavano metallici come vibrazioni lontane, di un
mondo assolutamente separato da quello del marciapiedi opposto: eppure succhiavano il cuore del sor Pio come di notte i gridi
spasimanti dei gatti in amore. Egli s'incocciava a non guardare
che la scarpa calda del suo lavoro, squarciata e dolorante come

una malata povera sotto i ferri di un chirurgo indifferente; ma
vedeva lo stesso, in una luce di turchino esasperato, i giovani
giocatori che si piegavano e si allungavano e correvano di continuo, col braccio teso e la racchetta sempre in aria in atto di offesa e di difesa; belli, felici e pazzi come angeli ai quali il Signore
severo ha dato un'ora di piena libertà.

Poi vennero i tempi della decadenza. Un funerale di prima
classe, con comete di garofani e cavalli che parevano generali
negri di qualche tribù selvaggia, si partì dal villino, col padrone
addormentato sotto una coltre di viole: qualche tempo dopo si
videro tipi grifagni di uscieri battere alla porta, e le serve feline
portarono dentro la buca del sor Pio le notizie del disastro.

– Tutto apparenza, era: tutto debito e anche truffa: adesso
si vende tutto.

Eppure il signorino e la madre rimasero nel villino. Fu il
tempo della sora Concetta, la quale ogni tanto usciva dalla casa
dei padroni con un fagotto o una valigia in mano, ed alle mali-
gne insinuazioni del ciabattino, un giorno, esasperata, rispose:

– Non sono io che porto via la roba, mannaggia a te ed ai
mortacci tuoi; è la signora che la manda al fresco.

– Al Monte – egli tradusse, colpito. – Ma perché non vendono o non affittano il villino? Che se ne fanno, loro due soli,
di tanto locale?

– Che ne so io? Perché non vai ad informarti tu di persona,
se te ne preoccupi tanto?

Egli se ne preoccupava davvero: era una sua fissazione, e ci
pensava anche alla notte, quando sognava di appicciare una
pezza alla scarpa del signorino in modo che non la si vedesse.

– I signori sono fatti così –. E ricordava di aver sentito dire
che certi nobili spagnuoli, antichi, pur di conservare un fasto
esterno, si contentavano di mangiare pane e cipolle.

Un giorno anche la sora Concetta sparì. Allora il sor Pio vide la signora del villino uscire spesso di casa, sempre vestita bene, composta ed elegante, con un mantello di seta o la pelliccia

severa. Tornava, con passo elastico eppure stanco, come se le sue gambe fossero una giovane e l'altra vecchia, e pareva che quelle passeggiate la facessero ingrassare: il figlio invece stava sempre in casa; lo si vedeva spesso affacciarsi alla loggia con un libro in mano, come studiasse eternamente una lezione: qualche volta si esercitava giù, nel giardino, da solo, con palle di gomma che sbatteva al muro. Gli amici e le amiche erano spariti come falene quando il lume è spento.

E una sera ancora calda di ottobre il sor Pio credette di sognare. Era l'ora del desinare, quando le strade sono deserte ed i lumi già accesi contro il rosso e il glauco del crepuscolo.

Anche il ciabattino è stato dal salumaio suo amico: dal barile accanto alla porta ha preso per la coda due aringhe d'oro brunito, e buttandole sulla bilancia ha fieramente ordinato:

– Pesami questi due polli.

Adesso le squartava, in fondo al suo antro che puzzava tutto di lucido come una scarpa nuova, quando il chiarore della porticina si oscurò. Egli si volse, sdegnato che non lo si lasciasse in pace neppure a quell'ora; spalancò gli occhi, poi d'istinto si pulì le mani col fazzoletto.

La testa gli girava; tutte le coppie delle scarpe addormentate qua e là come un gregge disperso, si misero a camminare, andando incontro alla donna che scendeva la scaletta: una donna che più scendeva più sembrava alta, con un mantello i cui lembi indoravano gli scalini come le stelle filanti lo spazio che attraversano. Il suo viso bianco illuminò di una luce fantastica la casa del ciabattino. Era la signora del villino di fronte.

Col gesto lento di quando lo faceva nel salotto delle sue amiche, si slacciò il bavero del mantello, e il sor Pio vide che dalla borsa di lei sbucavano senza paura le teste bionde di due filoncini di pane e il collo di cigno d'una bottiglia di latte. Con la mano inguantata ella intanto gli porgeva un'altra borsa, di pelle marrone, in forma di libro, chiusa a chiave, di quelle che si usano per le carte di valore.

– Guardate un po', sor Pio, se la si può ridurre più piccola e leggera: togliere, per esempio, lo scompartimento di mezzo.

Sor Pio! Ella lo chiamava così, come un'antica conoscenza. Ed anche lui sentiva d'un tratto sprofondarsi la distanza che li separava, sbalzati assieme nello stesso rango d'umanità povera e quindi fraterna.

Tuttavia accigliato, palpò la borsa, la guardò sotto e sopra come una scarpa da rimontare: gli parve un lavoro un po' difficile per lui, ma non lo disse.

– Per quando le occorrerebbe?

– Possibilmente per domani mattina. Serve a mio figlio, per la scuola.

– La scuola?

Ella sorrise, con dentro gli occhi azzurri la fiammella di riflesso di quelli meravigliosamente ingenui di lui.

– La scuola la va a fare lui. Filosofia e lettere, in un Liceo – aggiunse, per intendersi bene.

Egli lavorò tutta la notte; e gli pareva di disfare e rifare finalmente il mondo a modo suo, come aveva sognato. Sentiva che anche dentro la vecchia pelle del suo corpaccio, il mondo si rinnovava: lo scompartimento dove si nascondevano i cattivi documenti veniva soppresso: eppure non intese bene lo scopo di tutto quel lavorìo se non quando, nel raggiante mattino di ottobre, vide il giovine con la borsa sotto il braccio, passargli davanti come un fante in corsa di battaglia, e lo seguì con gli occhi velati di lagrime.

L'AQUILA

Al contrario del profeta Elia nutrito dal corvo, era il vecchio Elia che portava da mangiare alla sua aquila.

Vivevano tutti due in luogo degno di loro; in una rocca principesca, che, dopo molte vicende storiche, era stata adibita a prigione politica; sopra un borgo grifagno, in cima ad un monte di pietre che parevano blocchi di acciaio.

Elia vi era stato carceriere e, adesso, sgombrato il luogo dai suoi tristi abitanti, vi rimaneva come guardiano. E vi rimaneva perché riceveva un piccolo stipendio, le legna per l'inverno, le mance dei visitatori, ed infine perché non sapeva dove andare.

Era venuto quasi ragazzo dai paesi del sud, con un cuore tutto sole e l'accento gorgheggiante degli usignoli: il mestiere, il tempo, il luogo, lo avevano indurito e raggrinzito come una pera che si secca non maturata sull'albero.

Anche l'aquila, egli ricordava di averla veduta arrivare, tutta ricca di piume, di superbia e di inesperienza, e posarsi sulla rocca come lo stemma sopravvivente degli antichi signori del luogo. Era stato lui a catturarla: dopo averle spezzato un'ala con un tiro di pallini, l'aveva presa, grande, dura e palpitante, le penne fulve insanguinate, e se l'era stretta al petto con rimorso e pietà.

Adesso vivevano assieme, soli, lui in una stanzaccia terrena che doveva essere stata una sala d'armi, l'aquila in un cortiletto attiguo, appollaiata su un mozzicone di quercia, sopra una fila di cavoli bluastri.

Egli non sapeva ancora se la sua compagna era rassegnata e se gli voleva bene: certo, essa non tentava di andarsene; ma ogni volta che lo vedeva lo guardava fisso coi suoi occhi feroci, stringendo forte gli artigli intorno al ramo come per frenarsi di saltargli addosso.

Il suo aspetto era sempre maestoso e minaccioso: impettita, guardava dall'alto, sporgendo il suo profilo d'imperatore che ascolta solo i suoi pensieri. Non si scomponeva neppure quando aveva fame ed Elia le portava il cibo, anche se questo era il suo preferito: la carne cruda. L'afferrava con la tanaglia del suo becco, se la metteva sotto la zampa sinistra, e prima d'iniziare il pasto si sollevava quanto era alta, con la testa gonfia di alterigia, volgendosi qua e là, ad esplorare se mai qualcuno ardisse avvicinarsi e contrastarle la sua proprietà; infine ficcava il becco nella carne, la strappava a piccoli brani e l'ingoiava lentamente.

Nella bella stagione, spesso comitive di gitanti salivano per visitare la rocca. Al rumore delle automobili che si fermavano nello spiazzo, l'aquila squittiva e si agitava: nel sentire Elia che andava ad aprire, svolazzava giù, pesante, aggressiva come un cane da guardia, e quando egli, per evitare una spiacevole emozione ai visitatori, la chiudeva nel cortile, non potendo far altro batteva il becco contro la porta o si strappava qualche scaglia di pelle dalle zampe forzute.

Nel rientrare contando le mance, Elia la trovava ancora agitata.

– Che vuoi che ti portino via, mascalzona? Le pietre, o le catene infisse al suolo nei sotterranei? Non ci sono neppure più i vetri: il vento se li ha sgretolati come caramelle di zucchero d'orzo.

Era vero. Nelle notti di luna i vetri apparivano come pagine bianche con larghi schizzi d'inchiostro nero; e nell'autunno, quando le comitive lasciavano in pace il luogo, il vento irrompeva da masnadiere nei cameroni alti, danzandovi dentro a suon di tamburo.

Il vecchio allora si provvedeva per l'inverno: specialmente di fiaschi di vino che comprava nell'osteria del borgo. L'oste era stato anche lui guardiano nelle carceri della rocca: ancora bell'uomo, forte e sanguigno, faceva onore al suo vino e sebbene ammogliato pizzicava e mordeva con gli occhi tutte le ragazze che capitavano nell'osteria.

La moglie, alta e scura come un gendarme travestito da donna, lo sorvegliava e non gli permetteva di uscire alla sera: egli si lamentava con Elia e gl'invidiava la sua solitudine.

– Avrei fatto bene a starci io: avrei fatto lassù il comodo mio.

D'un tratto però cambiò modi: cominciò a compassionare il vecchio, così solo in quel purgatorio, col rischio, se moriva, di esser divorato dai corvi.

– Ti voglio cercare una serva. Te la procuro gratis, parola di Bernardone. La vuoi o non la vuoi?

– La vorrei, sicuro! Se non mangiasse…

– Se ci ha la bocca deve pur mangiare. Ma qualche salsiccia gliela posso regalare io.

Il vecchio alzava le spalle. Egli aveva anche dimenticato di ridere, e certi scherzi non li capiva neppure.

Una notte, però, lo scherzo si fece realtà.

Era una notte fredda ed egli aveva acceso il fuoco nel caminone della stanzaccia: per riscaldarsi meglio, mentre leggiucchiava certi foglietti con la spiegazione del Vangelo, tirava su un fiasco di vino granato che teneva accanto e vi succhiava dentro con baci avidi e lunghi come i primi che si danno all'amante. Fuori c'erano le nuvole, che una mezza luna giallognola invano si ostinava a falciare: il vento strappava le chiome alle rade quercie del monte, si sbatteva con la sua testa pazza contro i muraglioni della rocca: non uno ma cento masnadieri ballavano sulla torre, e nei sotterranei gemevano i prigionieri incatenati al suolo.

Il vecchio beveva, trovava chiara la spiegazione del Vangelo e sorrideva al fuoco: poiché gli pareva fosse ancora la bella stagione; nel camino ardevano i tramonti d'estate, il rumore nello spiazzo era quello delle automobili dalle quali sbarcavano le belle signore la cui vita è tutta una gita di piacere.

Eppure, sì, d'un tratto, sente bussare al portone. È un'illusione destata dal vino? Bussano ancora: l'aquila si sveglia e squittisce. Elia si toglie gli occhiali come per ascoltare meglio, se li rimette, esce nell'ingresso tutto nero e profondo come una grotta e domanda chi c'è.

– Amici.

Egli non aveva che amici, nel mondo: quindi staccò dalla parete fredda il chiavone che pareva una pistola, ed aprì.

– Sono io, sono Bernardone: non mi riconosci? Ti ho portato la serva. Bisogna far entrare anche il cavallo, se no il vento me lo porta via.

Il vecchio si pizzicò la gamba come faceva l'aquila, per convincersi che non sognava; si provò anche a protestare.

– Ma, Bernardone, credi forse di essere alla porta del manicomio?

L'altro lo lasciò dire. Aprì il portone quanto era largo e vi fece entrare il cavallo ed il carrettino: seguiva una ragazza alta, con uno scialle nero che le copriva mezza la faccia pallida dove gli occhi lagrimosi per il freddo guardavano tra sfrontati e atterriti, fissando ora il vecchio ora la profondità fredda e nera del luogo. Al chiarore ondeggiante della candela, che Elia riparava con la mano, la figura di lui, davvero scarna e barbuta come quella di un eremita, e lo scenario intorno, avevano del fantastico: la ragazza sembrava suo malgrado impressionata, tanto che, per scuotersi, disse fra l'allegro e il tragico:

– Bel servizio mi hai cercato, Bernardone, maledetta sia l'animaccia tua.

Anche Elia rincalzava.

– Bernardò, tu hai bevuto, stasera. Non trovavi altro posto dove andare a burlarti di tua moglie? Fammi il piacere, vattene.

Bernardone lasciava dire. Chiuse il portone contro il vento, staccò il cavallo e dopo averlo legato al chiodo delle chiavi gli appese al collo un sacchetto di paglia. Poi tirò giù dal carrettino, l'ombra delle cui stanghe esplorava ardita il pavimento misterioso, un pacco di roba e alcune bottiglie. Infine batté la mano sulla spalla di Elia, e gli domandò se ci aveva uno spiedo per arrostire una salsiccia.

– Ce l'ho anche per infilzare te – disse il vecchio sdegnato: poi, visto che era inutile ribellarsi, pensò:

– E va be'. Adesso vediamo come va a finire.

Ma la cosa sembrava seria, poiché, entrati che furono nella cameraccia, mentre slegava l'involto e ne traeva davvero la lunga collana rosea di una salsiccia fresca, Bernardone raccontò con fare calmo e quasi triste che s'era messo in viaggio, per una certa partita di vino, quando aveva incontrata a metà strada la ragazza assiderata e piangente.

Storia semplice, del resto, quella di lei: era fuggita di casa per i maltrattamenti della matrigna e andava al paese vicino in cerca di servizio.

– Racconta tu, adesso.

Ella raccontò, scaldandosi le mani al fuoco: e un po' rideva, un po' si rabbuiava anche lei, dicendo che l'uomo l'aveva presa sul carrettino promettendole di trovarle quella sera stessa servizio.

– Non ho pretese; purché quell'arpia della mia matrigna non sappia dove sono.

– Opera di carità – proclamò Bernardone. – Dov'è lo spiedo? Eccolo qui. E poi ci avrai pure un sacco, per questa disgraziata.

Adesso era il vecchio, che lasciava dire e fare. Sentiva l'aquila squittire tra il rombo del vento e gli sembrava il grido della propria coscienza. Ma sperava che non si trattasse di una ignobile farsa e ne aspettava la fine. La fine fu brutta. Poiché l'oste, dopo che con la compagna ebbe mangiato e bevuto, cercò il sacco, prese la candela, e dichiarò che avrebbe insegnato alla ragazza dove andare a dormire.

Camere a loro disposizione ce n'erano tante! Ed invano Elia s'illuse ancora aspettando che l'uomo ricomparisse. Si rimise a rileggere la spiegazione del Vangelo, si rimise a bere, ma non trovava pace. E l'aquila era scesa e picchiava alla porta stridendo come una civetta. Egli aveva paura: si accostò alla porta e tentò di scusarsi.

– Che cosa devo fare? Se vado a disturbarli, quel porco mi ammazza come un cane. Ma giuro a Dio che domani vado a denunziarlo alla moglie e al podestà: giuro a Dio.

L'aquila parve placarsi. Al chiarore della luna dovette ritornarsene nel suo covo e riaddormentarsi.

Il vecchio buttò fuori nell'ingresso gli avanzi della cena e si barricò nella sua camera, deciso a non guardare più in faccia l'oste scellerato.

All'alba quei due se ne andarono. Egli aspettò che il rumore del carrettino si smorzasse, ed il vento si portasse via, con esso, il peccato mortale; poi chiuse il portone e aprì la porta sul cortiletto. E gli parve di affacciarsi ai sotterranei vuoti e di doverci restare, solo, per sempre.

L'aquila non c'era più.

La notte si annunziava afosa, calma però, di una calma anche troppo grave. Seduti davanti alla casetta, il cui spiazzo chiaro di ghiaia era illuminato solo da una striscia di luce che usciva dalla cucina dove la servetta alpestre finiva di rigovernare, i due sposi stagionati si godevano l'alito umido dei prati sottostanti.

Il marito fumava la pipa, contento di poter finalmente sputare per terra senza destare sguardi di rancore e improperî silenziosi: la moglie, con le mani intrecciate sul ventre mansueto, pensava all'appartamento caldo, illuminato a giorno, attraverso le cui finestre aperte arrivavano le musiche esasperanti dei pianoforti e delle radio dei vicini di casa; e dove il figlio, la nuora, i nipoti, rimasti padroni del campo, ricevevano gli amici e facevano gazzarra.

– Fate pure, – pensava, – noi siamo salvi.

Ad onta di questa salvezza, si sentiva triste, con un senso di esilio e quasi di morte nel cuore. Ricordava quando le era nato il figlio, portato subito dopo a balia; e il conseguente dolore del distacco, il vuoto della solitudine, nonostante il sollievo fisico dopo tante lunghe sofferenze attraversate.

Il marito doveva pensare la stessa cosa, perché fra una boccata e l'altra, disse, quasi fra sé, ma con rabbia:

– La Pia, almeno, ti rimpiangerà.

La moglie si sentì subito presa, stretta, scaldata dalle braccia nude, dal viso voluttuoso, da tutto il bel corpo adolescente della nipotina prediletta; rispose tuttavia, con voce assonnata:

– Oramai Pia è una giovinetta; è tutta della sua mamma; ed è giusto che così sia.

– Non che m'importi, sai, – egli riprese, però sempre sdegnato, – io non mi sono mai fatto illusioni. È legge di natura che i figli e i nipoti siano ingrati verso i genitori e i nonni. E noi non lo siamo stati? Adesso ciascuno a suo posto, lontani e in pace. Quando torneremo in città e avremo il nostro alloggio a parte, verranno loro a cercarci. Sta' pur sicura: essi hanno bisogno di noi, più che noi di loro.

La moglie accennava di sì, di sì: poiché il patrimonio era ancora tutto del marito, e le chiavi della cassetta di sicurezza della Banca le aveva lui: ma nello stesso tempo ella vedeva gli occhi di nocciuola della Pia raggiare intorno, nel vuoto di fuori e di dentro, e pensava che la chiave dei veri tesori dei nonni la teneva lei, la bella e fresca nipotina.

La servetta intanto aveva finito di rimettere prudentemente a posto i bei piatti nuovi, sui cui fiori meravigliosi ella si era più volte piegata come per odorarli; e da buona figlia di povera gente abbassò la luce della lampada, che non serviva più che per i signori di fuori. Ai signori diede la buona santa notte e, stanca, se ne andò a dormire in uno dei due lettucci della camera terrena, dove c'erano pure l'armadio della biancheria e il grande baule vuotato di questa.

– Anche di questa capretta possiamo essere contenti, – disse il padrone; – fa il suo dovere e sa il fatto suo più di quella sfrontata ladra che avevamo in casa.

– Sì, – ammise la moglie, – è un po' tonta, ma veramente buona. Sì, possiamo essere contenti.

E in contentezza se ne andarono a letto, sicuri di passare una buona santa notte. Ma verso un'ora, si sentì come lo spalancarsi violentissimo di una grande porta, e un rombo di vento fece tremare la valle. Tutti gli usci, le porte, le finestre della casa scricchiolarono, anzi parve dovessero cadere, spezzati e abbattuti da misteriosi colpi di ascia. Il padrone accese il lume e rassicurò la moglie.

– Si prevedeva: era troppo caldo. Per fortuna è tutto chiuso bene.

– Spegni, spegni, – disse lei, – passerà.

Non poterono però riaddormentarsi: non solo, ma l'uomo dovette riaccendere il lume e la donna si sollevò rabbrividendo, perché agli urli del vento e ai gemiti delle finestre si unì un fievole ululato che pareva quello di un lupicino chiuso in qualche camera della casa. Cessò un momento, poi riprese più forte, spento di nuovo dallo scoppio di un tuono; e quando l'ultimo brontolìo di questo fu a sua volta ingoiato dal turbine, l'ululo si fece chiaro e sboccò in pianto umano.

– È quella stupida di ragazza – disse allora il padrone, fra sdegnato e contento; e anche la donna sospirò: perché, senza volerlo, senza confessarselo, entrambi avevano creduto ad una voce soprannaturale, di qualche spirito o di qualche sconosciuto animale rinchiuso nella casa.

Continuando il lamento, la signora scivolò giù, pesante e svogliata, dal gran letto matrimoniale. Santa pazienza! Ella ricordava d'istinto quando, altre e altre volte, si alzava, di notte, percossa da qualche rumore nelle camere dei ragazzi: e ancora le doveva rimanere nel sangue stanco e nelle membra adesso arrugginite la prontezza dell'amore materno, se nonostante la noia e il disagio del momento si coprì alla svelta e scese giù rapida la scala fredda, col lume la cui fiammella spaurita voleva volar via come un piccolo uccello rosso. Anche l'uscio della camera terrena s'era spalancato e si divertiva a sbattersi contro la parete. Ogni cosa era in movimento: solo la bambina, ché tale sembrava col suo visino bianco e gli occhi turchini da bambola, stava immobile, in una specie di covaccio che s'era formata con la coperta e i guanciali, e piangeva senza lagrime.

La padrona le toccò subito le orecchie, sotto le treccioline gialle.

– Febbre non ne hai: sei fredda, anzi; perché strilli così? Hai paura?

– Sì, sì – disse l'altra, afferrandole il braccio. – Là, là…

– Che c'è là? Dove?

– Là, dentro il baule… C'è un lupo.

La padrona rabbrividì ancora, volgendosi a guardare il baule: ricordava l'ululo sentito prima del pianto della servetta, e credette storditamente alle parole di questa. Un rigurgito di rimorso e di angoscia le salì dal cuore. Un lupo in casa? Un lupo magari diverso dagli altri, piuttosto lupo fantasma che lupo vero, infine un essere misterioso apportatore di scompiglio e di ansia, chiuso non si sa come né perché nel baule di famiglia, non era un castigo di Dio per i due vecchi egoisti che avevano abbandonato la loro casa con l'illusione di rifarsi una vita nuova, tutta per loro?

Poi, data anche l'immobilità maestosa e il silenzio impassibile del baule, la donna sorrise.

– Va là, tu vaneggi. Lasciami andare e dormi.

La ragazza però si offese; si sollevò, s'ingrandì.

– Le dico che c'è – affermò con voce risonante.

Suggestionata, la padrona si accostò al baule: e l'avrebbe aperto, senza quel sentimento di terrore sovrannaturale che, suo malgrado, la riafferrava tutta.

D'altronde, neppure la ragazza voleva; anzi gridò:

– Non apra, per carità, non apra.

Poi si nascose sotto le lenzuola e di nuovo si mise a gemere.

– Mamma mia, mamma mia: ma perché, ma perché?...

La padrona le tornò accanto.

– Sì, bambina, hai ragione: ti abbiamo strappato dal tuo nido, ti abbiamo tolto alla tua mamma, alle tue sorelline, al tuo gregge, per portarti in questa solitudine senza calore e senza pace. È giusto che tu abbia paura del lupo. Il lupo c'è, nel baule vuoto; il lupo dell'egoismo.

Queste parole la padrona non le disse alla servetta, ma a sé stessa: e pensò alla sua Pia, al dolore mortale che l'avrebbe trafitta se la sua Pia fosse stata in quel momento al posto della piccola montanara. Allora, sì, lo avrebbe aperto, il baule, anche a costo di vederne balzare un lupo vero o, peggio ancora, un mostro notturno.

– Bimba, – gemette anche lei sulla testa nascosta della servetta, – sta' buona. Sei abbastanza grande per capire che vaneggi. È la bufera che ti fa paura: ma starò io qui tutta la notte a farti compagnia. Vedi, mi metto su quest'altro letto.

Prima, però, le aggiustò le coperte, le toccò la fronte e le domandò se voleva bere. L'altra lasciava fare, con indifferenza, forse anche con ingratitudine, rassicurata oramai per la promessa della buona compagnia: finché non venne giù, in pantofole rosse e lunga camicia da notte, il vecchio brontolone, e sentita la storia, e il proposito della moglie di passar la notte nella camera della serva, non se ne tornò arrabbiato nel solitario letto matrimoniale.

PACE

Sulla spiaggia accecante di sole, fra i bagnanti, specialmente quelli che, dopo l'ultima stagione, si rivedevano per la prima volta, non si parlava d'altro che del freddo dell'inverno passato.

– Ebbene, com'è stato per voi quest'inverno?

– Non me ne parli: roba da cani. Nevicato molto non ha, ma un freddo, un gelo mai conosciuti. Si figuri che un bambino, andato a leccare la neve sulla sbarra di un cancello, vi rimase con la lingua attaccata e congelata.

– Madonnina!

– Accidenti!

Quest'esclamazione era di un terzo bagnante, che arrivava imprudentemente scalzo, sollevando i bianchi piedi scarni, quasi volesse volare.

– Scotta, eh?

Scottava sì, di un ardore infernale, la sabbia molle e profonda.

– E lei, l'inverno come l'ha passato?

– Come vuole che lo abbia passato? A letto, con una bronchite che mi ha succhiato il corpo e l'anima.

– Meno male, però, ch'è stato al caldo, col termoforo. Da noi, invece, si moriva sul serio. Siamo stati bloccati in casa quindici giorni, con la neve che arrivava sopra le finestre del pian terreno. E malattie, e disastri di ogni genere. Oh, ma chi si vede?

Tutti si alzarono in piedi, compreso lo scalzo, che s'era messo un giornale sotto i piedi. Arrivava una signora anziana, dritta ed agile ancora nonostante l'incipiente pinguedine; incoronata di capelli d'oro e d'argento fatti più fulgidi dall'aureola luminosa di un ombrello che pareva un grande girasole. Il vestito, la sciarpa, la calzatura, la fibbia, la borsa, i gioielli, e persino i denti, rispondevano al colore dei capelli; ma fra tanto svaporare e scintillare di tinte nel chiarore della spiaggia, gli occhi di lei, cupi sotto le grandi sopracciglia nere, in un viso fino e fermo di cera rosea, davano l'impressione ch'ella fosse in maschera: una donna giovane, appassionata e cattiva, si nascondeva in quell'involucro di veli e sotto la parrucca impressionante.

Appena ella fu nel gruppo, lo scalzo le afferrò la mano e, inchinandosi, gliela baciò: le signore le offrirono le loro sedie a sdraio e il loro posto all'ombra: ella rimase in piedi, con gli occhi assenti, senza neppure accorgersi del bacio quasi galante del giovine; e quando questi le domandò con la sua voce gutturale e ironica:

– Come mai si è decisa a scendere dalle sue alte vette? – sorrise, finalmente, ma con un sorriso spettrale, che lasciò vedere tutti i suoi denti fino ai molari cerchiati d'oro.

– Che vuole? L'acido urico è come il bisogno: costringe il vecchio a camminare. Si va a far due passi sulla rena calda.

Segni e gridi di protesta.

– Ma che dice? Lei è giovane e bella e fresca come una rosa.

Ella scosse l'ombrello, per scacciare i complimenti e le mosche marine, mentre una signora si faceva il dovere di domandarle:

– E l'inverno, com'è stato, qui?

– Bellissimo. Si figuri che nonostante l'impianto del termosifone, nella villa, l'acqua si gelava nei bicchieri. Le palme e i fichi sono morti: morti gli uccelli. E da loro?

Intervenne pronto lo scalzo:

– Morti, di polmonite, moltissimi imbecilli. Ma anche padri di famiglia e bravi galantuomini. Fra gli altri, forse lei lo saprà, è morto Mario Filippi.

– Oh, poveraccio. No, non lo sapevo. Mi dispiace. Era giovane ancora.

La voce di lei era la stessa: calma, calda e distratta: negli occhi, però, fissi adesso in quelli curiosi e scrutatori dell'uomo scalzo, s'era accesa una luce indefinibile di gioia e dolore assieme.

Andata via lei, mentre la sua figura si allontanava lungo l'azzurro del mare, e il riverbero del sole sulla riva pareva quello del suo ombrello, lo scalzo disse:

– Quel Filippi è stato il suo amante, venti anni fa: poi l'ha piantata. Dalla passione ella ne ha fatto una malattia: in seguito, l'amore mutatosi in odio, dicono ch'ella abbia tentato anche di uccidere l'amante. Adesso sarà contenta.

Ella era contenta davvero: anzi le pareva che una forza istintiva l'avesse quella mattina spinta a scendere dal suo eremo solitario per farle conoscere la notizia della sua liberazione. Poiché erano vere, una per una, della più lucida verità, le parole dello scalzo maligno.

Ed ella le sentiva alle sue spalle, ma carezzevoli e consolanti come il vento lieve che mutava in ali le falde della sua sciarpa di velo.

Morto. E con lui l'odio, il rancore, l'umiliazione, lo sdegno: tutte le male passioni cresciute intorno all'amore tradito come crittogame sulla vite abbandonata.

Più andava avanti, sulla spiaggia oramai deserta, più si sentiva lieve, quasi quanto ai giorni dell'amore felice. Come si stava bene, adesso! Chiuse l'ombrello e, dopo averne infilato l'anello al polso, tese le braccia, coi lembi della sciarpa fra le dita, quasi volesse assicurarsi che lo spazio finalmente era tutto suo; che, dovunque andasse, la padrona del mondo era lei sola.

E tutti i ricordi della sua passione le ritornarono chiari e schietti, svincolati dal laccio che prima li teneva prigionieri negli angoli più scuri del suo cuore. Come la serva alla quale è morto d'improvviso il padrone e, trovandosi sola in casa, fruga nei ripostigli dove prima, pur sapendo quello che contenevano, non osava guardare, ella li rimuginava tutti, i ricordi più lontani, più chiusi e nascosti. Adesso erano suoi; poteva prenderli in mano come oggetti vivi, guardarli attraverso la luce, riporli o buttarli a piacer suo; non aver più paura di loro, e tanto meno rabbia o vergogna.

Lo sboccare di un fiume, o meglio di due rigagnoli, su un greto larghissimo e bianco, simile ad una grande strada selciata, fermò i suoi passi e il corso dei suoi pensieri. Anzi fu lì il primo incrinarsi del suo cuore cattivo. Quelle due braccia d'acqua, liquide eppure quasi carnose per lo sfondo della sabbia, azzurre e palpitanti, ma di un azzurro e di un palpito diversi da quelli delle onde con le quali si congiungevano e che le portavano via, le parvero veramente animate e sensibili, come due braccia umane tese verso un amore che credono raggiunto, ed è invece sfuggente e irraggiungibile.

Non era stato così il suo? E adesso, libero di ogni scoria e di ogni tumulto, risucchiato dal tempo, non rientrava come quel fiume nel mare, nell'infinito dell'eternità?

Allargò e sollevò di nuovo le braccia, e le parvero anch'esse liquide e tremule, tese verso il cielo: e i cattivi ricordi le caddero dal cuore. Poiché pensava finalmente che, se il corpo dell'uomo era morto, lo spirito di lui viveva ancora, con lei, con la terra, le acque, lo spazio, la pace e la bellezza di quel giorno d'estate.

Allora sentì davvero la sua liberazione: nel perdono. E avrebbe voluto togliersi i calzari barbari, le vesti da marionetta, i gingilli e le cose tutte con le quali si camuffava per parere quella che non era; e procedere avanti per non tornare indietro verso la gente maligna.

Anzi, a proposito dell'uomo scalzo le venne in mente un pensiero:

– Forse la notizia non è vera; me l'ha data per burlarsi di me – e in un primo impeto si volse, per tornare sui suoi passi, affrontare l'uomo, sapere la verità; ma nel voltarsi ch'ella fece, il vento, che prima le batteva alle spalle, la investì di fronte, la prese per ogni piega della veste, per ogni capello, le penetrò fino all'anima.

Un senso di gioia schietta le corse allora nel sangue, come se lo spirito del vento fosse davvero quello dell'amante morto, e le venisse incontro per chiederle pace.

– Pace – ella ripeté, risalendo il corso del fiume, per ritornare a casa sua ed evitare ogni altro incontro: poiché non le importava più di sapere se l'amante fosse vivo o morto; per lei, oramai, era morto, e questo le bastava.

IL TERZO

Vivevano felici, nella grande gabbia di vimini che arieggiava una pagoda, i due sposi canarini: lei sottile e mite, di un giallo acerbo con riflessi iridati, lui più grosso, colorito di zolfo e verderame, vivace e quasi turbolento. Mai fermo un minuto, di qua, di là, da un bastoncino all'altro dello stabilimento a due piani, tutto il giorno a cantare: al suo trillo cristallino faceva eco quello più tenue e commosso della femmina: e al loro colloquio si univa un continuo piluccarsi e amarsi.

Quando c'è l'amore c'è tutto: quindi la coppia non sentiva la mancanza della libertà: e che fantastica libertà, nella foresta lontana, dove le foglie, anche di primavera, Dio le ha, come un orefice, create tutte d'oro, perché i canarini vi possano meglio nascondere la loro felicità.

D'altronde, il posto donde pendeva la gabbia era tiepido e gaio; un portico rustico, arioso e soleggiato, che si apriva su un orto pieno di alberi da frutto. Bello, quest'orto, in primavera quando gli erbaggi freschi sembravano di cristallo verde, e i meli si gonfiavano di roselline sulle quali rimaneva per tutto il giorno l'impronta dell'aurora: più bello di autunno, tutto di similoro, fragile, pronto a sciogliersi e dimostrare la sua illusoria ricchezza, ma ebbro della sua stessa illusione.

Il padrone dei canarini era, manco a dirlo, un vecchio operaio, che, nonostante la sua rassomiglianza col diavolo zoppo, aveva un cuore di bambino buono. Fabbricava manichi di scopa: li levigava, faceva loro la punta acuta più di quella di un lapis e la cima arrotondata come una testina con intorno al collo il nastrino di una incisione.

Ogni tanto andava a guardare i suoi canarini, a portar loro, con foglioline d'insalata, il tenero saluto della sua affezione. In lingua italiana li chiamava Cecé e Cicì; ma ben più efficaci erano i nomi che il suo dialetto gli suggeriva: *uslìn*, *piccinin*, *strafognin*, ed anche *puttin*.

Erano davvero i suoi bambini: li teneva con scrupolosa coscienza paterna, sempre in un clima temperato, puliti e forniti di tutto. Ogni notte, invariabilmente, sognava di loro, salvandoli dai più gravi rischi, con dolore e gioia quasi carnali: poiché, insomma, facevano parte anche della sua vita fisica e si mischiavano ai suoi sogni come alla sua realtà. Tanto che la vecchia moglie ne era gelosa, e, se non li maltrattava per naturale pietà, non si curava di loro.

Insorse però quando il marito, una domenica, nel pomeriggio, tornò a casa con la solita sbornia festiva già felicemente iniziata, e un terzo canarino nel pugno.

– Adesso mi combini l'arca di Noè in casa, vecchio Pin rimbambito!

Per calmarla egli trasse dalla tasca del vestito nuovo una manciata di castagne secche, e gliele offrì.

– Ti compatisco perché sei nello stato che sei – ella inveì, rifiutando il dono. – Ti sei dimenticato che i denti, tu ed io, li abbiamo perduti per la seconda volta.

Egli non rispondeva mai ai continui brontolìi di lei: uscì piuttosto nel portico, e fece per mettere dentro la gabbia il terzo canarino; ma con profondo ansito si accorse che il cancelletto della pagoda era aperto e Cecé assente. La femmina se ne stava in un cantuccio, non spaurita, ma neppure vispa come al solito: pareva aspettasse il ritorno del compagno; e non si mosse per l'arrivo dell'ospite, anzi non diede segno di vederlo. Non era *lui*, la cui sola presenza poteva consolarla.

All'uomo, intanto, si era di un colpo snebbiato il cervello: urlò, chiamando la moglie, e, alle proteste ironiche e quasi contente di lei, s'inferocì.

Da troppo tempo ella rosicchiava la sua pazienza, non per i canarini soltanto, ma per tutte le piccole cose della vita: egli afferrò uno dei suoi bastoni ancora grezzo e la rincorse: non pareva neppure più zoppo, né più sembrava il vecchio buon Pino, con la bava che, con le bestemmie e i vitupèri, gli colava dalla bocca violacea.

Fu un inseguimento buffo, intorno ai pilastri del portico, finché la donna, che in fondo si divertiva, vide per caso il canarino proprio lì davanti sul ciliegio rasente alla casa.

– Eccolo, eccolo, Pin. È qui, sul ciliegio. Va a prendere la scala.

Egli si ricompose subito; il bastone gli cadde dalle mani; la scala fu subito issata fra il muro e la pianta, ed egli vi salì a stento, chiamando coi più teneri nomi il canarino.

Il canarino stava bene dove stava, sul ramo più alto, tra le foglie in colore delle sue piume: alcune, anzi, accartocciate, gli somigliavano anche nella forma: ed esso vi si confondeva in mezzo, come in quelle delle natie foreste, di tanto in tanto trillando per annunziare al mondo la gioia folle della sua libertà. Pareva si fosse dimenticato anche della sua compagna che, forse per troppo amore, non era stata capace di seguirlo. Peggio per lei. La libertà è una cosa più grande dell'amore, la più grande della vita. Gli esseri più felici, anche senza amore, senza ricchezze, senza potenza, sono gli esseri liberi.

Così trillava il canarino, saltellando da una parte all'altra del ramo che pareva di corallo: intorno a sé vedeva i frutti e le foglie del suo stesso colore, e tutti del colore del sole; e, sotto, l'orto, ben diverso da come lo vedeva dal portico; tutt'altra leggiadrìa, luminosa e fantastica, sotto quel liquido cielo d'autunno, quasi un fondo marino. Tutto vi scintillava e tremolava, tutto vi era felice, anche le foglie che cadevano per lasciare ai frutti l'intero sole, anche i funghi velenosi che, nei cantucci d'ombra, parevano fiori di carne.

Solo l'uomo zoppo e nero ansava di pena, aggrappato alla scala come ai suoi sogni impossibili. E l'impossibile sogno del vecchio era, in quel momento, di acciuffare il suo Cecé.

– Cecé *uslìn*, bello, piccolino, andiamo. Ti aspetta la tua Cicì; andiamo, su, buono, vieni.

Sì! Appena sentita la mano del padrone, il canarino sgusciò via, come un raggio di sole. Andò a posarsi sul pero, dove le foglie erano più fitte e del suo preciso colore. Ci vollero tempo e pazienza, e torcicolli e scambio di strilli tra i vecchi coniugi, per scoprirlo una seconda volta. Una seconda volta la scala fu appoggiata alla pianta, e la moglie dové tenerla ferma perché il marito salì fino all'ultimo scalino, e di là s'inerpicò fra i rami del pero.

– Cecé, animalaccio, mi fai dannare l'anima, dunque? Vieni, su, o ti strozzo.

Il canarino preferì salvarsi. Con salti di danza cambiò posto, sparì: parve caduto con le foglie che si staccavano dal pero per gli scossoni del vecchio.

– E addio! Non si vede più; maledetta tu sii, vecchia strega maledetta.

La vecchia si salvò anche lei; ma dal portico vide di nuovo, tra il verde cupo di un cespuglio di alloro, il canarino che, con le ali aperte, vi si dondolava come un girasole.

– Pino, baccalà, perché non gli fai vedere la gabbia? Ci rientrerebbe da sé.

Ecco la gabbia in giro, con la canarina che doveva sentire il turbamento dell'ora perché era tutta arruffata e vibrante: l'ospite, invece, ignaro del dramma, beveva dalla tazzina di latta: beveva, ma senza sete, sollevando ogni tanto la testina pelata. Aveva, in tutto, un aspetto di vecchietto, con le zampine magre, la coda corta, il colore smorto: eppure, appena il padrone sollevò con ambedue le mani la gabbia, volgendola di qua, di là, come sull'altare fa il prete con l'ostensorio, e il fuggitivo vide il nuovo venuto, qualche cosa di straordinario accadde.

Il canarino volò dall'alloro ad un piccolo susino lì accanto: non voleva arrendersi ancora, ma, certo, un impeto di gelosia vinceva già l'ebbrezza della libertà. No, non voleva arrendersi, perdere il bene trovato, la felicità dello spazio e del solo amore a sé stesso; ma quel raggiare della gabbia nel sole, con dentro il richiamo della compagna e la muta beffa dell'ospite, pareva gli destasse, come nelle allodole prese di mira dallo specchietto, l'allucinazione di un riverbero. Tornare? Volare? Andarsene lontano per non soffrire oltre la visione di quei due che ben presto si sarebbero consolati insieme? Per stordirsi trillò; ripetendo a sé stesso che la libertà è infinitamente più bella dell'amore; ma al suo canto rispose quello della canarina; ed allora il vecchio, accorgendosi che il fuggitivo stringeva le ali e non saltellava più, si avvicinò silenzioso. Con una mano continuò a fargli vedere la gabbia, con l'altra lo prese.

E quando lo rimise dentro, caldo di sole e di passione, per vendicarsi del patema attraversato, gli soffiò addosso, dicendogli:

– Babbalèo, non vedi che l'altro è cieco?

DENARO

Era finalmente arrivato, dall'America. Cifra rotonda: cinquanta mila lire.

La piccola vedova andò dunque dal suo parente Merlin, impresario di costruzioni edilizie, per domandargli se aveva da venderle subito un appartamento.

– Nelle due camere al pianterreno, che tu mi hai venduto anni or sono, non ci posso più stare: sono umide e mi hanno fatto venire i dolori reumatici. Eppoi fra poco i ragazzi torneranno, Giuseppe dal servizio militare, Gianni dall'America: abbiamo dunque bisogno di allargarci.

L'uomo ascoltava indifferente: non occorreva ch'ella cercasse quasi di scusare, con la rete di tutte quelle parole, l'incipiente fortuna della sua famiglia.

– Già! Gli affari di Gianni vanno dunque bene.

– Benissimo. Ma il clima non gli va, e quindi conta di tornarsene al più presto: troverà da fare anche qui. Giuseppe, poi, riavrà il suo posto alla Banca. Me lo ha assicurato lo stesso direttore, quando ho riscosso il vaglia. Oh, per questo non posso lamentarmi: bravi ragazzi, che, dopo la disgrazia del padre, sono stati la mia consolazione. Allora, Merlin?

Egli pareva adesso preso da un subito calcolo. Abbassò la grossa testa irsuta e si afferrò il largo mento con la mano animalesca di antico manovale. C'era in tutta la sua persona qualche cosa di trogloditico, come se egli fosse sbucato da tutti quei monti di laterizî, dalle dune di pozzolana o meglio ancora dagli scavi intorno.

– Adesso vediamo. La somma l'hai pronta, dunque? Avrei un appartamento di quattro camere e cucina: costa molto di più; ma potrei prelevare le tue due camere. Ti va?

Le andava benissimo.

– Lasciami prima parlare con Giuseppe, che verrà domani in licenza.

– Va bene. E tu, adesso, con chi stai?

– Con chi vuoi che stia? Sola, col pensiero dei miei ragazzi.

120

E tu, che fai? Ho sentito dire che finalmente ti decidi a prender moglie.

Sul viso pietroso di lui si diffuse un'aria giovanile: e con la sua voce grassa cadenzata egli confermò la notizia. La donna insisté:

– Sappiamo che è ricca e brava. Speriamo di conoscerla. Adesso…

Ella voleva dire: adesso che io e i miei ragazzi non siamo più bisognosi, è sperabile che il parente Merlin, noto per la sua fortuna e la sua spilorceria, non ci sfugga e finga di non conoscerci.

Disse invece, con l'evidente inquietudine di chi ha in casa un tesoro incustodito:

– Adesso bisogna che vada. Tornerò domani con Giuseppe.

Egli l'accompagnò fuori dello spiazzo della costruzione: passo passo l'accompagnò lungo il marciapiede fino allo svolto della strada, poi fino al bar, dove volle offrirle un aperitivo, e, insomma, fino alla casa di lei per vedere in che stato si trovava l'appartamentino.

Era sempre lo stesso uomo, rigido e freddo come un gendarme, con la grossa testa piegata da un lato, per il peso forse dei calcoli e delle preoccupazioni; e lasciava che parlasse tutto lei, dapprima inorgoglita dalle attenzioni di lui, e poi lievemente eccitata dal bicchierino velenoso del bar: e lei parlava, trottolandogli accanto come un cagnolino nero; e sentiva finalmente che il denaro, come in una novellina popolare dei suoi tempi, ha la potenza di animare anche le statue di pietra.

La sua soddisfazione crebbe, anzi sbocciò in felicità grande, quando verso sera si vide arrivare d'improvviso il figlio Giuseppe.

Anche lui era felice, come del resto lo era stato sempre. Un sorriso d'angelo, rivolto a tutti ed a tutto, gli socchiudeva la lunga bocca sottile, sopra la quale un grande naso fino, dalle narici diafane, si protendeva a fiutare anch'esso di continuo qualche cosa che sapeva di buono. Gli occhi primaverili, poi, azzurri verdi lattei, erano ancora come la madre li aveva veduti al loro primo spalancarsi. E quando egli l'abbracciò, sebbene la stringesse forte con le sue lunghe braccia e le facesse sentire tutta l'asprezza del vestito militare, ella gli disse:

– Va là, mi sembri uno di quei soldatini di carta coi quali giocavi da ragazzo.

Per sembrarlo di più, egli si disarmò: aveva anche la rivoltella, lusso che un regalo del fratello gli aveva permesso; ed essendo carica, la mise sulla mensola alta della credenza; poi girò per la casa, fiutando l'odore del suo passato di ragazzo povero ma contento.

– La nostra fortuna non mi meraviglia, – diceva con calma alla madre, – e poi è appena cominciata. Io lo sapevo già che si sarebbe stati contenti. Siamo gente buona, che lavora, che fa il proprio dovere. Dio ci ha portato via il babbo, ma non ci ha lasciato orfani: perché Dio è sempre il padre della gente per bene.

Questi discorsi non meravigliavano la madre, neppure a sentirli in bocca a quel palo di suo figlio vestito da granatiere: erano l'eco dei suoi insegnamenti, il fiore spuntato dalla sua lunga pazienza, dalla sua religione di madre.

Serata felice fu quella per loro due, accompagnati, nella quiete della piccola casa, dall'ombra luminosa del figlio lontano. La stanzetta da pranzo, che di giorno era grigia e triste per la luce bassa del cortile interno del palazzone popolare, rischiarata adesso dal globo lunare della lampada elettrica, sembrava un'altra. Arabeschi d'oro risaltavano sulla carta verdastra delle pareti: sull'ottomana dello stesso colore, che alla notte serviva da letto, mazzi di peonie e di tulipani inverosimili si offrivano, con la gioia sfacciata dei loro colori, a chi li guardava. Un po' d'oro e fiorellini più miti sorridevano anche attraverso il cristallo della credenza, sull'orlo delle tazzine da caffè, sulla pancia scintillante della zuppiera, sul cappuccio del bricco per il latte: tutto pulito, in ordine, in solitudine.

Madre e figlio, intorno alla tavola ovale, parlavano senza sosta: di Gianni, del suo commercio di frutta secche, dei suoi progetti, dell'avvenire. La parola "denaro" sbocciava come il lieto motivo di tutto il loro discorso, ma senza risonanze avide, anzi con devoto rispetto, come la parola "salute" in casa di gente che è stata a lungo inferma.

– Non saremo mai ricchi come quell'arpia dello zio Merlin, ma...

La madre intervenne, convinta.

– Non parlare così di lui; oggi, con me, è stato come un fratello.

– Oggi! Perché calcolerà di fare un bel guadagno alle nostre spalle. Ma che sia stato mai capace di mandare un piccolo vaglia a questo disgraziato granatiere che ha bisogno di due razioni di pagnotta!

– Non importa, Geppe: d'ora in avanti tutto andrà meglio.

E con questa certezza nel cuore, madre e figlio si disposero a passare la notte: lei nella camera da letto che era a destra del piccolo ingresso, lui nella stanza da pranzo. Preparò da sé il letto, ma prima di coricarsi, poiché non aveva voglia di uscire, lesse e rilesse una rivista illustrata, dalle cui pagine una mezza dozzina di belle artiste cinematografiche, una più smorfiosa dell'altra, invano tentavano di toglierlo dalla sua casta soddisfazione di ragazzo finalmente ricco.

Quando le attrici svenevoli, i grandi avvenimenti mondiali, i costumi delle bestie, le caricature, i motti per ridere, le sciarade e le "figure da ricomporsi" furono passati e ripassati in rivista, egli sbadigliò e se ne andò a letto: e subito, come un sacco di sabbia nel mare, cadde in un sonno profondo.

Ma aveva mangiato troppo, quella sera, e sogni brutti non tardarono a tormentarlo. Ecco, è tornato in caserma: ha nascosto, nella cassetta militare, il bel volumetto dei cinquanta biglietti da mille consegnatogli dalla madre; ma i commilitoni lo sanno e tentano di rubarglielo. Ad ogni modo c'è anche la madre, che si è nascosta nella camerata e veglia: e quando un soldato nudo, tutto peloso, striscia fino alla cassetta e introduce un uncino nella serratura, ella grida:

– Geppe mio!

La sua voce muore strozzata, e Giuseppe si sveglia, freddo di terrore: vede un barlume sulla vetrata del suo uscio e indovina subito la verità. I ladri sono in casa.

D'un salto prese la rivoltella e fu nell'ingresso. Un mostro nero, armato e mascherato, era nella camera della madre: frugava nel cassettone, con le spalle all'uscio aperto, e fece appena a tempo a voltarsi che Giuseppe lo colpì alla testa. Cadde bocconi e non si mosse più.

Solo allora il giovine vide la madre imbavagliata, nel letto disfatto. Gli occhi di lei erano aperti, vivi, ma traboccanti di uno spavento senza fine.

– Non ti muovere – egli disse, dopo essersi assicurato ch'ella non era ferita. – Bisogna prima avvertire la Questura.

E la baciò, per rianimarla e rianimarsi. Ma il gelo col quale le cose terribili e inesplicabili della vita incrinano per sempre il cuore dell'uomo, tornò a colpirli, quando l'agente della Questura, volto in qua il morto, che giaceva nel suo sangue come l'ubriaco nel vino vomitato, gli spiccicò dal viso la pelle nera-rossastra della bautta, e madre e figlio riconobbero in lui l'impresario Merlin.

TRAMONTI

Melanconia dei bei tramonti d'autunno in riva al mare! L'ombra insottilita delle ville chiuse si allunga, evadendo dalle cancellate dei giardini, e questi, con le rose di cera e i cipressetti color d'amaranto, battuti dal sole basso e dello stesso colore, hanno la quiete vitrea dei cimiteri: il mare stesso, coi suoi riccioli bianchi e un brontolìo metallico di preghiera, dà l'idea di un vecchione solitario, abbandonato dalla sua numerosa famiglia.

Anche il signor Radamisto si era impuntato a restarsene solo nella sua villa, servito da una famiglia di contadini lì accanto; e voleva rimanerci il più a lungo possibile: apposta s'era fatto costruire un camino nella camera d'angolo, a fianco della vetrata azzurra di mare e di cielo; e molti libri gli tenevano silenziosa compagnia.

Non aveva motivi speciali recenti per condannarsi volontariamente a questo confino; fuorché un timor panico sempre più crescente della città, dei suoi rumori, della sua aria cattiva, della gente che ha fretta, dei giovani che non rispettano i vecchi, dei vecchi che si vergognano di esserlo.

Egli non era vecchio, ma neppure più giovane; vedovo di due mogli sterili che gli avevano fatto passare la voglia di sposarne una terza.

Del resto era sereno: andava a mangiare, e gli piaceva mangiar bene, nella trattoria del paese: andava a leggere il giornale nel caffè accanto, e non sdegnava una partita a carte o a bocce con le personalità e i benestanti del luogo: infine si era fatto paesano e se ne trovava bene: e chi sta bene non si muove.

Ma un giorno cominciò dunque a sentire la melanconia dei tramonti di autunno in riva al mare. Caduto il sole, una nebbiolina verde illividiva il paesaggio, le zanzare invadevano le stanze illuminate, le cose tutte si rattristavano. Forse era già tempo di accendere il caminetto, e il signor Radamisto pensò di avvertire il contadino, perché portasse la provvista della legna. Anzi, al ritorno dalla trattoria, si domandò se forse non era anche bene mangiare in casa, la sera, facendosi preparare qualche buon cibo semplice dai contadini stessi.

Il tempo umido gli pesava addosso, la strada era disagevole, e la nebbia crescente smorzava i pochi lumi che la rischiaravano; la malinconia del crepuscolo faceva come la nebbia: si addensava, si oscurava di tristezza. Ed ecco, i fantasmi del passato rincorrevano e sorpassavano l'uomo. Uno, quello della prima moglie, coi lunghi capelli biondi sciolti sulla veste di schiuma, scivolava e si fondeva col pallore nebbioso del mare. Ella si era annegata, a vent'anni, dopo due di matrimonio.

L'altro, quello della seconda moglie, piccolo e tutto nero, lo precedeva, come incerto se tornare indietro e accompagnare il cammino di lui, o dileguarsi fra le ombre deformi delle tamerici a fianco della strada. Per undici anni amanti, vivo il primo marito di lei, rimasta anche lei vedova, si erano sposati; dopo undici mesi ella era morta di febbre spagnola.

– Via, via, caro Radamisto, lascia correre: esse sono morte a tempo, e stanno bene, molto più bene che se fossero vive. La felicità non è di questo mondo.

E che il dolore, fantasma denso e vivo, si appostasse in ogni angolo del mondo, glielo confermò il lieve gemito di una donna seduta sul parapetto del fosso, nel crocevia prima di arrivare al viale litoraneo.

All'apparire di lui, il lamento cessò; la donna, tutta imbaccucata di nero, rimase immobile, quasi tentando di non essere osservata; ed egli, infatti, passò dritto; poi ci ripensò e tornò indietro.

– Che fate qui a quest'ora? – domandò risoluto, fermandosi davanti alla donna, mentre questa già si alzava di scatto, spaventata senza dubbio, ma anche piena di coraggio, e, nel barlume grigio che li circondava, egli ne intravedeva la giovinezza e la distinzione: non certamente di contadina.

Anche lei rispose d'impeto, con voce aspra ed accento straniero.

– Che le importa?

– A un galantuomo importa sempre di sapere che fa una donna sola, di notte, seduta a piangere sul parapetto di un fosso.

– Io non piango, signore.

– Adesso no, ma poco fa sì.

Rassicurata, ma forse anche desiderosa di restare di nuovo sola, ella disse:

– E si immagini che io aspetti da due ore una persona che non viene, che forse non verrà più; che può importare a lei?

– Va bene; ma se invece di un galantuomo passasse di qui un farabutto?

– Eh, si grida. Vedo un lume laggiù.

– Già, è la casa dei miei contadini; ma prima che quelli si muovano, lei può gridare quanto vuole. È meglio che lei, poiché la persona che aspetta non viene, torni a casa sua.

– Non ho casa. Sono fuggita da quella dei miei padroni perché mi maltrattavano; non sono del paese.

– Lo sento; ma non mi pare che lei sia una donna di servizio.

– Dica governante, dama di compagnia, o quello che vuole: è lo stesso.

– Ma non si fugge così dalla casa dei padroni per quanto malvagi siano: ci si licenzia e si cerca un altro posto.

– Lei non può sapere: succedono tante cose nella vita, peggio che nei romanzi.

– Ho capito. Forse il padrone, o il padroncino, le faceva una corte spietata; e lei preferisce andarsene con un compagno più di suo genio.

– Lei non può sapere: e poi sono cose che non la riguardano.

– È vero: ma io, le ripeto, ho il dovere di non lasciarla qui sola. Può passare anche una guardia e domandarle la carta d'identità.

– Ce l'ho; ed anche il passaporto.

– Va bene; ma se la persona che lei aspetta non viene più, che farà lei qui?

– Aspetterò l'alba. C'è anche il mare laggiù.

Queste parole provocarono nell'uomo un pesante senso di freddo, come se la nebbia si addensasse tutta sopra di lui, stringendolo entro un sacco nero: non era forse il fantasma della sua prima sposa che gli stava davanti e gli parlava?

Come i ragazzi che cantano al buio per farsi coraggio, egli disse, con voce alta e ridente:

– Via, via, è meglio che aspetti l'alba, allora. E mi dica, almeno, con qual mezzo doveva venire l'atteso?

– Con la macchina.

– Ma non potevano darsi un convegno più vicino alla casa dei suoi padroni? Che io sappia, qui, in queste ville, non c'è più nessuno.

Ella si mise a ridere: e fu come una impressione di luce intorno. All'uomo parve anche di vedere gli occhi e i denti di lei luccicare.

– Ma sa che è troppo curioso lei? È forse un poliziotto?

– Sì, un poliziotto del buon Dio.

Ma ella, d'un tratto ripiombata nella sua tormentosa inquietudine, non gli badò più: torcendosi le mani sotto i suoi scialli, si volgeva alle quattro lontananze del crocicchio, e, non vedendone che gli sfondi di gallerie cavernose, diceva a sé stessa:

– Non capisco, non capisco; gli sarà accaduta una disgrazia.

– Senta, signorina, venga con me: la mia casa è qui a due passi: o vuole che l'accompagni all'albergo del paese?

– Dio, Dio, non capisco…

– Vede, – egli insisté, tendendo una mano, – comincia anche a piovigginare.

Ella rispondeva sempre di non capire: e davvero non capiva altro che la sua angoscia. Anche lui cominciò ad esserne travolto: e non parlò più; ma se la passione di lei lo vinceva contro la sua stessa volontà, un desiderio malvagio, fomentato da un sùbito calcolo, l'accompagnava: che l'uomo atteso non arrivasse più.

Così forse la sconosciuta si sarebbe lasciata convincere a seguirlo, a rimanere nella sua casa. Nell'alone della fantasia, già questa casa gli apparve d'un tratto diversa, illuminata da una luce nuova, oh, come più viva di quella del camino solitario. Ed anche lui si sentiva diverso da quello che era pochi minuti prima. Attimi di rinnovamento di vita che, come la trasfusione di sangue umano in un moribondo, salvano un'anima malata.

Con una voce che a lui stesso parve nuova disse:

– Signorina, venga con me. Non si pentirà.

Ella scoppiò in un grido di gioia e aprì le braccia, scoprendo la sua figura. Il fascio di splendore che, come quello di una cometa, si avanzava fulmineo dal fondo della strada, rivelò la bellezza colma di lei, il viso di tuberosa, gli occhi e i capelli d'oro: tutta una forma viva eppure fantastica, come quelle che dai palcoscenici esaltano le folle sognanti.

Ma già la macchina è lì: il suono della tromba è come il corno del cacciatore che raggiunge la preda: il signor Radamisto si ritrae nell'ombra, vede la donna sparire dentro l'automobile, e dal cristallo del finestrino, mentre il resto svanisce in una nuvola di nebbia e di polvere, scorge una rosa rossa salutarlo: forse con beffa, forse con pietà.

L'AMICO

L'amico aveva portato a casa un cane. Per quanto la tenesse forte al guinzaglio, la bestia irritata, ansante, rossa e tornita nei fianchi come un leone, mise subito la casa in subbuglio. Il primo a salvarsi fu il gattino di due mesi, allegro e felice come uno sposo: si rifugiò in una cameretta in fondo al corridoio, dove poco dopo lo raggiunse, chiudendo l'uscio a chiave, la donna che conviveva col nuovo padrone del cane. E ansava anche lei, con gli occhi neri brillanti nel viso grigio; poiché l'amico, alle sue proteste di non voler in casa la bestiaccia, le aveva dato uno spintone, dicendole che poteva andarsene via lei.

– A questo punto siamo arrivati. Ma davvero! Dopo che da tanti anni sono io il suo cane, la sua serva e il suo zimbello. Ma io te l'avveleno, quella belva, *osto*!

Sebbene mascherata, la bestemmia, in quella bocca appassita e ormai rassegnata, spaventò i santini e le madonnine, le palme benedette e i fiori di carta che, con lo sfondo verde umido della piccola finestra munita d'inferriata, davano alla cameretta un colore di oratorio campestre. Anche il gattino, spaurito, saltò in grembo alla donna, ed ella si consolò e si confidò con lui.

– Glielo avveleno, vedrai; poi mi avveleno io. Così non può durare. Oh, oh, oh, oh...

Ella singhiozzava, sul gomitolo di seta nera del gattino, e il gattino, da par suo, ritornato contento e birbante, le graffiò il mento.

– Ah, mascalzone, va giù: tutti così, in questa casa, ingrati e traditori.

Ma il suo sdegno cadde subito, anzi si accese in gioia, poiché l'amico bussava all'uscio.

– Mina, ragazza, – diceva la sua voce di fagotto, – smettila con le tue scempiaggini. Ho fame.

Al sentirsi chiamare ragazza dall'uomo che aveva dieci anni meno di lei, Mina balzò agile, aprì e fu nuovamente sotto il completo dominio di lui.

Anche il cane s'era accucciato da padrone davanti al camino; anzi, nel veder la donna, si sollevò e ringhiò; ma ad un cenno dell'uomo tornò a mettersi giù, con la testa sulle zampe.

Piegata sul fuoco per finir di preparare la cena, Mina prova-va un senso di paura quasi angosciosa: le pareva di aver accan-to davvero una belva maligna, dalla quale esalasse un ardore di pericolo più grande di quello del fuoco. Invano l'uomo, seduto davanti alla tavola già apparecchiata, tentava di rassicurarla.

– È il cane del mio collega, il fattore Brighenti, che me lo ha regalato perché lui ha preso un cane da caccia, che con questo qui, gelosi l'uno dell'altro, non smettevano di azzannar-si. Questo però è una brava bestia.

La donna non rispondeva; rispondeva però il cane, con un fremito ed un lieve ansare di gioia.

– Vedi, capisce che si parla di lui: è più intelligente e buo-no di certe creature battezzate.

– Egli parla di me – pensava la donna, ma non apriva boc-ca. Non sapeva perché, la presenza del cane le dava un senso d'incubo, quasi di terrore: quindi, le parole dell'uomo, mentre lei lo serviva a tavola, la turbarono maggiormente.

– Adesso gli darai da mangiare: così farete amicizia. Su, Leo.

Il cane volse la testa severa verso la donna e parve scrutar-ne le intenzioni; poi, ai richiami insistenti del padrone, si alzò e sbadigliò. Era, il suo arrendersi, un modo umile e quasi tenero di dar ragione all'uomo che gli voleva bene: quella che non si arrendeva era la donna; anzi ella sentiva aumentare la sua pe-na ostile; poiché non era più paura, la sua, non dispetto, nep-pure odio, ma una passione più inumana e tormentosa: era ge-losa del cane, come questo del suo compagno.

L'amico insisteva, versandosi da bere nel boccale di smalto giallo:

– Va là, scempia, dàgli da mangiare: non vedi che ha fame? Subito qui, Leo.

Al comando, la donna buttò un osso per terra: il cane lo annusò, ma non lo prese.

– Daglielo con la mano.

Ella obbedì: la bestia addentò l'osso, poi lo lasciò ricadere per terra.

– Eppure ha fame. Prendi, stupido.

Adesso, sì, il cane prende con slancio ed avida gioia tutto quello che l'uomo gli butta a volo.

– Vedi? Vedi? Da te, cretina, non prenderà mai niente, perché sei una ipocrita, falsa e maligna. Va via di qui – romba la voce di fagotto.

Ed ella si ritrasse smarrita, ricordando che infatti aveva stabilito di avvelenare il cane; ma non ebbe neppure la forza di ritirarsi ancora nella cameretta delle madonnine. Sentiva che una sola parola e un solo atto di dispetto avrebbero esasperato l'uomo fino alla violenza: si piegò quindi nell'angolo del camino, cercando di nascondersi: poiché le pareva che anche le cose intorno la respingessero e la ripudiassero. Il quadro dominante schiacciava la sua piccola figura, torbida fra la zona rossa del fuoco e il chiarore verde-viola della finestra, sul cui sfondo giganteggiava la sagoma dell'uomo massiccio e biondo, col cane fulvo ai piedi e il boccale d'oro in mano.

Il peggio fu quando egli se ne andò, senza salutarla, senza neppure raccomandarle la bestia: la quale d'altronde, avendo compreso che non aveva più nulla da temere, si accucciò sotto la tavola e rimise la testa sulle zampe.

Pareva dormisse: ad ogni buon fine, la donna sparecchiò e rimise tutto a posto camminando in punta di piedi: e si sentiva peggio che sola, in compagnia del cane; con un'acerba tristezza in cuore, per la luna cremisi d'autunno che pendeva come un frutto misterioso tra il fogliame della finestra, per la lontana risata di una ragazza, che doveva essere in compagnia di un uomo.

– Oh, ridi pure, ragazza: verrà anche per te il giorno dell'abbandono, quando la tua vita sarà come un campo mietuto, senza una sola spiga lasciata dal tuo padrone.

Questo pensiero non bastava però a confortarla: anzi, ella chiuse con dispetto la finestra e tornò davanti al camino. Ed ecco, mentre stava piegata a coprire il fuoco, si sentì tirare la sottana: rabbrividì, credendo fosse il cane; poi si rallegrò infantilmente, accorgendosi che il gattino rassicurato dalla quiete della casa e dal silenzio di Leo, era tornato in cucina e riprendeva a trastullarsi.

– Ah, birba, sei qui? Ma non vedi chi c'è?

Sì, lo vedeva bene, chi c'era, il gattino spavaldo; ma non aveva paura. Aumentata la sua allegria dalle penombre della sera, scappò di mano alla donna e saltò fino alla parete in fondo alla cucina; andando incontro alla sua ombra, con la quale si mise a scherzare.

Mina tremava per lui: come lui agile e silenziosa corse per riprenderlo, e non le riuscì: non solo, ma lo spensierato folletto parve schernirla, saltando sulla tavola, poi qua e là sulle sedie e infine di nuovo nel corridoio.

Ella fu ripresa da uno struggimento di gelosia: sentiva che il gatto, da lei salvato dal fosso e allevato come un bambino, sarebbe diventato più amico del cane che suo: e il cane ne avrebbe accettato l'amicizia.

Sedette di nuovo sulla pietra del camino, ed ebbe l'impressione che la cenere ammucchiatavi dentro fosse quella della sua vita: non una scintilla più doveva scaturirne. L'uomo al quale ella aveva dato tutto la scacciava; neppure le bestie le volevano più bene. D'altra parte, che fare? Non sapeva dove andare, non aveva un'anima amica: credeva ancora in Dio per non pensare ad uccidersi; anzi, al ricordo di chi tutto vede e tutto pesa, si piegò di nuovo rassegnata.

– Vuol dire che comincia anche per me il purgatorio: sia fatta la tua volontà, o Signore.

E le parve di voler bene anche al cane. Dopo tutto era una bestia necessaria in casa, adesso che il padrone stava fuori quasi tutta la notte, e lei, spesso, aveva paura dei ladri.

– Quando verrà l'inverno ci faremo buona compagnia. Allora si riavvicinerà anche quel mascalzone del gatto. Anzi bisogna che ti prepari la ciotola per bere, povero Leo.

E lo fece. Ed ecco, nel sollevarsi vide che una fiammella celeste, una specie di fuoco fatuo, sgorgava da un foràmine della cenere; tornò al suo posto per ricoprirla, ma non lo fece subito; gli occhi le si incantarono nel guardarla; il tempo passò: di nuovo ella sentì qualche cosa di vivo al suo fianco, di nuovo fu avvinta da un laccio di sogno; ma come diverso dal primo! Il cane aveva lasciato il suo posto di soggezione per tornare davanti al camino. Ella tese la mano, per toccarlo, timidamente, come un cieco che cerca un sostegno: il cane gliela leccò. Allora ella sentì davvero mancarle il respiro; perché quello che succedeva nel suo cuore, riaperto all'amore che dà e riceve e non ha limiti nei regni della natura, era un mistero ch'ella non poteva e forse nessuno sa spiegarsi, ma che le ridonava il senso della giovinezza.

LA SORGENTE

Il giovane padrone ed il suo vecchio servo Pietro andavano a messa. Era una domenica di luglio, fulgida di azzurro e di verde, d'oro e di rosso: persino le gelide e dure tartarughe, lasciati i loro covi umidi, stridevano d'amore; e le vipere giovani attraversavano rapide i sentieri, a testa alta, con gli occhietti umani lucenti di gioia.

Eppure il vecchio servo brontolava.

– Ammazzali, questi contadini; non sono buoni neppure a schiacciare le vipere ed a mangiarsi, cotte in umido, le squisite tartarughe. Guarda poi, padrone, come il frumento è invaso dai rosolacci e come gli alberi sono pieni di formiche. Questi maledetti villani non sono buoni che a rubare nella divisione della raccolta ed a praticare l'usura nel vendere. Non parliamo poi di questi poltronacci qui, golosi, superbi e libertini. Uno di loro, il più anziano, è stato questa notte con una donna maritata.

A questo punto il padrone, dal quale tutti quelli maltrattati dalla lingua sciolta del vecchio servo dipendevano, e che stava ad ascoltare distratto, o meglio come in estasi per la visione meravigliosa della natura intorno, si fermò un momento, colpito; ma subito scosse la testa quasi per significare «lascia correre, Pietro, sono cose del mondo», e riprese a camminare.

Poiché i fannulloni, golosi e donnaiuoli, a detta del servo, erano i frati del convento verso il quale i due uomini andavano per ascoltare la messa.

La piccola chiesa era già gremita di popolo; nel bel prato davanti, tutto ombreggiato d'alberi, si attardavano solo alcuni vecchi che nel veder passare i due nuovi venuti si misero la mano sopra le irte sopracciglia gialle per guardare meglio.

Il padrone salutava tutti, mentre Pietro stringeva le labbra per non proseguire nelle sue aspre osservazioni.

La porta della chiesetta era spalancata: si vedeva in alto, sopra la massa bruna punteggiata di viola e di bianco degli uomini

134

e delle donne già tutti inginocchiati, l'altare bianco e scintillante come una tavola apparecchiata: ma il celebrante si faceva aspettare. Quando questi apparve, alto, vestito di bianco, roseo e liscio in viso come una donna, il padrone, che con Pietro aveva preso posto in un cantuccio in fondo alla chiesa, vide d'un tratto il servo, già inginocchiato, balzare in piedi e andarsene fuori dando qualche gomitata ai vecchi fedeli ritardatari.

Il giovane signore non pensò neppure di seguire il servo e domandargli che cosa succedeva: rimase anzi inginocchiato, sempre più raccolto in sé, ad assistere al divino mistero.

Gregario umilissimo fra gli umili gregarii suoi dipendenti, nessuno di questi lo riconobbe: tanto che, finita la messa, egli rimase ultimo, e quando uscì vide, nel prato, solo, appoggiato ad un albero, il vecchio servo bisbetico che lo aspettava.

– Ebbene, Pietro, che ti è successo?

Pietro lo guardò stupito, quasi esasperato.

– È possibile, – disse, dandogli come al solito del tu, – è mai possibile che tu, con tutta la tua intelligenza, proprio tu non abbia indovinato?

L'altro taceva, interrogandolo solo coi suoi dolci occhi di mandorla fresca.

Pietro tese il braccio, col pugno stretto, verso il convento.

– Quel frataccio era il meno degno di celebrare la messa: è lo sporcaccione che ha passato la notte con una donna maritata.

Rifecero la strada che conduceva alla casa del padrone, lassù dove la pianura sconfinava con l'azzurro del cielo. Solo una donna, a metà strada, riconobbe il giovane signore ed uscì frettolosa dall'aia della sua fattoria per salutarlo. Era una ricca contadina, già anziana ma ancora fresca, rossa e bruna. Prima di tendere la mano al padrone se l'asciugò col grembiule, sebbene non fosse bagnata, e mentre lui gliela teneva entro la sua candida e quasi incorporea, ella, al solito, cominciò a lamentarsi:

– Tutto a me tocca a fare, nella mia casa e fuori; sono io che dirigo i lavori dei campi e tengo da conto i raccolti; mio marito ed i miei figli lavorano sì, anch'essi, ma pensano anche a spassarsela, a mangiar bene, a vestirsi con lusso, a frequentare le sagre e le fiere, a bere ed a fare all'amore. Io sola non mi prendo nessuno svago: il boccone più scarso e scondito è il mio; le mie vesti sono sempre le stesse. Eppure i miei uomini non riconoscono le mie virtù, anzi mi accusano di avarizia e a volte arrivano a maltrattarmi. Che ho da fare per contentarli?

Il padrone domandò:

– Sei tu contenta di te stessa?

– Oh, questo sì. Quando, la notte, stanca, vado a riposarmi e penso: ho fatto il mio dovere, e domani ricomincerò, mi pare di entrare nel regno dei cieli.

– Tu lo sei già, Cosima Damiana – egli le disse sorridendo; ed ella rientrò in casa tutta raggiante, come se avesse trovato un ultimo adoratore.

Pietro, si sa, continuava a brontolare: era il suo mestiere.

Oltrepassato il campo della brava contadina, mentre la strada si faceva alquanto erta ed il sole scottante, egli disse:

– Invece che venirci a cantare le sue lodi, avrebbe fatto meglio, quella comare, ad offrirci una limonata. Stavo anzi per chiedergliela, ma ho avuto timore di disturbare la sua avarizia: ed ho fatto male, perché adesso crepo di sete.

– Troveremo qualche sorgente.

– E dove la troveremo, adesso? Non vedi che ci siamo inoltrati nello sterpeto, e tempo ci vuole, prima di rientrare nel coltivato.

– La troveremo, vedrai.

Ma Pietro sbuffava e sudava; nella bocca arida la sua linguaccia rifiutava di muoversi oltre.

Il padrone lo sbirciava, camminando lieve e silenzioso sulla polvere che pareva cenere calda. Quando vide che il servo non ne poteva più si fermò; col bastoncino dorato che teneva in mano aprì la siepe della strada e con gioia il vecchio vide che di là, in un recesso, fra pietre e verdi rovi coperti di rose canine, gorgogliava una fontana. Aprì a forza di braccia la siepe, ed entrambi penetrarono nel luogo improvvisamente fresco e delizioso: e mentre si piegava e beveva dalla coppa nodosa delle sue mani giunte, il padrone sedette su una pietra e col bastoncino cominciò a segnare parole misteriose sul musco del suolo.

Quando Pietro si fu dissetato, e con le mani bagnate si rinfrescò anche il viso, il padrone gli domandò:

– Sei contento?

– Sono come quella donna quando va a riposare: mi pare di essere nel regno di Dio.

– Dunque quest'acqua è buona; ne convieni? Sì: ed altrettanto buona era la messa, alla quale tu non hai voluto partecipare. Ebbene, Pietro, tu mi darai adesso una soddisfazione: va e cerca la sorgente di questa fontana.

Pietro andò: poco dopo riapparve atterrito ed umiliato.

– Padrone, l'acqua di questa fontana zampilla da un cranio di bestia pieno di vermi.

Il padrone non replicò; ma, scritte sul musco, il servo lesse queste parole:

– Se tu paragonavi la messa all'acqua della quale si ha sete, che t'importava della sorgente?

Poi entrambi, Gesù ed il suo servo Pietro, venuti di persona a verificare come andavano le cose di questo mondo, ripresero a camminare verso la loro casa, lassù dove la terra sconfinava con l'azzurro dell'orizzonte.

Quando il nobile don Felice Maria Chessa De-Muro previde la terribile disgrazia che doveva accadergli, sparì quasi misteriosamente dalla sua casa e dal suo paese.

Gli amici, e tanto meno i nemici, dovevano sapere che egli temeva di diventare cieco: i primi se ne sarebbero inutilmente addolorati, i secondi ancora più inutilmente rallegrati.

Dunque, partenza. Senza valigia, senza neppure cappotto, col suo vestito alquanto goffo e trasandato di tutti i giorni, il colletto di colore e la cravatta nera un po' bigia di grasso, ma con le tasche ben fornite di biglietti da mille, dopo aver detto alla vecchia e potente madre che ancora amministrava l'ingente patrimonio del quale era usufruttuaria:

– Oh, *mama*, vado a Roma per veder di collocare bene il nostro formaggio stagionato; e questa volta, poi, voglio proprio vedere il Papa – si guardò nello specchio grande, cosa che prima non usava mai fare.

Attraverso le ombre che gli passavano davanti agli occhi, ed erano ardenti come fiamme nere, si vide da capo a piedi; e vedersi e pensare ad una quercia fu tutt'uno per lui. Piuttosto piccolo di statura, robusto senza essere grasso, aveva una grande testa resa enorme dai capelli crespi, di un grigio che tendeva al rosso come appunto la chioma invernale delle querce: e come il picchio nel cavo del tronco di queste, gli pareva che dentro i suoi occhi verdognoli si annidasse e vi battesse incessantemente il becco un uccello divoratore.

Era stato altre volte a Roma, e la conosceva a menadito: ma non era dentro la città ove egli andava.

Scese alla stazione di Portonaccio, ed a piedi s'internò nei dintorni, nelle strade della campagna dove però la città lentamente inonda e sommerge le abitazioni rurali.

Egli non ricordava bene il nome della località ch'era la sua mèta, ma ne ritrovava la strada, dapprima larga, con palazzi in

costruzione accanto a casupole nere con scalette esterne e bal-
latoi cadenti; e fra gli uni e le altre sfondi di verde con note
violente di papaveri e macchie pallide di sambuco; poi assotti-
gliata in un viottolo fra siepi di biancospino e campi di fave
piegate sotto il peso dei loro lunghi baccelli cornuti.

Ecco finalmente il lieve groppo, che dall'altra parte si
sprofonda in un largo avvallamento, ecco la casetta rossa e la
lunga tettoia dove Alessandra Porcheddu, la sua antica serva, da
molti anni qui emigrata col marito ed altri compaesani, *esercita*
una rustica trattoria frequentata da carrettieri di passaggio, dagli
operai delle nuove costruzioni, e soprattutto dai *casari* dei dintorni. Anche il marito della donna ed i figli grandicelli lavorano
nei caseifici sottostanti; mentre i marmocchi ultimi, scalzi, terrosi e selvatici, giocano fra le ginestre e i canneti sotto il ciglione.

Fu uno di questi bambini, con la testa grossa come quella di
don Felice, ma bello rosso e con due occhi di stella, che primo
si accorse del forestiero e salì a darne l'annunzio alla madre.

Ella si affacciò all'uscio fumoso della cucina, che comunicava con la tettoia, riparate dalla quale alcune tavole unte e vino-
se aspettavano gli avventori; e nel riconoscere l'antico padrone
si mise a ridere: ma di un riso silenzioso che solo scopriva i
grandi denti di madreperla e dorava il suo viso di beduina.

Anche l'uomo, nel rivederla, piccola, rigida e squadrata come
un idolo di legno, con tutto quel cordame di trecce fuligginose
che pareva le imprigionasse la testa e non le permettesse di muovere i lineamenti neppure sotto la scossa del riso, si sentì come
trasportato nel tempo: le ombre davanti ai suoi occhi si diradaro-
no, ed egli si rivide giovane, poderoso, con la vita al guinzaglio.

– Oh, Lisendra, come andiamo?

– Oh, don Felis, come mai qui?

– Eh, al solito, per affari.

– Come sta donna Mariangela?

– Benone: sembra una ragazza di venti anni e lavora come
un servo contadino.

– Dio la conservi cento anni.

– Dio lo voglia: e tuo marito come va?

– Lavora anche lui. È giù coi ragazzi al caseificio. Adesso c'è
anche una grande vaccheria, quaggiù, vede, quel caseggiato

bianco che sembra una caserma? Lavoro, quindi, ce n'è per tutti. Si metta a sedere, don Felis; che cosa le posso offrire?

– Niente, per adesso: solo vorrei una cosa da te, Lisendra sempre bella. Non hai modo di alloggiarmi? Non voglio andare all'albergo, perché gli alberghi a me danno una melanconia mortale. Oh, selvatici siamo e selvatici resteremo.

La donna rise ancora, con quel suo caratteristico riso quasi di belva, intelligente e barbaro assieme: indovinava che sotto le parole del suo antico padrone si nascondeva un mistero.

– Alloggio? L'avrei: ma non è degno di lei: è alloggio per carrettieri.

– Tutti siamo carrettieri, nella vita, direbbe mia madre: si va, si va, con un carico più o meno pesante e di valore, e si arriva alla stessa stazione. Oh, fammi vedere subito quest'alloggio.

Era una camera molto rustica, al pian terreno, dietro la casa, col pavimento sterrato e improntato dalle zampe delle galline e dei piccioni: il letto odorava di stoppia, e il davanzale della finestra, con su una catinella di ferro smaltato, serviva da lavabo.

Eppure piacque a don Felice: forse perché la porta dava su un breve spiazzo erboso e su questo dominava, solitaria, una tavola: seduti davanti a questa ci si poteva credere in piena campagna. L'avvallamento, sotto, era infatti gonfio di canneti, di rovi e di sambuchi, con sfondi di prati di un verde di maiolica; e in lontananza la trina celeste dei monti svaporanti nell'oltremare dell'orizzonte.

Il giorno stesso don Felis andò da un celebre specialista. Freddamente, come si parla ad uno sconosciuto, ma con parole che attanagliavano la verità meglio che quelle di un amico o di un confessore, l'uomo della scienza interrogò il nuovo cliente.

Erano quasi al buio, e solo la sagoma barbuta del dottore risaltava in un triangolo di luce violetta: ma fossero pure stati nel grande sole del campo di fave di Lisendra, don Felis avrebbe risposto lo stesso, ripagando con la sua, l'indifferenza dell'altro.

– Divertito mi sono, certamente, come del resto ci si può divertire in paesi piccoli come il mio. Ho anche studiato, già, ma dopo la morte di mio padre…

– Mi parli di suo padre.

Su questo punto don Felis non intendeva dare ragguagli. Aggrottò le fiere sopracciglia e rispose secco:

– Mio padre era un galantuomo. Credo non abbia conosciuto altra donna che mia madre. È morto giovane, di carbonchio mal curato. Era un uomo ricco e rispettato.

Poi riprese in tono minore:

– Facevo la seconda liceale quando fui costretto a tornare a casa perché, unico maschio della famiglia, dovevo aiutare mia madre nell'azienda domestica. O, per dire la verità, troncai gli studi perché non avevo voglia di proseguirli. E allora cosa si fa? Si sorvegliano le campagne, si comandano i servi, si lavora anche noi; e l'unico svago sono le donne. Troppo mi sono piaciute, le donne, tanto più che venivano loro da me. Si abusa, e allora viene il momento della resa dei conti.

Pausa. Ce n'era già forse abbastanza, per le conclusioni dello specialista: ma l'uomo che si confessava, di natura alquanto crudele verso gli altri e verso sé stesso, riprese inesorabile:

– Poi non bastano le donne: gli affari vanno bene, si fa qualche viaggio, ci si diverte e strapazza a modo nostro in città; poi si ritorna a casa e per ammazzare la noia, o meglio il vuoto che comincia a farsi dentro di noi, si gioca. Si piglia gusto anche al gioco: si perde, si vince, si sciupano le notti e la salute. Allora ci si arrabbia, si attacca lite con tutti; viene l'insonnia, la tristezza, la disperazione. Si è, infine, come una ruota uscita dal pernio.

Soddisfatto per la sincerità sobriamente colorita di filosofia e quasi anche di scienza del caratteristico cliente, lo specialista domandò:

– Perché non ha preso moglie?

– Chi gliel'ha detto, che non l'ho presa? Già, l'ho presa, e forse è stata una delle cause del male. Donna santa, venerabile, appunto per la sua santità è stata l'unica donna che non ha corrisposto ai miei bisogni fisici e morali. Fredda e sterile ha vissuto con me venti anni come una statua di ghiaccio, tutta di Dio, mentre io appartenevo sempre più al diavolo. Lo scorso anno è morta, senza accorgersene, come non si era mai accorta di vivere. Eppure la sua scomparsa mi ha dato il tracollo. Rimorsi, scrupoli, superstizioni: sarà così, ma io, per stordirmi, ho cominciato anche a bere.

Qui lo specialista fece un gesto significativo, come per fermare il disgraziato nella china delle rivelazioni: don Felis però s'era già fermato, sollevando anzi la testa pennuta e scuotendola come l'aquila che si sveglia: poiché il resto dei suoi peccati riguardava lui solo.

Cominciò la cura costosa e dolorosa: iniezioni alla tempia, medicine nauseanti, regime di vita monacale che si succhiava il corpo e l'anima del paziente peggio della malattia stessa.

E questa si aggravava ogni giorno di più. Verso sera don Felis tornava al suo rustico rifugio con l'impressione di aver errato durante la giornata in un labirinto di pietre, fra nembi di polvere i cui residui gli bruciavano e pungevano gli occhi: tornava stanco e avvilito, con un sinistro proposito di morte nel cuore: ma arrivato alla casa di Lisendra provava un senso di refrigerio. Col cadere del sole le ombre dei suoi occhi si diradavano, ed egli rivedeva ancora le linee della realtà.

Era un'umile realtà, che però lo richiamava, così accanto alla città rombante come una grande macchina di vita, alla pace primitiva del suo paese. Ecco, i bambini giocano ancora con le fave, come lui nella sua prima infanzia: le lunghe e grosse fave a coppia, panciute e cornute, sono i buoi aggiogati che vanno al pascolo o tirano una crocetta di canna che rappresenta l'aratro: con le fave si prepara il desinare, si fabbricano anelli e catene: e uno dei bambini accompagna il gioco degli altri col filo di musica che sgorga da un flauto di avena, di tanto in tanto interrompendo l'opera d'arte per l'esercizio bellico di una fionda di salice che coi suoi proiettili di sasso sbaraglia l'esercito dei gatti che dai dintorni accorrono all'osteria.

Allora Lisendra, con un recipiente in mano, si affaccia alla porta della cucina, e manda via dalla tettoia i bambini per riguardo dei clienti che arrivano.

I clienti che arrivano hanno, del resto, poche pretese: rozzi e bonari, forse anch'essi in origine prepotenti e istintivi, sono adesso ammansiti dal lungo lavoro e dalla vita dura. Sono carrettieri rossi e calvi, che abbandonano per un quarto d'ora, davanti all'osteria campestre, i loro lunghi veicoli turchini dal mantice dipinto e istoriato, ed i cavalli con le nappe rosse alle orecchie come pendenti di corallo; stanchi muratori che fabbricano le case nuove in mezzo ai sambuchi; e infine i casari, per lo più giovani, del colore incerto degli emigranti che perdono il carattere natio senza acquistare quello del nuovo paese.

Alcuni parlavano ancora il dialetto di don Felis, ed egli li ascoltava con un senso di nostalgia, come definitivamente esulato anche lui dalla sua terra, alla quale non sapeva se la vita gli avrebbe concesso di ritornare; se poi essi cominciavano a canticchiare o se uno di loro suonava la fisarmonica, egli cadeva in una specie di sogno.

Mai aveva provato una cosa simile; e questo ripiegarsi sul vuoto del suo passato lo riconduceva quasi nella profondità del passato stesso, all'illusione di potersi sollevare e ricominciare una nuova vita.

I casari erano gli ultimi ad andarsene. Allora Lisendra dava da mangiare alla sua famiglia raccolta intorno alla tavola della cucina, e preparava la cena per don Felis.

Egli adesso sedeva davanti alla sua tavola sullo spiazzo sopra l'avvallamento. La tovaglia pulita era per lui, il bicchiere di cristallo, le posate di stagno, tutto per lui; un lume ad acetilene inondava con la sua luce lilla il crepuscolo verd'azzurro, e l'odore agreste della mentuccia e del sambuco dava l'illusione di trovarsi in cima ad una collina.

Don Felis mangiava la frittata di piselli, alla quale Lisendra doveva aver mischiato dello zucchero perché sembrava un dolce; beveva la fredda e melanconica acqua Lancisiana, e di tanto in tanto sollevava la forchetta come un tridente, minacciando qualcuno nascosto nell'ombra.

Era il suo stesso fantasma che egli minacciava e irrideva.

– Oh, don Felis, a questo ti sei ridotto, a nutrirti di pisellini come gli uccelli, e bere il vino bianco naturale; tu che masticavi la carne cruda e bevevi l'acquavite nella tazza grande. Va, va al diavolo: vattene via di qui, miserabile; va ad impiccarti al fico, nel cortile di casa tua. Perché continui a fare questa vita, quando tu stesso sai che non c'è speranza di miglioramento?

Una sera che il lume, per desiderio di lui, non era stato acceso, poiché il crepuscolo sfolgorante dava alle cose come una luce loro propria, mentre egli si disperava e discuteva col suo fantasma, una strana figura apparve nel sentieruolo che s'inerpicava sulla china dell'avvallamento.

Saliva su piano piano, tastando la terra e i cespugli intorno con un lungo bastone, come fanno i ciechi: dal vestito marrone stretto alla vita sembrava un frate; ma la testa era avvolta in un fazzoletto che pareva un cappuccio bianco; tanto che, arrivata all'orlo del ciglione, alta sullo sfondo rosa e arancione del cielo, la grande figura diede a don Felis l'impressione di una guglia di monte con la cima profilata di neve.

– È una donna: è una suora cieca. Come diavolo ha fatto ad arrampicarsi fin quassù? – egli si domandò.

E gli parve che un senso di mistero lo avvolgesse; o piuttosto ebbe una raccapricciante sensazione fisica, come se un ragno gli sfiorasse il viso tessendovi su la sua tela bigia.

La suora si avanzava dritta verso la tavola, e chiamava sottovoce:

– Alessandra? Alessandra?

Rispose don Felis:

– Lisendra è di là, nella cucina. Che volete?

Ma la suora non ebbe il tempo di rispondergli che già Lisendra era apparsa e col suo riso muto tentava di persuadere l'uomo a non impressionarsi per l'insolita apparizione.

– Sono qui, sora Cetta: come mai è arrivata fin qui, sola?

La suora, che era una donna ancora possente, e nella linea dritta e dura ricordava a don Felis la madre lontana, agitò il bastone e mosse le palpebre sul vuoto azzurrognolo degli occhi.

– Non sono sola, figlietta mia; l'angelo mi accompagna.

Il forestiero sorrise beffardo.

– Già, come Tobia, già!

– Proprio così – rispose la donna, tendendo la mano come per afferrare l'invisibile compagno e presentarlo agli increduli.

Lisendra a sua volta la prese per il braccio e tentò di portarsela via, di là, nella casa; ma la suora resisteva, e d'altronde don Felis la invitava a restare.

– Porta una sedia, Lisé, ed anche un mezzo litro di quello buono. Posso offrirvelo, suora Cetta? O l'hanno proibito pure a voi?

La suora gli si accostò, fino a toccarlo, guidata dal suono delle parole di lui: e gli parlò in modo strano, piegandosi, con accento sommesso di confidenza.

– E chi può proibirmelo? I dottori? I dottori non sanno nulla; e il vino è santo: è il sangue di Cristo.

– Oh, va benissimo! Adesso c'intendiamo proprio. Qua la mano. Lisendra, portane un litro, di quello rosso di Marino: vero sangue santissimo.

Così la cieca sedette alla tavola dello straniero; ed egli non si pentì del suo invito, poiché Lisendra disse:

– Questa suora Cetta può raccontargliene, don Felis! È la zia del padrone della vaccheria. Adesso sta in casa con lui e con la famiglia, ma ha girato tutto il mondo. Anche nelle terre dei selvaggi e di quelli che si mangiano gli uomini, è stata.

– E che diavolo cercavate laggiù?

La cieca toccava il bicchiere che egli le colmava; lo accarezzava con la punta sensibile delle dita, e pareva ne sentisse salire il vino, perché quando fu pieno lo accostò alle narici e lo odorò come un vaso di fiori. Il suo viso levigato e bianco di statua si colorì lievemente, quasi riflettendo il colore granato del vino, le labbra si aprirono ad un sorriso giovanile. Però non bevette subito. Rimise il bicchiere sulla tavola e riprese il suo parlare sommesso.

– Cercavo appunto il diavolo, per cacciarlo via di laggiù.

Lisendra spiegò:

– È stata suora Missionaria. E i barbari l'hanno accecata.

Allora don Felis sentì di nuovo il ragno misterioso coprirgli il viso con un velo di pallore.

La cieca bevette; poi raccontò:

– Fin da bambina ho desiderato di servire Dio, non solo con la preghiera ma con l'azione. A venti anni ero già suora e già in viaggio con Missioni. Dapprima si andò nel Canadà; ma à fu quasi una villeggiatura; il paese è bello, il clima mite, la gente buona. Poi ci si internò nell'America del Sud, dove si cominciò a patire, per le malattie e il pericolo dei selvaggi: eppure nulla ci accadde laggiù, mentre le sofferenze grandi ci aspettavano, anni dopo, in un paese che parrebbe civile e quindi favorevole all'opera nostra: voglio dire la Cina.

La Cina ha appena due milioni di cattolici fra 450 milioni di pagani. La Chiesa cattolica tende quindi a intensificare la propaganda; ed i Missionari non solo vi sono tollerati ma possono, al contrario di altri stranieri, risiedere nell'interno, acquistare terreni, fondare scuole.

Eravamo partite in tre, coi padri delle Missioni d'Oriente, ai quali ci proponevamo di essere più serve che altro: in viaggio una delle mie compagne si ammalò: dovette fermarsi a Tien-tsin, e l'altra compagna rimase per assisterla. Io sola dunque proseguii coi padri, verso la Cina settentrionale, fin quasi sotto la Grande Muraglia. Si scelse un centro di popolazione assolutamente pagana, in un piccolo villaggio presso un affluente del Fiume Giallo.

La regione è abitata solo da contadini, laboriosi, sobri, tranquilli, ma eccessivamente superstiziosi. Dapprima le cose nostre parvero andar bene. Il nostro Superiore era un francese, padre Victor, un uomo alto e forte come un gigante, energico e infervorato fino al punto che di lui si raccontava scherzando questa storiella: una volta, preso dai cannibali e legato al palo per essere arrostito vivo, si accorse che due ragazzetti dei selvaggi litigavano fra di loro e si azzuffavano. Allora egli si rivolse a loro e disse con dolcezza: – Fate da bravi, ragazzi: se farete da bravi, anche per voi ci sarà un bocconcino di quest'arrosto.

Egli conosceva la lingua del paese, ed al suo primo sermone accorse tutta la popolazione dei dintorni: però più che altro fu per curiosità, ed anzi quei piccoli paesani gialli e sornioni pareva si beffassero della nostra fede.

Tuttavia i più poveri cominciarono a mandare i bambini alla nostra Scuola, perché si dava loro una minestra e dei vestiti; ed i più abbienti ci tolleravano.

Si viveva in una costruzione in legno, con una piccola chiesa che serviva anche da scuola e, nei tempi cattivi, da refettorio.

Nei giorni buoni si mangiava all'aperto: io funzionavo da cuoca, da serva, da maestra, da lavandaia e sarta. Mai ero stata così felice; e tentavo di apprendere la lingua del luogo per rendermi più utile.

Il clima non ci favoriva. Spesso soffiavano venti terribili, dei quali qui non si può avere una lontana idea. Durante uno di questi cicloni la nostra fragile stazione crollò e molte assi furono portate via dal vento. Eppure un miracolo accadde: padre Victor, ispirato come l'angelo della tempesta, ci raccolse intorno a sé, in mezzo alle rovine, e intonò la preghiera.

Ebbene, i contadini anche i più pagani accorsero in nostro aiuto; portarono assi e tronchi, non solo, ma anche viveri; in breve la Casa risorse più solida di prima.

Dopo soli tre mesi di propaganda, già avevamo molti neofiti e qualche convertito; fra gli altri un vecchio contadino ricco, che si diceva fosse stato un brigante. Lo chiamavano appunto Pe-lang (Lupo bianco) in ricordo di questo famoso condottiero di bande brigantesche. Il fatto è che non si sapeva come egli avesse accumulato le sue ricchezze e comprato i suoi vasti terreni: ed i figli e i nipoti erano tutti tipi violenti, superstiziosi, avidi di denaro.

Pe-lang venne da noi, in principio, per superstizione: poiché i nostri padri, e io stessa in persona, godevamo fama di fattucchieri e si diceva che possedevamo unguenti miracolosi. L'antico brigante soffriva d'artrite; camminava con le stampelle ed era tutto gonfio alle estremità: venne dunque in cerca della salute del corpo, e non di quella dell'anima.

Alcune fregagioni che io gli feci, le cure interne suggerite da padre Victor, e sopratutto un certo regime di vita, lo ridussero subito in migliori condizioni di salute. Egli credette al miracolo; si fece neofita e volle frequentare la scuola coi bambini; inoltre cominciò a portare larghe offerte alla nostra Casa.

Tutte queste cose ci inimicarono i suoi numerosi parenti; e così cominciarono le persecuzioni. Si tentò di bruciare la nostra Casa, si sparsero voci calunniose sul conto nostro, ci sobillarono contro la popolazione già favorevole a noi. Poi i membri più giovani e potenti della famiglia di Pe-lang, ricostruirono una vera banda brigantesca; portarono lontano il vecchio e fecero sparire anche due dei nostri padri.

Padre Victor fece a tempo a ricorrere alle autorità locali, e riprendere il vecchio ed i nostri fratelli: ma la protezione ufficiale non valse a salvarci del tutto.

Io fui presa specialmente di mira; si disse che ero l'amante dei padri, che fabbricavo veleni, che avevo ammaliato il vecchio. Padre Victor pensò di allontanarmi dal luogo, ma la mia ferma volontà vinse. Servire Dio in pace è troppo felice cosa, e non ha merito presso il Signore: bisogna servirlo nel dolore, fra le ingiustizie, le umiliazioni, i pericoli.

Qui la suora si fermò, e poiché aveva raccontato le ultime vicende con voce eguale, monotona, come parlando fra di sé e per sé sola, si riscosse e parve guardarsi attorno.

Era già quasi notte. Lisendra, che andava e veniva, e ascoltava i brani del racconto come i bambini una fiaba che già sanno a memoria, fece per accendere la lampada ad acetilene. Ma don Felis la fermò, e con una voce che voleva essere come al solito beffarda, ma velata da una commossa tristezza, disse:

– Lascia stare: tanto ci vediamo lo stesso: bevete, bevete, suora Cetta: il bicchiere e la bocca li trovate?

Le ricolmò il bicchiere, e bevette anche lui: anzi volle che bevesse anche Lisendra.

– Salute.

– Salute a tutti.

– E così – riprese la cieca – io continuai a fare il mio dovere. Mi occupavo specialmente del vecchio Pe-lang, al quale mi ero affezionata, e di altri malati che venivano a farsi curare da noi. Il vecchio era maltrattato dai suoi, ma non rinnegava la nuova fede: rinunziò ai suoi beni in favore dei figli, e venne a stare con noi, anche perché la sua artrite non gli permetteva quasi più di muoversi. E il miracolo consisteva in questo: che egli non sperava più di guarire; ma più soffriva più credeva nel nostro Dio di luce e di amore.

Lo si ospitò in una specie d'infermeria che avevamo messo su alla meglio; e lo si nutrì e medicò a nostre spese. E allora fu peggio: l'odio d'interesse della parentela si cambiò in una specie di gelosia. Tentarono in tutti i modi di strapparcelo, e poiché non ci riuscirono, ricombinarono la banda armata che una notte assalì la nostra Casa.

Che notte! Il vecchio piangeva e si raccomandava a me come un bambino: ed io tentai di difenderlo, con la mia stessa persona, interponendomi fra lui ed i briganti. Uno di questi, già anziano, ma più cattivo dei giovani, giallo e crudele come una iena, mi si aggrappò addosso e mi buttò sugli occhi un liquido velenoso.

Vidi subito nero e rosso, come se una fiamma viva avesse preso posto nei miei occhi. Capii di che si trattava e svenni. La natura umana aveva vinto in me. Dopo, però, mi risollevai, con la palma del martirio in mano.

Fu una lunga infermità, dalla quale sono uscita completamente cieca: tuttavia restai con i padri, finché essi rimasero nelle Missioni d'Oriente; e la mia presenza parve anzi giovare alla nostra causa.

Le donne specialmente accorrevano per vedermi, poiché s'era sparsa la voce che toccando i miei occhi esse potevano guarire dei loro mali.

Lisendra, che si era indugiata ad ascoltare l'ultima parte del racconto, si protese quasi anelando verso l'antico padrone, e senza volerlo imitò la voce della suora. Disse:

– Anche qui. Il mio bambino piccolo, che aveva un tracoma ribelle ad ogni cura, lo ha guarito suora Cetta. Proprio così.

La cieca scosse la testa, non incredula, ma umile.

– È la fede, che salva.

E rivolgendosi allo straniero, che, dopo le prime domande, taceva e pareva disinteressarsi del racconto, riprese:

– Lei ricorderà certamente l'episodio del cieco di Gerico.

No, don Felis non lo ricordava: dopo la prima fanciullezza non aveva più letto libri sacri, e non andava in chiesa se non per vedere le belle donne, e per non farsi criticare come un eretico. Ma si vergognò di dirlo.

Il cieco di Gerico? Chi era? Certo, uno della Bibbia: e un po' per curiosità, un po' perché nonostante la sua voluta incredulità, il parlare della donna, sommesso e nudo, eppure vibrante di una musicalità interiore, gli ricordava cose lontane, confuse, appunto della sua prima fanciullezza, quando nella bella stagione la madre lo conduceva alle feste religiose campestri, e le

cerimonie sacre erano colorite dal suono sensuale della fisarmonica, che rodeva intorno la chiesetta poggiata sul prato verde e richiamava la gente alla festa grande della natura, disse
con degnazione:

– Sentiamo se anche voi ricordate bene la storia del cieco
di Gerico.

– È nel Vangelo di San Marco. Quando Gesù usciva di Gerico,
coi suoi discepoli, e grande moltitudine, *un certo* figliuol di Ti-
meo, Bartimeo il cieco, sedeva presso della strada, mendicando.

Ed avendo udito che colui che passava era Gesù il Nazza-
reno, prese a gridare, e a dire: «Gesù, Figliuol di Davide, abbi
pietà di me». E molti lo sgridavano, acciocché tacesse: ma egli
vieppiù gridava: «Figliuol di Davide, abbi pietà di me».

E Gesù, fermatosi, disse che lo si chiamasse. Chiamarono
dunque il cieco, dicendogli: «Sta di buon umore, levati, egli ti
chiama».

Ed egli, gettatosi d'addosso la sua veste, si levò e venne a
Gesù. E Gesù gli fece motto e disse:

«Che vuoi ch'io ti faccia?».

E il cieco gli disse:

«Rabbi, ch'io ricoveri la vista».

E Gesù gli disse:

«Va, la tua fede ti ha salvato».

E in quello stante egli ricoverò la vista, e seguitò Gesù per
la via.

Richiamata dai bambini, ancora una volta Lisendra s'era
staccata a malincuore dalla tavola di don Felis, lasciando soli i
suoi ospiti.

Allora la cieca disse:

– La buona Lisendra se n'è andata. È lei che mi ha fatto venire
qui: è lei che, ieri, scesa giù da noi, mi ha raccontato di una persona alla quale vuole molto bene fin da bambina e che adesso si trova qui, malata, e per la quale ha chiesto aiuto. Io risposi: verrò; e
se riesco a venire da sola, se il Signore mi guiderà, vuol dire che
potrò fare il miracolo. Ed ecco che son venuta, don Felice.

Ella pronunziò queste ultime parole con una voce diversa
da quella di prima; voce calda, commossa, appassionata, come

se le sue fossero parole d'amore profondo e quasi carnale.

Tanto che l'uomo rabbrividì fino alle midolla e vide le cose, nella penombra già opaca, tingersi di rosso e d'oro come al tramonto: un attimo, ed egli si riprese, come uno che vuol vincere una seduzione pericolosa: lo spirito violento e ironico che sonnecchiava da qualche tempo in lui, si sollevò con un'estrema volontà di dominio.

Egli non voleva miracoli: non ci credeva: non ci aveva creduto nei tempi felici, e tanto meno ci credeva adesso che la fatalità lo afferrava per i capelli e gli posava sugli occhi la sua mano inesorabile. La nostra vita è quella che è: e l'unico mezzo per vincere il dolore è di calpestarlo col disprezzo della vita: una volta morti, tutto finisce con noi.

La forza malefica che dentro lo agitava, lo spinse anche a tentare di distruggere la fede della donna. Domandò:

– Chi è quel disgraziato imbecille che crede ancora ai miracoli?

– Io ancora non lo so di preciso. Deve rivelarsi da sé.

– Ma se voi siete una veggente dovete pescarvelo da voi. Sarei curioso di vedervi all'opera.

L'altra tacque, anzi volse il viso in là, verso l'orizzonte ancora glauco, e parve allontanarsi col pensiero.

Egli la fissava, coi suoi piccoli occhi di cinghiale, e provava, suo malgrado, un senso di allucinazione: gli pareva che un'aureola bianca circondasse il viso scuro di lei; ma quel profilo di sfinge, duro sullo sfondo ambiguo della notte, non gli era nuovo: era quello della moglie morta.

Antiche superstizioni affiorarono al suo pensiero, come meduse dalla profondità alla superficie del mare: egli le ricacciò in fondo. Sua moglie era morta, e i morti non ritornano, sopratutto se non hanno amato in vita.

Eppure un tremito, se non di fede, di speranza terrena, tornò a serpeggiargli nel sangue, quando la cieca si rivolse e disse:

– Il malato è lei, don Felice.

Egli batté il bicchiere sulla tavola e imprecò come i carrettieri dell'osteria.

– Mannaggia al vino. Adesso mi spiego tutto. È quella pet-
tegola di Lisendra che ha spiato i fatti miei e li è venuti a spiffe-
rare a voi. Adesso mi sentirà.

La cieca tese la mano, per cercare quella di lui, per calmarlo.

– Lisendra le vuol bene. Le vuol bene fin da bambina – ripeté; e la sua voce era sempre sommessa e ardente, quasi complice, come quella di un'attrice che s'investe fino al cuore della
passione di un'altra donna. Ma questo finì d'irritare l'uomo.

– Da bambina? Ma brava! Ah, già, ricordo: Alessandra Porcheddu aveva dodici anni quando prese parte al branco dei
nostri servi. Era bellina, alta già, fresca e acerba come una noce
verde. Io ho tentato di possederla. Ella ha gridato; poi è andata
a raccontare tutto a mia madre: la quale ha preso a proteggerla,
l'ha salvata dalle mie granfie e, appena l'età lo ha permesso, l'ha
fatta sposare con un servo pastore. I due sposi hanno poi emi-
grato e adesso vivono qui. Fino allo scorso anno io ho sempre
tentato invano di aver Lisendra: per questo forse mi vuol bene?
Per questo? – egli insisté brutalmente.

– Forse anche per questo.

– Sarà, ma io, reverendissima madre, io non ci credo. Credo
piuttosto ad una speculazione. Il forestiero è qui, il micco è qui.
Si sa che ha bisogno di un miracolo, e si tenta di combinarglie-
lo. Egli tirerà fuori il portafoglio, e farà delle offerte vistose, che
in apparenza saranno per qualche chiesa, o per le Missioni, ma
che in realtà andranno in tasca ai santi e ai loro sensali. Ma io
non sono Pe-lang, reverendissima madre; io non sono stato mai
un brigante; e se Dio ha da aiutarmi lo faccia direttamente.

La donna non rispose, non si sdegnò; solo tornò a rivolgersi verso l'orizzonte e si fece il segno della croce.

Allora egli, infuriato, non contro di lei, ma contro lo spirito
maligno che per la sua bocca aveva parlato in quel modo, si
alzò e andò a chiudersi nella sua camera.

Chiuse anche la finestra e al buio, tastoni, si sdraiò sul duro
giaciglio che, nonostante le coperte e le lenzuola pulite, a lui
pareva odorasse ancora del sudore dei carrettieri e degli scava-
tori di pozzolana.

Era arrabbiato e voleva calmarsi. Il suo sdegno adesso si riversava tutto su Lisendra che era andata a raccontare ad estranei la disgrazia di lui. La notizia si sarebbe certo presto diffusa, tra gli emigrati, dapprima, e, trasmessa poi da questi, anche laggiù nel paese natio. Che soddisfazione per la gente che non gli voleva bene! – Esultate pure, servi maltrattati, debitori poveri e ricchi, egualmente spremuti con usura crudele, vicini di proprietà sopraffatti con prepotenza, donne sedotte e abbandonate, figli bastardi rinnegati: e chi più ne ha ne metta.

A dire il vero, egli si compiaceva d'esagerare, sulla quantità dei suoi nemici: era come un guerriero che con la fantasia moltiplica il numero degli avversari, per darsi importanza e valore.

In fondo gli dispiaceva sopratutto per la madre: vecchia amazzone, ancora piena di coraggio, appunto per questo ella era una donna sensibilissima: la notizia della disgrazia di lui poteva stroncarla come un colpo dato a tradimento.

E più che altro, quel pensiero placò gl'istinti belluini di lui. A poco a poco riprese piena coscienza di sé: riaprì gli occhi che aveva chiuso come la finestra contro lo splendore infinito delle stelle, e gli parve di vedere il profilo argenteo della suora sospeso nel buio della camera.

Forse aveva fatto male a respingere l'aiuto, sia pure strano, che la sorte gli offriva: non si sa mai nulla, del nostro destino, e quando una porta si apre bisogna almeno affacciarvisi.

E Lisendra? Anche l'antica serva adesso gli appariva diversa, spogliata della sua dura scorza corporea; Lisendra che gli voleva bene, sì, – ed egli lo sapeva, – di un amore quasi animalesco, simile a quello del cane per il padrone; amore che però si sollevava sopra gl'interessi e le sensualità umane, e quindi nuovo per lui che era vissuto solo per la carne, il denaro, l'orgoglio e le vane apparenze della vita.

Lisendra! Egli la rivede come quel giorno che gli è sgusciata di mano, fresca e pieghevole, nella sua compattezza, come una giovane spigola che sfugge alla rete: e la purezza e l'istinto di libertà di spirito di lei, lo riconciliano con sé stesso.

Ed anche per riguardo a lei gli dispiacque di aver trattato male la suora.

Ma c'era tempo per riparare. Domani, pensò, andrò giù

nella vaccheria, cercherò di lei, fingerò di credere. Potessi credere davvero! Potessi!

E già quest'anelito di desiderio diffuse dentro di lui un senso di luce.

Fuori, davanti alla sua finestra, si sentiva solo l'indefinibile
alito della notte, che pareva salisse dalla bassura con l'odore de
sambuchi e il fruscìo dei canneti: dall'altra parte, invece, risona
va un insolito chiasso. Sotto la tettoia una comitiva di opera
mangiava, beveva e discuteva: d'un tratto parve anzi accenders
una rissa: urli bestiali s'incrociarono nella quiete della sera, ac
compagnati da un coro di voci che tentavano di rappacificare
contendenti.

E la cosa sarebbe andata a finir male se d'improvviso una
voce risonante, che veniva su dall'avvallamento sotto la camera di don Felis, non avesse chiamato:

– Lisendra? Lisendra? È lassù la zia?

Lisendra corse sul breve spiazzo dove la suora stava ancora
appoggiata alla tavola.

– È qui, è qui.

Era Lisendra che rispondeva: ma fu anche suo il grido acuto che seguì e che, per la sua vibrazione speciale, fece tacere
il chiasso sotto la tettoia: grido significativo, come di uno che,
in pericolo di morte, domanda soccorso pur sapendo di non
ottenerlo.

Don Felis balzò come una palla di gomma, spinto da una
violenza misteriosa che lo sbatté contro la finestra: ma ebbe
paura di riaprire le imposte.

Sentì fuori gli uomini che dalla tettoia correvano dietro la
casa e circondavano Lisendra e la suora.

– È morta.

– Ma che ha fatto?

Sgorgarono i più disparati commenti; il marito di Lisendra,
mentre lei sola taceva, si affannava a raccontare l'arrivo strano
della cieca e il suo indugiarsi alla tavola del forestiero; allora
don Felis fu costretto ad aprire la finestra per difendersi.

– Ma io l'ho lasciata lì tranquilla a finire di bere il suo vino.

Lisendra aveva acceso il lume, e la luce lilla dell'acetilene illuminava sinistramente il quadro: i visi degli operai avvinazzati vi apparivano rossi e violenti, in contrasto con la macchia bianca della testa della morta, piegata sul braccio appoggiato alla tavola come se ella dormisse.

Un uomo balzò su, lungo e grigio, dall'ombra sotto lo spiazzo, e la sua voce parve lampeggiare.

– Zia? Zia Concetta? Ma che è successo? Ma perché?

Quel perché, gridato sul corpo della suora, e diretto a lei quasi con la certezza esasperata di ottenere risposta, colpì in pieno don Felis. Perché la donna era morta? Egli lo sapeva: egli solo poteva rispondere: ma non trovava le parole.

Adesso la donna giace sul lettuccio duro e bianco come un sarcofago, lo stesso sul quale il corpo di lui si è, fino a quella sera, disteso come un tronco morto trasportato dalla corrente nel fondo fangoso di un fiume.

Un cero simile a un giunco con un fiore giallo in cima, acceso dalla pietà di Lisendra, illumina il viso d'avorio della morta: al tremolìo della fiammella le grandi palpebre, abbassate sul vuoto degli occhi, par che si muovano, e danno un'aria di sonno infantile a quel viso composto e raccolto nel suo cappuccio di neve.

In fondo alla cameretta don Felis, seduto grave e pesante, ma non piegato né avvilito, guarda la misteriosa figura, e si accorge che la donna era giovane ancora: le mani sono lunghe e belle, i piedi piccoli; le linee del corpo, sotto le pieghe del vestito fratesco, si rivelano possenti e statuarie.

È una bellissima morta: una di quelle figure classicamente funebri che si vedono sulle tombe di lusso, nei reparti aristocratici dei cimiteri moderni.

Non ispira quindi pietà, ma piuttosto un senso di ammirazione: è il mistero stesso del riposo; la vita che si ferma e si eterna nel sonno della morte, o meglio la creatura umana che arrivata al limite della sua strada non si atterrisce, ma si piega e si distende sulla soglia dell'eternità.

Don Felis la guarda, e dopo il suo primo stordimento ritrova anche lui un senso di pace, quasi di gioia.

Gli sembra di essere ritornato studente, quando i libri e le figure stampate gli spiegavano tante cose. La luce dell'intelligenza, non ancora ottenebrata dalle passioni, dai vizi e dagli errori, s'è riaccesa in lui, al riflesso del piccolo cero.

– Si aspetta il medico – egli pensa – e dopo di lui, se Dio vuole, verrà anche un pretore. Ma forse basterà il medico: egli dichiarerà che questa donna è morta di paralisi al cuore. Anche il nipote di lei ha detto che la poveretta soffriva di asma. Se però venisse anche il pretore affermerebbe che il cuore della suora ha cessato di funzionare per lo spavento che le ha destato l'anima mia mostruosa. Ella, che ha vinto le persecuzioni pagane, non ha saputo resistere alla ferocia di un cristiano.

– Ma la verità è un'altra, don Felis Maria Chessa De-Muro, – gli dice un'altra voce, che non è più quella dello studente, ma del bambino anteriore a questo, – la verità è che suora Cetta ha offerto a Dio l'unica cosa che ancora le rimaneva: la vita; come voleva offrirla fra i selvaggi e gli infedeli, perché un raggio di luce scendesse su di te. Ed è sceso: ecco, è il filo che ti riunisce a Dio. E lei, che *vede* tutto, adesso, ed è lì viva e forte davanti a te, ne sente gaudio e gloria.

Poi mentre di fuori si sentiva la voce del padrone della vaccheria, che era andato in cerca del medico, e ritornando con questi gli spiegava ancora come la zia, uscita di casa all'insaputa di tutti, sola e senza guida era arrivata all'osteria di Lisendra, don Felis si alzò, si accostò alla morta e ne sfiorò con le dita gli occhi.

Ma per semplice formalità. Poiché il miracolo era già avvenuto, e la luce rinasceva davvero dentro di lui, in cerchi sempre più vasti, come l'aurora nei cieli.

COMPAGNIA

V'è soffrire e soffrire; ma quello del grosso Paolone era, almeno a parer suo, diverso e più pesante di tutti gli altri. Ecco che egli ritornava, dopo quindici anni di volontario e tumultuoso esilio, nella casa dalla quale il tradimento e la vergogna lo avevano fatto fuggire, e la cui porta egli credeva di non riaprire mai più.

Riaprì la porta col movimento istintivo di un tempo, girando la chiave all'inverso, e subito sentì come il tanfo di una tomba dissepolta. Erano l'odore e l'alito umido delle dimore chiuse, da tempo deserte: ma l'uomo non s'impressionò per così poco. Anzi, poiché era già notte e pioveva, provò un senso di sollievo entrando nell'ingresso e deponendovi la sua grossa valigia tutta fiorita di bolli di alberghi stranieri.

Accese una candela stearica, della quale si era già provveduto; entrò nella cucina, subito a destra dell'ingresso, e, pendente sopra la tavola, rivide la lampada, che miracolosamente riuscì a riaccendere. Tutto intorno era come un tempo: solo, la polvere stendeva un velo funereo sulle cose; e il viso nero e grigio del camino sembrava davvero quello di un morto.

Per il momento l'uomo non pensava a riaccendere il fuoco: d'altronde non faceva freddo. Ma un po' di calore interno gli occorreva, per farsi coraggio e vincere i fantasmi di quella prima notte, che ostinatamente volevano ricordargli il passato. All'inferno il passato! Egli aveva cinquant'anni, un corpo da atleta, una salute diamantina e molti assegni bancarî in tasca: e voleva ricominciare una vita nuova.

Portò dunque la valigia dentro la cucina, l'aprì e ne trasse fuori un involto e una bottiglia. Mangiare, voleva, e bere, e poi dormire e risvegliarsi come uno che ha sofferto una lunga malattia. Con la carta dell'involto spazzò la polvere della tavola, si servì del fazzoletto per tovaglia, e mangiò. La bottiglia la serbò per ultimo: e vi succhiò dentro, poiché non voleva aprire la credenza d'angolo, dove le stoviglie e i bicchieri gli avrebbero ricordato le cose lontane e belle del passato. All'inferno il passato! Quando la bottiglia fu a metà, stirò le braccia quanto erano lunghe, coi pugni stretti, e digrignò i denti. Cominciava a sentirsi

padrone lui, dei fantasmi, e avrebbe voluto prenderli a pugni
Bevette ancora, raccolse in un batuffolo la carta con gli avanzi
della cena, tutto buttò in fondo al camino, come dal finestrino d
un treno dopo i pasti di viaggio: e gli sembrò che il camino ar
desse, acceso dal calore interno che oramai gli scaldava il cuore.

– Toh, voglio riprendere moglie.

Ma la fiamma si spense: cattiva fiamma di vino forte; e
fantasmi furono addosso all'uomo, tempestandolo di colpi. Egl
rivide la moglie e il fratello suo, di lui, Paolone grande forte e
buono: li rivide prima nell'atto del tradimento, quando li avev
fatti sorprendere dalla polizia, poi portati via legati, da quella
casa, donde lui era immediatamente fuggito, come si fugge da
una casa incendiata.

Adesso tutti erano morti: lui solo era vivo e voleva campare un altro mezzo secolo. Tornò a sedersi sotto la lampada e
trasse il portafogli nero che pareva idropico, tanto era gonfio.
Eppure i lievi biglietti da mille e gli assegni piccoli e graziosi
come bigliettini d'amore vi erano collocati stretti e in ordine: il
gonfiore era piuttosto prodotto dai fogli da cento lire e da carte
di poco valore.

L'uomo passò in revisione il suo avere e se ne sentì ancora
una volta soddisfatto: poiché non era, quella che egli teneva in
pugno, la *fortuna*, come l'avrebbero chiamata gli altri, ma davvero il frutto del suo lungo lavoro, del suo accanimento a rico-
struirsi un giorno la stima del prossimo.

– Non sono stato buono a conservarmi l'onore: che almeno
si veda che sono stato buono a lavorare – brontolò, ricaccian-
dosi in tasca il suo tesoro.

Uno dei fantasmi sogghignò:

– Lavorare? Ma per chi?

Egli balzò di nuovo in piedi, e l'ombra del suo braccio col
pugno chiuso batté come un martello enorme sulla parete.

Adesso bisognava andare a letto: non certamente nella camera nuziale, della quale, del resto, egli diceva a sé stesso di
non aver paura, e nemmeno nella stanza terrena lì accanto, dove

n tempo c'era un letto; il letto del peccato mortale.

L'uomo si sedé di nuovo sotto la lampada, e reclinò la testa era.

– Perché sei tornato proprio qui, Paolone? Il mondo è rande, e tu, babbeo, ti sei impuntato a tornartene proprio qui.

Non erano più i fantasmi a stuzzicarlo con queste doman-le, ma il suo cuore smarrito. Egli però si rideva del suo cuore: vi batté sopra il pugno che prima aveva percosso le pareti.

– Toh, voglio proprio dormire in *camera nostra.*

Fu di nuovo in piedi, sentì fuori uno scroscio di pioggia e abbrividì come un bambino. Ma c'era rimedio anche a quello: iaprì la valigia e ne trasse la fiaschetta del cognac.

La *loro* camera era al piano di sopra: ancor prima di aprire 'uscio, egli la rivide, grande, rustica, ma pulita come la sala di in palazzo, col pavimento di mattoni rossi spruzzato d'acqua, l letto soffice di piumini che odoravano ancora di uccello.

E anche adesso aprì con l'istintivo far silenzioso di un tem-po. *Ella* è là che dorme il sonno d'oro delle notti dopo le lunghe giornate di fatica; dorme rannicchiata, coi pugni stretti accanto al viso; un sonno fondo e innocente che non bisogna turbare...

Il tanfo di chiuso, di umido, l'odore delle piume andate a male, lo tolse dal suo vaneggiamento: fu per ridiscendere, ma ancora una volta si fece coraggio: avanzò, con la stearica che gli pioveva lagrime ardenti sulle dita; e sul cassettone vide il cande-liere del quale si ricordava bene; ma non poté infilarvi la candela, perché un grumo di roba nera ne otturava il vasetto. Tentò di sciogliere il grumo e riuscì ad attaccarvi la stearica; ma questa tentennava e piangeva di qua e di là, sciogliendosi rapidamente.

Così era il riattaccarsi dell'uomo al suo passato.

Adesso, prima di ficcarsi a letto, si trattava di mettere al si-curo i denari e gli assegni. Nella sua vita errante egli non si era fidato mai: sotto il guanciale aveva sempre messo il portafogli, ma sgombro di valori.

Ricordò che nel cassettone c'era un ripostiglio, un vuoto in fondo al primo cassetto: lo ritrovò subito, vi mise il suo tesoro, chiuse, e nascose la chiavetta in alto, sopra la cimasa dell'uscio. Prima che un ladro riuscisse a trovare il ripostiglio ce ne voleva!

E andò a letto, dalla sua parte, coprendosi fin sopra gli occhi. La stanchezza, la certezza di essere finalmente bene o male arrivato, e sopratutto lo stordimento del cognac, lo immersero subito in una specie di narcosi che rassomigliava alla morte.

Il suo risveglio fu appunto come quello di un narcotizzato privo del senso della realtà. Dapprima gli parve di viaggiare ancora, sdraiato nella cuccetta di un transatlantico del quale non si sentiva che la velocità; poi d'improvviso ricordò: e l'odore della camera chiusa, del letto muffito, gli diede l'impressione di essere sepolto vivo. I fantasmi, adesso, ebbero buon gioco su di lui, tutti: i più cattivi ricordi, le cose nere, le angoscie più lontane, e il dolore, la vergogna, il pentimento del suo ritorno.

– Si può sapere che sei tornato a fare, grosso Paolone? Si può sapere, sì. Sei tornato perché hai la schiena forte, ma il cuore debole; e sei tornato perché non sei mai partito: la tua casa, il tuo passato, la compagnia di un tempo te li sei portati appresso, sulle spalle, come dentro un sacco, e hai lavorato con l'illusione che, ritornando qui e deponendo il sacco, tutto sarebbe ritornato a posto.

– È vero, è vero – egli disse col suo vocione di tamburo. – Già, anche la compagnia!

Al suono della sua voce gli parve che il silenzio si facesse più intenso intorno a lui e la solitudine più feroce.

Ma dopo un momento i piccoli rumori che, al primo svegliarsi, egli non aveva percepito, si sentirono di nuovo: erano lievi fruscìi, un rotolare come di palline, un rosicchiare di tarli. Egli stette un po' ad ascoltare: poi balzò su atterrito.

– I topi!

Riaccese la candela e tirò fuori il cassetto. Quasi tutti i biglietti e gli assegni erano scomparsi. Imprecando e sudando tirò il secondo, il terzo cassetto: in fondo, nell'angolo del vuoto del mobile, vide una specie di nido, fatto di minuscoli brandelli di carta bianca e colorata, e in mezzo, accovacciati, immobili, due topolini grigi i cui occhi lucidi lo fissavano quasi severi. Erano due sposini, certamente, che avevano fatto il dover loro a fabbricarsi quella notte il nido col tesoro di lui, e non sapevano perché egli li disturbava così.

Ed egli ricordò la prima sera delle sue nozze e gli venne voglia di piangere: rise, invece, ma i topolini non si mossero, quasi consci che egli non era capace di far male neppure a loro.

– Che bella compagnia – egli disse infatti, e si sentì tutto allegro.

Ma non era un'allegria da pazzo, la sua: era uno zampillo di gioia vera che gli scaturiva dal più profondo dell'essere, dove realmente germogliava un senso di vita nuova.

Fece un cenno di saluto ai topi, raccolse il poco che essi avevano risparmiato, ritornò giù nella cucina e richiuse la valigia.

E ripartì, per lavorare ancora, ma libero adesso della compagnia dei ricordi inutili.

LA MORTE DELLA TORTORA

Triste era quel mese di aprile, freddo, ventoso, con violenti acquazzoni picchiettati di grandine e, nei momenti buoni, un sole alto e rosso che pareva una brace nei cumuli di cenere fosca delle nuvole correnti. E tristi e tormentose erano le condizioni spirituali e materiali della signorina Carlotta.

– Signorina, – ella pensa amaramente, rannicchiata presso la vetrata della malinconica terrazzina sulla quale dà la sua camera di vecchia vergine. – A Pasqua compio sessanta anni, e sono sola, disperata, in miseria. O mamma mia, o mamma mia...

Ella invoca la madre, con un pigolìo umile e infantile, senza speranza di conforto. La madre è morta da tanto tempo, e la vecchia figlia non è abbastanza credente per pensarla in un al di là dal quale gli spiriti familiari ci aiutano e ci proteggono.

Tuttavia, da giorni e giorni il suo cuore è vinto dal desiderio di raggiungere la madre, il padre, i fratelli, la sorellina che ha sempre sei anni e gli occhi freschi di margherita nera; raggiungerli, se non altro, nella pace universale del nulla. Morire. Stendersi sul lettuccio ammaccato, che sembra stanco, più che del peso del corpo, della lunga tristezza solitaria dell'anima di lei, chiudere gli occhi e lasciarsi portare via dal tempo! Nessuno verrà a battere alla sua porta, poiché nessuno, da tanti anni, usa ricordarsi di lei. Una volta almeno, straniera e stramba come era fra la gente del quartiere nel quale viveva, le donnicciuole e i bambini la deridevano e la perseguitavano; adesso la lasciavano in pace, ed ella non cercava nessuno perché non amava e non si sentiva amata da nessuno.

Eppure qualcuno picchiò alla porta. Era il bambino del fornaio che le portava il pane e col quale ella non scambiava mai una sola parola. Questa volta, però, gli disse:

– Domani non venire: devo partire.

Il bambino, tutto zuppo di pioggia, la fissò coi grandi occhi senza sorriso, spingendo la porta ch'ella voleva chiudere.

– E quella là, – domandò, – se la porta via?

La donna trasalì: ricordò; gli occhi le si empirono di pensieri e di lagrime; tuttavia rispose con dispetto:

– Sì, la porto via.

E chiuse d'impeto la porta: ma sentì che il bambino rimaneva fuori a spiare, forse a fiutare, dal buco della serratura, l'odore di morte che già esalava nella casa di lei.

Ella però s'era già come raddrizzata sopra l'abisso. E andò a cercare *quella là*.

Era una tortora, simile a un piccolo piccione bigio, che tutti i bambini del quartiere conoscevano perché nelle belle giornate si affacciava fra le sbarre della terrazzina, e rispondeva con un lieve tubare ai loro gridi di richiamo.

Da anni era l'unica compagna della signorina Carlotta, che quando non aveva altro da fare se la teneva contro il petto, e qualche volta non usciva di casa per non lasciarla sola.

In quei giorni d'angosciosa inquietudine l'aveva un po' trascurata, e la tortora pareva sentisse la tristezza di lei. Una volta la padrona la trovò nascosta sotto la tavola della cucina, accucciata come se covasse. Era una posizione insolita, per la piccola solitaria che non sapeva cosa fosse l'amore: e istinto di amore non era, perché quando la donna la prese nella culla delle sue mani, la sentì fredda e, sotto le ali ripiegate rigide, più minuta del solito. Gli occhi, poi, erano socchiusi e smorti.

– Tu sei malata, anima mia – le disse, con pena più che materna: e tentò di rianimarla col suo alito, col calore del suo petto, con un panno che fece scaldare sul fuoco. Ma la tortora non riprendeva vita. Allora la donna credette di capire il perché del suo male misterioso: ed esempi recenti le tornarono al pensiero: quello della cornacchia morta per l'abbandono della padrona; quello del piccione caduto morto sul corpo del padrone morto.

– Tu hai capito i miei tristi propositi, piccola anima mia; e ti sei già preparata ad accompagnarmi. Ma io… ma io…

Perché, d'un tratto, le tornava la volontà di vivere, di lottare, di soffrire ancora? Eppure nulla era mutato intorno. La pioggia batteva contro i vetri che parevano sciogliersi in lagrime; i giorni di povertà e solitudine stavano appiattati in ogni angolo della casa: ma lei si sentiva capace di superarli ancora e aspettare che almeno la ricchezza e la compagnia del sole tornassero a riscaldare il cuore suo e quello della piccola tortora.

Ma la giornata continuò sinistra e tempestosa, e poi scese una notte fredda più disperata ancora. La tortora peggiorava. Rifiutò il cibo; parve anche ribellarsi alle cure della padrona, perché d'un tratto le puntò le zampine sul petto e volse la testa indietro, quasi fino alla coda, in modo che sembrava volesse spezzarsi. Cose puerili le mormorava la donna:

– Tu non mi vuoi più, lo vedo, perché io pensavo di tradirti, andarmene di nascosto, lasciarti sola, in balìa dei monelli della strada. E tu ti vendichi, anima mia. Eppure la nostra vita era bella ancora, nel suo grigiore, quando la fede in Dio non mi mancava e tu stavi nel mio grembo come nel tuo nido. Sole ed eguali entrambe, eravamo, in una vita di esilio, tu e io lontane dai nostri simili, tutte e due senza amore, eppure felici l'una dell'altra.

Si assopì, con l'uccello finalmente assopito contro il suo seno: e sognò la madre e un paradiso strano, allucinato, con un grande albero primaverile alla cui ombra diafana sedevano i parenti: la sorellina di sei anni giocava ai loro piedi; la tortora, fra i rami piumati d'oro, aveva trovato un compagno col quale tubava d'amore. Ma la madre le parlava severa:

– Tu volevi morire senza che Dio avesse segnato il giorno: e tu non farai mai più parte della famiglia.

Si svegliò tutta infreddolita, ma con un senso di sollievo: era in tempo ancora a salvarsi dalla minaccia della madre.

Riaccese il fuoco e preparò due bottiglie d'acqua calda: una per sé, una per la tortora, alla quale fece una specie di nido sulla poltrona ai piedi del letto. L'uccello, lasciato a sé, riprese la posizione della cova; il tepore della bottiglia gli scaldò le piume, il piccolo petto tornò a palpitare: e la speranza riaccese anche il cuore della donna.

Ma che cosa era questa speranza? Che la tortora, la più umile e timida creatura di Dio, guarisse; o che l'anima sua, la più alta creazione di Dio, si riaprisse alla grandezza della vita?

– Voglio salvarti, anima mia – promise all'uccello; ma la promessa era davvero all'anima sua.

E tornò a sognare: adesso andava dal veterinario. Col suo cappellaccio da uomo calato sugli occhi, lo spolverino a cinghia, aveva nascosto la tortora sotto la sciarpa, e camminava rasente ai muri per sfuggire alla persecuzione dei ragazzi; ma questi la seguivano, e quello del pane le gridava:

– Dio ti castiga perché non mi hai fatto una sola volta accarezzare *quella là*.

Arriva alla casa del medico delle bestie e le tocca di fare
anche anticamera: c'è un vecchio con un pappagallo che geme
come un bambino; c'è una signora elegante con un levriero ferito; c'è un giovane studente che si piega quasi piangendo su
una scimmietta moribonda.

Ella siede accanto alla vetrata aperta; ma questa è proprio la
vetrata della sua terrazzina, sopra la cui balaustrata, in una cassetta colma di terra dove il gelo ha fatto seccare i gerani, spuntano dei fili argentei: è il grano per il sepolcro di Gesù. E d'un
tratto la tortora le scappa di sotto la sciarpa, vola sulla terrazza e
riprende a tubare.

Questa volta ella si sveglia con un palpito di gioia: poiché
è certa che la tortora è guarita.

La tortora era guarita davvero per sempre. Ella la riprese fra
le mani, le aggiustò le ali, le tastò il filo esile del petto, le chiuse
gli occhi lagrimosi; e non pianse, poiché non si piange per la
morte di un uccello.

Era l'alba, finalmente serena. Sopra la terrazzina, in alto, fra
l'una e l'altra delle case ancora tutte addormentate, il cielo aveva un pallore di convalescenza; ed a lei, nel sollevare il viso,
parve specchiarvisi.

Prima che nessuno se ne accorgesse, scavò nella cassetta; e
mentre l'odore della terra bagnata le ricordava che esistono sempre, anche per i vecchi e per i poveri, i prati e i campi dove la primavera ritorna, vi seppellì la tortora, e vi seminò il grano destinato al suo cibo: il grano che spuntò tre giorni dopo, quasi al suono
delle campane che annunziavano il mistero della Resurrezione.

SEMI

Tutti gli anni, di questi tempi, mi piace cogliere personalmente, nel nostro giardino, i semi dei piselli.

Qualcuno mi dice:

– Ma va là, è un modo ridicolo di perdere il tempo. Nella stagione prossima, con una lira se ne compra un cartoccio da seminarne un campo.

– È vero; ma tu credi proprio, amico mio, che io voglio risparmiare la lira per i miei futuri nipoti?

La risposta non viene, anche perché la mia domanda è rivolta, senza parole, al seme del pisello che io guardo, nel cavo della mia mano, come il grano di una collana che mi si è staccata dal petto e, rotta, giace dispersa intorno a me.

Bisogna raccoglierli uno per uno, i suoi grani, e pazientemente rinfilzarli col refe doppio della volontà e della speranza.

Così, riprendo in mano il tralcio secco della pianta del pisello, e ne cerco, tra le foglie leggere dorate che si sfarinano come farfalle morte, i radi baccelli, secchi pur essi e diafani, che basta premere lievemente fra due dita per trarne i semi maturi.

A volte il tralcio ne tira un altro, e questo altri dieci: accomunati tutti nella loro fine dolorosa, – dopo tanta frescura, tanti fiori, tanta dolcezza ricevuta dalla primavera e data alle minestre e alle frittate familiari, – pare che non si vogliano più separare; anzi, alcuni hanno trascinato con loro anche la frasca spinosa che li sorreggeva, attorcigliati ancora con quell'amore che è più forte della morte.

Il guaio è che un brutto momento mi ci trovo sommersa: più tiro, più alta e densa si fa la nuvola dorata ma anche polverosa e pungente dei tralci ribelli: ho l'impressione che siano essi ad assalirmi, con una rivolta di vendetta. Dice il loro fruscìo:

– Fa' il piacere, non occuparti più di noi. Dopo tutta la gioia che ti abbiamo procurato, ed anche l'utile e il dolce, non smetti di tormentarci, e ci separi, e ci stronchi, e ci torturi anche dopo morti.

– È vero anche questo, amici miei, ma è per farvi rivivere, un'altra primavera, più folti, numerosi e fecondi.

Così rispondo, ma non sono convinta: mi alzo quindi, mi libero dei miei assalitori, anzi li debello ai miei piedi: e, annoiata, sto per chiamare la serva perché porti via l'ingombro.

Poiché le cose ormai è tempo di guardarle nella loro pratica realtà. Se vi sono le macchine per sgranare in un attimo migliaia di semi di piselli, e con una lira si può comprarne, nella stagione della semina, un cartoccio da fecondare un campo, è ridicolo davvero perdere il tempo e sciuparsi le unghie e il vestito a raccoglierne un pugno.

Ma, allora, tutto ciò di cui si parlava prima, la collana dei giorni della vita, che ogni tanto si rompe e si deve riallacciare, non esiste più?

Riprendo timidamente in mano il seme del pisello e gli parlo sottovoce.

– No, amico mio, non è per te che io compio tutti gli anni questa piccola fatica; poco mi importa che tu abbia a rigermogliare, a rivivere, a godere e far godere, a morire ancora. Ci sono gli ortolani che questa funzione la sanno fare molto meglio di me. È l'altra versione che mi preme: quella cioè d'illudermi, o di credere sul serio, che un'altra primavera debba risorgere anche per me, e mi trovi ferma al mio posto, nella mia nuvola di sogni e di poesia.

Poi, chiuso il pugno, lo accosto al mio orecchio, come una conchiglia con dentro la perla e il murmure del mare. Brontola questo murmure:

– Tu hai ragione, ma bisogna vedere se ti danno ragione gli altri. Siamo in tempi in cui tutto si scompone e si ricompone chimicamente. Persino il mare, la perla, i fiori.

– Anche i fiori?

– Anche i fiori. Leggi il giornale che è lì accanto a te sulla panchina, e vedrai.

Apro il giornale, e proprio nella seconda pagina, che ha ancora un odore forte di tipografia, trovo il fatto mio.

«Diversi colori (dei fiori) sono originati dalla stessa sostanza, a seconda della natura del succo cellulare della pianta. Il rosso delle rose, il blu dei fiordalisi, sono dovuti ad un unico corpo: la cianina, la quale, se il succo è alcalino, è azzurra, se il succo è acido diventa rosa, e se il succo è neutro, viola.

Naturalmente, intravisto il meccanismo di una simile metamorfosi delle sostanze odoranti in coloranti, e la trasformazione di queste, si è tentato di far avvenire in laboratorio, e con pieno successo, ciò che avviene in natura».

Convinta della parola della scienza, sollevo gli occhi, guardo intorno a me i cespugli quasi tropicali delle altee, slanciati, alti come alberi, ricchi di grandi foglie e di fiori che sembrano coppe di Murano; e tento di scomporre pure io l'illusione che avevo di trovarmi ancora nel giardino della mia fanciullezza, col cuore tutto d'oro, l'anima innocente, la fantasia pronta a bere il filtro magico della gioia di vivere dalle coppe colorate delle "rose di Spagna".

Quelle che nel mio paese si chiamavano rose di Spagna, poiché tutte le cose belle e fantastiche la tradizione popolare le faceva venire dalle terre di Castiglia e di Granata, in termine botanico si chiamano altee, o meglio *althaea officinalis*: pianta della famiglia delle malvacee, dalla cui radice si estrae un ottimo emolliente.

E non solo dalle radici, ma anche dalle foglie e dai fiori si estraggono essenze medicinali. Forse una di queste essenze è buona per i miei malanni fisici. Ben venga dunque l'aiutante dello speziale, strappi le mie rose di Spagna, fiore per fiore, foglia per foglia, e infine le sradichi e se le porti via.

Ma quando mi sembra di vedere il terreno desolato dell'aiuola smosso come un angolo di cimitero dove da poco è stato sepolto un morto povero, è naturale che mi venga voglia di piangere. Che m'importa dei miei malanni fisici, se l'anima è sana e vigile e potentissima ancora?

Ed anche il cuore è sano, e pronto risponde all'usignuolo che, in ultimo, gli dice: «Ti sbagli, antico cuore, se credi che io canti per il piacere tuo; canto solo per avvertire la mia femmina, attenta alla nostra covata nel giardino attiguo, che io sono qui, dove c'è buona caccia di moscerini».

– Va bene, valente usignuolo; però sono io che voglio parlare per ultimo; io che so benissimo di essere un semplice muscolo, cardine della porta di casa di una breve esistenza umana. Quando questa porta si chiuderà per sempre, poco mi curo di sapere come le cose andranno; ma finché si apre e si chiude per accogliere e rimandare amici e nemici, permetti che io veda in essi ancora le antiche immagini quali li vedevano gli uomini che, ignorando le leggi della natura, tutto spiegavano con una sola parola: Dio. E, dopo tutto, giovane usignuolo, il tuo canto è canto d'amore; e il tuo succo, o alta rosa di Spagna, è contro il dolore dell'uomo.

– E tu, – aggiungo io, – tu, seme di pisello, che mi sei scappato dal pugno per nasconderti in una ruga della terra, anche se io non ti seminerò né raccoglierò mai più, contieni il germoglio di altre mille e mille primavere, che i miei discendenti, e il mio seme con loro, ci godremo sino alla fine dei secoli.

LA ROMA NOSTRA

Non è quella antica, né quella dei Papi; e neppure la Roma dopo il settanta: anzi la sua storia comincia quasi mezzo secolo dopo la breccia di Porta Pia, ed è comodo non fare ricerche né sforzi culturali per scriverla in poche pagine.

Dunque, circa una quindicina di anni fa, una piccola colonia di provinciali, che la carestia di alloggi cacciava dalla grande Roma, lasciatasi appunto indietro la gloriosa breccia, sostò verso l'antica via Cupa, fra l'una e l'altra delle ville cardinalizie da lungo tempo abbandonate dagli ultimi eredi dei prelati di Pio Nono. Facile fu acquistare ed abbattere alcune di queste bicocche, un tempo ritrovo di personaggi gaudenti: e, tagliate le ultime siepi di carpini, spianati i ciglioni erbosi dove pascolavano le pecore, sventrata, con dolore delle coppie clandestine delle quali era rifugio, la tenebrosa via Cupa, si diede mano alla nostra città.

Sorse in breve, ad immagine e somiglianza di quelle natìe dei suoi abitanti: piccole case a schiera e piccoli villini, tinti di teneri colori contadineschi, tutti con terrazze pavesate di bucati casalinghi; tutti con giardinetti dove la palma non sdegna di fare ombra al prezzemolo: e, quasi per vendicarci della Metropoli che non ci voleva più dentro il cerchio delle sue mura, alle nostre strade, ricche di aria, di sole, di sfondi campestri, si diedero nomi di città di provincia. E tutto il quartiere si fregiò col nome glorioso della Patria grande: quartiere Italia.

Come tutti i popoli felici, il nostro, dunque, non ha ancora una storia. Il nucleo primitivo della nostra città, del quale appunto qui si vuol parlare, si è già esteso ed ingrandito; o, meglio, nuovi quartieri imponenti e moderni, con palazzi signorili e costruzioni popolari, ci hanno raggiunto ed accerchiato: noi però si rimane fermi al nostro posto, e tutto al più possiamo ammettere nel nostro ambito qualche antica villa rimodernata e il campo del tennis che ancora ci salva l'orizzonte.

Il *nostro* quartiere è sempre quello della prima colonia: le case e i giardinetti gli stessi: solo gli alberi sono cresciuti, per nasconderci forse agli occhi di chi, dall'alto dei palazzi nuovi, può incuriosirsi ad osservare la nostra patriarcale intimità. E questo raggiungerci della Metropoli ci lusinga, sì, ma non eccessivamente. Si stava bene anche a debita distanza.

Del resto, quando si torna dal centro di Roma, si ha ancora l'impressione di aver fatto un viaggio: l'aria è diversa, l'orizzonte più vasto: scendendo dal tranvai affollato, ci sembra di smontare in una tranquilla stazione provinciale, e di internarci, per esempio, nel cuore della lontana cara Romagna. Via Forlì! Il crepuscolo, brillante di azzurro e di rosso, ci permette, scendendo il quieto marciapiede, di rievocare la visione della bella città romagnola, chiara tra il verde delle sue campagne feconde. È sera: noi vediamo la città nel velo della lontananza, dalle colline benefiche della Fratta, seduti all'aperto intorno alla mensa ospitale di un ricco colono, le siepi delle cui vigne sembrano altorilievi di bronzo, più cariche di grappoli che di foglie: il faro fosforescente del Castello delle Caminate sfiora tutta la Romagna, da Bertinoro al mare, con una carezza luminosa di ventaglio che rinfresca le notti estive.

Ma da Forlì eccoci sbalzati miracolosamente a via Caserta: la strada, qui, è ancora più tranquilla e solitaria: si può camminare ad occhi chiusi, a ridosso delle case, le maniglie dei cui portoncini, ben lucidate dalle servette zelanti, raccolgono l'ultimo riflesso del giorno. Caserta, città di pace e di sole, anch'essa cara al cuor nostro perché il giardino incantato del suo Palazzo Reale, coi suoi nascondigli boschivi, le acque perlate, le ombre dense di profumi, ha veduto una sosta del nostro viaggio di nozze.

E così si va, per le arterie della nostra piccola "Italia", attraversando in un quarto d'ora tante graziose e svariate città, da Trapani a Girgenti, da Potenza a Lucca: anche di Lucca balza il ricordo delle vie strette, con lo sbocco aereo dei bastioni fantasiosi, e la dolce Ilaria addormentata nel sonno dal quale l'amore e l'arte hanno allontanato per sempre la morte.

Da Lucca si sale fino a Udine, poi si ridiscende a Como, un ramo del cui lago, cioè un solitario vicolo, viene a lambire proprio la nostra dimora; ma non abbiamo la chiave del cancello di servizio e preferiamo vagabondare ancora, nella sera tiepida e lucente: si torna indietro, si risale la stessa via, larga adesso e aristocratica, orgogliosi che anche la nostra città possegga una villa ed un parco che ci richiamano all'antico. I pini secolari, sopra la balaustrata del muro di cinta, imbevuti di carminio, sul cielo che si trascolora per far più vivido il primo sguardo delle stelle, disegnano intorno alla villa il classico paesaggio romano: qui siamo proprio a Roma, e qui ci resteremo.

D'altronde nulla ci manca per essere cittadini contenti: anzi godiamo vantaggi che "quelli del centro" c'invidiano cordialmente. E se nel nostro mercato nuovo la roba è tre volte più costosa che in quelli vecchi, i nostri orticelli suppliscono alla carestia, coi loro finocchi candidi e dolci come gelati e con l'insalata che sa di prato. Chi mai, dentro Roma, ha la soddisfazione di svegliarsi al canto biblico del gallo, e di vedere, dalla finestra spalancata al mattino, le tartarughe uscire dal loro covo e succhiare le melagrane cadute nella notte sotto il peso della loro abbondanza? Se nella Roma nostra uno non è poeta, è perché adesso è di moda il cuore duro; e la vita non basta viverla di contemplazione. Bisogna camminare: e, dopo l'uscita delle tartarughe sornione, si vede anche, nel primo mattino, l'esodo, verso la Città grande, delle agili e ben vestite commesse di negozio, degli impiegati, degli studenti: teorie di bambini, che hanno i colori dei fiori, vanno a scuola: il quartiere resta in dominio delle massaie, ed è confortante sentirle pestare il lardo per gli squisiti minestroni casalinghi, o cucire a macchina o sbattere i tappeti. Passa l'arrotino, passa il venditore di scope, passa l'ombrellaio: le loro voci sono diverse, acuta e squillante quella del primo, quasi per dare l'idea delle sue lame bene affilate; chiara e rapida quella del secondo, e caratteristica ma non ben definibile quella dell'uomo che aggiusta gli ombrelli: è una voce che a volte ha l'eco del grido del corvo; annunzia il cattivo tempo, i grandi cieli invernali fumosi e agitati come campi di battaglia; a volte è lunga, cadenzata e monotona, per ricordarci le pioggie interminabili dalle quali ci vuol riparare.

Semplici voci di villaggio, alle quali si aggiungono quelle del venditore di ricotta e del pescatore di ranocchie: entrambe fresche di pastura e di fossi erbosi. Ma d'estate la più gradita è quella del venditore di gelati, fermo col suo carrettino celeste sotto le robinie del campo del tennis sul marciapiede innaffiato: voce che, se dà molestia ai dormiglioni e agli scrittori che trovano buona ogni scusa per non mettere giù il capolavoro, trasporta nel fresco d'una colonia marina i bambini rimasti a casa e le donne che sudano a lucidare i pavimenti.

A mezzogiorno, poi, in ogni stagione, passa il monumento diafano, azzurro e brillante, del carro dell'acqua acetosa: la donna che vi troneggia sopra non si scompone a gridare, poiché tutti corrono a lei con le bottiglie vuote, come verso una fontana miracolosa, che guarisce novantanove su cento dei mali umani. E il centesimo, chi lo guarisce? Forse la musica zingaresca dell'organino che attacca con violenta esultanza l'inno *Giovinezza*; o la voce pastosa del portalettere che risona da una strada all'altra e fa battere il cuore anche ai vecchi pensionati e alla gente che non aspetta più nulla dalla vita.

La parola "villaggio" non offenderà dunque i pescicani, le aviatrici, i divi, e tutti i modernissimi abitanti dei palazzi intorno a noi. Il nostro quartiere è sempre quello piccolo che ci siamo costruiti noi coi nostri risparmi; nostri i giardinetti con le fontane non più grandi di una coppa per sciampagna; nostri i negozietti sotterra, con le scalette precipitose; nostra la luna che sorge dai monti Albani ed è sempre quella della nostra fanciullezza.

Via Porto Maurizio è ancora l'arteria che, dopo via Forlì, dà lustro al quartiere; da questo quieto porto noi, del resto, siamo un bel giorno salpati, come avventurosi stracittadini, verso i mari gelati e le metropoli scintillanti ai confini della terra abitata; da esso, un altro bel giorno, in una barca d'ebano decorata d'oro e lieta di ghirlande di rose, salperemo verso il paese dei cipressi, che ci sembra qui limitrofo, ed è invece oltre i confini della terra.

LA NOSTRA ORFANELLA

Del tutto orfana veramente non è: e noi la chiamiamo così per non offrirle una morbida compassione, o un'idea patetica del suo stato, ma per tentare di prenderla in giro.

L'antefatto è questo: dopo che la madre fu costretta, per ragioni di salute, ad allontanarsi per qualche tempo da casa, il padre, obbligato a curarsi più degli affari dello Stato che della sua figliuola, l'affidò provvisoriamente alla nostra famiglia.

La bambina, graziosa, quieta, pacifica e imbrogliona, conquistò subito il nostro cuore: subito ebbe, così, un altro padre e un'altra madre; non solo, ma anche altre due madri, nelle due zie materna e paterna, entrambe conosciute dal Fisco per le tasse sui fabbricati.

Quattro case in tutto, poiché il padre vero continuava ad abitare l'appartamento della famiglia, e la bambina non mancava di visitarlo.

Passa un giorno passa l'altro, la mamma guarì e ritornò nella sua casa; ma nei primi tempi era ancora debole, e i dottori le ordinavano di non pensare alle cure domestiche: si venne quindi ad un accordo: la bambina, già quasi fanciulla, avrebbe diviso il suo tempo fra la casa paterna e quella adottiva, con intermezzi piacevoli nelle dimore delle altre due madri putative.

E ancora si vive in questo stato, sebbene la madre vera sia perfettamente guarita e ogni tanto accampi la legittima pretesa di riavere tutta per sé la sua figliuola. Si fa presto a dire di volere *tutta per sé* una ragazza di dodici anni che, accarezzata di qua, accarezzata di là, strillata di qua, strillata di là, con promesse di testamenti e minacce di busse, regali quotidiani e necessità dei suoi piccoli servizî, e sopra tutto manifestazioni di amore sincero e generale, non sa da qual parte voltarsi.

Domani. Domani ella tornerà definitivamente nella paterna dimora: se pure non andrà, per un mese, nella casa di campagna della zia o nella villetta a mare dell'altra zia.

Per questo non c'è da preoccuparsi; case, nel mondo, ne troverà sempre, come l'uccello per il quale tutti i rami son buoni.

E, una volta messo il piede in queste abitazioni, la padrona sarà sempre lei: gli angoli più ignorati, gli oggetti più nascosti li scoverà lei.

Domani: per oggi è qui; e sulla nostra porta si può forse attaccare l'avviso permanente di quel droghiere che diceva: «Oggi non si fa credito: domani sì».

Credito sull'orfanella, s'intende.

Del resto, con la nuova legge sull'età matrimoniale delle donne, può anche darsi che fra due anni ella abbia una quinta e stabile dimora.

L'estate scorsa, nei trasparenti e glauchi ozî marini di Cervia, si trattò infatti di fidanzarla con un celebre scrittore vicino di spiaggia. (Nella bella stagione, tutta la costa adriatica è, come di astri a sera sono le prode del firmamento, costellata di celebrità artistiche e letterarie di prima grandezza). E lei ci stava, ridendo e nascondendo il viso nella salvietta, quando se ne parlava: segno che se ne parlava a tavola, cioè nelle ore degli affari spensierati, quando le parole scoppiano e si sgonfiano come quei petali di rosa che i bambini accartocciano e si sbattono sulla fronte.

Ella ci rideva su, poiché non ha soggezione degli uomini illustri, e neppure, il che è tutto dire, degli editori. Li conosce tutti, di persona o per fama, e ne parla come se, incontrandoli, dovesse loro battere la mano sulla spalla e dar loro del tu. E che spirito critico sulle loro pubblicazioni, sebbene ella non abbia un eccessivo amore per la lettura, anzi, in fatto di giudizi letterarî, la pensi come quell'antico giornalista che, richiesto di leggere un libro e scriverne la recensione, rispose:

– Fare la recensione sì, ma leggerlo no.

Più coscienziosa è riguardo alla pittura: prima di giudicare un disegno lo vuol vedere e, qui bisogna riconoscere la sua competenza, ne riconosce al primo sguardo il valore. La sua cultura, per adesso, si ferma qui: poiché, se fra lei e il lapis esiste una certa simpatia, un abisso di odio si sprofonda fra lei e la penna, come, del resto, con tutti gli strumenti che significano lavoro, pazienza e volontà.

La sua volontà è di fare della ginnastica o andarsene in giro: e non le manca mai di trovare buona compagnia. Per questo, conosce la città, antica e moderna, come un archeologo o un viaggiatore tedesco; competentissima anche in fatto di cinematografie, di spettacoli, di avvenimenti straordinari. Senza essere, per naturale pigrizia, curiosa a fondo delle cose del prossimo, sa, inoltre, vita morte e miracoli di tutte le persone della nostra contrada: basta fare un nome perché ella ne esponga la storia; e se in questa serpeggia qualche vena di malignità, la colpa non è sua, ma della verità; poiché lei è incapace di sua iniziativa di parlar male del prossimo, del quale, dopo tutto, non le importa niente di niente. Forse per questo tutti le sono amici, e, amica temporanea di tutti, ella discorre con la stessa calma, in salotto col ministro dell'Educazione Nazionale, o col sor Amedeo, l'ometto miracoloso che col suo martello e i suoi svariati chiodi rimedia tutti i guasti della casa; e nella strada col grande scultore straniero o col garzone del fornaio, al quale domanda se nel sacchetto del pane c'è la pizza per lei.

La sua vera amica è ancora questa pizza, specialmente se aperta e poi richiusa sul mistero di qualche leccornia; anche coi biscotti e i pasticcini è in intima relazione, tanto che quando vengono le visite e lei si offre per servire il tè, quelli spariscono con lei e non fanno più ritorno.

E mangia pizza, e mangia paste dolci e pasta asciutta, è naturale ch'ella cresca alta e forte: se qualcuno dorme accanto al suo letto, sente per tutta la notte una specie di terremoto: è la crescenza di lei, che non cessa neppure nel sonno.

Nel suo corpo sano e ben fatto tutto tende all'in su, dal petto al naso alle sopracciglia: pare che ella debba guardare sempre verso le stelle; e, infatti, poco vede delle cose di questa povera terra; né se c'è un mobile da spolverare o un oggetto da rimettere a posto: neppure le scale e i pavimenti esistono per lei, in modo che spesso fa dei cascatoni dai quali, per fortuna, la salvano le solide giunture e i cuscinetti a molla del suo sedere.

Allora piange, si ricorda delle sue disgrazie e piange ancora; o si ritira mortificata nella sua cameretta, dove la bambola sta seduta sul dizionario polveroso, fra tesori di collane di princisbecco, e, sulle pareti, dalle cartoline illustrate ridono tutti i bellissimi paesaggi della nostra Italia. Che cosa faccia chiusa per ore ed ore nella sua cameretta non si sa; a volte ne vien fuori con un disegno già bene iniziato, ma altre con i capelli ondulati alla moda. Si capisce: ha dodici anni, e il suo viso ha i sùbiti rossori e poi il diafano trascolorarsi del cielo di febbraio.

È giusto, quindi, ch'ella rida d'impeto, con malizia animalesca, quando i grandi si lasciano scappare davanti a lei qualche allusione piccante: ma è un riso tutto fisico, che non intacca le pareti bianche della sua coscienza: coscienza, d'altronde, con le finestre già aperte sugli spazî infiniti del male e del bene, ma pronta a tenerle spalancate di preferenza verso di questo. E la filosofia più solida e antica, quella che appunto le proviene dai suoi antenati, pastori di montagna, già accompagna la visione di questo panorama. Quando, per miracolo, ella siede in cima alla sedia per rammendare a lunghi punti le sue calze, pronunzia sentenze e proverbi che le fanno onore: per esempio: «Chi lavora non implora», oppure: «Tutto nella vita si sconta», e, infine, uno che fa proprio comodo a lei: «Ognun per sé e Dio per tutti».

E Dio, che è il padre di tutti, lo sarà ancora, speriamo per lungo tempo, delle tue madri e dei tuoi padri terreni, onde essi possano custodire la tua giovinezza, come gli archi del molo, nel primo mattino, la barca veliera che aspetta il sorgere del sole per slanciarsi in mare.

LA FORTUNA

Tutti i giorni, quando, dopo l'ebbrezza del lavoro, viene la stanchezza fisica e la disperata visione del poco o nulla che si è fatto, e che nel crearlo, invece, ci sembrava l'opera stessa di una divinità, per salvarmi da questa sofferenza, che è ancora orgoglio, e ritrovare nell'umiltà quotidiana l'equilibrio umano, il ritorno alle sfere dove la legge del dovere è per tutti eguale, me ne vado a camminare lungo le strade solcate dal passo dei veri lavoratori; le strade dove si aprono i cancelli di rami dei campi e delle vigne dei contadini. Qui la vita mostra il suo viso rude: non più gli sciami di libellule delle donne dagli occhi vuoti, ma il carro pesante ed i giovenchi con gli occhi giovani e dolci eppure circondati di rughe come quelli dei filosofi poveri; qui non la distesa celeste della marina, ma il lavatoio livido, intorno al quale le lavandaie paludose, mentre battono i panni come per punirli di essere sporchi, e li purificano, o di albero in albero stendono le corde lunghe e bianche come raggi di luna, in pari tempo macchiano inesorabilmente le riputazioni altrui.

Ma io vado oltre, su, su, fin dove la strada è tutta rugginosa di foglie secche, e un gruppo di casolari, vecchi e cadenti ancora prima di essere antichi, si annoda, con le sue siepi nere ed i fienili più alti delle case, in un patto di miseria, di rassegnazione, ma anche di indipendenza. È tutto un mondo a sé, lontano dal mondo, pur così vicino, della gente per la quale la terra non conta se non per metterci i piedi.

Qui la terra è tutta una cosa con l'uomo: dietro le siepi si sente l'ansito del contadino confuso a quello dei bovi e allo strido dell'aratro ancora primitivo: anche i bambini sono piegati fra le zolle, e lo stesso pantalone che la donna seduta sulla soglia rattoppa, pare scavato dal solco smosso, tanto è terroso e umidiccio di linfa.

Il silenzio intorno, nelle aie battute dal tramonto, è grave di odore di concime, rotto dal grugnire dei maiali e dal fruscìo degli alberi che vorrebbe dissipare ed invece accresce la melanconia del luogo.

Ma questa melanconia, lo so bene, è dentro di me: e per romperla vorrei accostarmi alla donna lunga e spolpata che lavora seduta sulla soglia, e domandarle se è felice, se desidera, se sogna qualche cosa: chiederle insomma la spiegazione del mistero della sua vita: ma ella mi guarderebbe come si guardano i matti, o con lo sguardo indifferente del cane sdraiato in mezzo alla strada e che oramai mi conosce e mi lascia passare senza scomodarsi. Che ne sa, lei, la contadina, del mistero della sua vita? Ella pensa al raccolto scarso, ai guai dei suoi vicini, alla lotta contro il calmiere sul prezzo del latte e delle uova; pensa che la vita è dura e ci logora tutti come quei pantaloni marciti, più che dal tempo, dal sudore dell'uomo in lotta con la terra. Il suo sogno, naturalmente, è quello di un po' più di fortuna per l'anno venturo.

Chi è che non sogna la fortuna per l'anno venturo?

Sì, essa verrà, non c'è più dubbio, adesso: la fronte si rischiara, il viso si solleva come per bere, ma quello che si beve è più dolce dell'acqua quando si ha sete e più ardente del tramonto che sfolgora nell'arco in fondo alla strada.

L'avvenimento solito dei giorni precedenti si rinnova: un gobbo viene giù sgambettando da quella porta d'oro dove il sole rientra: viene giù come scendendo allegramente la scala di un suo palazzo fino a questo momento animato da una festa. Da lontano è tutto nero, con la sola macchia bianca del viso infantile dove gli occhi ricordano le finestre dei campanili al tramonto; un nero che però, a misura che egli si avvicina, si tinge di grigio, di verde, di marrone: è il colore indefinibile dei suoi vestiti; ed egli pare davvero un ragazzino che per ridere si è canuffato da gobbo.

Il viso adesso è invece quello di un vecchietto, ma anch'esso un vecchietto per burla: solo gli occhi non mutano, e la loro luce si riversa nei miei con piena ricchezza e pieno ricambio di gioia e di amore.

– Buona sera.

– Buona sera.

Egli non si ferma: continua nella sua scesa quasi vertiginosa, come il ragazzo che scivola a volo attaccato alla ringhiera della scala: e pare vada ad un appuntamento, verso un impegno imprescindibile, dove la fortuna lo attende.

Ma l'incontro è avvenuto; e l'anima mia ha pur essa ripreso il volo, con un rinforzo possente di ali, con la sicurezza del possesso della vita.

Il gobbo porta fortuna: e questo deve esserne così certo che il gaudio della sua virtù è come il profumo della rosa: si offre anche a chi non vuole sentirlo. Ecco perché i suoi occhi splendono, ecco perché il suo incontro ridesta la speranza nel cuore ambizioso.

È così? No, che non è così. Il piccolo gobbo sa di essere infelice, e che non porta la fortuna richiesta dagli occhi tristi di avidità sordida che al suo passaggio la contadina solleva dal duro lavoro: ma da lontano egli ha incontrato gli occhi di chi aspetta la vera fortuna, ed ha sentito di darla, questa fortuna, e ne ha preso la sua parte anche lui.

Perché io ti amo, piccolo gobbo della mia strada, e tu senti questa potenza superiore alla tua, e, pur senza renderti conto del perché, ardi tutto di luce e d'immensità come le finestre dei campanili al tramonto.

Alla superficie, tu credi, come alla superficie credo anch'io, che noi due ci si possa scambiare una fortuna materiale: l'anno venturo io sarò ricca, e tu speri di partecipare a questa ricchezza: verrai nell'atrio della mia villa sul mare, e invece di dieci soldi per la goccia di stagno nel buco dell'inspiratrice caffettiera, avrai buoni cibi e vestiti, e limpide sonanti monete d'argento.

È questo che tu pensi; lo so; sì, ma alla superficie. In fondo, bene in fondo, entrambi pensiamo alla casa del sole, donde tu vieni, alla casa del mare, donde tu vai: sembrano tanto lontane, eppure ci siamo già dentro, piccolo gobbo, e la nostra mano ha già afferrato la vera fortuna: quella dell'uomo che ama il suo simile.

LA GHIRLANDA DELL'ANNO

Sebbene i fiorai della città non possano vantare lauti guadagni per gli acquisti del poeta, fiori non mancano mai di fargli compagnia, nelle ore liete o tristi della giornata, e specialmente in quelle solitarie (eppure così affollate di chiari personaggi) delle notturne letture. Fiori, figli del suo piccolo giardino, e quindi quasi creature sue. Cominciano le giunchiglie di gennaio, felici, nelle notti gelide e morte, di sentirsi covate dal calore della lampada, nel nido del vasetto di cristallo, illuse, tra le foglie verdi, di trovarsi nel loro cespuglio, al sole.

Hanno il colore della neve, ma col cuore d'oro, e il loro profumo è come quello dell'adolescenza, quando la carne è ancora purissima e tuttavia già pervasa di desideri: profumo che pare esali anche dalle giunchiglie riflesse dalla tavola come da un'acqua nera lucente.

Simbolo di fanciullezza, non si sfogliano: la loro gioia di vivere è resistente; resistente il loro profumo; e il tempo le può solo piegare sullo stelo. Forse i brevi giorni di gennaio sono per esse come i lustri per noi; e quando i primi narcisi, già dorati dal giovane sole dell'anno nuovo, col lungo stelo di giunco fresco, prendono posto nel vasetto e turbano la loro innocente vecchiaia, tentano un ultimo sforzo per sollevarsi, quasi per piacere ai loro lieti compagni: e invero la loro delicata ma longeva bellezza è come quella della donna che, per il piacere di amare e di essere amata, si conserva leggiadra fino alla morte.

E il poeta, che considera sacri i suoi fiori, poiché con la loro breve esistenza accompagnano la sua breve esistenza a loro prepara degni funerali: vale a dire, porta il vaso in giardino e facendo largo ai giovani narcisi toglie le vecchie giunchiglie morte e le seppellisce accanto ai loro cespugli deserti. Così insegna il giardiniere: poiché il miglior concime per una pianta è la sua stessa produzione già morta: in tal modo il poeta accorda la poesia alla pratica.

Febbraio è venuto, e la terra, come la conchiglia rimasta scoperta dall'onda, apre le sue valve per sentire l'odore dell'aria.

181

Fa ancora freddo: solo il mandorlo imprudente ha aperto sul l'inverno i candidi occhi dei suoi fiori: ma già se ne pente, per ché l'onda felina della tramontana, che ha di nuovo ricoperto l terra, come un'ape sterile succhia le sue corolle. Più fortunat sono i narcisi, nelle aiuole riparate, provvisti di lunghe gambe per danzare col vento. Quando la mano del poeta li stronc (non senza un certo scrupolo di delitto), piangono dalla ferit dello stelo lunghe e dense lagrime verdi: come vittime e prigio nieri si lasciano portare dentro la casa, e l'aria chiusa della stan za fa impallidire l'oro della loro coppa alata. Ma, giunta la notte si rinfrancano: come i bambini accanto ai genitori sentono il ca lore del poeta, di nuovo piegato sulle sue pagine che non fini scono mai: si rinfrancano, si specchiano sull'acqua nera della ta vola lucente, e forse hanno pietà dei compagni rimasti fuor sotto il flagello stridulo della tramontana.

Ma una sera, sul finire del mese, quando l'aria s'è calmata e la luna nuova si dondola sul pino davanti alla finestra, il poeta stordito anche lui da qualche cosa che già da tanti anni cono sce, eppure sempre gli pare inesplicabile, il rinnovarsi eterno del tempo, entra nello studio e vede rinnovato anche il mito d Narciso: le corolle dei fiori si sono staccate dal loro stelo, intat te, e giacciono sulla tavola, la cui acqua nera le riflette nitide come dipinte.

Il mattino dopo, prima che egli scenda in giardino, un maz zo nuovo è nel vaso di cristallo: mazzo, odore, colore, tutto è nuovo: e nuovo è anche lo spirito gentile della bambina che ha colto le viole e le ha deposte, omaggio del suo amore e della primavera sua e della terra, sulla tavola del poeta. Per questo do no esulta davvero, e si spiega il mistero della giovinezza che ma non muore, l'anima di lui; e se le viole sentono invece il bisogno d'una vita breve e alla notte si chiudono come palpebre appassi te dall'amore, la mattina seguente vengono rinnovate da altre e altre ancora. Adesso è marzo; i bambini amano alzarsi presto co me il loro grande amico, il sole, e la loro prima fatica è cogliere fiori. Anche le frèsie sbucano fra le cento piccole spade dei loro cespugli: rivali delle viole, ne vincono l'odore pudico e il colore del crepuscolo col profumo quasi artificiale e l'avorio brillante dei loro calici. Di frèsie è adesso invasa la casa del poeta, e la loro vita tenace rinnova quella dei fiori invernali; ma sulla tavola, di notte, quando aprile ha cacciato via gli ultimi turbini passionali di marzo, e già l'usignuolo incrina il silenzio grave del pino davanti alla finestra, solo una rosa si specchia sul piano lucente. Rosa di aprile, pallida, senza profumo, che è nata stanca dalla sua precocità ed ha voglia di sfogliarsi subito; eppure, solo perché è rosa, spande intorno a sé un alone di cose fantastiche. E non aspetta l'oscurità, la solitudine: per lei il giorno è finito col tramonto e tutte le ore son buone per morire. Così, quando solleva gli occhi dal libro, il poeta vede che la rosa se n'è andata: i pètali ancora freschi giacciono sulla tavola, simili a pezzetti di una lettera strappata; ed egli ne prova melanconia, come appunto dopo che si è strappata una lettera e, con essa, qualche cosa si è distrutto in noi.

Adesso però le rose non mancano più nel giardino, e prendono forza e colore, finché all'aprirsi glorioso di maggio diventano davvero regine: regine e cortigiane, fiammanti, violente e dominatrici. Ecco la rosa rossa scura, vellutata e odorosa, preferita dal poeta: per lei si cambia il vaso, che è un lungo stelo d'onice, non più nido, ma colonna bifora dal cui vano penetrano i canti della bella stagione.

Durano le rose fino al pieno giugno; fino al mattino in cui la bimba coglie i papaveri selvatici, il cui rosso sbocciato spontaneo dalla terra le sembra misterioso come la goccia di sangue che la puntura di una spina ha fatto sgorgare dal suo dito. Le finestre sono aperte giorno e notte; nelle sere lunari ghirlande di melodie, che vengono da luoghi lontani, accompagnano il dondolarsi dei festoni della vite nel giardino. I papaveri ardono sulla tavola e la rischiarano come lampadine giapponesi: al loro acre odore si sposa quello dei gigli e dell'agrifoglio, e la notte è imbevuta di mille profumi.

Ma con l'empito di vita della natura cresce la tristezza del poeta: egli si sente oppresso da tanta opulenza come da una veste di broccato: gli sembra di essere vecchio, e rimpiange le nude notti d'inverno: finché, coi calori e i turbini polverosi di luglio, pensa di fuggire. Eppure sono ancora belle, queste notti scure, calde e ferme, coi piccoli garofani bianchi che hanno ripreso il posto nel nido di cristallo, e il cui odore pepato aiuta l'illusione di un ambiente tropicale. Il poeta, però, non è più disposto alle finzioni: è stanco, malato; tutto gli dà noia, e negli stessi fiori vede un'escrescenza colorata di inutili cespugli. Bisogna partire.

Eppure, che orgia di fiorellini campestri nella casetta sommersa fra l'azzurro del cielo e l'argento verdolino dei grandi prati falciati, che di notte la lepre attraversa come radure di boscaglie alpine! Qui non c'è la tavola, che è rimasta a riflettere solo i fantasmi dei libri; e neppure si conoscono i vasi raffinati della casa di città; ma tutto è buono per raccogliere i fiori, anche i boccali paesani per il vino; e gli occhi dei bambini sono gli specchi migliori per i fiordalisi e le bacche dorate del verbasco. L'estate però è breve come la fiamma che nello stesso tempo brilla e si spegne: e già sul cielo i fiori delle stelle filanti annunziano la sua fine.

Il poeta le guarda dal portico, e sbadiglia, ricordando la tavola nera con la muraglia dei libri che la separa dal resto del mondo. Bisogna ritornare.

L'autunno, si sa, riporta i crisantemi che invano si rivestono dei più impressionanti colori per fingersi camelie, ortensie, peonie e girasoli: l'odore li tradisce, odore di tomba, e il poeta, che adorerà la vita fino all'ultimo suo respiro, non li vuole accanto a sé: meglio un semplice tralcio di edera, o, meglio ancora, un ramicello di vischio; finché il vento di gennaio confonderà col primo nevischio gli ultimi pètali dei fiori dei morti, e la prima giunchiglia ricomincerà a tessere la nuova ghirlanda dell'anno.

IL DONO DI NATALE

IL DONO DI NATALE

I cinque fratelli Lobina, tutti pastori, tornavano dai loro ovili, per passare la notte di Natale in famiglia.

Era una festa eccezionale, per loro, quell'anno, perché si fidanzava la loro unica sorella, con un giovane molto ricco.

Come si usa dunque in Sardegna, il fidanzato doveva mandare un regalo alla sua promessa sposa, e poi andare anche lui a passare la festa con la famiglia di lei.

E i cinque fratelli volevano far corona alla sorella, anche per dimostrare al futuro cognato che se non erano ricchi come lui, in cambio erano forti, sani, uniti fra di loro come un gruppo di guerrieri.

Avevano mandato avanti il fratello più piccolo, Felle, un bel ragazzo di undici anni, dai grandi occhi dolci, vestito di pelli lanose come un piccolo San Giovanni Battista; portava sulle spalle una bisaccia, e dentro la bisaccia un maialetto appena ucciso che doveva servire per la cena.

Il piccolo paese era coperto di neve; le casette nere, addossate al monte, parevano disegnate su di un cartone bianco, e la chiesa, sopra un terrapieno sostenuto da macigni, circondata d'alberi carichi di neve e di ghiacciuoli, appariva come uno di quegli edifizi fantastici che disegnano le nuvole.

Tutto era silenzio: gli abitanti sembravano sepolti sotto la neve.

Nella strada che conduceva a casa sua, Felle trovò solo, sulla neve, le impronte di un piede di donna, e si divertì a camminarci sopra. Le impronte cessavano appunto davanti al rozzo cancello di legno del cortile che la sua famiglia possedeva in comune con un'altra famiglia pure di pastori ancora più poveri di loro. Le due casupole, una per parte del cortile, si rassomigliavano come due sorelle; dai comignoli usciva il fumo, dalle porticine trasparivano fili di luce.

Felle fischiò, per annunziare il suo arrivo: e subito, alla porta del vicino si affacciò una ragazzina col viso rosso dal freddo e gli occhi scintillanti di gioia.

– Ben tornato, Felle.

– Oh, Lia! – egli gridò per ricambiarle il saluto, e si avvicinò alla porticina dalla quale, adesso, con la luce usciva anche il fumo di un grande fuoco acceso nel focolare in mezzo alla cucina.

Intorno al focolare stavano sedute le sorelline di Lia, per tenerle buone la maggiore di esse, cioè quella che veniva dopo l'amica di Felle, distribuiva loro qualche chicco di uva passa e cantava una canzoncina d'occasione, cioè una ninnananna per Gesù Bambino.

– Che ci hai, qui? – domandò Lia, toccando la bisaccia di Felle. – Ah, il porchetto. Anche la serva del fidanzato di tua sorella ha già portato il regalo. Farete grande festa voi, – aggiunse con una certa invidia; ma poi si riprese e annunziò con gioia maliziosa: – e anche noi!

Invano Felle le domandò che festa era: Lia gli chiuse la porta in faccia, ed egli attraversò il cortile per entrare in casa sua.

In casa sua si sentiva davvero odore di festa: odore di torta di miele cotta al forno, e di dolci confezionati con buccie di arancie e mandorle tostate. Tanto che Felle cominciò a digrignare i denti, sembrandogli di sgretolare già tutte quelle cose buone ma ancora nascoste.

La sorella, alta e sottile, era già vestita a festa; col corsetto di broccato verde e la gonna nera e rossa: intorno al viso pallido aveva un fazzoletto di seta a fiori; ed anche le sue scarpette erano ricamate e col fiocco: pareva insomma una giovane fata, mentre la mamma, tutta vestita di nero per la sua recente vedovanza, pallida anche lei ma scura in viso e con un'aria di superbia, avrebbe potuto ricordare la figura di una strega, senza la grande dolcezza degli occhi che rassomigliavano a quelli di Felle.

Egli intanto traeva dalla bisaccia il porchetto, tutto rosso perché gli avevano tinto la cotenna col suo stesso sangue: e dopo averlo consegnato alla madre volle vedere quello mandato in dono dal fidanzato. Sì, era più grosso quello del fidanzato: quasi un maiale; ma questo portato da lui, più tenero e senza grasso, doveva essere più saporito.

– Ma che festa possono fare i nostri vicini, se essi non hanno che un po' di uva passa, mentre noi abbiamo questi due animaloni in casa? E la torta, e i dolci? – pensò Felle con disprezzo, ancora indispettito perché Lia, dopo averlo quasi chiamato, gli aveva chiuso la porta in faccia.

Poi arrivarono gli altri fratelli, portando nella cucina, prima tutta in ordine e pulita, le impronte dei loro scarponi pieni di neve, e il loro odore di selvatico. Erano tutti forti, belli, con gli occhi neri, la barba nera, il corpetto stretto come una corazza e, sopra, la *mastrucca*[1].

Quando entrò il fidanzato si alzarono tutti in piedi, accanto alla sorella, come per far davvero una specie di corpo di guardia intorno all'esile e delicata figura di lei; e non tanto per riguardo al giovine, che era quasi ancora un ragazzo, buono e timido, quanto per l'uomo che lo accompagnava. Quest'uomo era il nonno del fidanzato. Vecchio di oltre ottanta anni, ma ancora dritto e robusto, vestito di panno e di velluto come un gentiluomo medioevale, con le uose di lana sulle gambe forti, questo nonno, che in gioventù aveva combattuto per l'indipendenza d'Italia, fece ai cinque fratelli il saluto militare e parve poi passarli in rivista.

E rimasero tutti scambievolmente contenti.

Al vecchio fu assegnato il posto migliore, accanto al fuoco; e allora sul suo petto, fra i bottoni scintillanti del suo giubbone, si vide anche risplendere come un piccolo astro la sua antica medaglia al valore militare. La fidanzata gli versò da bere, poi versò da bere al fidanzato e questi, nel prendere il bicchiere, le mise in mano, di nascosto, una moneta d'oro.

Ella lo ringraziò con gli occhi, poi, di nascosto pure lei, andò a far vedere la moneta alla madre ed a tutti i fratelli, in ordine di età, mentre portava loro il bicchiere colmo.

L'ultimo fu Felle: e Felle tentò di prenderle la moneta, per scherzo e curiosità, s'intende: ma ella chiuse il pugno minacciosa: avrebbe meglio ceduto un occhio.

Il vecchio sollevò il bicchiere, augurando salute e gioia a tutti; e tutti risposero in coro.

Poi si misero a discutere in un modo originale: vale a dire cantando. Il vecchio era un bravo poeta estemporaneo, improvvisava cioè canzoni; ed anche il fratello maggiore della fidanzata sapeva fare altrettanto.

Fra loro due quindi intonarono una gara di ottave, su allegri argomenti d'occasione; e gli altri ascoltavano, facevano coro e applaudivano.

---

1. È una sopravveste di pelle d'agnello, nera, con la lana, che tiene molto caldo.

Fuori le campane suonarono, annunziando la messa.

Era tempo di cominciare a preparare la cena. La madre, aiutata da Felle, staccò le cosce ai due porchetti e le infilò in tre lunghi spiedi dei quali teneva il manico fermo a terra.

– La quarta la porterai in regalo ai nostri vicini – disse a Felle: – anch'essi hanno diritto di godersi la festa.

Tutto contento, Felle prese per la zampa la coscia bella e grassa e uscì nel cortile.

La notte era gelida ma calma, e d'un tratto pareva che il paese tutto si fosse destato, in quel chiarore fantastico di neve, perché, oltre al suono delle campane, si sentivano canti e grida.

Nella casetta del vicino, invece, adesso, tutti tacevano: anche le bambine ancora accovacciate intorno al focolare pareva si fossero addormentate aspettando però ancora, in sogno, un dono meraviglioso.

All'entrata di Felle si scossero, guardarono la coscia del porchetto che egli scuoteva di qua e di là come un incensiere, ma non parlarono: no, non era quello il regalo che aspettavano. Intanto Lia era scesa di corsa dalla cameretta di sopra: prese senza fare complimenti il dono, e alle domande di Felle rispose con impazienza:

– La mamma si sente male: ed il babbo è andato a comprare una bella cosa. Vattene.

Egli rientrò pensieroso a casa sua. Là non c'erano misteri né dolori: tutto era vita, movimento e gioia. Mai un Natale era stato così bello, neppure quando viveva ancora il padre: Felle però si sentiva in fondo un po' triste, pensando alla festa strana della casa dei vicini.

Al terzo tocco della messa, il nonno del fidanzato batté il suo bastone sulla pietra del focolare.

– Oh, ragazzi, su, in fila.

E tutti si alzarono per andare alla messa. In casa rimase solo la madre, per badare agli spiedi che girava lentamente accanto al fuoco per far bene arrostire la carne del porchetto.

I figli, dunque, i fidanzati e il nonno, che pareva guidasse la compagnia, andavano in chiesa. La neve attutiva i loro passi:

igure imbacuccate sbucavano da tutte le parti, con lanterne in mano, destando intorno ombre e chiarori fantastici. Si scambiavano saluti, si batteva alle porte chiuse, per chiamare tutti alla messa.

Felle camminava come in sogno; e non aveva freddo; anzi gli alberi bianchi, intorno alla chiesa, gli sembravano mandorli fioriti. Si sentiva insomma, sotto le sue vesti lanose, caldo e fece come un agnellino al sole di maggio: i suoi capelli, freschi di quell'aria di neve, gli sembravano fatti di erba. Pensava alle cose buone che avrebbe mangiato al ritorno dalla messa, nella sua casa riscaldata, e ricordando che Gesù invece doveva nascere in una fredda stalla, nudo e digiuno, gli veniva voglia di piangere, di coprirlo con le sue vesti, di portarselo a casa sua.

Dentro la chiesa continuava l'illusione della primavera: l'altare era tutto adorno di rami di corbezzolo coi frutti rossi, di mirto e di alloro: i ceri brillavano tra le fronde e l'ombra di queste si disegnavano sulle pareti come sui muri di un giardino.

In una cappella sorgeva il presepio, con una montagna fatta di sughero e rivestita di musco: i Re Magi scendevano cauti da un sentiero erto, e una cometa d'oro illuminava loro la via.

Tutto era bello, tutto era luce e gioia. I Re potenti scendevano dai loro troni per portare in dono il loro amore e le loro ricchezze al figlio dei poveri, a Gesù nato in una stalla; gli astri guidavano; il sangue di Cristo, morto poi per la felicità degli uomini, pioveva sui cespugli e faceva sbocciare le rose; pioveva sugli alberi per far maturare i frutti.

Così la madre aveva insegnato a Felle e così era.

– Gloria, gloria – cantavano i preti sull'altare: e il popolo rispondeva:

– Gloria a Dio nel più alto dei cieli.

E pace in terra agli uomini di buona volontà.

Felle cantava anche lui, e sentiva che questa gioia che gli empiva il cuore era il più bel dono che Gesù gli mandava.

All'uscita di chiesa sentì un po' freddo, perché era stato sempre inginocchiato sul pavimento nudo: ma la sua gioia non diminuiva; anzi aumentava. Nel sentire l'odore d'arrosto che usciva dalle case, apriva le narici come un cagnolino affamato;

e si mise a correre per arrivare in tempo per aiutare la mamma ad apparecchiare per la cena. Ma già tutto era pronto. La madre aveva steso una tovaglia di lino, per terra, su una stuoia di giunco, e altre stuoie attorno. E, secondo l'uso antico, aveva messo fuori, sotto la tettoia del cortile, un piatto di carne e un vaso di vino cotto dove galleggiavano fette di buccia d'arancio perché l'anima del marito, se mai tornava in questo mondo avesse da sfamarsi.

Felle andò a vedere: collocò il piatto ed il vaso più in alto sopra un'asse della tettoia, perché i cani randagi non li toccassero; poi guardò ancora verso la casa dei vicini. Si vedeva sempre luce alla finestra, ma tutto era silenzio; il padre non doveva essere ancora tornato col suo regalo misterioso.

Felle rientrò in casa, e prese parte attiva alla cena.

In mezzo alla mensa sorgeva una piccola torre di focacce tonde e lucide che parevano d'avorio: ciascuno dei commensali ogni tanto si sporgeva in avanti e ne tirava una a sé: anche l'arrosto, tagliato a grosse fette, stava in certi larghi vassoi di legno e di creta: e ognuno si serviva da sé, a sua volontà.

Felle, seduto accanto alla madre, aveva tirato davanti a sé tutto un vassoio per conto suo, e mangiava senza badare più a nulla: attraverso lo scricchiolìo della cotenna abbrustolita del porchetto, i discorsi dei grandi gli parevano lontani, e non lo interessavano più.

Quando poi venne in tavola la torta gialla e calda come il sole, e intorno apparvero i dolci in forma di cuori, di uccelli, di frutta e di fiori, egli si sentì svenire: chiuse gli occhi e si piegò sulla spalla della madre. Ella credette che egli piangesse: invece rideva per il piacere.

Ma quando fu sazio e sentì bisogno di muoversi, ripensò ai suoi vicini di casa: che mai accadeva da loro? E il padre era tornato col dono?

Una curiosità invincibile lo spinse ad uscire ancora nel cortile, ad avvicinarsi e spiare. Del resto la porticina era socchiusa dentro la cucina le bambine stavano ancora intorno al focolare ed il padre, arrivato tardi ma sempre in tempo, arrostiva allo spiedo la coscia del porchetto donato dai vicini di casa.

Ma il regalo comprato da lui, dal padre, dov'era?

– Vieni avanti, e va su a vedere – gli disse l'uomo, indovinando il pensiero di lui.

Felle entrò, salì la scaletta di legno, e nella cameretta su, vide la madre di Lia assopita nel letto di legno, e Lia inginocchiata davanti ad un canestro.

E dentro il canestro, fra pannolini caldi, stava un bambino appena nato, un bel bambino rosso, con due riccioli sulle tempie e gli occhi già aperti.

– È il nostro primo fratellino – mormorò Lia. – Mio padre l'ha comprato a mezzanotte precisa, mentre le campane suonavano il "Gloria". Le sue ossa, quindi, non si disgiungeranno mai, ed egli le ritroverà intatte, il giorno del Giudizio Universale. Ecco il dono che Gesù ci ha fatto questa notte.

COMINCIA A NEVICARE

– Siamo tutti in casa? – domandò mio padre, rientrando una sera sul tardi, tutto intabarrato e col suo fazzoletto di seta nera al collo. E dopo un rapido sguardo intorno si volse a chiudere la porta col paletto e con la stanga, quasi fuori s'avanzasse una torma di ladri o di lupi. Noi bambine gli si saltò intorno curiose e spaurite.

– Che c'è, che c'è?

– C'è che comincia a nevicare e ne avremo per tutta la notte e parecchi giorni ancora: il cielo sembra il petto di un colombo.

– Bene – disse la piccola nonna soddisfatta. – Così crederete a quello che raccontavo poco fa.

Poco fa la piccola nonna, che per la sua statura e il suo viso roseo rassomigliava a noi bambine, ed era più innocente e buona di noi, raccontava per la millesima volta che un anno, quando anche lei era davvero bambina (nel mille, diceva il fratellino studente, già scettico e poco rispettoso della santa vecchiaia), una lunga nevicata aveva sepolto e quasi distrutto il paese.

– Quattordici giorni e quattordici notti nevicò di continuo, senza un attimo d'interruzione. Nei primi giorni i giovani e anche le donne più audaci uscivano di casa a cavallo e calpestavano la neve nelle strade; e i servi praticavano qualche viottolo in mezzo a quelle montagne bianche ch'erano diventati gli orti ed i prati. Ma poi ci si rinchiuse tutti in casa, più che per la neve, per l'impressione che si trattasse di un avvenimento misterioso; un castigo divino. Si cominciò a credere che la nevicata durasse in eterno, e ci seppellisse tutti, entro le nostre case delle quali da un momento all'altro si aspettava il crollo. Peccati da scontare ne avevamo tutti, anche i bambini che non rispettavano i vecchi (questa è per te, signorino studente); e tutti si aveva anche paura di morire di fame.

– Potevate mangiare i teneri bambini, come nel mille – insiste lo studentello sfacciato.

– Va via, ti compatisco perché sei nell'età ingrata, – dice il babbo, che trova sempre una scusa per perdonare, – ma con queste cose qui non si scherza. Vedrai che fior di nevicata avremo adesso. Eppoi senti senti...

D'improvviso saliva dalla valle un muggito di vento che riempiva l'aria di terrore: e noi bambine ci raccogliemmo intorno al babbo come per nasconderci sotto le ali del suo tabarro.

– Ho dimenticato una cosa: bisogna che vada fuori un momento – egli dice frugandosi in tasca.

– Vado io, babbo – grida imperterrito il ragazzo; ma la mamma, bianca in viso, ferma tutti con un gesto.

– No, no, per carità, adesso!

– Eppure è necessario – insiste il babbo preoccupato. – Ho dimenticato di comprare il tabacco.

Allora la mamma si rischiara in viso e va a cercare qualche cosa nell'armadio.

– Domani è Sant'Antonio; è la tua festa, ed io avevo pensato di regalarti...

Gli presenta una borsa piena di tabacco, ed egli s'inchina, ringrazia, dice che la gradisce come se fosse piena d'oro; intanto si lascia togliere dalle spalle il tabarro e siede a tavola per cenare.

La cena non è come al solito, movimentata e turbata da incidenti quasi sempre provocati dall'irrequietudine dei commensali più piccoli; tutti si sta fermi, quieti, intenti alle voci di fuori.

– Ma quando c'è questo gran vento, – dice la nonna – la nevicata non può essere lunga. Quella volta...

Ed ecco che ricomincia a raccontare; ed i particolari terribili di *quella volta* aumentano la nostra ansia, che in fondo però ha qualche cosa di piacevole. Pare di ascoltare una fiaba che da un momento all'altro può mutarsi in realtà.

Quello che sopratutto ci preoccupa è di sapere se abbiamo abbastanza per vivere, nei giorni di clausura che si preparano.

– Il peggio è per il latte: con questo tempo non è facile averlo.

Ma la mamma dice che ha una grossa scatola di cacao: e la notizia fa sghignazzare di gioia il ragazzo, che odia il latte. Gli altri bambini non osano imitarlo; ma non si afferma che la notizia sia sgradita. Anche perché si sa che oltre il cacao esiste una misteriosa riserva di cioccolata e, in caso di estrema necessità, c'è anche un vaso di miele.

Delle altre cose necessarie alla vita non c'è da preoccuparsi
Di olio e vino, formaggio e farina, salumi e patate, e altre prov
viste, la cantina e la dispensa sono rigurgitanti. E carbone e le
gna non mancano. Eravamo ricchi, allora, e non lo sapevamo.

– E adesso – dice nostro padre, alzandosi da tavola pe
prendere il suo posto accanto al fuoco – vi voglio raccontare la
storia di Giaffà.

Allora vi fu una vera battaglia per accaparrarsi il posto più
vicino a lui: e persino la voce del vento si tacque, per lasciarc
ascoltare meglio. Ma la nonnina, allarmata dal silenzio di fuori
andò a guardare dalla finestra di cucina, e disse con inquietudi
ne e piacere:

– Questa volta mi pare che sia proprio come quell'altra.

Tutta la notte nevicò, e il mondo, come una grande nave che
fa acqua, parve sommergersi piano piano in questo mare bianco
A noi pareva di essere entro la grande nave: si andava giù, ne
brutti sogni, sepolti a poco a poco, pieni di paura ma pure cullat
dalla speranza in Dio.

E la mattina dopo, il buon Dio fece splendere un meravi
glioso sole d'inverno sulla terra candida, ove i fusti dei piopp
parevano davvero gli alberi di una nave pavesata di bianco.

FORSE ERA MEGLIO...

Alis aveva dieci anni e doveva studiare: lo studio però non gli andava a genio: avrebbe preferito viaggiare o almeno stare nella strada o nel prato a giocare, sia pure col suo cagnolino Bau che gli saltellava sempre attorno come fosse attaccato a lui da un fil di ferro a molla.

Quando era proprio costretto a studiare, Alis si faceva venire il mal di testa, e pregava il cielo che qualche avvenimento portentoso facesse sparire dal mondo le scuole ed i libri.

Ed ecco una notte di vento e di tuoni sentì il suo Bau guaire e abbaiare nel cortile. C'erano i ladri? Alis non aveva paura dei ladri, anzi era curioso di vederli. Si vestì, quindi, alla meglio, e scese in cortile: subito, alla luce dei lampi, mentre al fragore dei tuoni si univa un rombo misterioso, vide la sua casa scuotersi qua e là come una testa che dice sì e no, e poi spaccarsi e crollare intera. Anche le altre case cadevano; anche la chiesa e la scuola: e fra i rottami e gli altri oggetti si vedevano i libri rotolare ed i quaderni svolazzare come grandi farfalle sinistre.

Era il terremoto.

Preso da un folle terrore Alis cominciò a correre, seguito da Bau. Correvano come se il terremoto li inseguisse, frustati dalla pioggia, dal vento, dalla grandine.

E corri corri, Alis vide finalmente, su un poggio, una capanna illuminata: arrivato lassù spinse la porta e si trovò in una piccola stanza dove accanto al fuoco dormiva una vecchietta coi capelli bianchi. Un cestino coperto da uno straccio era il solo oggetto che si vedesse attorno.

Per non svegliare la vecchietta, Alis stette in un cantuccio, con Bau che gli si stringeva addosso tremante, e ringraziò Dio di avergli fatto trovare quel rifugio.

La notte passò, si calmò la bufera. Alis non dormiva, pensando alla sua casa crollata e divenuta il sepolcro della sua famiglia: il suo dolore era tanto grande ch'egli non poteva neppure piangere.

Ed ecco al sorgere del sole una donna scalza vestita di verde e con una bacchetta in mano si affacciò alla porta.

– Bambino, – disse, – ho saputo della tua disgrazia e sono venuta a prenderti, se tu vuoi venire. Sono la fata Verdina: la mia casa è qui sotterra e se tu verrai nulla ti mancherà: vivrai come un principe, ti darò mia figlia per sposa; ma non dovrai mai più lasciare il mio regno.

– E il cane? – Alis domandò.

– Il cane non posso pigliarlo perché noi fate abbiamo paura dei cani e dei galli. Però può stare qui con questa vecchia che è la madre dei Venti e adesso si sveglierà per far da mangiare ai figli che già ritornano a casa. Be', vuoi venire?

Il cagnolino gli tirava di nascosto il lembo della veste, come per consigliarlo a fuggire, a non andare con la fata. Alis pensava. Pensava che vivere sempre sotterra, sebbene nel regno delle fate, non era una cosa molto allegra: d'altronde dove andare? Non aveva più casa, né paese, né parenti, né amici.

– C'è da studiare? – domandò.

– Macché studiare: non c'è che da divertirsi.

Ed egli andò.

La fata lo condusse ai piedi del poggio e toccò con la bacchetta una pietra: e tosto si trovarono in un grande giardino luminoso, davanti a un palazzo tutto di marmo.

– Donde viene la luce, se siamo sotto terra? – si domandò Alis. E ricominciò a pensare.

La fata non pareva disposta a dargli spiegazioni altro che con la bacchetta lucida e flessibile. Con questa fece aprire e chiudere il portone del palazzo, di questa si serviva per chiamare le altre fate.

Erano tutte belle, le altre fate, grandi e piccole, ma Alis osservò che come gli uccelli, come i gatti, come tanti altri graziosi animali, non sorridevano mai e mai non lavoravano.

D'altronde, perché dovevano lavorare? Tutto si otteneva col solo tocco della bacchetta; e quello che più piaceva ad Alis era l'assoluta mancanza, nel palazzo, delle cose che rendono nervosi gli uomini: il telefono, la luce elettrica, le stufe, i campanelli, il pianoforte, i servi, gli oggetti d'uso scolastico.

Dopo avergli fatto visitare il palazzo, la fata lo condusse nella sala da pranzo dove la tavola era meravigliosamente apparecchiata e fornita delle ghiottonerie ch'egli più amava; e gli presentò la piccola fata bionda che un giorno doveva essere la sua sposa.

Questa bambina, già alta, con gli occhi e il vestito color del cielo, piacque ad Alis come il sole, la luna, le altre cose belle della terra; anche lei però non sorrideva mai, e quando egli le propose di scendere in giardino a giocare, lo guardò con meraviglia: ella non sapeva cosa fosse giocare.

– T'insegnerò io – egli le disse sottovoce; – andiamo.

Andarono nel giardino, ed egli le propose e le spiegò tutti i giochi che sapeva: ella lo ascoltava volentieri, ma non le riusciva d'imparare i giochi e neppure di ballare e di correre. Allora egli cominciò ad annoiarsi e desiderò di avere almeno un libro di avventure da leggere.

E col cadere della sera la sua noia si fece tristezza. Pensava alla sua casa distrutta, ai suoi parenti morti: ma erano poi tutti morti davvero? Oh, perché era vilmente fuggito? Forse avrebbe potuto sollevare le macerie e salvare qualcuno. E anche il rimorso di aver abbandonato Bau, ch'era infine il suo salvatore, gli stringeva il cuore. Forse era meglio restare nella capanna della madre dei Venti, aspettare che questi tornassero e poi farsi trasportare da loro.

Forse era meglio... Sì, tutto è meglio del non far niente e avere con facilità tutte le cose che si desiderano. Adesso egli cominciava a capire perché le fate, neppure se bambine, possono sorridere.

La grande fata Verdina si accorse subito dei tristi pensieri di lui.

– Ascoltami, – gli disse, – io dovrei darti l'anello di fidanzato di mia figlia: veramente volevo offrirtelo più tardi, fra qualche anno, ma forse è meglio adesso.

– Sì, forse è meglio – rispose lui trasognato.

Allora la bambina, ad un cenno della madre, gl'infilò ne dito un piccolo anello d'argento; e d'improvviso egli si sentì ur altro. Dimenticò ogni cosa passata, si sentì leggero, senza pensieri, senza domande, senza curiosità, felice come quando ci s sta per addormentare.

Scese con la bambina in giardino e passeggiò con lei lungo i viali illuminati dalla luna, fermandosi a guardare i riflessi de lago, i giochi delle ombre ed i colori strani delle rose.

E quando rientrò nella sua camera bellissima, si vide riflesso negli specchi come la luna nel lago: i suoi occhi erano dolci e belli, ma, come quelli dei cervi, dei gatti, della tortora, non sorridevano più.

L'ANELLINO D'ARGENTO

In Sardegna esistono ancora le case delle fate. Solo che queste fate erano piccolissime; piccole come bambine di due anni, e non sempre buone, anzi spesso cattive: in dialetto si chiamavano *Janas* e ancora è in uso una maledizione contro chi può averci fatto qualche dispetto: – *Mala Jana ti jucat* – mala fata ti porti; vale a dire, ti perseguiti.

Il mio sogno, da bambina, era di visitare queste *domos de Janas* e poterci penetrare: ma essendo esse lontane dall'abitato, per lo più in luoghi deserti e rocciosi, la cosa non era facile.

Le storielle che un servetto d'ovile raccontava ogni volta che veniva in paese per cambiarsi la camicia e per andare a messa, aumentavano il mio desiderio.

Questo servetto raccontava dunque di aver più volte visitato le *domos de Janas*, e abbassava la voce nel descriverne i particolari. – La porta è bassa e stretta, fatta con lastre di pietra; e bisogna entrare carponi: sulle prime non si vede che una piccola stanza, un antro tutto di sassi, dove si rifugiano le bisce e le lucertole; ma se tu hai la pazienza e l'avvertenza di cercare, troverai una pietra mobile che gira come un uscio, ed è la vera entrata alla casa delle *Janas*. Ancora bisogna penetrare carponi, ma subito ti trovi in una stanza alta più di sette metri, tutta dorata come un pulpito, con la vôlta dipinta di stelle; tu vedi di fronte a te, per migliaia di usci spalancati, una fila di stanze, una più bella dell'altra, che finiscono in una loggia sul mare.

Questo era il particolare che più affascinava: questo sboccar della misteriosa casa sotterranea nell'infinito respiro del mare.

Ma poco c'era da credere a quanto raccontava il servetto. Era un ragazzo visionario, sempre malato di febbri malariche, e quello che sognava nei suoi delirî lo dava per vero, credendoci lui per il primo. Così, conosceva tutta una folla di rispettabili personaggi, dal diavolo grande al folletto "Surtòre", che sta nelle case ma nessuno lo vede, e nasconde gli oggetti, aizza le donne a far pettegolezzi, apre la porta ai vampiri che succhiano il sangue ai bambini.

Raccontava di aver veduto nella solitudine dei monti una torma di cervi guidati da un pastore che aveva pure lui le corna ramate come quelle del suo agile gregge: ebbene, questo pastore era il diavolo e i cervi anime dannate di ladri.

Raccontava di aver veduto in riva al mare un bellissimo bambino coi capelli d'oro e gli occhi celesti, che con una conchiglia prendeva l'acqua marina e la spandeva intorno: e sull'arida sabbia spuntavano il grano e la vigna: e questo bambino era Gesù!

Giganti e nani lo andavano a trovare, quando era solo nell'ovile a guardare le pecore, specialmente nei giorni di nebbia quando è più facile dileguarsi e nascondersi.

Infine egli possedeva un anellino di argento con una piccola perla ch'era poi un pezzettino di cristallo entro il quale si riflettevano i sette colori dell'iride: ebbene, egli affermava di essere un giorno, dopo una tempesta, riuscito a trovare il punto preciso dove comincia l'arcobaleno: lì aveva scavato e trovato l'anello che a chi lo possiede permette d'inventare cento e una storiella in una sola sera.

Quest'anellino era l'unica prova concreta di quanto egli raccontava: perché ad inventare storielle meravigliose, davvero bisognava lasciarlo solo.

Ed ecco che cosa avvenne. Un anno, in un settembre tiepido e verdiccio come un principio di primavera, ci si trovava a Valverde, che è una bellissima vallata tutta roccie e macchie, in una cui falda solitaria sorge una chiesetta che si dice costrutta anticamente da un bandito per penitenza ed espiazione dei propri peccati.

Bel posto, bei giorni che erano tutti una poesia: ogni ora un verso, ogni giorno una strofa armoniosa.

Ed ecco una domenica capita il nostro ragazzo che portava un cero alla Madonna della chiesetta, per parte della sua nonna paralitica. Dopo aver con grande devozione pregato e deposto il cero, venne fuori e propose a me e ad alcune mie amiche di andare con lui a vedere le *domos de Janas* che egli diceva essere lì a due passi.

E si andò. I due passi però si raddoppiavano per sé stessi, come i famosi granellini di miglio della leggenda: due, quattro, otto, sedici, trentadue, sessantaquattro, ecc. Si saliva e si scendeva per un sentieruolo scosceso: ecco, le case delle fate sono lì, in quella collinetta tutta di pietre dove svolazzano certi uccellacci che stridono e fischiano come il vento. A dire la verità qualcuno ha paura: se quei grandi uccelli neri fossero uomini malvagi tramutati così dalle fate?

Il ragazzo ci fa coraggio.

– Macché, non vedete che sono corvi e cornacchie? Ci deve essere lassù qualche carogna di bestia o magari qualche uomo morto, e se lo pappano.

Una bambina cade e si mette a piangere.

– Ben ti sta, – dice lui, – perché sei venuta senza il permesso dei tuoi genitori!

E chi ce l'ha questo permesso? Si dovrebbe ruzzolare tutte in fondo alla valle.

– Coraggio, coraggio, ci siamo: ecco la porta, la vedete? Quella tra quattro pietre sotto una macchia di lentischio.

Si vede infatti un buco nero, ma è in alto, fra un cumulo di roccie, e solo gli uccelli ci possono arrivare.

E se ci fosse qualche uomo nascosto, qualche malfattore che ci volesse far del male? Infatti si sente d'improvviso un fischio acutissimo che pare ci voglia spazzar via; e tutta la combriccola, compresa la nostra brava guida, si ferma esterrefatta.

Per darci prova del suo coraggio, il ragazzo si avanza e risponde al fischio con un fischio provocante che pare dica al nemico nascosto: – Se hai del fegato vieni fuori.

Il fischio non si ripete, ma dall'alto delle roccie comincia a venir giù una pioggia di sassi che colpiscono qualcuno della compagnia. Gli uccellacci stridono:

– Ben vi sta, ben vi sta, ragazzine: poiché siete in cerca di avventure, senza il permesso dei genitori.

Il ragazzo comincia ad urlare, con la mano sulla bocca, insultando e chiamando fuori il nemico nascosto: poi grida:

– Ferme tutte – e si slancia all'assalto della rocca.

Ma arrivato al buco che secondo lui era la porta delle fate, una mano lo spinge giù a tradimento, ed egli rotola come un gomitolo, senza, fortunatamente, farsi gran male, lasciando brandelli di vesti fra i cespugli e perdendo di tasca le sue cose.

Due infernali teste di monelli s'affacciano allora alla buca, sghignazzando: ed anche noi della compagnia, ingrate, ci beffiamo della nostra povera guida. Si ride e si scappa; anche il ragazzo è costretto a battere in ritirata perché ricomincia una terribile scarica di sassi; e nel suo sdegno minacciante vendetta egli non si accorge che ha perduto l'anellino d'argento. E l'anellino d'argento me l'ho preso io, e lo tengo ancora.

LA CASA DELLA LUNA

Quello stesso ragazzo che ci condusse con esito tanto negativo a cercare la casa delle fate, affermava di sapere anche dov'è la casa della madre della luna e quella della madre dei venti.

Questa è più difficile a trovarsi perché sorge in cima alle montagne; i venti vi giocano davanti, come i ragazzi nel cortile, e sono capaci di buttarvi per terra col loro soffio, o di scaraventarvi addosso macigni e tronchi d'albero. La casa della madre della luna è di più facile accesso, per chi naturalmente ha fegato e coraggio: basta osservare bene il punto preciso dove la luna sorge alla sera, per la sua bella passeggiata sui prati azzurri del cielo; là vive la madre.

– E il padre dove sta?

– Il padre è il sole, e tutti sanno dove sta; ma è inutile pensare di andare a trovarlo.

Del resto, perché questa smania di conoscere la madre della luna? Sarà una vecchietta vestita di biancoperla, che prepara il letto e il mangiare a quella vagabonda di sua figlia: ma non è per lei che si desidera conoscerla; è per la sua casa nascosta dietro gli alberi in cima alla collina, o magari dietro la vigna: una casa tutta d'argento, coi balconi d'oro, i chiodi della porta di diamanti.

Dietro la vigna sorgeva la luna, in quelle sere di ottobre ancora calde e come ubbriacate dall'odore del primo mosto e da quello dell'uva fragola ancora non vendemmiata.

La vigna era vasta, ondulata, sola in una pianura ancora incolta; grandi fichi stampavano la loro ombra pesante sul verde delle viti, e i frutti cadevano giù da sé, lentamente, come grosse gocce di miele raddensato. Chi mangiava fichi in quel tempo? Li si guardava con disgusto scansandoli di sotto i piedi con la cima d'una canna: anche l'uva non ci andava più, neppure il moscato dagli acini grossi come le susine: si preferivano le more ultime scintillanti nei roveti dei campi di là della vigna.

Una casetta di appena due camerette ci riparava dall'umido della notte; ma sopra mormorava, anche se non c'era vento, un pino; e la sua musica senza suono apriva il tetto di quella specie di capanna e ci portava via in lenti giri concentrici, entro una rete di seta, via via per gli infiniti spazi dei sogni.

Fra questi sogni dunque cominciò a dominare quello di andare in cerca della casa della luna.

Cosa ci voleva del resto? Bastava risalire il sentiero fra le vigne, saltare la muriccia di cinta, prodezza fatta più di una volta; andare fino ai roveti badando a non pungersi, e guadagnare la cima di una breve altura erbosa. È di là che s'affaccia il viso sempre più grasso della luna, in queste opime sere di ottobre: grasso e placido come quello di uno che ha fatto la cura dell'uva.

E una sera si prova. C'è festa notturna nella vigna. Un servo suona la fisarmonica e le ragazze ballano al chiaro di luna. Dunque non c'è neppure pericolo d'incontrare la volpe che non ama la musica e sta lontana fin dove il suono non si sente. Io vado. A dirvela in confidenza in fondo non credo esista la casa della luna: ma vado a cercarla più che altro per spirito di avventura, di ribellione e di coraggio.

E la luna mi guardava di sbieco, con una smorfia che mi ricordava quella di una mia compagna del giardino d'infanzia. Ho ancora il ricordo di aver attraversato le vigne con l'impressione che le viti basse e grigie alla luna fossero tante pecore addormentate. Il suono della fisarmonica mi faceva compagnia.

Ecco saltata la muriccia; qui il mondo cambia aspetto, è ancora un mondo noto, con le sue pietre e le macchie di rovo, ma non più nostro. Comincia un po' di tremarella: chi ha mosso e fatto luccicare l'erba ai miei piedi? Niente paura; è forse una lucertola: ad ogni modo bisogna stare attenti.

La musica si fa un po' lontana, ma non cessa mai. È come la voce di un complice rimasto a vigilare perché la scappata non sia scoperta.

Ecco la breve china erbosa dietro la quale dovrebbe esserci la famosa dimora. Per quale scopo io mi tolga le scarpe e le calze non so ancora; forse per arrivare più silenziosa, o perché questo fatto mi era assolutamente proibito. Quello che so è che una grossa spina mi avvertì subito, ficcandosi nel mio calcagno destro, di aver fatto male.

Mi sedetti sull'erba e tentai, al chiaro di luna, di levare la spina; impossibile; andava sempre più dentro, e mi pareva mi salisse fino al cuore.

Rimisi le calze e le scarpe, ma rimasi lì, sull'erba pungente, presa da un terrore inesplicabile. Adesso mi verrà la cancrena, mi taglieranno il piede, e così Dio mi castigherà di aver voluto camminare di notte fuori della mia proprietà, per disobbedire ai genitori.

Per maggior sconforto, ecco d'un tratto la musica tace: mi sembra di essere sola nel mondo, o peggio ancora in mezzo ad una torma di volpi che s'avanzano silenziose e terribili strisciando le lunghe code gialle per terra.

Poi mi sentii chiamare, di lontano, e disperatamente ritornai sui miei passi, fino a scavalcare di nuovo la muriccia. E non dissi nulla della spina, che per quanto frugassi con un ago non veniva fuori. Finché il piede non si gonfiò e venne in suppurazione: io tacevo e aspettavo sempre il terribile castigo: eppure, seduta accanto al finestrino della cameretta, col piede nudo fasciato, guardavo l'altura donde sempre più tardi alla sera nasceva la luna. Il terzo giorno il piede si sgonfiò. E alla sera la luna non apparve, ma sull'altura si delineò un castello fantastico, di carta velina, con decorazioni d'oro e d'argento. Era una nuvola, ma alla gioia del cuor mio essa appariva come la vera casa della luna.

IL PANE

Finché sono stata signorina, mi è toccato di fare il pane in casa. Questo voleva nostra madre, e questo bisognava fare: non per economia, che grazie a Dio allora si era ricchi, più ricchi di quanto ci si credeva, ma per tradizione domestica: e le tradizioni domestiche erano, in casa nostra, religione e legge.

Dura legge, quella di doversi alzare prima dell'alba, quando il sonno giovanile ci tiene stretti stretti nelle sue braccia di velluto e non vuole assolutamente abbandonarci!

La serva bussa all'uscio, con la lampada in mano, anche lei tentennante per il sonno interrotto: su, su, è ora di alzarsi. Un piede va fuori delle coltri, ma tosto si ritira come abbia toccato acqua fredda; mentre l'altro piede è ancora nelle tiepide strade dei sogni: un braccio si tende e la mano si chiude nervosamente, mentre l'altra rimane beatamente aperta sul lenzuolo molle, come su un prato di margherite al sole. La serva bussa una seconda volta, poi spinge l'uscio.

– Su, su, se no viene la signora padrona…

Allora il piede sveglio batte su quello che ancora dorme, e la mano sveglia va a cercare quella che sogna… E tutte e due si fanno coraggio. Siamo in piedi. Che freddo! Come è brutta la via! Ma verrà un giorno…

Ebbene, sì, devo confessare che fin dall'età di dodici anni avevo stabilito di sposarmi per non fare più il pane in casa.

Ma passato il primo momento la faccenda prendeva il suo ritmo quasi di festa.

Bisogna poi dire che questa faccenda non era di tutti i giorni né di tutte le settimane, perché il pane biscotto che ha il nome caratteristico ma appropriato di "carta di musica" dura interi mesi senza guastarsi, specialmente d'inverno.

Specialmente d'inverno si stava bene, nella grande cucina riscaldata dal forno acceso e dal camino idem: fuori c'era la neve, e peggio di noi stava la donnina che aveva scelto il mestiere d'"informatrice" di pane; essa, no, non si lasciava sedurre dal sonno, e tutti i giorni, spesso anche tutte le notti, se la passava davanti al forno a combattere con quelle larghe rotonde focacce che tendono a gonfiarsi, a scoppiare, a bruciarsi in un attimo, e pare lo facciano per dispetto contro la paletta che le volta e rivolta e batte su di loro come la mano materna sul sedere grassoccio dei bambini cattivi.

Questa donnina, dunque, doveva anche sfidare il freddo e la neve per arrivare a destinazione: una volta arrivata era però, d'inverno s'intende, la persona più felice del mondo. Sedeva davanti al forno e veniva servita come una regina; e una regina di marionette pareva, così piccola, legnosa, nera bruciata dal calore dei forni di tutto il paese, con una voce che sembrava venisse di lontano, dall'alto del camino del forno. Le cose che raccontava erano tutte interessanti, specialmente dopo aver preso il caffè o mangiato tre piatti di maccheroni e bevuto un bel bicchiere di vino.

Questo vino, a dire il vero, glielo davo io di nascosto, perché allora le donne non usavano bere vino (di nascosto però sì); lei si volgeva verso il muro fingendo di soffiarsi con buona creanza il naso, e beveva a testa china sorbendo avidamente dal bicchiere: oppure glielo davo in una tazza di latta come fosse acqua versata dalla brocca.

Mia madre, che pregava sempre sottovoce, perché quando si fa il pane è come si stia in chiesa, non si accorgeva del peccato dell'infornatrice.

L'infornatrice diventava loquace e raccontava le storie di tutte le famiglie della città, comprese quelle degli antenati; e la mia fantasia pescava in quelle narrazioni più che nei libri stampati di avventure e novelle.

Finito di gramolare la pasta e di stendere col matterello le focacce, e con le perle delle vesciche che la faccenda lasciava nella palma lucida delle mie mani, mi mettevo accanto alla donna ad ascoltare.

A riferire tutte le sue storie ci sarebbe da scrivere altri dieci libri, oltre quelli felicemente scritti: per oggi ne ricordo solo una, che doveva esser vera, poiché la donna la raccontava spesso e senza varianti, mentre le altre subivano sovente grandi modificazioni.

«Dunque, – queste sono le sue testuali parole, – tanti anni or ono, appena il Signore mi aveva dato la forza di lavorare e mia madre mi aveva insegnato il mestiere, ecco un giorno vado a nfornare il pane in casa di dama Barbara. Dama Barbara era ricchissima e avara, tanto che dicono sia morta coi pugni stretti, mentre i buoni cristiani rallentano le mani nel consegnare l'anima a Dio. Dama Barbara mi dava un pugno di fichi secchi alla mattina e neppure il pane fresco mi dava, come si dà anche ai ani, il giorno che si cuoce: pane vecchio e acqua quanta ne volevo: anzi mi incoraggiava a bere, perché bevendo acqua non si ia voglia di mangiare. Ma adesso vi dico una soddisfazione che Dio mi ha mandato fino ai piedi. Dunque, una mattina all'alba quando cantano i galli, mentre si aspettava che il pane fosse lievitato a giusto punto, ecco si presenta alla porta un bellissimo bambino coi capelli biondi ricciuti e gli occhi di cielo. Il vestitino rosso era stinto e lacero: eppure pareva nuovo fiammante.

– Datemi un focaccino, – dice, – sia pure piccolo come un'ostia consacrata: è da tanto tempo che non mangio pane fresco.

– Sùbito, bel bambino – dice dama Barbara, che in quanto a buone parole era veramente una nobildonna. – E chi sei? Perché in giro così presto?

Il bambino non risponde, e la dama, presa la raschiatura della pasta avanzata sulla tavola, ne fa un focaccino e lo dà a me per cuocerlo.

Io metto il focaccino nel forno, e vedo una cosa straordinaria.

Il focaccino cresce, cresce, diventa grande quanto tutto il pavimento del forno: io devo piegarlo in quattro per tirarlo fuori. Credete che dama Barbara lo dia al bambino? Neanche un pezzo. Prende il rimanente della raschiatura e fa un focaccino grande quanto un soldo; ebbene, anche questo cresce e cresce; e lei, divenuta come pazza per la gioia, mentre prega il bambino di aspettare, continua a far focaccini e darli a me; ed io sudo per trarli fuori, ingranditi dal forno: finché il Signore mi illumina la mente, e dico, sollevandomi in ginocchio: – Dama Barbara, quel bambino è Gesù in persona, venuto a provare il nostro buon cuore. – Dama Barbara si volge: il bambino era sparito. E quando ella assaggia uno di quei grandi pani deve sputarlo via tanto è acido; e anche il resto del pane, nei canestri dove fermentava, è tutto andato a male. Così fu castigata dama Barbara per il suo cattivo cuore».

IL CESTINO DELLO ZIBIBBO

Primo, Secondo e Terzo, i tre fratelli Gelmini, erano anda
a portare un cestino d'uva alla nonna. Non che la nonna no
avesse dell'uva; anzi ne aveva tanta che i suoi pergolati eran
più neri che verdi; ma di quella qualità, posseduta in tutti que
dintorni solo dalla famiglia Gelmini, non si sapeva se ce ne fos
se altra al mondo. Tanto è vero che la madre avvertì i tre ragaz
zi di tener ben coperto col panno il cestino, e se qualcuno d
mandava cosa c'era là dentro, di rispondere:

– Ci sono uova e peperoni.

– Ci sono uova e peperoni – risposero infatti a una voce
tre bravi fratelli, quando Vica la gobba, la donna che vivev
nelle strade, e come un cane senza padrone andava dietro a
passanti finché non veniva scacciata malamente, saltò giù dall
siepe di un podere e domandò che cosa c'era dentro il cestino

– Non è vero – disse lei, fissando i suoi occhietti gialli su
panno leggero che lasciava indovinare la forma dei gross
grappoli. – Lì, ci avete lo zibibbo, quell'uva che possedete sol
voi nel pergolato dietro la casa. Io la conosco; ha gli acini lun
ghi e a punta come i peperoncini forti, ma il sapore è ben altr
Io però non l'ho mai sentito, quel sapore. Me lo fate sentire?

– Via di qua – urlò Primo, stendendo il pugno minaccios
e gli altri due fratelli si strinsero intorno al cestino per difender
lo come l'arca santa degli ebrei nel deserto.

Il luogo era deserto davvero: e le case del paesetto dov
stava la nonna, ancora non si vedevano. Se avesse voluto, l
gobba, che era gobba ma robusta, avrebbe sbaragliato col su
bastone i tre intrepidi fratelli: ma lei non voleva. Già abbastanz
fama di cattiva donna, di ladra, di prepotente e di portasfortun
godeva: quindi si contentò di umiliare e spaurire i Gelmini.

– Altra cosa vi credevo! Screanzati e sordidi siete; e la Ma
donna vi castigherà, per aver negato tre acini d'uva alla pover
mendicante senza casa e senza pane.

Il più piccolo dei Gelmini, fu allora del parere di dare u
grappolino alla gobba: per paura, s'intende, non per amore; m

gli altri due, e specialmente Primo, che già aveva il cuore duro come quello di un vecchio contadino, si opposero fieramente.

E tutti e tre ripresero a camminare, mentre Vica spariva fra le siepi donde era sbucata. Per ingannare la lunghezza della strada Primo propose un gioco:

– Voi due siete i bovi che trascinate il carro: sopra il carro c'è l'uva. Io vi conduco.

– Faremo un po' alla volta: non voglio sempre essere il bove, io – disse Secondo.

La proposta accettata, i due fratelli minori presero loro il cestino e andarono avanti: Primo li aizzava, e non contento di loro si armò di una fronda e cominciò a sferzarli sulle gambe. Secondo si mise a correre, ma il fratello piccolo, che era già stanco e malcontento, abbandonò l'ansa del cestino, e buona parte dell'uva cadde per terra: i bei grappoli si sgranarono come tante collane di cui s'è rotto il filo.

Gli urli di Primo e le bòtte che egli prodigò al fratellino non valsero a riparare il danno; né lo riparò l'osservazione che fece Secondo:

– È perché la gobba porta sfortuna: e noi le abbiamo negato un grappolino d'uva.

Questa fu la prima delle disgrazie.

La seconda avvenne quando si trattò di lasciare la strada per inoltrarsi in un viottolo attraverso i campi, onde arrivare più presto alla casa della nonna. Il piccolo Terzo, che dopo il trattamento energico del fratello maggiore non aveva cessato di piagnucolare e lamentarsi, inciampò malamente in un buco del terreno, nascosto dall'erba, e cadde lungo disteso battendo la faccia al suolo. Sulle prime non gridò, non tentò di sollevarsi; ma quando i fratelli, impressionati dal suo silenzio, lo tirarono su, cominciò a morderli ed a sparare calci contro di loro.

Aveva il viso insanguinato e pareva come impazzito.

– Ma che ti prende? – gridò Primo, ributtandolo giù sull'erba. Là lo tennero fermo per forza e gli asciugarono il sangue col panno che copriva l'uva. Egli piangeva così forte che le lagrime aiutarono a lavargli il viso. Poi rifiutò di seguire i fratelli;

ma quando essi ripresero la strada e sparvero dietro una distesa di saggina simile ad una foresta, ed egli si trovò solo, ebbe paura. Da una parte e dall'altra del viottolo le alte piante del frumentone gli parevano soldati con la baionetta innastata; e un fruscio strano, prodotto dall'agitarsi delle foglie dure, gli ricordava che le volpi amano aggirarsi nei campi fitti di vegetazione. Egli non aveva mai veduto una volpe; se la immaginava però grande e feroce come il lupo dipinto nel quadro di San Francesco ch'era in camera della mamma; e che non facesse distinzioni fra i polli ed i bambini.

Pensò bene dunque di alzarsi e anche di affrettare il passo per raggiungere i fratelli; ma per quanto si affrettasse, i fratelli non li raggiungeva; non solo, ma neppure li vedeva in lontananza. Allora cominciò ad aver paura davvero; credeva di essersi smarrito, e già stava per gridare domandando aiuto, (a chi, se non si vedeva anima viva?) quando uno starnazzare di oche lo riconfortò. Se c'erano oche c'erano probabilmente anche cristiani, perché non si è mai sentito dire che le oche vivano nel deserto. Queste qui, anzi, facevano quel verso speciale che usano appunto quando arriva gente; e raddoppiarono le loro strida nel vedere il piccolo Terzo. Sembravano molto allegre, tutte riunite in un gruppo di nove o dieci che pareva un gregge, tutte bianche e con gli occhietti rotondi e neri come bottoncini da scarpe.

Terzo però non prese parte alla loro allegria; anzi si fece pallido in viso come stesse per venir meno, e diede un grido di spavento: perché in mezzo alle oche vedeva il cestino dell'uva, vuoto: esse ne avevano tratto, piluccato e massacrato i grappoli, senza rispettarne uno solo.

Che era avvenuto degli altri fratelli? Le volpi, certo, li avevano assaliti e divorati, e di loro non rimanevano neppure i lacci delle scarpe. Istupidito dal dolore, Terzo raccattò il panno che aveva coperto il cestino, e con esso, già anche macchiato del suo sangue, si asciugò le lagrime grosse come gli acini dell'uva ancora sparsi per terra.

– È la gobba, è la gobba… – singhiozzava. Voleva dire: è stata la gobba a portarci sfortuna, ma non riusciva a finire la frase, tanto i suoi pensieri erano confusi. Tuttavia prese anche il cestino e si avviò per tornare indietro.

Gli urli di Primo lo richiamarono.

– Che fai, macacco? Oh, che fai?

Si volse, e vide i suoi fratelli sani e salvi, ciascuno con una cotogna in mano. Secondo, anzi, ne aveva due, delle quali una mangiata a metà; e questo spiegava il suo silenzio e le sue smorfie: perché il frutto era così aspro e duro che egli si trovava ingozzato.

Dalle grida e dalle invettive di Primo, Terzo capì allora come era andata la faccenda: il fratello maggiore sapeva che nel campo c'era un cotogno, e volendo rubarne i frutti, aveva ordinato a Secondo di aspettarlo nel viottolo col cestino dell'uva. Ma Secondo non intendeva di ubbidire; e aveva piantato il cestino per andare a cogliere anche lui le cotogne. Quello che Terzo non riuscì a comprendere fu il perché i fratelli se la pigliavano con lui. Primo, il maggiore, poi l'altro, ricominciarono a dargli spintoni e pugni, accompagnandolo così fino alla casa della nonna.

– Per colpa tua; tutto per colpa tua.

Egli non si difendeva più, non piangeva più, non capiva più nulla; ma quando arrivarono dalla nonna ed i fratelli raccontarono a modo loro la storia, egli domandò:

– Perché, se io volevo dare l'uva alla gobba, e allora perché ho preso io tutta la sfortuna? Perché?

– Perché sei il più stupidino – spiegò la nonna, soffiandogli il naso.

IL VOTO

Quell'inverno lontano fu nefasto per la mia piccola città di Nuoro. Sebbene bambina, io lo ricordo come non ricordo tempi recenti. Dapprima nevicò per quattordici giorni di seguito; poi, caddero pioggie torrenziali che fecero crollare i muri; infine la difterite, allora chiamata angina, fece strage di bambini.

Anche l'unico figlio del nostro mezzadro, Chischeddeddu Palasdeprata, ne fu colpito. Il padre era un uomo probo e un lavoratore indefesso: perciò gli avevano appioppato quel nomignolo di Palasdeprata – spalle di argento –; la madre, poi, era una donna d'oro, saggia, forte, religiosa.

Quando vide il suo bambino morente s'inginocchiò sullo scalino della porta, verso il grande paesaggio dei monti di Orune e di Lula, e pregò ad alta voce:

– San Francesco mio caro, voi che ve ne state tranquillo nella vostra chiesa lassù, ascoltatemi. Fate guarire il mio piccolo Francesco, l'agnellino mio bianco, ed io verrò scalza, a piedi, in pellegrinaggio alla vostra chiesa, e vi porterò in dono tutto il denaro che io e mio marito avremo ricavato da un'annata del nostro lavoro.

Il bambino si sentì subito meglio, e una settimana dopo era guarito.

Adesso si trattava di compiere il voto. Chischeddeddu aveva sette anni e andava a scuola, ma intendeva di fare anche lui il contadino; quindi non aveva bizzarrie per la testa, e quando tornava a casa dalla scuola si levava le scarpe buttandole via come cose ingombranti.

Era però, come tutti i bambini sardi, un po' sognatore; avvicinandosi il tempo nel quale si doveva compiere il voto, cominciò a smaniare dicendo che San Francesco gli era apparso per strada invitandolo ad accompagnar la madre nel suo pellegrinaggio.

Così partirono tutti e due, una mattina all'alba, nel bel mese di maggio dalle giornate ricche di ori e di profumi. La donna portava sul capo una piccola corba con dentro le scarpe sue e del figlio e un po' di pane e di formaggio duro: e nel seno teneva i denari stretti in un fazzoletto rosso. La strada era difficile, perché scendeva e saliva fra erte rocciose; resa piacevole però dai luoghi bellissimi che attraversava: alte erbe, fiori, cespugli e macchie verdi l'accompagnavano. Di tanto in tanto una piccola sorgente d'acqua purissima sgorgava come per miracolo fra le pietre coperte di musco, e allora fra gli alberi selvaggi si sentiva il canto dell'usignolo che pareva ringraziasse Dio del dono incomparabile dell'acqua. Madre e figlio si fermarono presso una di queste sorgenti, per riposarsi e mangiare: la donna si protese sulla conca dove l'acqua brillava come il sole, e prima di bere si bagnò la mano e si fece il segno della croce: Chischeddeddu invece si lavò i piedi ardenti, e disse che voleva arrampicarsi sulla roccia, verso una quercia tutta vibrante di usignoli, in cerca di un nido.

– Lo metteremo nella corba e lo porteremo poi a casa.

Ma la madre glielo proibì: poiché, sebbene ignorante, ella sapeva che San Francesco prediligeva gli uccelli.

Per consolarsi, il ragazzo cominciò a tirar sassi che spaventavano gli usignoli, e si mise a gridare per destare le voci dell'eco.

D'un tratto, come disturbato e infastidito per l'insolito chiasso nel deserto, un uomo apparve nel fitto della macchia, tutto vestito di nero, con la barba nera, il viso scuro e due occhioni che scintillavano come l'acqua della fontana.

Non era armato di fucile, ma la donna indovinò subito che si trattava di un bandito nascosto nella macchia per sfuggire alla ricerca dei carabinieri: eppure non si sgomentò: solo rivolse gli occhi verso il santuario di San Francesco che già appariva come una bianca fortificazione sui monti fioriti di ginestre e le parve che una voce le dicesse: niente paura.

L'uomo nero scendeva agile il sentieruolo dirupato, e gli usignoli tacevano al suo passaggio. Anche il ragazzo, si stringeva pallido e silenzioso alla madre, contento, in fondo, di vedere da vicino un bandito e poterlo poi descrivere, magari con tinte lievemente esagerate, ai suoi compagni ed amici. Ma la curiosità si cambiò in tremarella quando egli si avvide che l'omaccio, avvicinatosi a loro, dopo lanciato uno sguardo aquilino intorno per assicurarsi della perfetta solitudine del luogo, adocchiava piuttosto lui che la madre. E i ricordi della prima infanzia, con lo zio Orco che vive fra le selve e là si porta i bambini per ingrassarli e mangiarseli in arrosto mezzo crudo e mezzo cotto non valsero certo a incoraggiarlo. Anche la madre, adesso, si sentiva battere il cuore, come se lei e il piccolo Francesco suo fossero gli usignoli di nido strappati dalla quercia e messi dentro la corba da una mano crudele.

– Che fate voi, qui? – disse l'uomo, corrucciato come se fosse lui il padrone assoluto del luogo, e quei due disgraziati disturbassero la sua proprietà.

La donna raccontò la storia del voto: non disse però dei denari che teneva nel seno.

L'uomo guardava sempre il fanciullo e pareva rivolgersi solo a lui.

– Ah, tu sei figlio di *Palasdeprata*? Già, nominare l'ho sentito già! Pare che abbia una pentola piena di marenghi nascosta sotto un albero, tuo padre, *corfu 'e balla assu pè*[1], pare. Ebbene, gliela faremo un po' scovare. I denari devono circolare. Tu resterai con me, piccolo capriolo, e tua madre andrà a prendere la pentola: la porterà qui, la lascerà qui, e se ne andrà una seconda volta. Io allora ti lascerò libero, nel posticino dove, appena partita tua madre, ti porterò. Tanto, la strada la sai: se pure non avrai piacere di restartene con me. Oh, niente piagnistei, donna; alzati e cammina.

La madre piangeva, stretta al suo fanciullo, e attraverso il velo delle sue lagrime vedeva la chiesa bianca di San Francesco come decorata di diamanti: no, il Santo non poteva, non doveva abbandonarla.

– Mio marito non possiede un centesimo, – disse, – tutto il nostro avere è qui: prendilo, ma lasciaci andare.

Parve strapparsi il cuore dal petto e gettarlo ai piedi dell'uomo; era il fazzolettino rosso con dentro i denari. Ma l'uomo neppure si degnò di guardarlo.

– Alzati e va – ripeté.

Allora madre e figlio, stretti disperatamente l'uno all'altro, si misero a piangere forte: ed ella gridò:

– San Francesco mio, aiutami.

---

1. Che un colpo di palla gli ferisca il piede.

L'eco rispose: e parve la voce del Santo.

Un altro uomo apparve sul punto preciso donde era sbucato il primo: ma questi non si allarmò, anzi parve aspettarlo come un rinforzo: poiché era un compagno di macchia.

Come diverso, però! Era un vecchio con la barba bianca, gli occhi azzurri, il viso solcato di rughe che parevano scavate da un lungo dolore. Vestito all'antica, con un cappotto d'orbace stretto alla vita da una corda, parve alla donna un eremita inviatole da San Francesco per aiutarla. Scese calmo il sentieruolo, toccando col bastone i tronchi verdi degli alberi come per assicurarsi che nei loro cavi non si nascondesse qualcuno, e quando fu accanto al compagno guardò anche lui di preferenza Chischeddeddu ma con uno sguardo nostalgico, come se da immemore tempo non avesse visto un fanciullo, e questi gli ricordasse la sua stessa infanzia e i fratellini e i compagni d'innocenza; poi, mentre il bandito gli spiegava il perché si trovavano tutti in compagnia, egli si rivolse alla donna.

– Femmina mia bella, male hai fatto a metterti sola in viaggio così attraverso luoghi che sapevi abitati dal diavolo.

Già rassicurata la donna gli sorrise: ed anche Chischeddeddu si strinse fra i denti la lingua ancora salata di lagrime, per non mostrarla all'uomo nero, ed anche per non scoppiare a ridere. La madre rispose al vecchio, un po' convinta, un po' per adularlo e ammansarlo meglio.

– Voi non siete un diavolo; voi siete un santo, e per questo San Francesco vi ha inviato.

Al nome del Santo, il vecchio si tolse la berretta e si fece il segno della croce: poi disse:

– Va, donna: per il resto del viaggio, noi stessi baderemo che nulla di male ti avvenga a te ed a questo capretto di tuo figlio. Però, arrivata al Santuario, dirai un'avemaria per me.

Allora il bandito piegò la testa mortificato e mormorò:

– Una anche per me.

E raccolto il fazzolettino rosso che spiccava fra l'erba come un fiore, lo rimise in mano alla donna.

MIRELLA

A volte noi dubitiamo che Dio esista. Perché, infine, dov'è questo Dio? In cielo in terra in tutte le cose: va bene; ma insomma nessuno lo ha mai veduto.

Allora Dio, per provarci la sua esistenza, ordina che venga una bella giornata.

Non una giornata di primavera, di estate o di autunno, ma una giornata d'inverno.

È la più bella di tutte; è lo zaffiro nell'anello dell'anno.

Tutte le finestre si aprono al sole, tutti i sensi alla gioia.

E davvero allora si sente la presenza di Dio in cielo in terra e in tutte le cose.

Per completare la festa viene a trovarci Mirella.

Questa Mirella ha cinque anni, e sebbene non sappia ancora leggere, porta sotto il braccio il "Corriere dei Piccoli".

È tutta fresca e rossa come il corallo appena pescato.

Il suo bel cappottino morbido è rosso, la sua scuffia è rossa. È la scuffietta ornata di ricami antichi delle bambine di Sardegna: ed anche gli occhi neri dorati di Mirella sono quelli delle bambine di Sardegna: quegli occhi ammaliatori dei quali parlano gli storici antichi, ed al cui sguardo si attribuiva una potenza quasi divina.

Ma il modo di esprimersi e il modo di parlare di Mirella, e sopratutto quello di osservare le cose, sono perfettamente toscani.

E questo si spiega, perché il babbo di Mirella si mise una volta in viaggio dalle sue montagne di Pistoia alle montagne di Nuoro in cerca di una moglie insieme alla quale comprare Mirella.

Mentre stiamo in giardino a goderci il sole, capita qui per un momento uno scienziato.

Appena affisso lo sguardo d'aquila su Mirella dice:

– Questa sarà una grande donna!

Il perché non lo dice; ad ogni modo, andato via lui, ci viene in mente l'idea d'intervistare la futura grande donna.

– Cosa farai, Mirella, quando sarai grande? – le domandia-
mo non senza un certo senso d'ansia.

E il cuore ci si allarga, poiché Mirella risponde:

– Voglio andare a ballare.

E lo dice con un tono un po' cadenzato e impaziente, che
significa: possibile che tu non lo capisca?

– Voglio fare anche la giardiniera – aggiunge un po' pen-
sierosa.

– E perché?

– Perché nel tuo giardino ci sono le ciliege e l'uva e gli alberi sui quali arrampicarsi.

E, certo, ella dimostra, fin d'ora una vera tendenza a salire
in alto: i suoi piedi, come le zampe degli uccellini, non possono stare a lungo sulla nuda terra.

Mirella ha pure una grande attitudine a lavorare in giardino.

Scava e tocca la terra con voluttà, solleva pesanti secchi
d'acqua, scopre insetti ancora a noi sconosciuti: e non ha paura dei vermi che prende sulla punta di un fuscello, per tentare
di farci paura, e ridendo per la sua birbanteria.

E sa zappare ancora prima di saper scrivere.

Per questo, sì, ricorda i nostri avi sardi lavoratori e amici della terra.

I nostri discorsi non sono sempre frivoli, come per esempio
quando si gioca alla visita della signora Maddalena e questa signora Maddalena, che è Mirella, parla di vestiti e, pettegolina
com'è, critica i suoi amici e si beffa di loro: no, a volte i nostri
discorsi assurgono ad altezze da impensierire.

Ecco, per esempio, Mirella mi si stringe addosso e mi dice
sottovoce:

– Dio ci ha i lupi.

– I lupi? A far che?

– Io non lo so: ha con sé i lupi.

– Dio ha con sé gli angeli – dico io alquanto turbata. – Chi si è permesso di dirti questa brutta cosa, che Dio sta coi lupi?

– Me lo ha detto Allìna.

– Va subito a chiamare Allìna.

Allìna si può chiamare dall'angolo del giardino: Mirella però profitta dell'occasione per arrampicarsi in cima al cancello e di là sul tiglio nudo, e di lassù la sua voce si spande come a maggio il vivo odore del tiglio fiorito.

– Allìna! Allìna! Allìna vieni.

Dopo pochi momenti Allìna è con noi.

– Be', come va questa storia? Perché hai detto che Dio sta coi lupi? Son cose, queste, da dirsi ai bambini?

– Ma io non ho detto proprio niente.

– Mirella! Perché questa bugia? Chi è che ti ha detto...

– Be', – interrompe lei, – me lo sono inventato io.

Che avverrà di Mirella?

Non pensiamoci: per adesso è meglio lasciarla volare dietro al suo cerchio, o buttare sassi agli altri bambini, o tentare cantando i primi passi e gli atteggiamenti lusinghieri della danza.

Ecco Mirella che va a marito,
Con duecento anelli in dito;
Cento di qua – cento di là,
Ecco Mirella che se ne va.

IL PASTORELLO

Cinque anni or sono conobbi un ragazzetto soprannominato *Coeddu*[1], nome che si dà anche al diavolo, il quale, come sapete, vien rappresentato con una piccola coda attortigliata un po' al di sotto della schiena. Coeddu aveva infatti il colore dei diavoletti, benché sulla sua faccia apparissero i segni di tutte le razze umane: aveva il naso camuso di un etiope, gli occhi obliqui di un giapponese, la bocca fina e sarcastica d'un americano del nord, e l'espressione intelligente d'un ragazzetto sardo, anzi nuorese autentico. Egli abitava poco distante da casa nostra, e spesso lo incaricavamo di qualche piccola commissione. Egli volava, ma una volta compiuto il suo dovere, si sedeva per terra e stava ore ed ore immobile, indolente; se però qualcuno lo interrogava cominciava a chiacchierare e non la finiva più. Una mattina lo trovai seduto sotto l'elce del nostro orto; seduto a gambe in croce, immobile come un piccolo arabo all'ombra di una palma; con gli enormi piedi nudi trafitti da innumerevoli spine e da pezzetti di vetro; i capelli crespi coperti di polvere e di pagliuzze.

– Vai a scuola? – gli domandai.

– Sì – egli rispose, sollevando gli occhi furbi verso di me. – Sono il primo della classe; devo passare in terza e avrò anche il premio.

– Bravo! Vuol dire che ti piace studiare.

– No, mi piace più fare il pastore, perché i pastori dormono di giorno, quando fa caldo, e vegliano di notte, quando fa fresco.

– Eh, ma d'inverno?

– D'inverno accendono un gran fuoco, arrostiscono una pecora intera e se la mangiano!

– E tu adesso, cosa mangi?

– Pane d'orzo.

– Sempre?

– Sempre pane.

---

1. Codino.

– Tua madre non cucina?

– Mia madre fa la serva e torna a casa soltanto la notte.

– E tuo padre?

– Mio padre è scappato; è andato in America e ci ha *spiantato* –. Egli voleva dire «piantato» ma in quel momento, in bocca a quel ragazzetto robusto e intelligente buttato lì per terra come una pianticella appena divelta, la parola era giusta.

– Tuo padre scriverà, qualche volta, però; e tu gli risponderai.

– Io? – egli disse con fierezza. – Mai! Io non avrò bisogno di lui. Farò il pastore, e troverò un tesoro fra le roccie, sì, uno di quei tesori nascosti dai giganti e vigilati dal diavolo. Sì, io conosco i posti, perché spesso vado sul Monte per raccogliere fasci di legna, che poi porto al Molino. Persino due lire di legna porto, io, tutto in una volta. Io sono forte: basta che scuota un albero per farlo cadere. Io prendo i falchi a volo. Io so imitare la cornacchia, la volpe, tutti gli animali. Vuol vedere? Un giorno ho battuto la scure su una roccia ed ho sentito un rumore di monete. *Drin, drin, drin, drin.* Segno che là c'è un tesoro. Anche mio zio Mauro, che è pastore, sa dov'è questo tesoro, ma io non dirò a nessuno dov'è il punto preciso da lui indicatomi. No, non lo dirò; non son una spia, io…

– Le spie, – proseguì, – vengono sempre castigate. Quando si sa un segreto bisogna tacere. Gli altri ragazzi miei compagni non sanno tenere un segreto, e se vedono uno far del male subito vanno ad accusarlo a qualcuno. Io no; né spia né ladro. Forse che voi mi avete mai trovato a rubare le albicocche e i fichi, nel vostro orto della Concia?

– Chissà, chissà?…

– No, vi giuro, mai! – egli gridò, incrociando le braccia sul petto in segno di giuramento. – Sono gli altri ragazzi, che rubano. Cosa mi dai che ti dico i loro nomi?

– Come, se tu non fai la spia?

Egli mi guardò in viso, senza turbarsi, ma non rispose.

Lo stesso giorno ebbi occasione d'incontrare la madre, una povera donna magra e gialla, e le domandai come si comportava suo figlio.

– Non me ne parli, *sennòra Grassia*; cattivo non è, ma tanto birichino che il maestro, disperato, gli voleva dare una lira perché non tornasse a scuola. Io lo mando a raccattare legna e lui invece butta la cordicella ai rami e fa l'altalena. Ho scritto al padre perché, almeno, lo faccia andare con lui in America e gli insegni a lavorare.

Saputo che sua madre voleva mandarlo in America, Coeddu diventò ancora più selvatico e diffidente. Egli non voleva saperne, di civiltà: non voleva viaggiare, bastandogli le esplorazioni sul Monte Orthobene, dove sperava sempre di ritrovare il tesoro. La madre, una mattina ai primi di agosto, gli fece vedere una lettera e gli disse:

– Bada, ragazzo, tuo padre scrive dall'America e acconsente a prenderti con lui. Appena avrà i denari per il tuo viaggio me li manderà.

Coeddu si mise a piangere, si buttò per terra, e gridò:

– Sì, ditegli che li mandi, i denari: comprerò le pecore e farò il pastore. Lavorerò, sì, lavorerò. Datemi la cordicella; da oggi porterò tutti i giorni un fascio di legna al Molino...

La madre, intenerita, gli diede la cordicella e un tozzo di *pane da soldato*[2], ma egli voleva il pane bianco, e poiché in casa non ce n'era, la povera donna dovette andare da una sua vicina a farselo prestare.

E il ragazzo partì, deciso a far di tutto pur di non andare in America; ma cammin facendo raggiunse due piccoli mendicanti che ogni mattina salivano sull'Orthobene per chiedere l'elemosina ai villeggianti accampati attorno alla chiesetta della Madonna del Monte, e sentì che uno diceva:

– Oggi certo mangeremo maccheroni conditi con sugo di pollo.

L'altro si leccava le labbra sporche e schioccava la lingua contro il palato.

– Oggi certo mangeremo pere, di quelle gialle, farinose come le patate...

Sulle prime Coeddu si beffò di loro; poi domandò pensieroso:

– Chi vi dà queste cose buone?

– Le serve, lassù. Noi portiamo loro le legna e in cambio riceviamo tante cose buone.

---

2. Pane nero.

La strada era ripida, polverosa: ma arrivati in alto i tre ragaz-zetti videro il mare, tutto color d'oro, con un monticello azzurro davanti, e sentirono fresco come se la spiaggia fosse lì vicina. Intorno alla chiesetta sorgevano tende e capanne; fanciulle ve-stite di giallo e d'azzurro vagavano nel bosco, piccole, sotto gli elci secolari e le roccie enormi, come farfalle variopinte.

Avvenne che anche Coeddu fu creduto un mendicante: una serva bruna, dal viso olivastro e gli occhi colore di miele, bella come una Samaritana, lo incaricò di andare a raccattare un po' di legna nel bosco, per cuocere i maccheroni; e poi gli fece parte di questi. Egli dimenticò che doveva portare le legna al Molino; s'indugiò per assistere ai giochi dei bambini villeg-gianti che cercavano la tana delle biscie. Si udiva il lamento di un violino, e pareva che gli alberi mormorassero per accompa-gnare quel suono simile ad una voce umana; le serve accovac-ciate entro le capanne basse, preparavano il caffè cantando an-che loro una nenia melanconica.

Coeddu non pensava più all'America e al tesoro, quando d'un tratto vide un uomo alto, dal viso scuro circondato d'una folta barba rossiccia, salire la china, seguito da un agnellino ne-ro e da una cagna bianca.

– Ziu Mauru! Siete voi? – gridò correndogli incontro.

Sì, era proprio suo zio, che aveva l'ovile poco distante dalla chiesetta e veniva a portare il latte ai villeggianti. Zio Mauru era un uomo semplice: ecco perché a cinquant'anni era ancora ser-vo: ed ecco anche perché, invece di sgridare il nipotino, veden-dolo lassù, cominciò a chiacchierare con lui come con un uomo serio, dandogli ragione a proposito del viaggio in America. An-che lui non era mai uscito dal circondario di Nuoro. Coeddu lo accompagnò fino all'ovile, che consisteva in una capannuccia di frasche; vide fra gli alberi come un muricciuolo bianco e ne-ro; ma d'un tratto quel muro si aprì, si sciolse, cambiò posto; erano le pecore che dormivano ammucchiate, e alla frescura della sera si svegliavano e si mettevano a pascolare in fila.

Coeddu, incantato, sedette davanti alla capanna mentre l'agnellino nero succhiava il latte dalla cagna, e ziu Mauru rac-contava la storia di un bandito che teneva sempre appesa al col-lo una moneta del tempo degli Ebrei, spesa da Gesù, e perciò non era mai stato colpito da palla nemica, né colto dalle febbri né dal carbonchio.

Tanto era il fascino provato da Coeddu che egli finì per addormentarsi: anche nel sonno vedeva la luna cadere sull'orizzonte, rossa come un corno di corallo, udiva ancora il violino lontano lontano, come la voce di una fata; distingueva il brucare delle pecore, lo scricchiolìo degli steli d'asfodelo che si spezzavano sotto i loro denti; e sopratutto sentiva la musica dolce e monotona delle loro campanelle simile ad un tintinnio di bicchieri di cristallo battuti da un coltello.

L'indomani i piccoli mendicanti, che la sera prima erano riliscesi a Nuoro, gli dissero:

– Tua madre è arrabbiata come un verro; appena torni ti manda in America.

– Ed io me ne sto quassù! – egli rispose.

La serva Samaritana lo mandava a prendere il latte, l'acqua, e legna, intanto che lei discorreva con uno studente: e per compenso Coeddu riceveva enormi piatti di maccheroni, di riotto, avanzi di pernici e code e teste di trota, pere che cominciavano a guastarsi, cetrioli e pomodori conditi con olio, aceto, pepe e sale. Una sera egli sentì forti dolori di pancia e sognò che un cane gli mangiava le viscere. Non sapeva perché si sentiva triste: i piccoli mendicanti provavano gusto a tormentarlo, portandogli terribili ambasciate da parte di sua madre; e per placare la povera donna egli pensava di mettersi con coraggio alla ricerca del tesoro. Un giorno prese dunque la scure di zio Mauru e cominciò a vagare per il bosco, fermandosi di tanto in tanto per frugare fra le roccie alte e deserte, e battere il ferro sul granito che qualche volta tintinniva come il cristallo. Arrivò così in un posto solitario ed orrido, dove le roccie avevano aspetti strani, di cavalli con la testa d'uomo, di rane, di pesci, di serpenti: il silenzio che le circondava le rendeva più misteriose. Invano egli, per farsi coraggio, imitava il grido ed anche il muover delle ali della cornacchia: qualche cornacchia vera rispondeva, ma invece di rianimarsi, egli sentiva crescere il suo errore. Tuttavia procedeva, riconoscendo il posto dove, secondo raccontava ziu Mauru, un vecchio pastore aveva ritrovato un tesoro, cioè un mucchio di monete d'oro che il fortunato

uomo, pazzo di gioia, s'era affrettato a mettere entro il suo fazzoletto gridando:

– Diavolo, questa volta son ricco! –. Ma immediatamente,
entro il fazzoletto le monete s'erano cambiate in pezzetti di carbone!

Coeddu però, deciso a non fiatare, e sopratutto a non invo-
care il diavolo, che nel sentire il suo nome tramuta le monete
in carbone, procedeva cauto, silenzioso, anche perché aveva
paura delle biscie, che hanno la coda d'argento e sferzano e ta-
gliano la faccia a chi le molesta.

Roccie e sempre roccie: fra gli alberi contorti, simili a mostri
dalle cento braccia, si vedeva il mare, ed i monti di Oliena parevano di neve azzurrognola; ma d'un tratto l'orizzonte si chiuse
il ragazzetto si trovò come in un cortile circondato da muraglie
ciclopiche, e il cielo, in alto, apparve d'un azzurro intenso, qua
si oscuro come al cader della sera. Qua e là fra le roccie si vede
vano larghe e profonde buche, e da una di queste, d'improvvi
so, uscì un sibilo come quello di un treno che sbuca da una
galleria. Un sudore gelato, un pallore mortale coprirono il viso
di Coeddu: egli si buttò a sedere su una pietra e strinse le labbra
per non gridare; gli parve che la muraglia di roccie si movesse
stranamente attorno a lui, e che il cielo diventasse ancora più
scuro; provò un capogiro, sollevò gli occhi e vide tre giganti
nudi saltare di roccia in roccia e avvicinarsi a lui. Allora diede
un grido e svenne.

Zio Mauru lo trovò lassù, steso al suolo come morto. Lo
portò al suo ovile, poi in paese, e fu chiamato un prete che les
se il Vangelo per scacciare i fantasmi ond'era tormentato l'infe
lice ragazzo. Ma egli continuò a delirare ed a parlare di gigan
e di diavoli; allora fu chiamata una donna, che versò sette goc
cie d'olio di lentischio e mise sette piccole brage entro un bic
chiere e così, preparata "l'acqua dello spavento" la fece bere a
malato, che vomitò ma continuò a delirare. Finalmente fu chia
mato il medico.

– È una forte gastrica – egli disse: e ordinò che Coeddu
prendesse tre purghe.

Gli anni sono passati. Coeddu ha trovato il tesoro senza cercarlo oltre, perché suo padre gli ha mandato tremila lire dall'America, ed egli ha comprato quaranta pecore ed un cane; adesso ha quindici anni e più che mai desidera di non lasciare la montagna natìa, convinto di aver veduto ciò che, anche a girare tutto il mondo, non si vede più: i giganti.

Lo rividi pochi giorni or sono: seduto sulle pietre del varco della *tanca*[3] egli mangiava il suo pane d'orzo e guardava le pecore a pascolare.

La pace del crepuscolo luminoso si rifletteva nei suoi occhi; i suoi denti scintillavano come le foglie degli elci, la sua figurina grigia e nera si confondeva con lo sfondo del paesaggio, fra le roccie di granito ed i tronchi scuri degli alberi. Così egli formava come una parte stessa del luogo solitario e grandioso; e quando mi raccontava la sua avventura io ero tentata di credergli. Chissà? Forse i giganti esistono davvero, nel misterioso mondo delle montagne; sono essi che accumulano le roccie e coltivano le quercie sempre rigogliose e fresche. Ma noi, abitanti delle città, non li vediamo perché essi si nascondono al nostro apparire. Essi forse hanno paura di noi come noi abbiamo paura di loro.

. Vasto pascolo chiuso da muriccie a secco.

LA STORIA DELLA CHECCA

È già la terza volta che la signorina Checca tenta di scappa
re di casa. Finché sta con noi, in famiglia, sembra appassionata
per la casa: gira di qua, gira di là, corre verso l'uno e l'altro, cu
riosa e allegra, canta, si fa grattare sulla testa ed è, insomma, la
nostra consolazione: ma appena è sola, forse perché ha biso
gno assoluto di compagnia, scende in giardino, salta la cancel
lata e vola nella strada, col rischio di cadere fra le grinfie de
suo giurato nemico, il gatto.

Poiché, lo avete già indovinato, la signorina Checca è una
gazza.

È una gazza vera, autentica, nata in un bosco in riva a una
palude: un cacciatore l'ha presa dal nido, e dopo averle tagliato
le ali e la coda l'ha portata in regalo a una famiglia amica. Ma se
ancora non sapeva volare, la gazza, sapeva già beccare; alle lie
te accoglienze della famiglia amica, rispose quindi con pungen
ti beccate, e dove toccavano erano dolori.

Così cominciò a inimicarsi la serva, tanto più che per domi
cilio le fu assegnata la cucina, il cui pavimento fu in breve, pe
opera di lei, tutto fiorito di caccoline simili a goccie di crema
Allora la serva si armò di scopa, e fra la scopa e la gazza co
minciò una battaglia infernale. Il povero uccello beccava il su
insensibile nemico, saltellando e svolazzando con una danza
disperata: la scopa era più forte di lei, agitata dalla mano della
serva, e le fece passare un brutto quarto d'ora.

Ancora, quando vede una scopa, la Checca svolazza e fug
ge con terrore, e forse la crede una cosa viva, un mostro crudele
E nemmeno oggi sa che la serva propose alla padrona quest
dilemma:

– O via quell'uccellaccio, o via io.

Così è capitata in casa nostra.

In casa nostra non ci sono bambini. I tempi sono tropp

difficili e i denari scarsi per poter comprare bambini: allora abbiamo pensato di farcene prestare qualcuno, di tanto in tanto; specialmente ci viene prestata spesso una bambina della quale s'è già parlato in questo libro: una certa Mirella, ma questa Mirella adesso va a scuola e studia indefessamente: quindi non può tutti i giorni rallegrare la casa senza bambini: allora come si fa? Si cerca di dimenticare, e come la cicoria diventa il surrogato del caffè Moka, così gli animaletti del buon Dio, gli uccelli, i gatti, prendono il posto dei bambini.

La Checca è la preferita.

Il giorno che venne a casa nostra, tutti le si andò attorno, facendo a gara nel porgerle molliche di pane e carezze: le prime le accettava, alle seconde rispondeva con strida e beccate. Non per questo fu maltrattata, anzi fu portata subito in giardino, su un alberello, e mentre lei guardava meravigliata il sole, ed i suoi occhi prima verdi per la rabbia adesso ridiventavano azzurri, si pensò di farle una casetta da collocarsi sull'albero stesso, in modo che lei credesse di essere ritornata nel bosco natìo.

Fu un lungo affaccendarsi in parecchi, grandi e piccoli. Tutti gli strumenti necessarî, seghe, roncole, martello, tanaglia, chiodi, ecc., lavorarono attorno alle assi e ai bastoni per la costruzione: in breve lo spiazzo del giardino si mutò in un cantiere: per fortuna intervenne anche un certo mastro Lello, bravissimo per lavori in legno, e così, Dio volendo, la casetta col suo bravo tetto, con dentro il bastoncino traversale per il sostegno della gazza, e davanti un'asse per il mangime e il vasetto dell'acqua, fu ultimata.

Fu legata fra i rami dell'albero, fornita di grano e di molliche di pane; ma la gazza rifiutò di entrarvi e ancora non ci ha messo zampa.

Eppure, quando vuole, è l'uccello più intelligente e domestico che si possa immaginare. Ama stare in casa e tutto la interessa; vuol veder tutto, e in tutto ci mette il becco: (adesso capisco il significato di questa espressione dovuta certo a qualche vecchio sapiente che ha vissuto in compagnia di una gazza o di una cornacchia).

Viene volentieri sul braccio, e si lascia accarezzare, molle e remissiva come una colombina nera; ma appena può allungare il collo, il suo becco afferra il primo bottone che capita, e non lo lascia se non per aprirsi al passaggio invisibile di qualche insetto, o all'apparire del gatto.

Col gatto fingono di non vedersi neppure: l'uno volge la testa in qua l'altra in là: ma appena si incontrano che nessuno li vede si azzuffano mortalmente: se qualcuno non interviene a tempo succede la più immane tragedia che la storia dei gatti e delle gazze possa ricordare.

Tutti le vogliamo bene, e quando sta appollaiata sulla ringhiera della terrazza, i bambini della strada la chiamano e la desiderano.

– Checca, Checca, oh bella Checca!

Lei risponde, si volta di qua, si volta di là, e per l'allegria canta, rifacendo i versi degli altri uccelli e ripetendo anche il suo nome. Ma la sua felicità maggiore consiste nel fare il bagno. Ferma con le zampe sull'orlo della tinozza, dapprima beve sollevando ad ogni sorsata la testa in modo che par di vedere l'acqua scorrerle sotto le piume scintillanti della gola: poi immerge bene il becco nell'acqua e lo scuote: le piume della testa si bagnano e si arruffano, e poiché il gioco del becco continua anche il petto, le ali, e giù fino alla coda, tutto viene spruzzato abbondantemente d'acqua. Quando si sente bagnata fino alle ossa, torna di sua iniziativa sulla ringhiera della terrazza, al sole col ciuffo erto come quello di un guerriero pellirossa, e completa la sua toeletta beccandosi sotto le ali.

E per dimostrare che ama sviscerarmente la pulizia e la vita tranquilla, ogni tanto apre il becco e vi fa sparire dentro le mosche moleste.

Con tutto questo, trattata bene, accarezzata, presentata a personaggi di riguardo, salvaguardata dal freddo, dalla pioggia, dai gatti, dai monelli che attentano alla sua libertà, appena può scappa.

Ora, una mattina, pensò di volar giù dall'albero e andarsene per il mondo. L'attiravano i gridi dei rivenditori del piccolo mercato in faccia al giardino: deve aver pensato: – Là c'è gente allegra, ed a me piace la compagnia.

Arrivata infatti, coi suoi rapidi svolazzi, sulla cancellata davanti al mercato, vide le erbivendole vestite di stoffe variopinte, sentì l'odore del formaggio e della carne di agnello, e le parve che laggiù ci fosse la fiera.

Tutti erano allegri e gridavano come in un mercato per gioco.

Il pescivendolo urlava: – È arrivato il bastimento, col pesce pescato stamattina. È arrivato il bastimento.

E la rivenditrice d'uova: – Uova, uova, a dodici baiocchi l'una. Non sono uova, sono palloni. Ci vuole il bastimento per portarne via uno: palloni, palloni.

L'abbacchiaro declamava: – A otto lire, solo otto lire l'abbacchio. Venite, venite. Quanto sono bello.

Ma il pescivendolo insisteva: – Ritirati, abbacchiaro! Tutti vengono da me. È arrivato il bastimento.

La Checca, stordita balzò giù sul marciapiede. Credeva forse di poter saltellare e divertirsi come nella nostra cucina: ma non era arrivata a terra che già un monello l'aveva ghermita per le ali, e nonostante le sue strida e le sue beccate la portava via di galoppo, seguìto da una torma di compagni.

La portò a casa sua: triste casa in una cantina buia, piena di gente che nonché amare gli uccelli del buon Dio non ama neppur sé stessa.

– È buona da mangiare? – domandò al ragazzo una vecchiaccia, facendo atto di torcere il collo alla Checca.

E il monello per salvar la gazza la portò in un sottosuolo, la legò per la zampa con uno spago, le porse da mangiare dei grossi chicchi di granturco. La Checca non era abituata a questo trattamento. Stanca di stridere e di beccare si accasciò, si nascose in un angolo, fin dove le permetteva lo spago e lasciata sola, tanto per fare qualche cosa cominciò a beccare il muro e vi fece un buco, poi, stanca, con le zampe insanguinate per lo stretto nodo dello spago, pensò forse che tutto era finito per lei. Tirò su e nascose fra le sue piume la zampetta ferita, e ferma immobile sulla zampa sana chiuse gli occhi e si addormentò.

Per fortuna i compagni invidiosi del monello fecero la spia. Dopo lunghe ricerche la Checca fu ritrovata e riportata a casa. Ricevette rimproveri, carezze, molliche: tutto il giorno dopo stette di cattivo umore, stordita, con gli occhi verdi come quando è nell'ombra. Senza dubbio ricordava e si pentiva, poi ritornò ad essere allegra, a rimettere il becco nelle faccende di casa, a cantare e beffarsi degli altri uccelli meno forti e meno fortunati di lei.

Finché, di nuovo lasciata sola, scappò una seconda volta.

Ma di questa nuova avventura riparleremo un altro giorno.

IL MIO PADRINO

L'uomo più buono del mondo ch'io ho conosciuto era il mio padrino: e non poteva essere che tale, se era l'amico intimo di mio padre.

Mio padre non usciva, si può dire, fuori di casa, eppure conosceva, o meglio era conosciuto, da una infinità di gente; amici di paesi lontani venivano a trovarlo e gli volevano bene. Molti, veramente, cercavano più che altro il suo aiuto, ma alcuni si contentavano della sua sola compagnia. Egli non cercava nessuno: amava però e aiutava tutti quelli che cercavano di lui.

Questo mio padrino veniva a trovarlo da un paese allora lontano, perché le linee automobilistiche ancora non tagliavano la dura solitudine delle terre di Sardegna.

Veniva a cavallo, pacificamente, ma pareva avesse volato, tanto il suo viso era fresco; sulla barba molle e candida gli rimaneva il riflesso delle bianche nuvole vagabonde sopra il monte Gonare, e negli occhi la placidezza della luna nuova.

Al suo arrivo mia madre diceva alla serva:

– Accendi tutti i fornelli.

E i fornelli venivano accesi come per le feste solenni. Mio padre conduceva il suo amico in cantina, donde risalivano ridendo come bambini.

Dopo la cena rimanevano loro due soli a tavola, con la bottiglia che s'inchinava ora verso l'uno ora verso l'altro salutandoli, poi si rialzava e pareva ascoltasse i loro discorsi interrompendoli di nuovo coi suoi inchini quando accennavano a diventare melanconici.

Anche le cose più tristi dovevano essere raccontate con allegria serena, quella notte: i due amici si prestavano a vicenda le loro angustie e cercavano di non restituirsele perché ognuno di loro le dimenticasse.

Il canto del gallo metteva punto e basta ai loro racconti. E anche la bottiglia non s'inchinava più perché non aveva più forza né volontà: era vuota.

Una di quelle notti la serva andò a chiamare la mia piccola nonna: entrambe salirono nella camera di mia madre e poco dopo la serva ritornò giù dov'erano i due amici. Disse:

– Padrone, la padrona vi manda a dire che ha comprato una bambina, adesso, pochi minuti or sono.

– Perché non hai avvertito? – rimproverò mio padre.

– Perché la padrona non ha voluto disturbare la loro compagnia.

Mio padre andò su a vedere: una bambina appena fasciata stava dentro un canestro accanto al caminetto acceso: pareva davvero comprata da poco al mercato.

L'amico domandò il permesso di vederla anche lui: e mio padre disse:

– Ecco una bella occasione per diventar compari.

– Benissimo; e come la chiameremo?

– La chiameremo Grazia.

È così l'ospite diventò mio padrino.

Io sentivo raccontar da lui quest'avvenimento molti anni dopo.

Durante l'infanzia non mi sono molto curata del mio padrino; le sue visite mi interessavano solo per il fatto ch'egli portava bei regali di frutta e di dolci.

Una volta mi portò un piccolo muflone: e tutta l'aria vasta della montagna e l'irrequietudine misteriosa dei boschi entrò in casa con la graziosa bestia, ch'era ancora allo stato selvatico ma timida e buona di bontà naturale.

Tutti gli altri animali addomesticati che popolavano quell'arca di Noè che era il nostro cortile, respirarono nell'odore del muflone l'aria natìa delle macchie e dei covacci fra le rupi; lo circondarono quindi come per salutarlo: esso però aveva paura anche delle lepri, e d'un balzo fu sopra la legnaia come in cima ad un monte.

E ci volle la pazienza e l'agilità del padrino per farlo ridiscendere in pianura.

Fu quella volta ch'egli raccontò, mentre si stava a tavola, una sua avventura di viaggio.

– La mia visita, compare e comare, questa volta non aveva il solo scopo di vedervi e salutarvi: mi sono mosso di casa perché da alcuni giorni un gran mal di denti mi torturava: tutti i rimedi ho provato, sciacqui, impacchi, roba calda e roba fredda, preghiere, scongiuri: invano; soffrivo tanto che per la prima volta ho peccato contro la volontà del Signore: ho desiderato di morire. Finalmente mia moglie dice: va a Nuoro; là ci deve essere un dentista. Ed io parto; di solito mi piace viaggiare, vedere lo stato delle campagne, sentire il canto degli uccelli. Questa volta non vedo nulla, non sento nulla, tanto è il dolore: cammino come attraverso una nebbia. Ed ecco d'un tratto, sotto il Monte Gonare, vedo sbucare, come appunto dalla nebbia, tre brutti cristiani, così brutti che sembrano i Giudei che hanno ammazzato Gesù. Ed anche me vogliono ammazzare, se non consegno loro subito i denari e quanto ho con me. Vogliono anche il cavallo. Prendete, prendete pure, fratelli cari, e Dio vi assista. Allora mi fanno smontare e mi spogliano come Cristo: e rimango solo col muflone che s'era prudentemente nascosto. Rimango solo e spoglio; ma cos'è, cosa non è? Il mondo mi sembra mutato; vedo i prati in fiore, sento l'allodola, e mi pare di aver incontrato, non i tre malandrini, ma San Francesco in persona. Ebbene, è il mal di denti che è cessato: l'emozione me l'aveva strappato di bocca meglio del dentista. E siano benedetti dunque i tre valentuomini.

Egli parlava sul serio: con la sua barbetta bianca e il placido viso sembrava lui San Francesco in persona.

La terribile compagnia era composta di cinque individui, tre maschi e due femmine, e, pare impossibile, ma pur troppo è così, il capo era appunto la maggiore di queste.

È vero che era anche la più vecchia e astuta della banda; fu lei a riunirla, un giorno, nei prati dietro il Policlinico dove appunto un tempo convenivano i più terribili malviventi e accadevano efferati delitti; e indicò il posto destinato alla prossima spedizione.

– Si va giù di qui, per la strada nuova dove fabbricano i villini: in uno di questi ci sta un dottore che non è mai a casa: nel giardino ci sono tante rose, fave e carciofi. Tu, Gigetto, scavalcherai la cancellata e aprirai il cancello: noi si entra, voi due, Mario e Assunta, spiccate i fiori e le fave, e se c'è tempo i carciofi; io li raccolgo.

– E poi scappi, vero? – disse Mario, puntandole un dito sugli occhi.

– E non mi accecare di', altrimenti ti cavo gli occhi anch'io – urlò lei scostandosi. – E come posso scappare con questo cocco addosso? E scosse e parve voler scagliare contro il compagno Mario il più piccolo della compagnia, un bambino di poco più di un anno, ch'ella teneva in braccio.

Parlò Gigetto. Gigetto teneva sempre le mani ficcate nelle tasche sfondate delle sue brache, e aspirava ad essere lui il capo della spedizione.

– Lascia fare a me, Concetta: tu hai otto anni e mezzo e io otto anni: e otto anni nei maschi sono come dieci nelle femmine. Lo so anch'io dov'è quel posto; lo so meglio di te. Ci sono già entrato: si può entrare dal muro di dietro. Ci sono anche i piselli, ma ci vuole troppo tempo a prenderli. Allora facciamo così…

– No, facciamo come ho detto io; altrimenti non vengo – disse sdegnata la capitana.

– E se non vuoi venire meglio; così la roba sarà tutta nostra.

– È quello che si vedrà – urlò Concetta, scagliandosi contro di lui: anche gli altri due cominciarono a strillare, e per poco non ci andò di mezzo, schiacciato dalla mischia, il povero piccolo cocco.

Poi, calmatisi gli animi, la spedizione fu eseguita lo stesso, e con una certa tattica. Avanti andavano Assunta e Concetta, naturalmente col piccolino che si affacciava sulla spalla della sorella come ad una finestra dalla quale tutto gli appariva bello e interessante.

D'un tratto però, arrivati alla strada nuova dove alcuni villini erano in costruzione ed altri già finiti, egli si mise a strillare.

– Mo' ci mancava questa – disse Concetta preoccupata: e dapprima tentò di calmarlo con le buone, poi lo tempestò di pugni; infine trasse di saccoccia due ciliege acerbe e gliele fece danzare davanti al viso. Egli tacque subito e aprì la bocca come il becco di un uccellino di nido.

Così arrivarono al cancello del giardino predestinato alle loro gesta.

Il luogo sembrava proprio disabitato: chiuse le finestre della casa, deserto il giardino. Le rose e le piante delle fave si dondolavano al venticello di ponente, quasi salutassero le bambine invitandole a farsi avanti. I carciofi erano più tronfi ed austeri, rifugiati in cima agli alti gambi dove pareva non avessero paura di nulla. C'erano anche gli asparagi verdi con la testa violacea; ma di questi le bambine non si curavano perché non ne avevano mai sentito il sapore.

Sopraggiunti i due maschi si schierarono tutti lungo la cancellata studiando il modo migliore per entrare. Anche Gigetto fu del parere di dare la scalata al cancello, di aprirlo e fare entrare la banda in giardino. Ciascuno avrebbe lavorato per conto suo e, messo poi assieme il bottino, lo si sarebbe diviso. Lui intanto si era provveduto di un paio di forbici, che teneva infilate come un pugnale alla corda che gli serviva di cintura, e guardava i carciofi come un popolo nemico da sterminare.

Mario, più mite e sognatore, pensava ai piselli, così dolci e difficili da cogliersi: la bionda Assuntina guardava con desiderio le rose, mentre Concetta spregiudicata e selvaggia, avrebbe volentieri fatto man bassa di tutto.

Quando furono certi che nessuno poteva vederli, Gigetto s'attaccò alle sbarre del cancello, vi salì su come un verme, e con ammirazione i compagni lo videro rimbalzare giù dall'altra parte e cadere dritto davanti a loro. La fortuna li assisteva: il cancello non era chiuso a chiave e parve aprirsi da sé, complice silenzioso.

La prima ad entrare fu Concetta: così sicura di sé che depose il bambino per terra, sulla ghiaia del viale, sulla quale egli subito si piegò giocando coi sassolini e le sue due ciliege acerbe.

In un attimo il giardino fu devastato: Gigetto tagliava abilmente i carciofi sul basso del gambo, per prenderli a mazzo; Mario strappava addirittura le piante dei piselli e Assunta, con le mani insanguinate per la puntura delle spine stroncava i rami delle rose. L'avida Concetta correva qua e là come una volpe afferrando tutto quello che poteva: il sottanino rialzato le serviva di borsa e si gonfiava sempre più.

Persino i gatti che meriggiavano beati sotto le foglie tropicali delle piante dei carciofi balzavano spaventati e fuggivano. Solo le gentili rose e le stupide fave continuavano a dondolarsi al venticello come se il disastro non le riguardasse per niente.

Dio vigila però contro il male.

D'un botto una finestra si aprì, apparve un viso terribile, con una gran barba nera e due occhi di fuoco, e una voce tonò:

– Mettete giù tutto, mascalzoni. Subito giù o vi sparo.

Un'altra finestra si aprì: una voce di strega gridò:

– Aspetta, aspetta, adesso vengo io, canaglia!

I ladri se la diedero a gambe, lasciando il bottino.

E quando il dottore venne giù a precipizio trovò solo il piccolo cocco abbandonato sulla ghiaia del viale.

– Chi sei? Come ti chiami? – urlò.

Il bambino lo guardò di sotto in su, coi suoi occhi azzurrognoli di cornacchia, poi gli fece vedere le sue due ciliege mezzo rosicchiate; infine gli porse la manina perché venisse aiutato ad alzarsi.

E il dottore si mise a ridere: poi dovette mandare la serva a rincorrere i ladri per riconsegnare loro il povero piccolo cocco.

CHI LA FA L'ASPETTI

Mimmo e Momo avevano deciso di scappare in America. E volevano scappare, non dopo aver letto libri di avventure, ma perché loro due, che fino dalla nascita si erano sempre azzuffati, in un punto solo si trovavano d'accordo: nell'odio per i libri.

Figli di contadini arricchiti, erano stati mandati a scuola e dovevano diventare dottori, oppure, e questo è il più, veterinari o chimici. La faccenda andò benissimo finché si trattò delle scuole elementari. C'era da divertirsi: poiché i due bambini vivevano in piena campagna, in una grande casa colonica, e per andare a scuola dovevano percorrere una lunga strada, fra due larghi fossi d'acqua corrente che parevano fiumi. Vigne e campi e alberi, da una parte e dall'altra; nidi, rane, uccelli, e animaletti di tutte le specie. E poi i compagni, e gli avversari del paese vicino: e l'osteria a metà strada dove si trovava di tutto; caramelle, fichi secchi, *sucaroi* (castagne secche), grissini, un bel fuoco d'inverno e il gelatino d'estate.

Questa strada era dunque la stessa strada del paradiso terrestre. Spesso le borse coi libri istupiditi dal gelo o dal sole, si trovavano a giacere fra l'erba come cadaveri di borse ammazzate.

D'inverno, pare impossibile, il divertimento era maggiore: ci si fermava ad aspettare che il *caladon*, la primitiva macchina spazzaneve, coi suoi otto buoi fumanti, tracciasse un sentiero sulla strada coperta di neve; e quando il lavoro era iniziato, i bambini si attaccavano dietro al pesante triangolo tutto brillante di catene di ferro, illudendosi di esser loro a spingere in avanti la macchina. Poi venne l'era delle biciclette. Momo e Mimmo ne ebbero due eguali, da ottocento lire l'una; i genitori non badavano a spese, purché i loro figli diventassero dottori o, speriamo, veterinari o chimici.

Ma il bel tempo adesso era finito. Imparato a memoria «l'albero a cui tendevi la pargoletta mano», bisognava pensare al latino. E Mimmo e Momo dovevano filare in collegio. Fosse stato un grande collegio, in una grande città come Londra o Roma, o almeno come Parma. No, si trattava del collegio di Casalmaggiore, dalle cui finestre si vedono i contadini che vanno alla fiera, e in lontananza i campi coltivati dai genitori e la strada del paradiso oramai perduto.

Per questo, i due fratelli avevano deciso di scappare in America.

Essi volevano fare i contadini, come i loro padri, come i loro avi e gli avi degli avi fino al signor Adamo, quello che appunto era stato scacciato dal paradiso terrestre e s'era poi guadagnato il pane quotidiano col sudore della sua fatica.

– Noi venderemo le biciclette, al meccanico che sta di fronte al Collegio: poi prenderemo il treno e via – disse Mimmo; e tirò dalla piccola bocca rossa un bel fischio che parve una stella filante sul cielo notturno di agosto.

Momo era più piccolo ma più pratico. Fu lui che pensò al cestino con le provviste, e alle prime spese del viaggio.

Qui si deve sapere che nella casa dei contadini c'era di tutto; certe cose, però, poiché l'olivo, la pianta del caffè, quella del cotone e del ricino, non allignavano nei campi intorno, e le saline e i zuccherifici e le miniere di petrolio distavano alquanto, certe cose, dunque, bisognava comprarle in paese. I due ragazzetti, poiché le donne non uscivano mai di casa e gli uomini erano occupati nei campi, se ne incaricavano loro; Momo specialmente che era bravissimo a tirare il prezzo e scrupoloso anche del centesimo.

Dal manubrio della sua bicicletta pendeva sempre un cestino che partiva vuoto di casa e tornava pieno. Spesso si comprava anche il pane, poiché quello fatto in casa era troppo duro per i denti degli ospiti: e ospiti in casa non ne mancavano mai.

Ora, un giorno, la nonna dei due ragazzi, che era una donna molto tirata, e spesso alla notte non dormiva, preoccupata per il caro-viveri sempre crescente, provò un forte male al cuore perché Momo le fece sapere che il prezzo del pane era aumentato. Nientemeno che di dieci soldi al chilo, era aumentato. E pure il sale costava il doppio di prima.

– Se si comincia così, Dio sa dove si va finire. Il pane? Il sale? Ma allora tutto il resto aumenterà terribilmente.

– Proprio così, nonna, proprio così. Avevi ragione tu, ieri, nonna – disse Momo il giorno dopo, pensieroso e preoccupato. – Tutto è aumentato: il caffè, lo zucchero, il petrolio, i lucignoli; persino i chiodi: vedi, costano adesso due soldi l'uno. I più piccoli, eh?

– Dio, Dio, dove si andrà a finire? Verrà certo la rivoluzione.

– Speriamo di no, nonna, perché i primi a soffrirne saremo noi. Pensa, se vengono qui, i rivoluzionari, ci portano via le vacche e il maiale. Ci pensi?

La nonna allora si rassegnava. Meglio pagar caro il sale che rimetterci il patrimonio. E sborsava i soldi sospirando.

– Sai, Mimmo, – disse Momo al fratello, quando si trattò sul serio di fuggire, – ho messo da parte quasi novanta lire, in questi ultimi giorni, con la cresta fatta sulla spesa.

Poiché, voi l'avete indovinato, questo rincrudimento del caro-viveri, dipendeva unicamente da lui.

Venne il gran giorno. I due fratelli avevano già combinato la vendita delle biciclette, e portato nel pagliaio una vecchia valigia con biancheria, scarpe, un salame, due grosse pere, un piatto di metallo da vendersi in America, il lucido per le scarpe, filo, aghi, forbici. Di tutto si erano provveduti, lasciando a casa intatti i libri e i quaderni di scuola.

Li odiavano talmente, i libri, che non pensavano neppure a consultare l'orario delle ferrovie; tanto nelle stazioni si sa tutto, e domandando quale strada si deve prendere, si arriva anche al Polo Nord.

Per non commuoversi e non tradirsi, essi decisero di partire senza salutare nessuno: solo al cane, che, forse accorgendosi delle loro intenzioni, li seguì sulla strada, fecero un segno di addio. E fu tutto.

Il meccanico, col quale si era già stabilita la vendita delle biciclette, li aspettava sulla porta del suo negozio, accanto alla verina piena di oggetti luccicanti e misteriosi.

Era un uomo alto quanto la sua porta, con due lunghissimi

baffi rossi che ai ragazzi studiosi del Collegio ricordavano la calata dei barbari in Italia col re Alboino e i relativi feroci longobardi, i baffi dei quali dovevano essere così. Il meccanico, al contrario, era un bonaccione, uomo di coscienza, incapace di far male
a una mosca. Tanto è vero che sul prezzo delle biciclette, da lui
stesso un anno prima vendute, non aveva speculato di un centesimo. I due fratelli, già esperti negli affari, ne domandavano settecento cinquanta lire per ciascuna, e settecento cinquanta lire
per ciascuna il meccanico era disposto a sborsare.

Quando i due agili cavallini di metallo furono appoggiati
uno dietro l'altro alla parete del negozio, il meccanico aprì il
cassetto del suo banco e vi guardò dentro profondamente.

Il cuore dei due mascalzoncelli batteva di gioia: la mano
sudicia di Momo già si tendeva per prendere i denari.

– Ma ragazzi, – disse il meccanico, con la sua bella voce
baritonale, – non sarebbe meglio che i denari li prendesse vostro padre? Dopo tutto è lui che ha comprato le biciclette.

– Tanto più che io sono qui presente, – disse il padre dei ragazzi, saltando fuori dal retrobottega come il diavolo dalla scatola.

Qui bisogna spiegare quello che voi avete già capito: il
meccanico aveva avvertito il disgraziato padre delle perverse
intenzioni dei ragazzi: e il padre, senza affaticarsi a dar loro lezioni con o senza fiocchi, li prese uno per mano e li condusse
al Collegio. Non c'era che da attraversare la strada.

La valigia rimase in deposito dal meccanico.

Quando furono nel Collegio i due avventurieri piansero, di
rabbia s'intende, poi, appena furono soli ricominciarono a litigare e a bastonarsi.

Pianse anche la madre, quando seppe della loro ingratitudine; pianse anche la nonna. Ma il giorno dopo ella si consolò nel
constatare che il prezzo del pane e degli altri viveri diminuiva in
modo impressionante.

LA FANCIULLA DI OTTÀNA

Nell'antico paese di Ottàna vivevano sette fratelli, – tre bruni, tre biondi e uno albino – e tutti sette andavano così d'accordo che erano l'invidia dei vicini e persino dei loro stessi parenti. Allora uno di questi, più invidioso degli altri, invitò a caccia un uomo ritenuto nemico dei sette fratelli, lo condusse in un bosco, e là, mentre aspettavano che la luna tramontasse e il cinghiale scendesse a bere alla fontana, lo uccise e ne nascose il cadavere sotto una macchia di lentischio. I sette fratelli furono accusati di quest'omicidio, e dovettero scappare e farsi banditi, per non venir impiccati come veri assassini; ma anche nella disgrazia continuarono a volersi bene; e quando tre di essi dormivano gli altri quattro vegliavano. Gira e rigira, per boschi e foreste, finirono col trovare rifugio in un *nuraghe*[1] del Goceano. Il *nuraghe* del Goceano era ancora intatto, non solo, ma frugando negli angoli oscuri il fratello albino trovò freccie e coltelli di pietra, vasi di sughero come ancora adesso li usano i pastori sardi e cucchiai fatti con le unghie delle pecore. Un terrapieno sostenuto da grossi macigni, circondava il *nuraghe*: l'edera e il lentischio crescevano fra le pietre del misterioso rifugio. Là, dunque, i sette fratelli stabilirono la loro abitazione: di là partivano alla mattina presto, andavano a caccia, tornavano alla sera e mangiavano; poi mentre alcuni di essi vegliavano sul *patiu*[2] come sentinelle sull'alto di una fortezza, gli altri, prima di addormentarsi, raccontavano storie dei primi abitatori dei *nuraghes*, e l'albino sosteneva che questi erano stati gli Atlantidi, rifugiatisi in Sardegna mentre l'oceano sommergeva la loro terra misteriosa. E quando il fratello anziano riferiva le leggende sentite raccontare dal nonno, intorno a *Sardus pater*[3] e al tempio che gli antichissimi sardi gli avevano eretto, gli altri fratelli si levavano

---

1. Monumenti preistorici della Sardegna, che alcuni archeologi ritengono tombe, altri abitazioni o fortezze.
2. Il cortile del *nuraghe*.
3. Il primo colonizzatore dell'isola.

la berretta e ascoltavano con religiosa attenzione. Ognuno di essi aveva al collo, attaccata a una strisciolina di cuoio, una moneta con l'effigie di *Sardus pater*, che li preservava da sventura.

Dunque, un pomeriggio d'aprile, dopo aver infilato in sette spiedi di legno sette pezzi di carne di cinghiale che lasciarono accanto al fuoco acceso nel centro del *nuraghe*, i sette fratelli se ne andarono alla caccia del cervo. Al ritorno, verso sera, trovarono la carne di cinghiale già cotta, il fuoco acceso ancora, il *nuraghe* tutto in ordine, il *patiu* spazzato. Mancava però uno dei sette pezzi di carne di cinghiale già cotta. I sette uomini si guardarono meravigliati; cercarono attorno al *nuraghe*, ma non trovarono nessuno. L'indomani lasciarono accanto al fuoco sette *casadinas*[4], e al ritorno ne trovarono sei, e la casa in ordine e il cortile spazzato. Allora il terzo giorno, uno dei sette fratelli, e precisamente l'albino, rimase sdraiato in fondo al *nuraghe*, nascosto sotto una bisaccia. Gli altri sei fratelli se ne andarono a caccia; e tutto fu silenzio attorno. Accanto al fuoco, infilati nei sette spiedi sette *casizolos*[5] gialli e fragranti come pomi si cuocevano lentamente; dall'apertura del *nuraghe* entrava il vento d'aprile, profumato di puleggio e di rosa canina. S'udiva il rumore del torrente di monte Rasu, e il canto degli usignoli fra le quercie della foresta.

Dunque, l'albino stava per addormentarsi sotto la bisaccia, quando un lieve fruscìo destò la sua attenzione: qualcuno spazzava il *patiu*, e dopo un momento un'ombra oscurò l'ingresso del *nuraghe* e un lieve rumore di passi animò il silenzio del luogo. Allora egli si scoprì, e vide una fanciulla, piccola di statura, ma così ben fatta e così bella che egli sulle prime la credette una *jana*[6]. Ma al grido di spavento che ella diede, egli si accorse che era una povera fanciulla, anzi, proprio una fanciulla di Ottàna. Come qualunque altra fanciulla del mondo nelle sue circostanze la fanciulla di Ottàna s'inginocchiò piangendo ai piedi dell'albino, narrò che era nipote dell'uomo invidioso che aveva rovinato i sette fratelli.

---

4. Focaccie di pasta e formaggio.
5. Formaggelli.
6. Fata di piccola statura.

– Egli mi ha raccolto e allevato, perché io sono orfana. Ma adesso che ho quindici anni voleva sposarmi. Io gli dissi: no, non voglio sposarvi perché siete vecchio. Allora egli mi mandò in quel bosco, laggiù, con due servi che avevano ordine di uccidermi e portargli il mio cuore ed i miei occhi. Arrivati nel bosco i due servi trassero la *leppa*[7] ma non ebbero cuore di uccidermi. Quando non ebbero cuore di uccidermi, essi girarono un po' nel bosco e trovarono un daino: lo ammazzarono, presero il suo cuore ed i suoi occhi e li portarono al mio zio cuore di pietra. Io rimasi nel bosco, e gira e rigira mi trovai sotto questo *nuraghe*; entrai e presi la carne e spazzai il cortile. Adesso eccomi qui. Uccidetemi pure, se volete, ma non svelate al mio zio cuore di pietra che io sono viva.

L'albino volse la testa dall'altra parte, perché la fanciulla non si accorgesse che egli piangeva; poi gridò:

– Alzati e dimmi come ti chiami.

– Juannicca.

Egli gridò, più forte:

– Continua a spazzare e rattoppa questa bisaccia.

Juannicca allora si alzò e continuò a lavorare. Ed ecco, all'imbrunire, gli altri sei fratelli tornarono, neri e imbacuccati come fantasmi; sedettero attorno al focolare, mentre l'albino raccontava la storia della fanciulla Juannicca, e la fanciulla Juannicca, accocolata in fondo al *nuraghe*, tremava come una lepre spaurita. Ma l'anziano le disse:

– Be' dopo tutto siamo un po' parenti. Tu ci farai i servizi di casa, terrai acceso il fuoco, porterai l'acqua e noi ti considereremo come nostra sorella. Ma, ti avverto, lingua in bocca.

Allora Juannicca, lingua in bocca, non rispose: e tutti furono contenti del suo silenzio. E i giorni passavano, e i sette fratelli, quando tornavano al loro rifugio, al cader della sera, tacevano, sospiravano, guardavano le stelle scintillanti in cima alle querie, e anche sorridevano. Erano tutti e sette innamorati di Juannicca; e chi le portava in tasca una manata di perine primaticce, chi una lepre di nido, chi una *preda de ogu*[8] rinvenuta per caso

---

. Lungo coltello che i pastori sardi portano infilato alla cintura.
. *Pietra di fuoco*, rassomigliante al corallo.

nel greto del torrente, forse caduta dall'anello di qualche fanciulla che lavava.

Juannicca sorrideva a tutti i sette fratelli, e quando alla sera essi tardavano a rientrare, anche lei guardava dal *patiu* le sette stelle dell'Orsa Maggiore, fulgide sopra i monti lontani, e le pareva di vedere i suoi sette protettori.

Essi cominciarono a litigare, perché ciascuno di loro voleva sposare la fanciulla: l'anziano la voleva perché era il maggiore dei fratelli; l'albino la voleva perché era stato il primo a vederla, gli altri la volevano perché la volevano.

Finalmente decisero di non sposarla e di tenersela sempre come una sorella: e così il tempo passò, e passò l'inverno, e il canto del cuculo annunziò il ritorno della bella stagione. Juannicca domandava al cuculo:

Cuccu bellu 'e mare,
Cantos annos bi cheret a mi cojare?[9].

E il cuculo rispondeva con sette gridi melanconici; ma Juannicca scuoteva la testa, incredula, perché non sperava di potersi sposare così presto, in quella solitudine dove non c'erano neppure gli avvisi di matrimonio sui giornali.

Eppure un giorno, mentre ella stava sul *patiu* a scardassare un po' di lana, ecco che vede passare di là un giovine cacciatore a cavallo.

Era alto e bello, coi capelli lunghi svolazzanti come nastri di raso nero; e di sotto le folte sopracciglia i suoi occhi neri brillavano come stelle sotto le nuvole. Salutò Juannicca gridando:

– E cosa fai?

– Così sto! – ella rispose.

Guardarsi e innamorarsi fu la stessa cosa.

Egli ripassò il giorno dopo, e fu colpito dalla sveltezza di lei che già filava la lana scardassata. Al terzo giorno le disse:

– Se vieni con me ti sposo. Sono il figlio del Giudice[10] de Logudoro: tu, monta in groppa al mio cavallo e andiamo.

---

9. Cuculo bello del mare, / Fra quanti anni mi devo sposare?
10. Principe.

– Passa più tardi – ella disse. – Prima voglio spazzare la casa. Eppoi verrò solo a condizione che tu t'interessi di far graziare i miei sette fratelli.

– In coscienza mia lo farò.

Egli ripassò più tardi, e dal muraglione del *patiu* ella saltò sulla groppa del cavallo, cinse con un braccio la vita del cavaliere, e via di trotto.

Era una bella giornata di primavera: le cime verdoline degli alberi si disegnavano sulle nuvolette d'argento, e le macchie fiorite, l'asfodelo, il serpillo, l'alloro, il timo e la ginestra profumavano l'aria. Juannicca raccontava la sua storia e il cacciatore diceva:

– Io ho tre sorelle Grassia, Itria, Baingia, belle come tre garofani. Esse ti vorranno bene, e t'insegneranno a ricamare gli arazzi ed a suonare la chitarra; ma se ti vedono vestita così, con questo costume logoro, diranno: «La sposa del nostro fratello è una pezzente». Dunque, senti, io ti lascerò nel bosco sotto il castello del Goceano, e andrò a prenderti un bel vestito, e tu mi aspetterai senza muoverti.

Ed ecco apparve il castello posato come un'aquila sulla cima di una collina rocciosa. Le nuvole di primavera gli stendevano attorno un'aureola d'oro, i boschi di peri selvatici fiorivano ai piedi della collina. Il cacciatore disse:

– Be', Juannicca, non muoverti: ti porterò anche una collana.

Ella smontò e sedette sopra un sasso; ma appena il giovane fu lontano, ella sentì il gorgheggio di un usignolo e pensò:

– Ci dev'essere una fontana: voglio lavarmi per non entrare così sporca nel castello.

S'alzò, e cerca e cerca, questa fontana non si trovava mai: ma d'improvviso una donna alta e secca, coi capelli rossi e gli occhi verdastri, apparve nel sentiero e salutò Juannicca domandandole chi era e che cosa cercava.

Da tanti mesi Juannicca frequentava gente così buona che s'era dimenticata che al mondo esiste anche gente cattiva: ben lontana quindi dall'immaginarsi nella donna rossa una *maghiarja*[11], innamorata del giovane cacciatore, non esitò a raccontarle la sua storia.

---

11. Fattucchiera.

– Inutile lavarti e metterti un bel vestito se non ti pettini bene – disse la donna, frenando la sua rabbia. – Vieni che te li accomodo io, i capelli; te li ungerò con olio di lentischio e ti metterò uno spillone nella benda –. La trasse così fino ad una grotta, le unse i capelli, glieli acconciò all'uso delle dame, le avvolse la testa in una benda e fermò questa con uno spillone d'argento. E appena ficcato lo spillone, che era ammaliato, Juannicca cadde al suolo come morta.

Cadde al suolo come morta e rimase così sette anni.

Il cacciatore, non trovandola più, credette ch'ella, pentita d'averlo seguìto, fosse ritornata nel *nuraghe*: e per puntiglio non la cercò oltre; ma il dolore e l'umiliazione lo resero cupo e cattivo. Non usciva dal castello e proibiva alle sorelle di suonare e di cantare: diventato dopo qualche anno Giudice anche lui, proibì le feste e fece imprigionare le persone che lo adulavano. Tant'è vero che il malumore a volte rende gli uomini energici e saggi.

Dunque, le sorelle si annoiavano. Un giorno, andando nel bosco a cogliere asfodelo per intesserne cestini, cominciarono a parlar male del fratello, e tanto s'infervorarono che smarrirono la strada. D'un tratto cominciò a piovere; le sorelle si rifugiarono in una grotta e videro distesa al suolo una bella fanciulla che pareva morta. Era vestita di un rozzo costume, ma teneva i capelli acconciati all'uso delle dame, con la benda fermata da uno spillone d'argento.

Una delle sorelle disse:

– Voglio provare se mi sta bene questo spillone.

Ma appena lo trasse dai capelli della bella addormentata, questa si svegliò, e cominciò a piangere ed a chiamare il cacciatore. Allora le tre sorelle la sollevarono, la confortarono, la condussero con loro al castello. Il giovine signore sulle prime s'arrabbiò; poi sposò Juannicca, e quando ebbe sposato Juannicca fece graziare i sette fratelli, e diventò così felice che sorrideva persino quando gli adulatori gli dicevano le cose più sciocche di questo mondo.

IL VECCHIO MOISÈ

Quand'ero ragazzetta, avevamo in casa nostra un vecchio servo della Barbagia chiamato Moisè. Era il suo vero nome? Non credo; forse era un soprannome, perché realmente il vecchio rassomigliava al profeta Mosè, alto e bruno in viso com'era e con una lunga barba a riccioli; o piuttosto perché fra le altre cose egli sapeva fare certi scongiuri contro il malocchio, contro le malattie del bestiame, contro le formiche che rapiscono il grano dall'aia, contro i bruchi, le cavallette e i vermi, contro le aquile per impedir loro di rapire i porcellini, gli agnelli ed anche i bambini; e in quasi tutti questi scongiuri (in dialetto chiamati *verbos*, cioè *parole* misteriose) c'era un'invocazione a Mosè.

Moisè era vecchio ma robusto ancora e lavorava tutto l'anno; d'inverno custodiva i branchi di porci e di maialini che pascolavano e mangiavano le ghiande su per i boschi d'elci del monte Orthobene; ma tornava in paese per le grandi solennità, e specialmente il Natale voleva passarlo in casa dei padroni. Non era vecchio decrepito, volevo dire, ma a sentirlo parlare pareva che egli avesse almeno due millenni; tutte le storie che raccontava risalivano agli «antichi tempi» quando Gesù non era nato ancora ed il mondo era popolato di gente semplice ma anche di esseri fantastici, di animali che parlavano, di diavoli, di nani, di *bìrghines*, vergini che eran buone coi buoni e cattive coi cattivi e passavano il tempo a tessere porpora ed oro.

Quando Moisè tornava a casa per Natale noi ci affollavamo attorno a lui per sentire le sue storie. Egli sulle prime si faceva pregare; preferiva insegnarci ad arrostire tra la brage le ghiande, che si gonfiavano e diventavano rosse e saporite come castagne; e ci diceva che in certi paesi della Sardegna si fa anche il pane di farina di ghiande, al quale si mescola una certa argilla che lo fa diventare più saporito e consistente; poi a furia di preghiere e di occhiate supplichevoli, si riusciva a fargli raccontare qualche storia.

Seduti intorno al camino ove ardevano interi tronchi di quercia o intere radici di lentischio, nere e aggrovigliate come teste di Medusa, noi ascoltavamo attentamente. Era presto ancora per la grande cena, che si fa dopo il ritorno dalla messa di mezzanotte alla quale noi però non assistevamo perché la notte di Natale è quasi sempre rigida e nelle notti rigide i ragazzi devono andare a letto; ma per noi e per tutti quelli che volevano mangiare senza profanare la vigilia veniva preparato un piatto speciale, di maccheroni conditi con salsa di noci pestate, e con questo e con le storie di Moisè ci contentavamo. Egli dunque soffiava sul fuoco con un bastone di ferro; un bastone bucato che era poi una vecchia canna d'archibugio, e raccontava. «Quando nacque Gesù, – egli diceva, – la gente era buona ancora e senza malizia; ma appunto perché gli uomini eran ingenui e avevan paura di tutto, il mondo era infestato di esseri maligni. Allora esistevan le cattive fate, che potevan cambiarsi in animali e spesso andavano nelle case, sotto forma di gatti, di cani o di galline, e vi portavano sventura; allora esistevano i cavalli verdi, che portavano i proprii cavalieri nei precipizî; esistevano i vampiri, esistevano i serpenti e specialmente uno terribile che si chiamava *Cananèa*; ma sopratutto davan da fare ai buoni pastori e alle buone massaie i diavoli che prendevano aspetto umano e si fingevano anch'essi pastori e venivan riconosciuti solo dalle unghie attorcigliate o dai piedi simili a quelli dell'asino. Gesù venne al mondo per liberarlo da tutti questi esseri maligni, e specialmente dai diavoli; infatti adesso non ne esistono più; ma prima di sparire dal mondo, i diavoli e gli esseri maligni cosa fecero? Lasciarono qua e là oggetti così impregnati della loro malignità che gli uomini che li toccavano diventavano cattivi e tramandavano la loro cattiveria ai loro discendenti. In altro modo non si spiega la malvagità di certi uomini che sembravano diavoli davvero. Gli stessi giudei che presero e uccisero Gesù erano uomini corrotti dall'aver toccato qualche oggetto del diavolo, e i bambini cattivi dei nostri tempi vengono ancora chiamati diavoletti. Ad ogni modo gli uomini fanno ancora una gran festa per ricordare la nascita di Gesù, loro liberatore; presso i popoli ancora patriarcali, come quello della Sardegna, la festa comincia veramente dopo la mezzanotte, si prolunga fino all'alba, con canti, suoni, balli, e dura tutto il carnevale. In certi paesi la gente si porta da mangiare in chiesa, e dopo il "Gloria" tutti cominciano a sgretolare noci e mandorle; all'alba il pavimento della chiesa appare coperto di bucce di mele, scorze di arance, gusci di nocciole. In quasi tutti i paesi la gente si scambia regali, e fidanzati dànno alla sposa una moneta d'oro o di argento o mandano in dono un porchetto.

Quand'ero ragazzo, m'accadde un'avventura curiosa.

Mio padre era pastore di porci, e stava fuori di casa tutto l'anno, ma per il giorno di Pasqua e per Natale voleva immancabilmente tornare in paese. Finché fui piccolo io, egli in quei giorni faceva custodire il gregge da un servo; ma appena io potei aiutarlo egli mi condusse all'ovile, e la notte di Natale mi toccava di stare lassù, nel bosco umido e freddo, entro una capanna od anche dentro una grotta riparata dai venti e dalla neve, sì, ma nera e paurosa come le grotte delle leggende. Io non avevo paura, anche perché mio padre diceva che mi lasciava solo appunto per abituarmi ad essere coraggioso; ma nella notte di Natale mi sentivo triste, accasciato. Appena sera mi coricavo in un angolo, mi coprivo fino agli occhi col *manto*, lunga e larga striscia di orbace (panno sardo) che d'inverno noi pastori ci buttiamo sul capo e sulle spalle, allacciandola sotto il mento; e pensavo al Natale in paese. Ecco, pensavo, a quest'ora il fidanzato di mia sorella ha già mandato a casa nostra in regalo un bel porchetto dalla cotenna rossa, sventrato e riempito di foglie d'alloro, mia madre già prepara la grande cena, mentre mia sorella indossa il suo costume nuovo e mette in testa il suo cappuccio per andare alla messa. Arriva il fidanzato, con le saccoccie gonfie di arancie, di noci, di ciliegie secche; egli fa forza e si piega da un lato per tirar fuori tutte queste buone cose, le depone sulla panca accanto al focolare e dice: se il povero Moisè fosse qui! Serbategli questa mela cotogna che sembra d'oro.

Pensando a questo valente giovane io mi sentivo intenerire. Egli era di buona famiglia, ma non poteva ancora sposare mia sorella perché appunto la sua famiglia non voleva, essendo egli troppo giovane e dovendo ancora fare il soldato. Era allegro, burlone, aveva le tasche sempre piene di frutta secche, e per questo io gli volevo molto bene. Mio padre diceva che il fidanzato di mia sorella aveva in saccoccia più nocciuole che quattrini; ma io appunto lo preferivo così. Egli mi raccontava storie terribili, di banditi, di cavalli verdi, della Madre dei Venti, e mi piaceva anche per questo.

Una volta egli venne a trovarmi persino su nell'ovile, proprio all'antivigilia di Natale (mio padre era dovuto scendere in paese fin da quel giorno) stette fino al crepuscolo raccontandomi fiabe e storielle paurose. Egli mi diceva che i ragazzi non devono uscire di casa quando soffiano i venti, perché appunto allora la loro Madre, che gira assieme coi figli, porta via i viandanti deboli e gli esseri che non sono resistenti.

Verso sera egli se ne andò. Io rimasi solo, e sebbene la sera fosse calma avevo paura di uscire. Mi coricai sotto il *manto*, e cominciai a pensare alla festa dell'indomani notte. Mi pareva di veder arrivare a casa il fidanzato, con le saccoccie piene di frutta; le campane suonavano, le donne cullavano i bimbi cantando:

> *Su ninnicheddu,*
> *Non portat manteddu,*
> *Nemmancu curittu;*
> *In tempus de frittu*
> *No narat* tittìa.
> *Dormi, vida e coro,*
> *E reposa anninnia*[1].

La gente andava alla messa; e mi pareva di veder la chiesa illuminata da sette file di ceri e con gli altari adorni da rami d'arancio carichi di frutta. Al ritorno tutti sedevano sulle stuoie spiegate attorno al focolare, e la gran cena cominciava. Si mangiava il porchetto, il primo latte cagliato, il formaggio col miele; si beveva, si rideva.

Poi gli uomini anziani, seduti a gambe in croce attorno al fuoco, improvvisavano canzoni, e i giovani ballavano il ballo tondo: cominciava l'*impuddilonzu* (la festa dell'albeggiare), e tutti sembravano folli di gioia, tutti ridevano e cantavano perché era nato Gesù e il demonio doveva sparire dalla terra.

Io ero triste come una fiera sola nel bosco. Avevo undici anni ed era già il terzo Natale che passavo sul Monte; per me l'infanzia era davvero finita da un pezzo; eppure mi sentivo turbato come un bambino di cinque anni. A un tratto sento i maialini grunire nella mandria, o meglio nel recinto di macigni ov'erano riparati! Un ladro? Il cane però, un grosso cane che sembrava un

---

1. Il bambinello, / Non porta pannolini, / Nemmeno corsetto; / In tempo di freddo / Non dice «ho freddo». / Dormi, vita e cuore, / E riposa e fai la nanna.

.eone, legato ad un tronco d'albero, non abbaiava. Io ricordai le .struzioni ricevute da mio padre; quindi mi affacciai all'apertura della capanna chiamando «Basile» «Antoni» «Sarbadore» per far 'uggire il ladro, al quale, gridando quei nomi, volevo far credere di essere in buona compagnia. Allora anche il cane cominciò ad abbaiare, e pareva parlasse e accusasse qualcuno; io però, se non avevo paura del ladro, ripensavo alle storie raccontate dal 'idanzato di mia sorella, e non osavo avanzarmi.

La notte era fredda, ma limpida; la luna saliva sul cielo d'argento e ci si vedeva come all'alba. Io mi feci coraggio, presi 'archibugio lungo due volte più di me, e uscii sullo spiazzo; ma d'un tratto mi parve di vedere poco distante da me un gruppo di cinghiali guidati da un uomo nero e tozzo; ricordai allora che negli antichi tempi, prima che gli uomini fossero ma-iziosi, il diavolo pascolava alla notte le anime dei malvagi tra-sformate in porci selvatici, e con paura corsi a rifugiarmi nella capanna. Che volete? Ero anch'io senza malizia, allora, come gli uomini degli antichi tempi: la malizia cominciò a venirmi due giorni dopo, quando mio padre ritornò, contò i maialini e rovandone uno di meno mi bastonò. Per la vergogna io non gli avevo raccontato nulla, né della visita del fidanzato, né del-.e sue storie paurose, né del rumore sentito alla notte, né del mio terrore superstizioso. Egli credeva che io avessi lasciato smarrire nel bosco il maialino, e mi bastonò per questo: se avesse saputo della mia paura e del mio stupido terrore mi avrebbe bastonato lo stesso e si sarebbe beffato di me.

Ma chi cominciò a beffarsi di me, dopo quella volta, fu il fi-danzato di mia sorella. Eppure egli non sapeva e non doveva sa-per nulla. E solo anni ed anni dopo, quando egli era diventato un uomo serio ed io un giovine pieno di malizia, tutti seppero il segreto di quella notte. Il maialino lo aveva rubato lui, il fidanza-to, perché non aveva denari da comprarne uno; e l'indomani lo aveva regalato alla fidanzata, cioè a mia sorella. Era venuto su apposta, a raccontarmi le storie paurose, per impedirmi di usci-re alla notte: mio padre, che era allora vecchio e pacifico come un patriarca, quando sentiva raccontare questa storia si faceva rosso per la stizza, pensando che aveva mangiato il suo maiali-no rubato; e voleva alzarsi dalla stuoia per corrermi dietro e ba-stonarmi ancora!».

LA SCIABICA
(Storia per i più grandetti)

La passeggiatina dei due amici, lungo la spiaggia, venne fermata dall'impedimento di una grossa corda che alcuni pescatori traevano dal mare e portavano a forza di braccia e d schiena, indietreggiando, in fila a distanza di pochi passi l'uno dall'altro, su fino all'estremità dell'arenile.

Intorno alla schiena ciascuno di essi aveva un'alta cintura d corde intrecciate, fermata, davanti, in modo da non premere lo stomaco, da un bastoncino al quale era legata una breve cordicella; una specie di laccio, con l'estremità ad uncino, che aiutava la mano del pescatore ad afferrare e tirare con più forza la fune.

Questa cintura era il segno che tutti, vecchi, giovani, bambini, e una donna che pareva fatta di sabbia, e anche lei tirava con vigore, appartenevano alla comunità della barca nera e vecchia come quella di San Pietro apostolo, che, abbandonata a sé stessa, si gingillava con le ondine celesti lì davanti alla riva.

La corda non finiva mai: pareva che il mare ne fosse pieno. Tira e tira, arrivato in cima all'arenile, il primo pescatore della fila l'abbandonava sulla sabbia, e correva a riprenderla alla riva, agitando l'uncino della cordicella come un campanello: e così via via tutti.

A pochi metri di distanza, di lato, la faccenda si ripeteva: un'altra fune cioè veniva tirata, portata in su, abbandonata su mucchio già formatosi sulla rena e i tiratori si sostituivano a vicenda, in modo che parevano moltiplicarsi, come le comparse in teatro quando rappresentano una folla.

Della folla plebea essi avevano anche le caratteristiche vecchi, giovani, ragazzi e bambini, brutti tutti, arsi e scabri come pesci salati, eppure uno diverso dall'altro; con addosso tutt gli stracci immaginabili, nude però le gambe e i piedi di radica ed in testa berretti, cappelli, copricapi che ricordavano tutta la collezione dei funghi mangerecci e velenosi. Anche la donna aveva un fazzoletto giallo, messo in modo che la sua testa pareva un limone.

– Ma che fanno? – domandò il più piccolo dei due amici.

Il maggiore ne avrebbe saputo quanto lui se non fosse stato del posto: quindi fece sfoggio di erudizione.

– È la pesca alla sciabica, così si chiama la rete che sta laggiù nell'acqua e non si vede. Sciabica vuol dire rete da sabbia, perché non arriva dove l'acqua è alta. Questa pesca si chiama anche tratta, perché vedi come tirano.

– Eh, lo vedo bene – ammise l'altro, e s'incantò a guardare.

E gli vennero in mente i suoi genitori, che litigavano sempre, o almeno si lamentavano, per la mancanza di denaro, le difficoltà della vita e la durezza del lavoro quotidiano. Anche adesso che stavano per quindici giorni in riposo, per via di lui, Matteino, che aveva assoluto bisogno d'aria di mare, anche adesso non trovavano pace: anzi meno che mai, perché i soldi, diceva la madre, se ne andavano come portati via dal vento, e il padre replicava ch'era lei a non saper fare economia. Ma come si fa a fare economia quando il pane costa più che un tempo la torta, e i pomidoro si vendono come se il loro nome fosse autentico, ed un pesciolino, *mannaggia la miseria*, (quando è esasperata la mamma usa il linguaggio delle donne del mercato) te lo fanno pagare come se dentro le viscere ci avesse una perla.

Chi sa, invece, quanti pesci questi pescatori, che sembrano tanti zingari del mare, si mangiano in pace ed allegria.

Allegri, adesso, veramente non sembrano; e neppure in pace, perché anche essi questionano, l'uno con l'altro nella stessa fila, od attraverso lo spazio con quelli dell'altra, e sono urli, bestemmie, improperi, dei quali i più delicati sono «lasaròn» o «fiòl d'un can», e verrebbero forse alle mani se le mani indolenzite e ardenti non pensassero per conto loro a tirare la corda.

E la corda, rossastra ed oleosa come una salsiccia dura, si lascia tirare volentieri, pur dandosi l'aria di essere lei a trarre dal mare il peso misterioso della rete ancora invisibile.

Alcuni ragazzi bagnanti, che da lungo tempo assistono allo spettacolo, per puro spirito di solidarietà umana, o perché credono che il loro valido aiuto affretti l'opera, s'intruppano fra i pescatori e si mettono anch'essi a tirare. Ci si mette anche un signore in maglia e berretto da marinaio; un bel tipo di negriere coi denti, anche quelli di davanti, tutti d'oro. Ci si mette anche una signorina secca, vestita di verde come una cavalletta.

– Brava, brava – si grida intorno.

– Ma il pesce che pescano, a chi va? – domanda Matteino all'amico.

– Lo vendono, o se è poco se lo dividono fra loro. Una volta ne ho avuto pure io perché ho aiutato a tirare.

Allora un'idea luminosa guizza nella mente di Matteino: mettersi anche lui a tirare, e portare poi alla mamma affaccendata il suo berretto da bagno gonfio di pesci.

– Tiriamo anche noi, – propose all'amico, – ma questi fece una smorfia di diniego, anzitutto perché Matteino era così piccolo e mingherlino che pareva fatto di zolfanelli incrociati, poi perché quella volta, nel tirare la fune, s'era fatto le vesciche alle mani, e la serva aveva buttato via i pesciolini da lui portati a casa, non, com'egli affermava, ricevuti dai pescatori avari, ma raccattati fra gli scarti lasciati da loro sulla sabbia.

Intanto già fra le ondine celesti che pareva si prestassero graziosamente anche esse a spingere a riva la rete, si notavano primi segnali di questa, con l'apparire dei sugheri a galla: i pescatori adesso tacevano, tirando con più forza, col viso rischiarato dalla speranza. La donna di sabbia s'era fatta la più animosa quando veniva il suo turno di ricominciare, scendeva a precipizio dall'arenile e riafferrava la corda riversandosi indietro sulla sua cintura selvaggia, come se da quello sforzo dipendesse la salvezza della sua vita.

Fu dietro di lei, fra lei ed un omone rosso il cui sudore pareva sangue, che Matteino, avvolto anche lui da quell'atmosfera di speranza diffusa intorno, si mise a tirare la corda: e gli parve di essere lui solo a produrre la forza necessaria ancora a portare l'opera a compimento.

– Forza, coraggio, tira, tira, Matteino – diceva a sé stesso preso da un'ebbrezza che gli faceva dimenticare lo scopo meschino della sua impresa. Su, su, la sabbia gli sfuggiva di sotto i piedi, e in realtà egli si sentiva trasportato, fra l'omone forzuto e la donna tenace, come sospeso nell'aria.

La rete adesso la si vedeva uscire piano piano dal fitto delle onde; pareva un grande canestro di velo rosso merlettato di nodi di sughero e trapuntato di pagliuzze d'acciaio. Erano i primi pesciolini, che destarono un senso di pietà in Matteino. Poveri poveri pesciolini! Se ne stavano affacciati tranquilli ai finestrini della rete perché l'acqua ancora la riempiva; ma arrivati sulla

abbia, nel sentire l'orrore della loro sorte, cominciarono a spic-
are salti e a contorcersi, inarcandosi come anelli d'argento, riu-
cendo qualcuno a balzar fuori dalla sua prigione.

– Se però tutta la pesca è qui, stiamo freschi – pensa Mat-
eino; e vede anche il viso diabolico dell'amico sogghignare di
cherno.

I pescatori invece erano tutti animati da una silenziosa leti-
ia; il loro viso splendeva come se il sole sorgesse dal mare.
entivano il peso della rete; e più degli altri poteva sentirlo la
donna perché sotto l'arco del suo fazzoletto gli occhi d'ambra
fulgevano simili a quelli di un cane da caccia.

Anche l'aitante negriere, con la sua California[1] in bocca,
orrideva soddisfatto, quasi fosse lui il padrone della pesca.

Adesso una folla di curiosi s'era stretta lungo le corde, co-
ne quella che assiste allo sbarrato passaggio di un corteo rea-
e: altri ne venivano, e si vedevano le lunghe gambe rosee del-
e donne seminude avanzarsi quasi danzando sullo sfondo
zzurro del mare.

– Terra, terra – gridò un monello.

E tutti a ridere, a spingersi, ad ammucchiarsi sulla riva.

I pescatori sollevavano e agitavano i lembi della rete, per-
hé i pesciolini ne rimbalzassero e restassero in fondo; la donna era la più svelta e feroce nella faccenda; staccava dalla rete i
;amberetti disperati e li masticava vivi; altrettanto avrebbe fatto
:oi bambini molesti che respingeva coi fianchi gridando:

– Via i burdel, via i bambini.

Fra le piccole triglie, le sardine e i bianchi naselli distinse il
)esceragno, la tarantola del mare, e presolo per la coda lo sep-
)ellì nella sabbia e lo schiacciò col piede.

Quest'atto di apparente crudeltà cominciò ad indisporre Mat-
eino. Aveva anche lui abbandonato la corda per mettersi in prima
ila fra gli spettatori, e aspettava la sua porzione, quando invece si
entì respinto quasi con violenza da due pescatori che portavano
ina dentro l'altra due ceste vuote ancora brillanti di scaglie.

– Permesso, permesso, largo, signori.

– Via i burdel.

– Via, bambini, avete capito?

. I suoi denti d'oro.

La rete veniva su, su, sempre più larga, con la sua immensa bocca coi denti di sughero spalancata, e dentro un rimescolamento luminoso; pareva avesse pescato tutti i tesori del mare. Anche l'amico di Matteino non sogghignava più; poiché molte pesche alla sciabica egli ricordava, ma nessuna abbondante come questa.

Attorcigliati anch'essi e presi da una furia infernale, i pescatori agitavano in dentro i lembi della rete; e in fondo a questa pesci si ammucchiavano, crescevano, crescevano, come se la disperazione stessa li facesse moltiplicare.

Una prima cesta, portata da due pescatori e scaricata sulla sabbia con rapidità veramente fulminea, destò un grido di ammirazione intorno. Si ebbe l'impressione che un lampo fosse caduto sulla rena e vi si agitasse, inchiodato da una forza superiore alla sua: poi un'altra cesta, un'altra, altre ancora. I pescatori adesso ridevano come ubbriachi: la donna di sabbia s'era strappata di testa il fazzoletto, per riempirlo di pesci.

Sulla sabbia, fra il cerchio degli spettatori quasi sbalorditi, la macchia lampeggiante si allargava tremolando, come fatta di mercurio, e lo schioppettìo dei pesciolini, rimbalzati e urtati fra di loro dalle convulsioni della morte, ricordava quello del fuoco.

Tutto lo splendore tumultuoso del mare pareva si fosse riversato sulla rena, e il mare ne restava come impallidito.

Allora Matteino pensò ch'era giunta l'ora del compenso della sua fatica: già altri ragazzi spigolavano i pesci rimasti qua e là e scappavano svelti come grandi ladri. Egli s'era già tolto il berretto da bagno, ne aveva allargato l'elastico, e cominciava a buttarvi piccole manciate di pesciolini che gli sfuggivano fra le dita come spilli.

Già vedeva il viso sorridente della mamma, già i begli occhi glauchi di lei lo guardavano dal fondo del berretto. Ma sentì anche lo scottante ceffone del babbo.

– Lazzarone, figlio d'un figlio di un cane, lascia stare lì la roba che non è tua.

Queste parole stridenti erano accompagnate da scapaccioni a confronto dei quali quelli che di tanto in tanto gli prodigava il babbo, sembravano carezze. Era la donna di sabbia che glieli regalava; ed egli dovette fuggire carponi fra le gambe degli spettatori, davvero come un figlio di cane, col berretto fra i denti, per salvarsi dalla furia di lei.

LA VIGNA SUL MARE

La principessa stava nel suo salotto da lavoro, tutto parato di damasco azzurro, e si divertiva a confezionare fiori di carta.

Le riuscivano perfetti, tanto da sembrare veri. Rose di maggio, grandi e molli, nel loro classico colore di aurora; garofani carnosi, rossi, o screziati d'ocra e di viola; camelie bianche, lucide e come congelate: ella non faceva altri fiori, ironicamente pensando che questi fossero i più aristocratici, convenienti a una dama del suo rango. A mano a mano che le sue piccole dita, senza altre gemme che quelle delle unghie puntute, completavano i gambi e le foglie verdi, delle quali arricciavano o raddrizzavano le cime, ella collocava i fiori in un grande vaso di ceramica, che pareva fatto di un'onda marina, deposto su una mensola davanti alla vetrata del salottino: ed ogni volta, attraverso i cristalli nitidissimi, dai quali aveva allontanato le tendine mobili come sportelli di velo, vedeva il giardino e il parco sotto il castello; e di là dal parco i campi e le vigne del principe suo consorte.

Nel giardino fiorivano a migliaia le rose di ogni colore, e le aiuole simmetriche, sul fondo dorato dei viali ghiaiosi, erano così fitte di fiori di tutte le gamme dell'iride, che da lontano sembravano mosaici bizantini. Eppure la principessa si ostinava intorno alle sue parodie di rose, senza sentire il bisogno di scendere nel giardino, e tanto meno di inoltrarsi nel parco, o di uscire nelle vigne smeraldine, dove le file dei peschi e dei peri scendevano in belle processioni giù verso il fiume in fondo alla collina.

Fu picchiato lievemente all'uscio.

– Avanti.

La sua voce era aspra, quasi stridente come quella degli adolescenti nell'epoca in cui appunto cambiano voce.

Apparve, in vestito nero da mattina, sbarbato di fresco, anzi ancora incipriato, coi nerissimi capelli azzurrognoli di brillantina, un servo che pareva un gentiluomo.

– Eccellenza, la sua signora nonna desidera di salutarla.

– Ma che venga – disse lei, infastidita e indifferente nello stesso tempo.

Non aveva sollevato neppure le ciglia: ancora non riusciva a capire il perché di tutte quelle smorfiose cerimonie; non le capiva, sebbene oramai ci fosse abituata, e la prima ad esigerle fosse appunto lei.

Entrò, silenziosa come un fantasma, una grande vecchia tutta nera, tranne il viso bianchissimo: anche le labbra erano senza colore, e quando le socchiuse, dopo aver baciato in fronte la nipote, apparve il candore dei denti falsi.

– Come va?

– Benissimo, nonnina: mettiti a sedere.

La vecchia sedette, quasi alle spalle della principessa, che non smise il suo lavoro, continuandolo anzi come una faccenda urgente, e la guardò fisso, scuotendo la testa. La maschera marmorea del suo viso grande e rugoso si fece tragica: gli occhi si tinsero di una luce azzurra; luce, però, di tristezza e di pietà.

Così, di scorcio, vedeva il collo lungo e infantile della nipote, tale quale era dieci anni prima, nel tempo dell'adolescenza; ed egualmente bianco e puro: gli stessi capelli corti, a onde nere e dorate, la guancia che ricordava un frutto più bello del pomo quando comincia ad arrossare.

Tutta la figura agile, ancora un po' acerba, sembrava quella di un paggio: e la nonna avrebbe certo preferito vederla muoversi, giù nei viali del parco, a giocare, a rincorrere un cane, magari a tirare una freccia; tutto, fuorché così, piegata a combinare quei fiori morti, di cattivo gusto.

Domandò, quasi irritata:

– E tuo marito?

– Ah, già! Non lo so dov'è andato oggi.

Ella cadeva sempre dalle nuvole: non si ricordava mai di nulla; non s'interessava di nessuna cosa al mondo. Un tempo non era così.

La nonna cominciò a sdegnarsi sul serio. Tirò in avanti la sedia, aprì il lieve cappotto di seta sul collo magro e forte; e cercò gli occhi della principessa: ma questi rimasero nascosti sotto le lunghe ciglia arricciate in su: e solo agli angoli s'intravedeva una scintilla verdognola.

– Ma ti interessano tanto, questi fioracci? – domandò la vecchia, tendendo la mano tutta rughe tremule, quasi a voler sottrarre le carte colorate dalle quali la nipote ritagliava i petali e le foglie. – Ne hai tanti, di veri, in giardino; – proseguì, abbassando la voce, – perché non scendi in giardino? Non hai occhi per vedere che giornata è? Perché non scendi in giardino? – ripeté, di nuovo alzando la voce, come parlasse ad un sordo.

– Non mi va.

– Si potrebbe sapere che cosa è che ti va? Non hai mai voglia di niente, mentre un tempo avevi tutti i capricci e i desiderî del mondo.

– Allora ero signorina: adesso sono signora, anzi eccellenza.

Non c'era sfumatura d'ironia, né di rancore, nella sua voce asprigna; c'era una semplice constatazione di fatto.

La nonna ebbe voglia di darle un volgarissimo ceffone: ma aveva anche lei soggezione dell'ambiente. Soggezione e rispetto. E, forse anche per questo, spiegazzò qua e là le carte colorate, tentata di strapparle: l'altra lasciava fare, inaccessibile.

– Ma via, Alys, questo si chiama offendere il Signore. Egli ti ha concesso tutto, nella vita, e tutto tu disprezzi.

– Ma no, nonnina; sei tu che sei nervosa, oggi. Io non disprezzo niente.

– Sì, che disprezzi la tua fortuna. Ricordati come eravamo: povere, sotto la nostra apparenza decorosa: e sole, nella nostra bicocca laggiù, – accennava al paese, in fondo alla collina, dal quale ella veniva, – senza l'aiuto di nessuno: eppure tu eri un raggio di sole, non per me, ma per te stessa. E studiavi; e tante cose volevi fare. Dicevi che aspettavi anche il Principe Azzurro. E il principe venne, Alys...

Alys fece finalmente una smorfia: da vera monella.

– Anzitutto ti prego di chiamarmi col mio nome di allora: Alice. In quanto al principe, fu poco azzurro; ma non importa.

– Volevi forse davvero quello della leggenda?

– Oh, no, davvero, – ella replicò, imitando la voce della nonna, – sarebbe stato così noioso. Sandro, invece... rassomiglia a Gianciotto Malatesta.

E rise; come se il ricordo del marito zoppo la divertisse sopra tutte le cose.

Chi non si divertiva era la nonna.

– Tu non devi parlare così di lui. Dopo tutto sei stata tu, a volerlo sposare: ed egli ti ha sposato per solo amore: ed è un bravo uomo, che, sebbene ricco, lavora e vive per la famiglia.

Che volevi, dunque?

– Nulla – rispose la principessa, allungando le sillabe come per significare: «adesso basta; tutti i giorni la stessa canzone».

Allora la nonna cambiò tono: si fece ancora più triste, di una tristezza sincera e abbandonata; e si piegò, oramai stanca della sua inutile e forse inumana severità.

– Nulla, hai ragione. Non vuoi nulla perché non puoi avere più nulla. Ma tu non sai, bimba, quanta pena mi fai. La tua vita non è lieta, non è piena. Tu non ami il povero Sandro, mentre lui è innamorato di te per l'eternità; ed è geloso appunto perché sa benissimo che tu non lo ami; e ti tiene lontana dal mondo, in questa solitudine splendida, buona per due che si amano, ma non per voi.

Queste parole la nonna le disse solo a sé stessa: a voce alta proseguì:

– Scusa se continuo la predica. Tu, ripeto, devi riconoscere che nessuno ti ha forzato a sposare il principe. Lo hai attirato tu, anzi, l'hai scelto, l'hai voluto. Per ambizione, per spirito di sacrifizio? Forse anche per questo, per risollevare il nostro nome, per darmi una bella vecchiaia. Lo riconosco, e ne provo pena e rimorso. Ma il tempo muterà le cose. Anche due sposi che si amano, cessato il periodo della passione, finiscono col diventare due semplici amici, due compagni. Anche tu finirai col voler bene a tuo marito. Lo merita. Allora le cose cambieranno.

La principessa aveva finito una rosa, alla quale non mancava che la rugiada, per essere eguale a quelle del giardino. La sollevò in alto, contro luce, sullo sfondo della parete, che pareva un cielo dipinto: le sorrise, con la punta dei piccoli denti da rosicante, con gli occhi verdi e tristi; poi diede un grido di gioia. E sembrava il grido dell'artista che ha compiuto un capolavoro, mentre era il cuore della donna disillusa, che, alle promesse confortanti della nonna, rispondeva con un sogno crudele:

– Egli è vecchio e morrà: allora il mondo sarà mio.

Il cameriere bussò di nuovo; di nuovo la sua lisciata figura di gentiluomo apparve nella cornice bianca dell'uscio, sullo sfondo della sala attigua tutta foderata di tappeti e di stoffe di seta.

– Eccellenza, è arrivato il pacco di Parigi.

Di questo pacco se ne doveva essere parlato parecchio, perché egli diede la notizia con una certa soddisfazione, come se l'arrivo dipendesse solo da lui. La principessa non dimostrò né gioia né sorpresa; ma balzò in piedi, dimenticando immediatamente i suoi fiori. Disse:

– Mandatemelo con Annarosa.

Era la cameriera sua particolare: giunse silenziosa, col pacco. Alta, imponente, bruna come una mora, vestita di azzurro, pareva una balia con un neonato fra le braccia. E il pacco, quasi davvero contenesse qualche cosa di vivo, fu aperto con somma precauzione. Annarosa tagliò lo spago, con le forbici che trasse di tasca, e assieme alle forbici ve lo cacciò dentro; poi fu svolta una prima carta: tagliato un secondo spago, aperta una seconda carta: infine apparve una scatola, e dentro la scatola un paio di scarpette d'oro. D'oro vero, parevano; annidate fra batuffoli di carta velina; e le tre donne, compresa la vecchia, le guardarono con ammirazione. Tuttavia la nonna, con la sua solita rudezza foderata di bontà, domandò a che servivano.

– Sono scarpette da sera, se non mi sbaglio.

E la principessa fu per rispondere che le servivano per mettersele ai piedi; ma ella usava contenersi davanti ai domestici, fosse pure quest'Annarosa fedele, i cui occhi di cane la guardavano sempre con festa e con protezione, senza chiederle altro che di lasciarli solo guardare.

– Proviamole un po' – disse, passando nello spogliatoio, che comunicava col salottino da lavoro e con la stanza da letto. Del resto, anche lo spogliatoio, con un paesaggio meraviglioso alla finestra, pareva anch'esso un salotto: tappeti, armadi lucenti, mensole, divani, specchi che si riflettevano all'infinito: e ceramiche e fiori in ogni angolo.

Annarosa s'inginocchiò davanti alla padrona, e poiché questa si era già rapidamente tolta una scarpa con la punta dell'altra, osservò con umiltà tenera ma anche austera:

– Sua eccellenza sa che a far così le scarpe si rovinano.

– Non importa – scappò detto all'altra. Che gliene importava, infatti? Aveva a sua disposizione tutte le scarpe del mondo, se le voleva. O almeno così le sembrava.

Tanto che queste qui l'annoiarono subito: erano larghe, erano dure. Annarosa gliele calzava con delicatezza, come fossero guanti: le lisciava sopra il piede, e questo piede, così piccolo e lucente, dentro quell'astuccio d'oro, le pareva proprio un gioiello. Insisteva, col suo accento basso, immutabile:

– Eppure a me pare che le vadano bene.

Allora la principessa scattò davvero: ritirò bruscamente il piede dalla mano della donna; e mentre la scarpina cadeva sul tappeto come una foglia d'autunno accartocciata, a lei parve che la gioia effimera provata nel ricevere la bella calzatura, le cadesse egualmente dal cuore.

Annarosa le rimise la scarpina usata, prese quella nuova, raccattò l'altra; e si sollevò, stringendosele al petto, quasi volesse salvarle da un pericolo: poi fissò la padrona, con occhi mutati, lucidi, adesso, quasi cattivi. Anche la sua voce risonò più alta, grossa e severa: disse:

– Sua eccellenza, oggi, è nervosa.

La principessa non si offese; anzi ricambiò rapidamente lo sguardo della donna; lucido e cattivo sguardo anche il suo, che significava: «Tu mi vuoi bene, lo so, villana ubriacona; ti faresti uccidere per me; ed io pure, a volte, credo di volerti bene, di essere quasi protetta da te: ma so che vuoi bene nello stesso modo a mio marito, che ti ha messo qui per sorvegliarmi, e quando penso a questo ti odio».

S'alzò, e quasi di volo tornò nella saletta dove la nonna sfogliava una grande rivista di mode.

– Alys, come vanno le scarpette?

– Benissimo. Le metterò questa sera. Pranzo al castello. Scendiamo in giardino? – Pareva volesse scendere in giardino, uscire all'aria aperta, per non pensare al pranzo grottesco, al quale, come al solito, avrebbero assistito il Podestà, il Segretario del Comune, il Dottore, il Cavalier Barbini, e, per completare la compagnia, forse anche il signor Arciprete.

Con passo rapido precedette la nonna, attraverso la sala dorata Primo Impero, poi in quella scura e verdone, con autentici mobili del Cinquecento, poi nel vestibolo decorato di quadri moderni: una scala di legno, lievemente in curva, scendeva al piano nobile, dove erano le sale da pranzo e da ricevere.

– Nonnina, ti dò il braccio?

La nonna fece una mossa che ricordava quelle della nipote: non aveva bisogno di aiuto, lei! Alta, in apparenza scarna, quando sollevò in avanti le vesti, per scendere senza fretta le scale, lasciò vedere due gambe potenti che rivelavano tutta l'ossatura ferrea del suo corpo di vecchia guerriera.

Al piano nobile la scala finiva. Dal grande vestibolo si andava giù, dolcemente, per una china serpeggiante, lucida, che ricordava non so che favolosa strada di collina. Cordoni rossi accompagnavano la balaustrata, e ad ogni svolta, nei grandi finestroni ad arco, appariva il viso della primavera, col suo cielo alto che rifletteva come un cristallo la luminosità del parco, delle vigne, dei prati sereni.

Un cane lupo, che senza il suo caldo fremito e l'ansito di gioia, sarebbe parso di bronzo, aspettava la padrona nel portico. L'aveva sentita uscire dal suo appartamento e scendere le scale; e parve farsi più alto quando ella aprì la porta. Anche lei si rallegrò tutta nel vederlo.

– Come va, Ludovico?

Il saluto umano, la lieve carezza della padrona, scaldarono il sangue del cane come quello di un innamorato: ma i suoi occhi dorati chiesero di più, sebbene umilmente.

– Su, – ella disse, – diamoci un abbraccio; poi faremo una corsettina.

Il cane mugolò di felicità: si drizzò, mise le zampe anteriori sulle spalle della padrona; la sua lingua cremisi le sfiorò il mento: pareva volesse baciarla in bocca; ma ella non concedeva libertà neppure a quel suo solo vero amico.

– Giù, signorino.

Poi fu lei ad iniziare la corsa. Il giardino non era grande: formava come una terrazza, a mezzogiorno, davanti al castello; una fantastica terrazza cinta di nobili balaustrate di pietra, con statue, fontane, vasi di fiori agli angoli: la principessa percorse in un baleno il viale centrale, senza quasi toccare la sabbia, come una grande libellula: scese a precipizio la scalinata che saliva dal parco e sparve nell'ombra scintillante dei pini e delle querce: e con lei il cane.

La nonna era ancora a metà del giardino. Il suo grande viso d'avorio si coloriva al sole; gli occhi prendevano un po' di tutto quell'azzurro e quel verde intorno. Era contenta che la nipote si fosse scossa, ma sentiva che anche in quel movimento vertiginoso c'era esasperazione e artificio; e sopratutto ansia di stordimento.

Piano scese la scalinata, si fermò dove le ombre dei pini s'incrociavano sul viale vellutato di musco. In fondo, nel muro di cinta, tutto coperto di edera, si apriva una specie di finestrone, che guardava sulle chine sottostanti: e sullo sfondo del vano celeste, come correnti per aria, ella vide passare la principessa e il cane. Avevano già percorso tutto il viale di circonvallazione del parco che cingeva la spianata sotto il castello: e i capelli di Alys e la coda di Ludovico spazzavano il cielo con lo stesso movimento di gioia. La nonna brontolò:

– È pazza: pazza da legare. La fortuna le ha dato alla testa.

Ma sapeva bene di mentire a sé stessa: e riprese a camminare sulle ombre dei pini, sull'orlo dei prati di trifoglio che sembravano laghetti, finché arrivò al finestrone: sedette in una delle nicchie che lo fiancheggiavano, e in attesa che la nipote si stancasse, guardò le vigne e i frutteti del principe.

Tutto vi era ben tenuto, ricco di promesse: i contadini che vi lavoravano, secchi, risucchiati dalla loro fatica, col profilo arrotato dalla volontà del guadagno, pareva scavassero oro e gemme: per loro e per il padrone.

Ma ecco la principessa pazza tornare da sola: il cane si era stancato prima di lei. E lei ansava, anelante, come una cerbiatta che si salva dalla caccia: si buttò ai piedi della nonna e le affondò la testa fra le ginocchia dure. Voleva dire qualche cosa, e non le riusciva. E la nonna le mise la grande mano ossuta sulla testa scarmigliata, sui capelli ardenti e umidi di sudore, come quando Alys bambina aveva la febbre.

Ma subito la principessa si riebbe, si sollevò, scosse indietro i capelli. La corsa le aveva fatto bene: tutta la sua giovane carne sana palpitava di vita, e gli occhi le sfolgoravano di speranza. Balzò in piedi, e tirata su quasi con violenza la nonna, la costrinse a camminare con lei.

– Nonnina, lo so che mi credi matta. Lo dice anche lui, Sandro: ma vi sbagliate. Vi farò diventare io matti da legare.

– Oh, questo lo sappiamo già – ammise la nonna; e ne pareva tanto convinta, tanto accorata, che la nipote le prese il
braccio, e glielo strinse forte, scuotendola dal vago terrore che,
sia pure comicamente, traspariva dalla sua voce.

– Ma non senti che scherzo, nonna? Vedrai che, invece,
metterò giudizio. Non è facile il mestiere della principessa
quando non ci si è nati. Come vuoi che un povero, anche se
diventa ricchissimo, possa svellersi dal corpo le sue abitudini
di bisognoso? Tu sì, nonna, sei stata e sei sempre una gran signora, perché tale sei nata; ma io? Non ricordi che mio padre
era un impiegato modestissimo? Toccherà ai miei figli rifarsi di
tutto. Io, in fondo, odio il lusso, le etichette, quei mascalzoni di
domestici, che sono tanti nemici. Ma vedrai che a tutto mi abi-
tuerò. Intanto, questo prossimo inverno, io qui non ci sto davvero: voglio andare in città e divertirmi.

– È così che intendi mettere giudizio? E poi bisogna vedere
se tuo marito te lo permette. E in fondo, senti, amore mio, egli
ha ragione, a tenerti a freno.

– Va bene, va bene – ella disse con ironica accondiscendenza. – È quello che vedremo.

Intanto avevano ripreso a camminare sotto braccio, lungo
il tappeto di musco che copriva il viale. Quanti uccelli sugli alberi! Il fruscìo ininterrotto, quasi scrosciante, dei loro pigolìi,
era solo dominato dal canto degli usignoli che accresceva freschezza alla terra e al cielo. Anche l'edera del muro, i tronchi
dei pini e delle querce, l'erba dei prati, erano animati di lucertole, di farfalle, di insetti: la perla scarlatta, punteggiata di nero,
della mite coccinella, sembrava il cuore delle foglie, e le innumerevoli formiche che trascinavano le travi dei pinoli, davano
l'idea di un popolo occupato in una misteriosa costruzione.

Ogni tanto i finestroni del muro si aprivano sul paesaggio
circolare alla cui estrema linea pareva brillasse il mare. La nonna diceva:

– E poi ci sono tante cose belle, che riempiono la vita.
Quando eri fidanzata dicevi: voglio studiare musica, voglio imparare a dipingere, voglio scrivere un romanzo. E saltavi per la

gioia, dicendo queste cose. E mentre in quel tempo stavi intere notti a leggere, adesso non apri più un libro; non leggi, credo, neppure i giornali.

– Che me ne faccio, dei giornali? Tutte frottole. E il romanzo non l'ho già scritto? *Dall'ago al milione*: solo che il romanzo intitolato così è fantastico, mentre il mio è vero. E poi, chi ti dice che io non leggo? Leggo, scrivo, dipingo, ricamo e faccio fiori... Sono, insomma, come questa farfalla bianca, la vedi? che vola di fiore in fiore. Solo che i miei fiori, come quelli di Mimì, non hanno profumo.

E rise, e poi si rattristò: poi di nuovo scosse indietro i capelli, come fossero solo essi a infastidirla. La nonna non replicò: guardava però la farfalla bianca che andava di fiore in fiore e vi succhiava dentro e spariva nell'ombra, e riappariva nel sole, folle di vita; ma che non era una sola, come sembrava, sibbene due, eguali: a volte si accoppiavano, sullo stesso fiore; e il fiore e le farfalle felici sembravano una cosa sola, come una trinità divina.

Ella invece era sola, e peggio che sola, la principessa senza amore; questo il mistero della sua vana giovinezza, della sua vuota ricchezza, che la spingeva a succhiare il veleno delle sue rose finte.

E lei lo sapeva; e più di lei lo sapeva la nonna.

Quando furono davanti all'ultimo finestrone, a destra del grande cancello del parco, e giù del poggio apparve il paese grigio che un tempo era stato feudo del castello, e in qualche modo ancora lo era, poiché gli abitanti vivevano esclusivamente dei lavori delle terre del principe, la nonna, per consolare la nipote, e sopratutto consolar sé stessa, disse timidamente:

– E poi avrai dei figli.

Credeva che Alys sghignazzasse, respingendo la profezia: invece anche lei ci pensava; e un brivido di speranza le tremò nella voce quando rispose:

– Speriamo.

– Oh, oh, ecco Sandrone – gridò poi, sporgendosi dal finestrone: e cominciò a sventolare il fazzolettino, che parve farsi anch'esso vivo e allegro come una grande farfalla.

La nonna, invece, si ritraeva. Sebbene il principe la trattasse con grande rispetto, ella non amava farsi vedere da lui. L'amore di lui, come quello di lei, era tutto concentrato nella principessa: ed entrambi si evitavano, come due pianeti che girano intorno allo stesso astro.

Ma di lontano, dal pescheto dove i contadini schizzavano una poltiglia scura sui tronchi delle giovani piante, egli aveva già veduto la vecchia signora, e pensava, rallegrandosene, che l'insolito saluto che Alys gli rivolgeva era certamente dovuto alla buona influenza esercitata su lei dalla nonna. La principessa, però, gli aveva già volto le spalle, e pensava ad altro. Il cane era riapparso, dalla parte opposta del viale, e si avanzava timido, con la coda bassa, colpevole di qualche cosa.

– Ho già capito, – ella disse, con cenni di rimprovero, – hai giocato con Renzo.

Questo Renzo era il figlio undicenne del portiere del castello. Ecco che appunto usciva dalla portineria, a fianco del cancello, tentando di evitare le due signore. La principessa lo chiamò: egli parve trasalire; poi si avanzò, anch'esso timido e quasi spaurito.

Arrivato davanti alla padrona, evitando di guardare il cane, come il cane evitava di guardare lui, si fermò dritto, impalato, in attesa di ordini.

– Perché non sei andato a scuola, oggi?

La voce di Alys era quasi materna, e quindi anche sospettosa e inquisitrice; ma il ragazzo aveva la scusa già pronta, la stessa adottata per suo padre.

– Il maestro è malato.

– Non è vero, – disse lei con impeto: – è che non hai voglia di andare a scuola: preferisci giocare con Ludovico.

– È lui, che è venuto a cercarmi…

Il cane scosse la coda, con assentimento: la principessa riprese:

– E adesso, dove vai?

– Mah, così! Giù, al fiume, dove c'è un mio amico che pesca.

Ella ebbe voglia di proibirglielo. Già, pesca di bella giornata, di raggi di sole dentro l'acqua corrente, di sogni di adolescenza. Vai pure, ragazzo, goditi la tua mattinata di libertà rubata: tu sei povero, sei figlio di servi, eppure sei più ricco e libero della principessa tua padrona. Ed ella lo congedò, con un gesto altero, che nascondeva l'invidia.

Poiché anche lei aveva voglia di correre ancora, di accompagnare la nonna giù fino al paesetto, nel quale fra la greggia delle piccole case, la *sua* appariva come un antico palazzotto che, pur dal basso, sfidava il possente castello.

Invano la nonna, uscite fuori nella bella strada in pendìo, frangiata dall'ombra dei pioppi, la respingeva dolcemente:

– Vai, vai; adesso basta: non venire oltre.

– No, – diceva lei, parlando a sé stessa, – ho voglia di *tornare a casa*. È ancora quella, la mia vera casa, con le sue camere solitarie animate di fantasmi, con la cucina ospitale e calda come un cuore giovane, con la vecchia terrazza che guarda sul mondo delle illusioni. Oh, nonna, a volte, quando mi sveglio nella mia camera di *adesso*, mi pare di essere ancora a casa, nella mia stanza grigia macchiata d'umido; poi apro gli occhi e vedo... Tutto un sogno capovolto; tutta un'allucinazione.

La sua voce era davvero sognante e allucinata. Ma erano sempre baleni. Dopo pochi passi tornò ad essere nuovamente lei, quella di *adesso*: afferrò la nonna per il collo, la strinse forte, la baciò sulla bocca e sulle guance, in modo che pareva volesse soffocarla, poi tornò su rapida verso il cancello vigilato dal portiere michelangiolesco, mentre la nonna si aggiustava la dentiera spostata.

Quella dentiera, sebbene leggera e quasi tutta d'oro come un braccialetto con perle, costituiva uno dei punti di castigo della signora nonna. Dai sessant'anni in su, perduti i suoi forti denti di donna sana, ella aveva tirato avanti lo stesso, cibandosi di cose molli. Pensava:

– È la natura che vuole così: poiché l'uomo vecchio è come il bambino: deve nutrirsi di cibi che non gli facciano peso, che non arrestino la circolazione del sangue, che gli permettano dunque di vivere la vita lunga che Dio gli concede.

Solo quando le erano caduti i primi denti di davanti, quelli di sotto, si era alquanto impressionata; le era parso che un cancello si fosse spalancato, per non chiudersi più: il primo varco verso la morte. Poi ci si abitua a tutto: si mangia bene lo stesso, coi denti superstiti che, anzi, rinforzati dalla loro solitudine, masticano meglio di prima; le gengive aiutano; e ancora si sente il sapore divino del pane e delle altre cose buone che vengono dalla terra.

Ma appena vi fu il progetto del matrimonio di Alice, nacque per la nonna il dovere o la disgrazia di andare dal dentista: la nonna di un principe non deve essere sdentata come una vecchia contadina. Cominciò allora il tormento, il ribrezzo, il castigo. Anche adesso, tornando a casa, ella ci pensava: e, se non fosse stato il timore d'incontrare qualche conoscente, si sarebbe tolta la dentiera.

Se la tolse appena fu nella sua camera; ancora una volta la pesò sulla palma della mano destra, ricordandone il grande prezzo; e pensando che era uno dei tanti inutili doni di Alys, provò un sentimento di vergogna e di rimorso.

Poiché quella mattina, dopo la visita al castello, si era pienamente convinta che la principessa, oltre ad essere infelice, rasentava un abisso di errore, forse di dramma.

Bisognava salvarla: e la nonna, che pur conosceva tutte le strade della vita, non sapeva quale scegliere per arrivare al suo scopo.

Intanto si spogliava: anche quei vestiti di lusso, quel mantello di seta, quelle scarpette fini, tutto le pesava. Tutto ripose nell'armadio e indossò ancora il suo vecchio vestito di tela grigia, sul quale allacciò un grembiale nero: poi di nuovo si guardò nello specchio e cominciò a parlare ad alta voce, come usava da quando viveva sola e cercava di farsi compagnia da sé.

– Così va bene, Maria Adelaide; così ti sei tolto il travestimento; e torni ad essere la povera vecchia che sei. Adesso allerta. Andiamo.

Diede ancora uno sguardo alla sua camera, che aveva riordinato prima di uscire: camera grande, con la vôlta e le pareti intonacate con la calce, qua e là macchiate d'umido; non priva di una certa solennità, anche per i mobili monumentali, vecchi, se non antichi, che la riempivano. In fatto di mobili, ella non aveva da rinfacciarsi tradimenti; e ne era contenta. Tutte le colonnine che li decoravano, e il marmo bardiglio del cassettone, e le piccole coppe di legno traforato che vi erano sopra, le tende inamidate alla finestra, la coperta bianca sul letto matrimoniale, tutto le era amico, e più che amico fraterno, anzi quasi figliale, imbevuto della sua vita stessa.

Del resto, tutta la casa, salvata da inesorabili disastri famigliari, le era sacra e carissima. Aveva al tempo dei tempi costituito la sua dote, e vi erano morti i genitori, il marito e poi la figlia. Dopo il matrimonio della nipote, ella sola l'abitava, coraggiosamente scacciando intorno a sé i fantasmi del passato e vincendo la paura dei ladri, il bisogno di compagnia e gli stessi suoi pensieri di tristezza.

Non visitava le stanze un giorno abitate dai suoi cari, se non ogni tanto per ripulirle: la sua vita si concentrava tutta nella stanza da letto, e giù nella cucina. Scese dunque la scala di lavagna, dieci, poi altri dieci gradini, senza appoggiarsi alla ringhiera di legno: fu nel piccolo ingresso, poi nella cucina.

Lì si stava meglio che nei saloni della principessa Alys: e Alys, per quanto la nonna non volesse crederci, era lì ancora, coi suoi capelli corti, il viso che pareva incipriato di polvere rosa, le mani con le unghie nere; era lì, tutta trillante di riso, di furberia di gioia. Aveva ancora undici anni, e mentre la nonna era andata a fare la spesa, preparava in una padellina di rame, cimelio prezioso dei suoi arnesi infantili, una pappa di farina di castagna.

– Che buon odore – dice, rientrando, la nonna già sdentata. – Ma che cosa mi combini con quei fornelli? Li hai tutti impataccati.

– Nonnina, nonnina, è la pappa per te.

Invece se l'era mangiata lei.

Via, via, caro fantasma, vattene. Adesso la pappa se la prepara da sé, la nonna. Semplice pappa di latte e pane, o di riso e burro. Anche l'erba, che fa bene ai vecchi, e li ravvicina alla terra, piaceva molto alla signora Maria Adelaide. Andò a coglierla subito, nel giardinetto sul quale si apriva la cucina. Giardino, orto, prato e frutteto; tutto in una striscia di terreno lungo la casa, separato dal resto del mondo da un muro alto, in cima al quale ciuffi di erba ed anche fiorellini seminati dal buon Dio si bevevano l'azzurro di quel grande cielo di maggio che non aveva fine.

Anche qui si stava bene, meglio che nel parco della principessa: ma anche qui, sopratutto qui, mentre la nonna è piegata a cogliere le lunghe foglie del radicchio, tenere come piume verdi, una voce la chiama: voce chiara e risonante, che le fa tremare gli echi più profondi del cuore.

– Nonnina, sono qui.

Ella non si solleva, non crede, non cede: eppure sa che Alys è dietro di lei, sotto il susino in fiore, al cui ramo più basso ha attaccato la sua scimmietta finta, quella che il dottore le ha regalato perché le porti fortuna.

Via, via. La nonna ricominciò a parlare a voce alta.

– Ma perché, Maria Adelaide, ti ostini a ricordarti solo di lei? E il tuo diletto Gioacchino? E la cara Lea? È stata anche lei qui, la mia buona figliuola, quieta, con le sue bambole, coi suoi libri, col suo ricamo. Perché, dunque?

Si sollevò, col grembiale colmo di radicchio: lo scosse per le cocche, guardandoci dentro, pensando che ne aveva per due giorni. Si poteva anche regalarne.

– Perché, dunque? – riprese. – Sì, Maria Adelaide, tu sai bene che il tuo Gioacchino, la cara Lea, lo sposo di Lea, non sono più qui. Stanno adesso nel bellissimo giardino del paradiso: nel giardino dove è sempre maggio, e sempre gli alberi sono in fiore, e il sole sempre allo stesso punto, con la gioia delle anime fusa nel suo splendore. Mentre Alys...

A chi si poteva regalare un po' di radicchio? Ecco, al dottore, quello scapolone galantuomo, che è il miglior vicino e il miglior amico di casa.

Rientrò in cucina, e divise l'erbaggio in due parti: una la cacciò dentro la pentola che già bolliva, l'altra l'avvolse in un bel foglio di carta pulita. Ma, mentre stava per aprire la porta, fu a questa battuto un colpo con la mano. Ella aprì, poi fece un passo indietro quasi spaventata: era proprio il dottore quello che stava davanti a lei. Alto, sanguigno, col naso corto e i capelli candidi intatti, dominava con la sua figura lo sfondo della strada: e pareva che l'azzurro del cielo gli riempisse gli occhi, le cui ciglia bionde sbattevano di continuo, quasi per mitigarne lo splendore.

– Ma guarda, ma guarda!

Egli andò difilato in cucina e annusò il buon odore che vi spirava. – Come va, donna Mariadea? Sempre golosi, noi, eh? Sempre pentole e pentolini al fuoco.

La nonna lo seguiva, con un tremito quasi d'amore nell'anima rischiarata dalla presenza di lui.

– Ma stia zitto! Non vede che mi ha fatto quasi spavento? Perché, sa dove portavo in dono questo involto? Lo portavo proprio a lei, pensando proprio a lei.

Il dottore palpò il radicchio, con la piccola mano rosea adorna di anelli: ne prese una foglia, la masticò:

– Brava: è l'erba che più mi piace, mentre quella rimbambita della mia cuoca non si degna di procurarmene mai.

– Non parli male della sua cuoca: senza di lei che farebbe vossignoria nel mondo? E se è rimbambita lei, che ha sessant'anni, quasi tutti passati al servizio del dottore, che stato sarà il mio?

– Lei ha voglia di complimenti, adesso. Vuole che le dica che sembra una fanciulla di venti anni.

– Ma non vede che ho perduto per la terza volta i denti?

– Già, vedo. E che ne dice, la principessa Alys?

Nonostante l'accento lieve, quasi ironico, di questa domanda, l'ombra di Alys balzò, grande, quasi minacciosa, a dominarli entrambi.

Egli era venuto appunto per avere notizie della giovane donna, che aveva veduto nascere, e della quale, nonostante i suoi settant'anni, era mezzo innamorato. Disse:

– Per questa sera sono invitato a pranzo su al castello. Lei, mi pare, ci è stata poco fa. Di che umore è la nostra principessa?

Il primo istinto della nonna fu di mentire, o, almeno, di attenuare le cose, dicendo che Alys era tranquilla: ma gli occhi dell'uomo la disarmarono: nulla si poteva nascondere all'anima che vi splendeva dentro.

– A dire la verità, il suo umore, come del resto da quando si è sposata, è molto variabile; e un estraneo non ci capirebbe niente…

Il dottore protestò, difendendo e nello stesso tempo accusando la principessa.

– Da quando si è sposata? Ma se è stata sempre così, di

umore variabile! Come una giornata di marzo. E questo, forse, è il suo fascino maggiore.

– Bel fascino! Bisognerebbe combatterci, come ci combatto io.

– E come ci ha sempre combattuto. Del resto la colpa è sua, cara donna Mariadea. Lei ha educato male la ragazza. Non faccia quel viso desolato. Lei l'ha educata male, malissimo. Il troppo amore guasta i bambini. Lei protesti pure, dica che con Alys è stata anche troppo rigida. In apparenza! In realtà gliele ha date sempre tutte vinte, compresa l'ultima, la più disastrosa.

La nonna scuoteva le mani intrecciate, e si piegava e si sollevava, ed anche approvava, ironicamente: ma le ultime parole dell'uomo la colpirono in pieno. Si irrigidì, pure chinando la testa, e disse con voce di pianto:

– Lei sa che è ingiusto, parlando così, e che trafigge il mio cuore, già troppo ferito. Lei ricorda certamente tutte le nostre sventure: mio marito morto giovane, mia figlia morta giovanissima e lo sposo perito in guerra. Ed io sola con la piccola nostra orfana, e la nostra fortuna dispersa. Ho allevato Alys non come una nipote, ma come una creatura sacra affidatami dal Signore, proponendomi di vivere solo per lei, per il suo bene e la sua gioia. Quando, dopo la sua nascita, ho mai avuto un solo pensiero che non fosse per lei? E con le parole, e sopratutto con l'esempio, le ho insegnato che il segreto della felicità consiste nella vita semplice, anche nella povertà, ma rallegrata dall'amore e dalla coscienza del bene. Ella però cresceva troppo bella e intelligente, per contentarsi di questo antico nido: ed ha creduto di sognare quando il principe si è degnato di guardarla.

Ma il dottore non si commoveva: anzi si sdegnò sul serio per l'ultima frase della nonna.

– Degnato, degnato! Di che doveva degnarsi, il vecchio bacucco, guardando una rosa? Qui è stato l'errore suo, cara signora! Anche lei ha veduto nel pretendente non l'uomo che non poteva rendere felice Alys, ma il principe, l'uomo denaroso, il titolato, il diavolo che se lo porti. E le sue belle teorie sulla vita semplice, sull'amore e la coscienza del bene, sono cadute davanti a una mostruosa domanda di matrimonio.

– No, no, no, – protestava la nonna, – lei si sbaglia, lei è ingiusto.

– Mi sbaglio tanto, che la cosa è avvenuta. E so questo solamente, di preciso, cara donna: che se lei non voleva, Alys
non sposava il principe, e adesso non sarebbe una spostata,
con tutti i suoi milioni, una infelice, con tutti i suoi parchi e i
suoi castelli.

La nonna protestava, ma in fondo sentiva ch'egli aveva ragione. Per ultima difesa disse:

– Che potevo fare, più di quello che ho fatto. Non ricorda che
ho pregato anche lei, caro dottore, perché tentasse di dissuaderla?

– È vero, ma io non avevo autorità: e anzi, la signorina mi
pigliava in giro, dicendo che volevo sposarla io. E forse sarebbe stato meglio.

Un sorriso illuminò la desolazione della nonna; ma egli
parlava quasi sul serio, ed ella riprese:

– E forse sarebbe stato meglio davvero: se non altro lei lo
si poteva mandar via di casa dopo qualche mese. Ma oramai il
fatto è fatto; e il solo rimedio è quello di aiutare Alys a vivere, e
a vivere senza peccato. Perché questa è la mia più grande paura. Per adesso il principe, che conosce bene con chi ha da fare,
la tiene come prigioniera nel castello, dove non invita che uomini anziani, poco interessanti per Alys. Ma fra qualche tempo
rallenterà i freni, la lascerà libera: quest'inverno andranno in
città... E allora?

Il dottore faceva smorfie di diniego.

– Non credo: non è tipo da lasciarsi burlare, il signor principe. Finché lui vivrà, e vivrà a lungo, perché è vegeto e sano come un bracciante, glielo assicuro io, cara donna Fantasiosa, la
principessa non avrà, come lei dice, occasione di peccare. Si le-
vi di testa anche questa speranza.

– Speranza? Lei la chiama speranza? – ella disse, atterrita.

Egli rispose, battendole una mano sulla spalla:

– Speranza, le dico; poiché lei, pur di vedere sua nipote
contenta, le concederebbe anche subito un amante.

La nonna spalancò gli occhi e fece il segno della croce, come per scacciare il demonio: il dottore infatti se ne andò quasi
fuggendo; e per la prima volta la sua visita lasciò un'atmosfera
di angoscia nella quieta cucina ove si sentiva l'odore amaro-
gnolo del radicchio in bollore.

E altri segni di croce la nonna si fece durante tutta la giornata, e il più grande, nella sera di maggio ancora azzurra di crepuscolo, quando chiuse la finestra dalla quale si vedeva, sul poggio nero, circondato da un'aureola di luce, il castello della nipote.

Poi andò a letto. I vecchi dormono poco, si sa: ed anche lei lo sapeva, ma nella sua rassegnata insonnia spesso pensava che forse questa specie di vigilia è un dono di Dio, ai credenti in lui, perché si preparino meglio alla festa della morte.

Stesa lunga e sola nel grande letto innocente, le sembrava tuttavia, quella notte di maggio, di essere anche lei su al castello, seduta alla mensa del principe; e il pranzo non era uggioso e grottesco come ad Alys sembrava. Era un pranzo provinciale, sì, ma cordiale ed anche allegro. E il principe era gentile con tutti. Seduto a tavola, sparite le corte gambe di Gianciotto, il suo busto forte e la grossa testa incoronata di riccioli ancora biondi, gli davano un aspetto di uomo possente. Aveva, sì, un viso squadrato e glabro, tra il fattore e l'ambasciatore, con le sopracciglia ferme diffidenti, sotto la fronte solcata da rughe ombrose; ma gli occhi verdi e lunghi lampeggiavano d'intelligenza, di curiosità, di avidità giovanili.

La grande bocca sensuale, coi denti in parte corrosi, in parte ricoperti di platino, forti e sporgenti ancora i canini, spiegava però la ripugnanza della principessa per lui.

Ella infatti, seduta all'altra estremità della tavola, fra il dottore e il Podestà, tutta bianca e scintillante come una notte invernale di luna, non sollevava mai gli occhi verso di lui che ogni tanto la fissava socchiudendo le palpebre come la vedesse per la prima volta.

È assente, il pensiero di lei, anche quando ella ride per gli scherzi del dottore e i complimenti galanti del vecchio Podestà: e, appena finito il pranzo, lasciando al principe la cura d'intrattenere gli invitati, ella trova il modo di lasciarli e uscire sulla terrazza. Non che essa ami più le notti di maggio, il canto dell'usignuolo sui pini del parco, il profumo dei giardini; ma ha bisogno di sfuggire la compagnia di quegli uomini che non la interessano, che, anzi, col riflesso del tramonto della vita sui volti già sfatti, le destano un senso di profondo disgusto: ha bisogno di sentire, invece, in sé stessa, ancora intatta la forza della giovinezza; di respirare l'aria libera, di ascoltare l'abbaiare dei cani in lontananza, di veder giù il paesetto, grigio di notte come di giorno, e di tornare, col pensiero, alla sua casa, al letto della nonna.

E la nonna rabbrividisce, nel suo primo sopore, e finalmente ha voglia di piangere. Alice ha ancora dieci anni, e s'è rifugiata nel grande letto ospitale, presso la vecchia, perché è una notte gelida d'inverno.

– Per scaldarti, nonnina, e per scaldarmi.

– Che ho fatto di te, bimba mia – piange la nonna sui tiepidi capelli della nipotina. – Ti parlavo sempre di grandezze, ti raccontavo fiabe fastose, di principi, di regine, di palazzi con sale dai cento colori: e così ti ho guastato la vita.

– Non piangere, nonnina; forse il Signore ci aiuterà. Piuttosto faresti meglio a pregare, come tu sai pregare; vedrai che il Signore farà la grazia di renderci tutti contenti.

E la nonna si mise a pregare. Non sapeva neppure lei quello che precisamente doveva chiedere a Dio perché il miracolo si avverasse; ma pregava con la fede più luminosa, quella fede che è già per sé stessa un miracolo di speranza e di gioia.

Neppure col sopraggiungere dell'inverno, i principi Monteverde scesero in città.

Alys era incinta: doveva partorire in febbraio, e, a conti fatti, la nonna calcolava il miracolo avvenuto quella notte di maggio, quando ella si era placata chiedendo per sé e per la nipote l'aiuto di Dio.

Adesso la principessa era calma, sebbene di una calma pesante, con un fondo di paura, e forse anche di speranza nella morte.

La sera in cui si aspettava l'avvenimento, fra un dolorino e l'altro ella si confessava con la nonna.

– Ti assicuro, se mi accorgo di dover morire non ne proverò dolore alcuno. E dicono, poi, che la morte in parto non fa soffrire.

– Ma va, sciocchina. Camperai, e farai altri undici figli.

– Ah, questo poi no, ti giuro. Uno e basta. A Sandro gliel'ho già detto: e non voglio più avere rapporti con lui: altrimenti davvero che commetterò qualche grossa sciocchezza. Lui lo sa, e pare rassegnato. Si contenterà di un solo erede. Speriamo sia maschio.

– Speriamo.

C'era un accento di melanconica accondiscendenza nella risposta della nonna; il che fece ritrovare ad Alys la sua antica ribellione.

– Speriamo! Speriamo! Che triste cosa la speranza. Sarà invece una femmina, disgraziata lei; e il padre, che vuole un maschio, ne sarà desolato.

La nonna insisteva:

– E poi tu, ripeto, gli farai anche i maschi.

– Speriamo! Speriamo! – riprese Alys, con voce cattiva; ma poi subito si raddolcì. – Nessuno più di me desidera che questo sia un maschio. Il maschio è il padrone del mondo. Ma se fosse una bambina, nonna, ti raccomando, se tu, come spero, la vedrai farsi grande, ti raccomando di lasciare che si innamori, anche di un pezzente; ma che ami, che non muoia, come morrò io, senza aver conosciuto l'amore.

– Taci, taci. Tu parli così per il gusto di farmi soffrire. I tuoi figliuoli, maschi o femmine che siano, saranno tutti felici, se la loro madre vivrà solamente per loro.

– Ma è di questo che ho paura. Io non potrò vivere per loro; io non li amerò perché i figli che non nascono dall'amore non possono essere amati. Sento che li tradirò, che mi troverò un amante, forse due, forse di più. Questi, a loro volta, mi tradiranno, mi abbandoneranno, mi umilieranno. Diventerò cattiva, infelice davvero e sciagurata. E allora è meglio morire adesso.

– Nessuna donna nel tuo stato ha mai parlato così, bambina mia. Si direbbe che tu vaneggi. Taci, taci, è molto meglio.

– No, lasciami parlare. Chi sa se domani potrò parlare più! E tu, nonna, non desolarti; non farti rimproveri inutili. Pensa, piuttosto, che sei come di nuovo mamma. Anche questa mia volontà, Sandro ha promesso di rispettarla; di affidarti cioè esclusivamente la mia creatura, se io...

Un nuovo dolore, più forte degli altri, le tolse il respiro. Il suo viso si deformò in una smorfia di angoscia, di disgusto, anche di sdegno, provocata, più che altro, dal ricordo del marito; mentre la sua mano vibrante si rifugiava entro quella della nonna come un uccellino ferito nel nido.

Ma, passato il dolore, parve assopirsi: il viso ricomposto prese un'espressione dolce, infantile.

La nonna, alta su lei, sotto la lampada velata di verde, si ostinava nuovamente a rivederla ancora bambina, nel suo lettino illuminato di sogni belli; e un accoramento le gelava, ma non le vinceva l'anima. Bisognava lottare; ed ella era lì per lottare, per vincere. Sentiva le sue ossa come un'armatura di ferro, le sue mani come artigli contro gli artigli del male, e soprattutto il cuore saldo, e la sua fede in Dio intatta e inattaccabile più di uno scudo d'acciaio.

La principessa si svegliò; riaprì gli occhi e sorrise alla nonna; un sorriso che pareva avesse le ali: era la vita che riprendeva il suo volo.

Di là, nel salottino da lavoro, vegliavano silenziose la bruna Annarosa e la scarna leopardesca levatrice del paese: e nel salone il dottore e il principe, che per volontà espressa di Alys non dovevano entrare nella camera di lei se non chiamati dalla nonna.

Seduti di fronte, ostentavano entrambi una calma indifferenza per l'avvenimento, parlando di cose varie; ma non alzavano mai la voce, avvinti, in fondo, da un medesimo senso di mistero ed anche di paura.

Il dottore, forse, era il più trepidante: sebbene si credesse un ottimo ostetrico, e ricordasse di aver assistito con esito felice alla nascita di Alys, avrebbe questa volta preferito di essere sostituito da un altro.

Anche il principe pensava la stessa cosa: ma Alys aveva voluto così; e oramai ella era l'assoluta padrona di tutti.

Ciascuno dei due uomini indovinava i sentimenti dell'altro: reciprocamente ostili, ma per il momento concordi nel desiderio che tutto andasse bene, la maschera più cordiale copriva i loro volti, e non una parola veniva proferita sull'argomento.

Diceva il principe, stendendo, come spesso usava, ora l'una ora l'altra delle sue corte gambe, quasi per il desiderio che si allungassero:

– L'uomo, prima di ogni altra cosa, è malvagio. Questo lo disse uno che in materia di umanità se ne intendeva: ser Niccolò Machiavelli. E dunque, proseguendo nel nostro discorso, non mi sorprende che il contadino giù delle Quattrovie abbia ammazzato ieri il fratello per questioni d'interesse. Mala genìa tutti, in quella famiglia, fortunatamente sola fra tante. Ricordo, una decina d'anni fa, quando questi sciagurati fratelli erano ancora ragazzi, io possedevo due cornacchie nere, intelligenti e furbe: la femmina pronunziava anche qualche parola: chiamava il cane, se qualcuno entrava nella vigna, e imitava il grido degli altri uccelli. Tutti volevano loro bene. Solo questi indiavolati di ragazzi fecero di tutto per ammazzarmele a impallinate.

– Li conoscevo, sì, – disse il dottore, – e più di una volta ho predetto la loro tragica fine. Ma non si sfugge al proprio destino; e forse questo è davvero segnato in un libro che noi non conosciamo.

Senza volerlo, egli seguiva il filo del suo pensiero; ma se ne accorse e riprese:

– In quanto a cornacchie c'è poco da scherzare anche con loro. È l'uccello che più si rassomiglia all'uomo. Intelligentissimo, è capace, per il suo istinto di male, di accecare un bambino che dorme, e nello stesso tempo di morire di crepacuore se il padrone lo abbandona. Docile se lo si sa dominare, prepotente se si accorge che gli si vuol bene. Geloso, poi, al punto di uccidere il proprio rivale. Vede, dunque...

Ma il principe, in fatto di cognizioni generali, amava averla sempre vinta lui.

– Questo non significa che l'uomo debba abbassarsi al livello delle bestie, e far loro la guerra crudele che fra esse avviene. Io sono convinto che gli animali non vivano di solo istinto. Il lupo, che è il lupo, è pur esso intelligente, e non chiede che di vivere, poiché questa è la legge di natura. Si crede, per esempio, che d'inverno il lupo viva sui monti. Non è vero. Sui monti ci sta bene nella bella stagione, quando i pastori portano lassù il gregge: d'inverno, quando essi ridiscendono al piano, il lupo li segue: va sulle orme del gregge come l'uomo innamorato su quelle profumate della sua bella.

– Bravo! Un paragone degno di un poeta.

– E non lo sono, forse, poeta? Sempre stato, lo sono, e poeta morrò.

E qui al principe luccicarono gli occhi, chiari e cristallini: ma nel loro splendore c'era un po' di umore lagrimoso. Egli sapeva

benissimo che il dottore non lo conosceva a fondo, che sopratutto non conosceva la sua tormentosa passione per la moglie;
che, anzi, la fraintendeva e la falsava, questa passione: e fu sul
punto di confessarsi a lui, da uomo a uomo; ma poi scosse la testa e ritirò le gambe, ricordandosi chi era, come era, quello che
sembrava. Tuttavia, quasi istintivamente, disse:

– Ho letto ieri di una commedia che è stata data a Milano.
La protagonista è una ricca signora cieca che vorrebbe adottare
una ragazza: la desidera naturalmente bella, sana, buona; e come tale ne ha una, dirò così, sottomano. La fanciulla le si affezio-
na: è disinteressata, e rimarrebbe con lei anche senza essere
adottata; ma una concorrente maligna insinua nell'animo della
vecchia signora i più crudeli sospetti; fra l'altro, che la preferita
non è poi tanto giovane, che non è bella, non è sana. Basta questo per far cadere in disgrazia la buona creatura, che se ne acco-
ra, e spontaneamente lascia la casa dove credeva che bastasse la
sola fiamma del suo spirito a rivelare la sua vera essenza. Il pubblico, animale che altro non è, ha fischiato la commedia.

Il dottore intendeva; sordamente, ma intendeva: e la sua
ostilità, anziché assopirsi, si esasperava.

– Il pubblico, sì, è anch'esso un animale, e quindi giudica
di istinto. Ha fischiato perché la commedia è inumana, cioè sono inumani i suoi personaggi. Nella vita non succede così.

– Lo dice lei. Siamo sempre lì: l'inverosimile è quasi sempre
il più reale. E, per me, in quella commedia c'è tutta l'umanità.
L'umanità che vuole l'apparenza e, credendosi cieca più di
quanto lo sia, vede il brutto dove realmente esiste il bello. Il
buono, sopratutto – aggiunse, dopo una pausa profonda.

Il dottore fu per replicare ancora; ma un rumore nel salottino, e forse quella pausa fra le ultime parole del principe, gli
fermarono le labbra.

Al rumore, indistinto, che era parso un cigolìo o un gemito,
anche l'altro si era raddrizzato nel busto possente, pronto ad
alzarsi: il suo viso però non aveva mutato espressione.

Fu di nuovo silenzio: ed egli tornò ad allungare le gambe,
poi riprese:

– E non ammetto neppure quello che mi voleva dire lei:
che tutto è relativo, e quello che può essere buono per me non

o è per lei. No, non lo ammetto. Il bene è come il diamante: si può intaccare, si può anche ridurre in polvere, ma non offuscare il suo splendore.

– Benissimo. Ma, secondo lei, in quale forma si concreterebbe questo bene?

– Nella sola forma possibile: quella predicata da Cristo: l'amore per il prossimo. E per prossimo, io non intendo solamente l'uomo, ma anche le bestie, le piante, i fiori, le erbe. E non al modo di San Francesco, intendiamoci. Io non amo San Francesco, sebbene lo ammiri come grandissimo poeta: io, il bene lo intendo in modo pratico. Amare l'uomo, educandolo; amare le bestie, le piante, le erbe e i fiori, aiutandoli a vivere e a morire, senza stroncarli, in modo che la loro vita sia a loro volta feconda e prosegua all'infinito.

Il dottore sorrideva, stringendo le labbra. In fondo, egli non aveva voglia di discutere: il suo pensiero era sempre là, nella camera di Alys: eppure a sua volta fu sul punto di dire cose amare al principe. «Principe, tu parli bene, anzi benissimo: ma perché hai voluto sposare quella disgraziata? Per amore al prossimo, o per libidine, per istinto di stroncare un fiore umano, poiché ciò ti faceva comodo?».

Disse invece, proseguendo la commedia:

– Le ripeto: lei è un poeta, come davvero poeta era San Francesco; ma in pratica, mi lasci dirlo, le sue teorie non sono facili. Lei s'intende d'agraria più di me: e il grano maturo lo fa falciare, e ai peschi fa togliere i fiori superflui, e l'erba la fa radere.

– Appunto, appunto perché...

Un nuovo rumore, o meglio un grido lamentoso li fece tacere. Il dottore balzò in piedi, mentre il principe, sebbene turbato anche lui come da un avvertimento sinistro, diceva quasi con ironia:

– È il cane, giù.

Il cane, sì; ma che doveva *sentire* qualche cosa di misterioso, perché ripeté il suo grido: e non lo aveva mai fatto. Il principe s'incupì, come se un velo scuro gli fasciasse la testa. Ritirò di nuovo le gambe, si strinse una mano con l'altra. Ricordava che i cani piangono, quando sentono morire il padrone.

Senza più pronunziare parola si alzò anche lui, e facendo al dottore cenno di non muoversi andò fino all'uscio del salottino, lo spinse, interrogò con gli occhi Annarosa: gli occhi di lei, neri foschi e bistrati, gli risposero però in modo evasivo. Dicevano:

– Siamo qui e vegliamo come sentinelle minacciate di morte: ma non sappiamo altro.

La levatrice, che sedeva al tavolo di lavoro della principessa e sfogliava in silenzio una rivista di mode, s'era alzata e allungata anche lei sull'attenti come un soldato: e fu per parlare, perché la lingua ce l'aveva per questo; e dire che non capiva il perché di tanti preparativi, di tanti allarmi, infine di tanto mistero, dal momento ch'ella aveva il giorno stesso visitato la principessa e trovato tutto in modo da prevedere un parto facilissimo più di quello di una brava contadina: ma non fiatò. Questa era la consegna, e pareva se la fosse prima di tutti imposta la principessa, poiché dopo il suo primo chiacchierìo con la nonna, adesso taceva. Tutti tacevano, adesso, anche il cane: e pareva volessero addormentarsi; ma era un dormiveglia fissato da un incubo vago, indefinibile, da uno di quei sogni incipienti che fanno soffrire per il loro stesso carattere ambiguo. Andrà a finir bene? Andrà a finir male? Non si sa; e questo è il mistero doloroso del sogno.

Annarosa era, fra i tanti, quella che più vigilava: ancor più della nonna. Il suo istinto, come quello del cane, sentiva odore di morte. Creatura bestiale, con la vita attraversata da un dramma che per lei era il più terribile del mondo, e invece consisteva nella semplice ed eterna storia della donna lusingata, violata e poi abbandonata, per dimenticare beveva; eppure non le mancavano una intelligenza e una certa cultura primitive, popolaresche. S'intendeva, per esempio, di medicina, perché era stata per anni una specie d'infermiera della principessa madre, afflitta da cento malanni: e quella stessa sera aveva letto con grande attenzione una nuova scoperta per fermare le emorragie.

Nessuno meglio di lei conosceva fisicamente ed anche moralmente la sua giovane padrona, sebbene questa non le avesse mai dato nessuna confidenza. E la considerava più infelice di lei, che, almeno, si era data per amore, e il suo patire era ancora in patire di passione umana; mentre la principessa si era venduta e non voleva bene che a sé stessa.

Quella sera Annarosa non aveva bevuto, e si proponeva di non farlo più: ma sentiva una tristezza infinita, e in fondo anche una specie di rancore contro la padrona, per la quale era costretta a vegliare, a ricordare le sue vicende. Eppure, di tanto in tanto, strisce luminose attraversavano lo sfondo cupo dei suoi pensieri. Ricordava il suo bambino nato morto; non glielo avevano lasciato vedere, ma lei ci pensava sempre, come fosse vivo; lo vedeva crescere, e a volte le sembrava di aspettarlo ancora. Ed ecco, adesso, nel mistero di quella notte, mentre stava accovacciata per terra, sulla soglia della camera della padrona, le ritornava più acuto quel senso di attesa, come se il bambino che doveva nascere fosse il suo.

E finalmente l'uscio si schiuse, quasi da sé: poi nel vano apparve la figura della nonna, tutta bianca, quella notte, di una trasparenza di fantasma.

– Signora Lidia?

La levatrice si snodò, agile e pronta.

Anche Annarosa balzò, gelosa di non essere stata chiamata lei, e di non essere ammessa nel sacrario. Ma si attaccò all'uscio, quasi con disperazione. Tutto là dentro procedeva in silenzio, la principessa doveva mordersi la lingua, come una martire, per non perdere una stilla del suo dolore.

Il principe si affacciò di nuovo all'uscio del salone, e nell'accorgersi dell'assenza della levatrice fissò Annarosa, con gli occhi sprizzanti una luce smeraldina di spavento e di speranza. E rimase lì, fermo come un ritratto nella cornice dell'uscio, con lo sfondo del salone alle sue spalle e la figura del dottore sfumata nella penombra, finché la nonna non riapparve dalla parte opposta.

– È fatto – ella disse sottovoce.

Un arco di luce unì i suoi agli occhi del principe. Per la prima volta egli sentì di voler bene alla vecchia; e dopo aver attraversato il salottino come davvero un ponte luminoso che trasportava da una riva all'altra di un oceano, domandò anche lui sottovoce:

– Come va che non ha gridato?

– È un maschio – ella rispose, con una lieve canzonatura nella voce.

Il principe disse, sullo stesso tono:

– Speriamo che non mi rassomigli.

Solo quando fu lavato, incipriato e fasciato, il bambino cominciò a lamentarsi con uno stridìo rauco che ad Alys parve quello di un animaletto. Anche lei si lamentò, allora, ad occhi chiusi, bianca e fredda.

– Portatelo via, portatelo via – disse.

Lo portarono via. La balia era già pronta, la culla calda. A tutto la nonna aveva provveduto; e fu lei che portò via il bambino; ma il lamento, e il comando della nipote l'accompagnarono con un'eco di angoscia mortale. «Bisogna riportarle il bambino; farglielo vedere e toccare, altrimenti è un disastro» diceva a sé stessa. Però aveva paura di lasciare il neonato in mani di un'estranea, quasi una minaccia di pericolo gravasse anche su di lui: e fu un silenzioso andare e venire, dalla madre al figlio, finché entrambi non furono sistemati e si assopirono dello stesso sonno stanco di emozioni e di fatica.

Il principe, che andava anche lui come una spola dalla camera della moglie a quella del figlio, mise allora la mano sulla spalla della nonna e le disse con dolcezza:

– Vada a riposarsi, la prego. Tutto va ottimamente, grazie a Dio. Vada anche lei a riposarsi. Tutto va benissimo.

Le premeva la mano calda e grassa sulla spalla, e quel «tutto va benissimo» pareva un premio diretto a lei, come se tutto fosse andato bene per merito suo.

E la nonna, che aveva soggezione di lui, si lasciò convincere. Rientrò prima nella camera di Alys e abbassò ancora di più la luce della lampada: una penombra verde, quasi liquida, diffuse intorno un senso di sogno: la "piccola" dormiva, fasciata come il neonato, col viso, sotto la macchia scura dei capelli, di un bianco di luna. La nonna la coprì con uno sguardo di benedizione, e ormai rassicurata, scivolò via per andare a riposarsi. Non c'era più nulla da temere: tanto che il dottore e la levatrice erano andati via, con la promessa di ritornare al primo mattino, e solo Annarosa vegliava.

Annarosa vegliava. Dal salottino di lavoro fissava, attraverso l'uscio della camera adesso socchiuso, il letto della sua padrona. Gli occhi le erano divenuti lucidi, come quando beveva; ma era una ben altra ebbrezza quella che le scaldava il sangue. Poiché ella aveva veduto e toccato il bambino, che sebbene sembrasse fatto solo di carne informe e insensibile, per lei rappresentava un mondo tutto nuovo e straripante di vita. Lo amava già, di un amore materno, e quindi sensuale; e lo voleva tutto per sé, contro la madre, contro la balia, sopratutto contro la nonna, che era, fra le tre, la più temibile. E forse per questo vegliava con più fedeltà la sua padrona; poiché se la padrona veniva a mancare, il bambino sarebbe rimasto tutto della nonna.

Ed ecco, in un momento di involontario sopore, le parve che la principessa la chiamasse. D'un balzo fu là. Alys stava immobile, con gli occhi pesantemente chiusi; e sul suo viso pareva si fosse pietrificato il riverbero verde della lampada. Era ancora il sonno del vivo, il suo, ma che sfumava in quello della morte.

E quell'odore acre che sgorgava dal letto come da una pozza di sangue bollente! Senza esitare un momento, Annarosa sollevò le coperte e vide la triste verità: la principessa si era slacciata la fasciatura, e lasciava che la sua vita se ne andasse col suo sangue. Ma la donna non si spaventò. Senza neppure alzare la luce, provvide da sé: d'altronde aveva tutto sottomano, e in breve il sangue fu fermato. Allora ella aprì a forza la bocca della padrona e le versò in gola un cucchiaino di cognac. Alys aprì gli occhi, grandi, vuoti: riconobbe Annarosa, ma neppure quando ebbe ripreso i sensi le rivolse una parola. Anche in quel momento sentiva di non dover dare spiegazioni alla sua serva; e più che mai il contatto fisico con lei le destava ripugnanza: eppure un senso di sollievo, quasi di elevazione, le alleggeriva l'anima.

Le pareva di essere piccola piccola, di aver perduto, nell'abisso informe dove era scesa e poi risalita, le ossa e la carne. Le mani, che adesso Annarosa le aveva prudentemente messo fuori delle lenzuola, erano come due foglie d'autunno, attaccate solo per miracolo al ramo.

Vagamente pensava:

– Era *quella*, la morte? Un vuoto… un vuoto… il nulla.

Meglio dunque la vita, con tutte le sue cose ingombranti e le sue cose lievi: meglio questa debolezza dolce che la rifaceva bambina.

– Crescerò di nuovo, a poco a poco; crescerò, sarò forte; giocherò col cane, andrò a cavallo, andrò in dirigibile. Ah, e il bambino, che fa?

Adesso le pareva di essere lei, il bambino: era stata lei, a nascere; e si meravigliava di aver tentato di morire.

– Perché? Perché?

Con uno sforzo riuscì a ricordare tutto; ma senza più sentire la disperazione e la ripugnanza che l'avevano spinta all'atto sinistro: come se col suo sangue se ne fossero andate le cose impure che lo infestavano. E il marito, adesso che ella era sicura di poter dominare, di sfuggire fisicamente, le appariva sotto un aspetto diverso, quasi paterno: anzi ne vedeva la figura in una lontananza luminosa, come quella mattina di maggio dai finestroni del parco, mentre la nonna le ridestava nel cuore la speranza della vita.

La nonna era di nuovo nel suo mondo; nella cucina la cui porta a vetri pareva una invetriata di chiesa: i colori più svariati vi si sovrapponevano per lo sbattersi del verde dell'orticello col giallo, il rosso, il grigio del muro e del cielo.

Il vento folle di marzo pienava di vita e di movimento anche quell'angolo quieto di mondo, e la nonna ne sentiva il subbuglio fin dentro le sue vecchie ossa.

Come al solito parlava a sé stessa, per farsi compagnia, mentre preparava la pasta per le frittelle di carnevale.

– È giusto, Maria Adelaide, che tu conservi la tradizione. Che altro c'è, al mondo, se non conservarsi bambini, come Dio ci ha creati? E ritornare a lui come a lui piace? Già fin dai tempi del mio caro Gioacchino, egli mi pigliava in giro, per queste frittelle: poi se le mangiava tutte lui. E come piacevano alle mie bambine! Ad Alys specialmente: povera Alys.

– Ma perché povera, poi? È felice, adesso, a modo suo. Vive quasi sempre in città, fa davvero la principessa. Vestiti, teatri, automobili, ricevimenti, viaggi per aria, che Dio la conservi. Il bambino cresce bene; un po' prepotente, ma si capisce, gliele danno tutte vinte. Adesso ha otto anni, compiuti a febbraio, e quando parla tedesco sembra proprio un tedesco. Mah!

Ella pensava a questo suo discendente con una certa fredda amarezza. Scampata Alys dalla morte, glielo avevano tolto di mano come un oggetto consegnatole semplicemente per qualche giorno: ed ella ne serbava il ricordo crudele. E se nel momento del pericolo il principe le si era avvicinato con umanità, passato il pericolo, la distanza si era di nuovo stabilita reciprocamente fra di loro. Pazienza: la vita è fatta così, e ai vecchi che credono in Dio non manca mai la compagnia.

L'importante era che Alys vivesse, che Alys fosse risorta dal suo letto di morte come un'allodola ferita che si salva e poi rivola dal nido.

Anni di gioia, di tripudio, quasi di ebbrezza erano seguìti. Tutto il programma disegnato in quella notte di agonia era stato eseguito. La nonna lo sapeva e ne era contenta: e i giorni di Alys le parevano felici, dorati e dolci come le numerose frittelle ch'ella traeva dall'olio bollente e plasmava di miele. Le parevano! Ma in fondo sentiva che il suo paragone era assurdo ed anche beffardo; e che i giorni della principessa sua nipote erano dentro vuoti come le sue belle frittelle gonfie: ed egualmente inutili.

– Chi mangia tutto questo ben di Dio? Ne avrai per tre giorni, Maria Adelaide; e te ne avanzerà. Anche se ne porti un piatto al tuo vecchio dottore golosone.

Ed ecco che, come nel lontano giorno del radicchio, bussano alla porta. È lui? Quasi sicura che sia lui, ella ritira la padella dal fuoco, e asciugandosi le mani col grembiale corre ad aprire.

Come spinto dal vento di marzo, si precipitò nel corridoio un ragazzetto in pelliccia, con le vigorose gambe nude e un frustino in mano. La testa grossa, il viso rosso quadrato, sotto un berretto a visiera, sembravano quelli di un piccolo atleta; ma gli occhi verdi dorati erano bene quelli di Alys.

– Anima mia, Marino, sei venuto solo? – domandò senza fiato la nonna.

Il ragazzo frustava le pareti.

– C'è la signorina. Ma io corro, sai.

Infatti sopraggiunse, ansante e sdegnata, la graziosa signorina Berta, anch'essa con le lunghe gambe che sembravano nude per le fini calze di seta rosa. S'era slacciata il bavero di pelo sulla bianca gola palpitante, e una goccia di sudore le brillava sulla tempia destra. Disse, quasi piangendo:

– Che disperazione, signora! Mi ha fatto correre come un cavallo: e tutti si fermavano a guardare.

– Pazienza: è la sua età – disse la nonna, chiudendo prudentemente la porta. Ma anche lei tentò invano di raggiungere il discendente e farsi dare o almeno dargli un bacio.

– Marino? Bello! Marino? Signorino!

Ai richiami suoi affettuosi ed alle energiche esclamazioni della signorina, egli rispondeva frustando quanto gli capitava sottomano; finché, guidato dall'odore delle frittelle, non arrivò davanti a loro monticello d'oro e vi si fermò estatico: poi, istintivamente, alzò il frustino; ma lo riabbassò, piegandosi sul vassoio miracoloso.

– Tu, – domandò, con la sua voce un po' gutturale, rivolgendosi alla vecchia signora accorsa in difesa delle frittelle, – tu sapevi che venivo?

– No, amore; la tua mamma non mi ha scritto niente.

Trattandosi della mamma, Marino cominciò a fare smorfie e atti strani: poi diventò pensieroso.

– Che vuoi? – disse, parlando come un grande. – È uno dei suoi soliti capricci: bisogna compatirla.

Certo, era un capriccio venirsene d'improvviso a passare la fine del carnevale nel castello, sulle cui torri biancheggiava ancora una cornice di neve: ma non toccava al ragazzo farne la pietosa e assieme insolente osservazione. La signorina, quindi, subito lo redarguì, cercando poi di scusarlo e scusarsi presso l'ava.

– La principessa è stanca, molto stanca. Ha ballato tutto l'inverno e adesso ha paura di un esaurimento nervoso: quindi è venuta…

Nonostante il recente sermone, Marino si ribella, come uno spiritato.

– E lei perché balla tanto, la mamma? Chi glielo dice, di ballare così? E poi è sempre in giro. Anche papà dice...

– Signorino, – esclama Berta, umiliata, triste, inutilmente severa, – se lei continua a parlare così, la riporto al castello, la riconsegno a Sua eccellenza il principe, e faccio subito la valigia.

– E chi se ne importa?

La nonna non sapeva se ridere o piangere: i modi del nipote le piacevano, in fondo, ma si guardò bene dal dirlo. Tentò, piuttosto, di conciliare le cose.

– Ti piacciono, dunque, le frittelle di nonnina? Sì, il cuore mi diceva che saresti venuto. Prendi, prendi.

– Per carità, – gridò la signorina, – no, no, non lo faccia mangiare.

Ma il ragazzo aveva già le guance gonfie di un paio di frittelle, e dietro le esortazioni della nonna, anche la signorina ne mangiò una, poi un'altra, altre di seguito.

– Buone, squisite. La principessa...

Parlava della principessa con ammirazione, del principe con rispetto, del principino con sincero dolore.

– Creda pure, è un diavolo scatenato, e non sarò certamente io a ridurlo quale deve essere. Qui ci vuole un buon istitutore, oppure un ottimo collegio.

Egli ascoltava come non si trattasse di lui, continuando a divorare frittelle: quando ne fu sazio andò verso la porta a vetri e tentò di aprirla; ma più energica della signorina fu questa volta la nonna, che lo fermò per il braccio e lo trasse indietro.

– C'è troppo vento, caro; vieni, andiamo piuttosto di là.

Andarono nella solitaria saletta da pranzo, che Marino ben conosceva, come del resto conosceva tutta la casa in ogni suo angolo più inesplorato; e per un momento si divertì a sfogliare il vecchio album di fotografie che decorava la tavola di noce; ma anche quello lo conosceva da cima a fondo, e sopratutto i fogli che riguardavano lui solo, dalla nascita in su, e lui con la bella mammina, lui con la barbaresca Annarosa, lui col cane. Presto quindi lo chiuse, porgendo ascolto alle chiacchiere della signorina.

Adesso la signorina parlava male di Annarosa.

– Io non capisco come la principessa la sopporti: eppure se la porta sempre appresso come una reliquia, e dà più ascolto a lei che al dottore.

– È questione di fedeltà. Annarosa oramai è come una persona di famiglia.

– Dica pure come una bestia di famiglia.

– E io glielo vado a dire – intervenne di nuovo appassionato e franco il signorino.

Ma la nonna lo istruì:

– Tu non andrai a dir niente a nessuno. Quello che senti dire da me, e dalle persone che parlano con me, è tuo dovere di non riferirlo agli altri. I bambini bene educati non vanno a ripetere le cose delle quali si parla davanti a loro dalle persone grandi.

Egli però la fissava serio, quasi severo.

– Ed io glielo vado a dire lo stesso, ad Annarosa.

La principessa stava davanti al suo tavolino da lavoro, come quella lontana mattina di maggio, quando ella si divertiva a fabbricare fiori di carta. Nulla era mutato nella sua figura: anzi aveva forse un'apparenza ancor più giovanile, nelle gracili spalle nude, nelle braccia adolescenti, nude pur esse fino alle ascelle pulite, nelle mani lisce le cui unghie parevano di perla rosa.

E ancora fogli di carta davanti a lei, ma fogli bianchi, su quali il calamaio di cristallo proiettava la sua ombra azzurrognola. La principessa desiderava, anzi sentiva un bisogno quasi fisico, di scrivere una lettera: non una delle solite lettere ch'ella avrebbe potuto indirizzare ad una delle sue innumerevoli conoscenze, ma una *vera* lettera, fatta del tormento che le sbatteva il cuore. E tormento non di pena soltanto, ma anche di gioia, d'elevazione, quasi di felicità. Poiché le pareva di essersi ancora una volta salvata dal turbine delle sue vuote passioni, col rifugiarsi nel castello, decisa a non muoversene più. Lo stesso desiderio di confidarsi adesso con un'anima lontana, era una smentita a questa sua buona intenzione; ed ella era troppo intelligente per non accorgersene; eppure il bisogno di uscire di nuovo dalla sua sfolgorante solitudine, la pungeva come uno stimolo sensuale. Sentiva anzitutto il bisogno di descrivere appunto le cose bellissime che la circondavano, e sulle quali apriva gli occhi quasi la prima volta; poi il paesaggio. Lo aveva davanti, come un quadro, bruno e verde, striato di neve, con uno sfondo di cielo tumultuoso di nuvole azzurre e gialle, dove già la primavera scacciava le foschìe invernali. Numerosi uccelli, poiché il vento del mattino si era calmato, si lanciavano come frecce d'argento da un albero all'altro del parco; e al miagolìo esasperato dei gatti in amore s'incrociava il gracchiare delle cornacchie, pure esse innamorate, su nelle torri del castello.

E poi? Che avrebbe detto? Che era sazia e stanca della vita condotta in quegli ultimi anni, specialmente in quell'ultimo inverno, e che tuttavia la rimpiangeva, poiché nel vortice iridescente, almeno, ella usciva di sé stessa, come in qualsiasi altra ebbrezza, e dimenticava questo sterile tormento che anche adesso la divorava. In fondo ella sapeva bene quello che voleva; era sempre l'antico istinto che non si spegneva mai, che mai si sarebbe spento se non dopo soddisfatto il bisogno di amore.

Più di un uomo aveva, anche di recente, tentato di prenderla nella rete di un reciproco desiderio; ma ella ne sentiva l'inganno, e sfuggiva all'agguato, per una naturale freddezza sensuale, per orgoglio, per paura e pietà del marito, per rispetto al figlio.

Eppure era una lettera di amore quella che avrebbe voluto scrivere; dell'amore grande e urgente che le gonfiava il cuore, come il lievito gonfia il pane, e come il pane aveva bisogno del contatto col fuoco per non crepare e inacidirsi.

«Io diventerò cattiva – voleva scrivere – anzi la sono già, con mio marito, col bambino, con tutti; e più la sarò, se qualcuno non mi salva».

Ma a chi dirlo?

Col viso fra i pugni, guardava il foglio bianco quasi con allucinazione. Le pareva uno specchio, nel quale però non vedeva che un'ombra irreale. E come da un'allucinazione parve scuotersi, quando Annarosa venne a dirle che il dottor Baldini desiderava salutarla.

– Oh, sì, sì – ella trillò, balzando, e corse incontro al vecchio, gli si rifugiò fra le braccia aperte, lo baciò sulla guancia appena sbarbata e fresca dell'aria del poggio.

Egli la stringeva e si schermiva nello stesso tempo, turbato e scherzoso.

– Oh, carissima, non facciamoci vedere dal principe consorte: altrimenti qui si rinnova la tragedia di Francesca.

Ella lo prese per la mano, lo trascinò di corsa fino al salottino, lo costrinse a sedere davanti al tavolo da lavoro.

– Mi scriva subito una ricetta contro la malinconia.

– Subito.

Ed egli scrisse, compitando a bassa voce:

– Un grammo di sale in testa, per giudicare la propria fortuna: un mezzo etto di zucchero in cuore, per pensare alla gente che soffre, ai malati poveri, ai bambini deformi, agli animali maltrattati.

– Bravo, dottore. Ma sa dirmi con precisione in quale farmacia posso mandare a prendere questa medicina?

– Nella farmacia della buona volontà.

– La cercheremo. Mi dica, intanto, sul serio, come mi trova?

– Ma benissimo. Sembra un fiore; mentre la sua nonna, parlandomi di lei, mi ha fatto quasi paura. Anzi le dico di più: mi ha spedito lei qui, come una staffetta.

– Povera nonna, esagera sempre sul conto mio. Però l'esaurimento nervoso ce l'ho davvero. La notte non dormo; non posso stare mai ferma, e tutto mi dà noia. S'invecchia, dottore.

– Lo dice per me, o per lei? Io, per conto mio, mi sento sempre più giovane: ed ho quasi la convinzione che io e la sua nonna non morremo mai.

Ella lo guardava come un giorno aveva guardato il fanciullo che invece di andare a scuola correva al fiume per cercare dei pesci immaginari: con invidia. Egli infatti era florido, fresco e rosso e coi capelli fitti, di una morbidezza di neve.

– Sfido, – gli disse, quasi con insolenza, – lei non ha pensieri; non ha mai amato né sofferto. Lei ha saputo fare, nella vita.

Egli le afferrò le mani, l'avvolse nel suo sguardo celeste amoroso.

– Lei è cattiva, oggi come sempre. E lei, mi dica, non ha saputo fare, nella vita? Tutto quello che ha voluto lo ha. E non è contenta; ed ha il nervoso...

Ella scuoteva la testa, e lo fissava negli occhi con civetteria. Dicevano quegli occhi: «Lei lo sa bene, dottore; io non ho nulla, perché mi manca quello che per una donna è tutto».

– Tutto, dottore! Avessi avuto almeno la forza di potermi innamorare, di buttarmi in una passione anche indegna, come milioni li donne lo fanno: e uscirne bruciata, ma sazia, ma ancora viva.

– Lo so, lo so. È questo il suo vero male. Ma ci sono molti imedi per placarlo, per guarirlo. Ho veduto il suo bambino, principessa!

Come scossa da una puntura a tradimento, ella rabbrividì, itirò le mani e se le accostò al viso che esprimeva un'acerba offerenza.

– Lo chiama bambino? È un ragazzo, e che ragazzo! Non cattivo, ma prepotente, anzi violento, già padrone di tutto e di tutti.

– È intelligentissimo, esuberante di salute e di forza: ecco il suo segreto. E lei dovrebbe esserne contenta.

Ella lo fissava di nuovo: ma come diversi, adesso, i suoi occhi! Tristi, quasi torvi, imploranti e diffidenti, annegati in una luce verde di disperazione. E avrebbe voluto parlare ancora, sfogarsi col dottore come prima con un amico lontano: ma non poteva, non voleva. Ella non amava il figlio, e il figlio non l'amava. E questo mistero le pesava sull'anima, aggravando quello che il dottore aveva chiamato il suo male. Era inutile parlarne: non aveva vie di uscita, come tutti i misteri inesplicabili.

Il dottore riprese:

– Altre cose bellissime ha la vita, per chi ha la fortuna d'intenderle e sapersene impossessare. Non parliamo della religione, che è già il regno di Dio sulla terra. Parliamo, per esempio, della contemplazione. Lei si mette tranquilla davanti a questa finestra, si dimentica di sé stessa, delle sue inquietudini, delle sue vane manìe; la sua anima è nei suoi occhi, e nei suoi occhi si rilette il cielo. Lo vede, lei, questo immenso cielo già tinto del colore della primavera? E gli alberi, il grano che nasce, e la meraviglia della neve e quella degli uccelli? Ad averlo in mano, uno solo di questi uccelli, sia pure una cornacchia nera, a sentirne il palpito, ad osservarne la costruzione perfetta, membro per membro, piuma per piuma, ci si solleva infinitamente sopra noi stessi: si sente che davvero una forza onnipossente governa la natura, e che se noi ci abbandoniamo con fede a questa forza, nulla di male potrà mai accaderci.

– Lei parla bene; e poi la sua voce è così bella – dice la principessa, non senza ironia: eppure la voce ancora giovanile, calda e vibrante, del suo vecchio amico, l'attira come una musica.

– Non mi pigli in giro: mi ascolti, piuttosto. C'è poi un'altra cosa molto bella, per chi si può permettere il lusso di concedersela: fare il bene al prossimo, cara principessa. E per bene non intendo beneficenza materiale, ma proprio il bene, il bene, il bene. Mi spiego con un esempio. C'è qui, nel paese, una povera donna, inferma, che magari non è bisognosa, ma è sola, senza parenti, senza nessuno che le voglia veramente bene. Una visita a questa donna, secondo il precetto di Cristo, è un atto di bene. Se lei, mettiamo, si degnasse di tanto, all'infelice parrebbe di rivedere in lei l'angelo della vita.

Ma il viso della principessa aveva ripreso la sua maschera di disgusto.

– Lo capisco, sì: ma quando queste cose si fanno di slancio, di propria iniziativa, e non per pietoso suggerimento altrui. Io non amo i malati; io odio il dolore e la sofferenza. Forse, col tempo, quando sarò vecchia come la nonna, mi rifugierò nella religione e nelle opere di pietà...

Al nome della nonna, il dottore scattò, sinceramente sdegnato.

– Rispettiamo la nonna! Crede lei, principessa, che la sua vita, con tutti i suoi splendori, sarà piena e completa come quella della signora Maria Adelaide? E che lei, in questo momento, le giovane, bella, forte, sia viva come la sua brava nonna?

– Forse lei ha ragione, – ammise la principessa, di nuovo triste e quasi umile, – povera nonna. Oggi ancora non l'ho veduta, ma c'è stato da lei il bambino, e mi ha raccontato con entusiasmo ch'ella faceva le frittelle di carnevale.

– Frittelle, beveraggi, calzette, fiorellini, tutto è buono per lei, per interessarla, divertirla, farle compagnia lieta. E le cose buone della vita, di cui le parlavo poco fa, ella le conosce tutte e di esse si nutre.

– Povera nonna.

– No, non la chiami povera. È ricca, molto più ricca di lei.

Alys non risponde: piega la testa fino a baciare la sua collana, che ha il colore del suo vestito e dei suoi occhi; e con la saliva ingoia le parole del dottore e qualche cosa di più amaro e salato ancora. E le pare di scendere in un luogo profondo, in una valle scura e fredda, ma dalla quale risale subito con un senso di volo. Con una voce sommessa ed esile di bambina, dice:

– Oggi lei mi parla come un confessore, ed io la ringrazio. Ma quelle che lei mi dice sono tutte vecchie cose che io so già a memoria. Adesso basta. Ho sbagliato, e il castigo mi segue come la mia ombra. Crede lei, però, che se io avessi fatto un matrimonio d'amore, anche con un altro principe, non sarei a quest'ora egualmente infelice? La mia natura è questa. Ho sempre voluto l'impossibile, e sempre forse lo vorrò. Ma ragiono, anche. Vi sono in me come tre persone. Alys che piange sulla sua sorte, Alys che ride e deride quell'altra; e infine una terza Alys che giudica le altre due e ne vede tutta l'incongruenza, il capriccio, la pazzia. Che si può fare? Cento volte sono stata sul punto di fuggire, sola, o con un amante, per cercare una vita diversa: e mai l'ho fatto perché so benissimo che il mio stato d'animo non cambierebbe che in peggio. Eppure una speranza di salvezza ce l'ho ancora.

Egli ascoltava attento, come quando poggiava l'orecchio alle spalle o al petto di un malato; e non sorrise, no, anzi si fece più austero quando ella disse:

– Voglio scrivere un romanzo: il romanzo della mia vita. Dicono che è un grande conforto. E lo pubblicherò: non a spese mie, sa, no. Se non trovo l'editore vuol dire che l'opera non è riuscita. Ed io voglio riuscire: fare un'opera d'arte. Non andrò io, certo, dall'editore; egli non dovrà sapere nulla di me. Lei invece forse crede…

Egli non la lasciò proseguire:

– Mi dia la mano, principessa –. E gliela baciò con la sua bocca ancora calda e viva, quella mano che odorava come una rosa, che non sapeva le carezze d'amore e che tuttavia poteva creare qualche cosa di più vivo di un figlio.

Ed ella si rifugiò e si affondò con tutta l'anima e tutti i sensi inquieti nella sua opera: e le sembrava di scrivere quella lettera d'amore che non era riuscita a incominciare. Lettera per uno e per tutti, che parla di chi scrive e di chi legge, e non domanda nulla, ma vuole tutto; e si sfoga, e si vendica del dolore sofferto, dell'amore non avuto, ma che potrà venire, che anzi è già nell'anima della pagina creata; e supera le ingiustizie della vita, e inghirlanda coi fiori della speranza, della gioia, dell'immortalità.

TESORI NASCOSTI

Avevano detto all'ingegnere Glaus che a mezza costa del Monte Largo c'era una cava di piombo argentifero, una specie di miniera, abbandonata appena al suo inizio per la morte del proprietario: la sua vedova e una sua giovane figlia, abitavano ancora lassù, nella casa che, solo per pochi mesi, ne aveva formato la Direzione; e aspettavano che qualcuno si presentasse a riprendere i lavori di scavo.

Ecco dunque il signor Glaus in viaggio, fermamente deciso a tentare un'ultima speculazione nella piccola isola che lo aveva attirato da lungi come una sirena, e come una sirena lo aveva costantemente ingannato: sebbene, a guardarlo, alto e ossuto come egli era, rosso di capelli e di carnagione, sembrasse uno di quegli uomini di conquista che non fallano mai. Gli occhi, però, per il loro limpido azzurro d'acqua marina, smorzavano d'impeto il suo colore sanguigno, e rivelavano la sua benevola indole.

Conosceva tutti i meandri dell'isola, per averci egli stesso costruito ponti, argini, proseguimenti di strade abbandonate per le difficoltà del luogo: quindi si diresse a cavallo, solo, senza chieder nulla a nessuno, scegliendo la strada che gli sembrava più breve, verso la casa della miniera abbandonata.

Era maggio; un maggio però malaticcio, freddo, più triste del nudo orgoglioso gennaio: caduti i fiori dagli alberi, questi si erano coperti come di un folto vello verde per ripararsi dagli scrosci intermittenti di pioggia e di grandine, e dal vento traditore.

Dopo le vigne e i poderi, verso la marina, la terra incolta, con le sue chine pietrose vigilate solo da grandi querce, pareva ribellarsi ai capricci della stagione: fra una roccia e l'altra le eriche ridevano al vento, e i primi fiori della ginestra si accendevano meglio ai suoi soffi. E adesso il respiro dello *scirocco fresco*, che saliva dal mare, dava anche al viaggiatore un senso di piacere. Nel sollevare gli occhi al cielo, per la prima volta dopo molto tempo, e nel vedere le nuvole farsi color carne, e sbranarsi diradandosi, egli pensò alla Strage degli Innocenti. Sì, adesso, ritrovava ancora qualche immagine bella in fondo alla sua fantasia, come qualche moneta dimenticata in un cassetto svaligiato dai ladri.

Più saliva e la montagna diventava brulla, più l'aria si affinava e il cielo e le lontananze si facevano trasparenti: e il mare, come in certi viaggi fatti in sogno, appariva or vicino ora lontano: a una svolta del sentiero il viaggiatore lo vide sotto di sé, ai piedi della roccia a picco, come dall'alto di un'immensa torre. Poi tutto fu pietra, pulita dalla recente pioggia: pietra schistosa, le cui mille e mille scintille fra il nero e l'argento attiravano come piccole pupille lo sguardo dell'ingegnere.

Adesso egli pensava con lucidità all'affare da concludersi, e si guardava attorno non più con sentimento, ma con calcolo. Sì, la qualità della pietra rivelava il minerale buono; l'argento era da per tutto, sebbene non ne trapelasse che un lontano, inafferrabile sfolgorìo. E forse la gente, lassù, nella miniera abbandonata, era ancora grezza, ancora da sfruttarsi con vantaggio: l'affare, dunque, si presentava bene.

Ma sollevando di nuovo gli occhi, per misurare il sentiero che gli rimaneva da fare, egli si sentì ancora attirato dall'incantesimo di quel cielo, adesso limpidissimo, quasi verde per il contrasto con le cime scure, acute, che parevano tagliate con la sciabola: fra un picco e l'altro gli sembrava di intravedere un lago, e di sentire anche un profumo di erbe aromatiche, sebbene ogni vegetazione fosse morta intorno. Anche del sentiero ormai non si vedeva più traccia: solo una scia di roccia senza sassi, sulla quale i ferri del cavallo, quando una sua zampa minacciava di scivolare, traevano scintille come dalla pietra focaia: e l'ombra stessa del cavallo, con quella del cavaliere, poiché il sole batteva loro alle spalle, pareva, procedendo su per la china, ingegnarsi a trovare la strada.

Ed ecco, d'improvviso, alla nuova svolta, apparve il luogo cercato. Una specie di piattaforma naturale si affacciava su una cascata di rocce che strapiombavano le une sulle altre fino al mare: e l'uomo, anzi, ebbe l'impressione che nel caos dei millennî, il mare arrivasse fin lassù, pietrificandosi poi per un misterioso fenomeno della natura. Le pietre, infatti, sembravano onde, con meandri rugosi e con un riflesso come d'acqua marina: a fissarle a lungo, illuminate dal sole del mezzogiorno, davano un senso ambiguo di vertigine. E così, fra cielo e abisso, sul dorso del monte apparvero le bocche degli scavi e la casa bianca che pareva un rifugio alpino: rifugio e chiesetta; poiché sull'alto della facciata, in cima al cappuccio scuro del tetto, una piccola croce apriva le sue braccia d'idolo senza testa. L'uomo però non si commosse: anzi il diavolo, così egli chiamava il senso di derisione e di malignità che spesso gli rivoltava i buoni sentimenti del cuore generoso, gli fece pensare che ben primitivo e superstizioso doveva essere stato il padrone della miniera, e che per questo, forse, non ne aveva saputo trarre fortuna.

Intanto si avanzava sullo spiazzo, invaso ancora da mucchi di scarico, con segni di passaggio umano: scatole di latta arrugginite, un manico di piccone, fogli di carta gialla unta: questi erano recenti, e si rotolavano al vento con impertinenza, come cose povere, ma vive, leggere di libertà. Allora l'ingegnere pensò alla vedova e alla figlia del proprietario morto, e fissando la porta della casa gli parve di vederle affacciarsi, nera e triste la prima, pallida di solitudine la fanciulla, con gli occhi scuri e luminosi come il colore del luogo.

Ma la porta era chiusa; chiuse le finestre del piano di sopra; aperte, ma arcigne di inferriate, quelle del piano terreno, attraverso le quali si vedevano due stanze grigie, con scrittoi e panche, simili a certi stambugi di uffici cittadini dove passa una folla di postulanti.

Anima viva non appariva; qualcuno però ci doveva essere, almeno un cane, poiché il suo abbaiare fosco rintronava intorno, e l'eco ne moltiplicava il rimbombo: ma pareva che quell'urlo uscisse dalle viscere del monte, da una di quelle bocche di scavo che si aprivano ad arco, basse e nere come ingressi di tombe antiche.

Il cane era là dentro, a custodia del tesoro nascosto; e il suo lamento minaccioso destava un senso vago di paura.

L'ingegnere non s'impressionava neppure di questo, ribellandosi a quell'insinuarsi di aria fiabesca che spirava nel luogo. Gli affari sono gli affari. Smontò dunque, non senza una prudente lentezza, legò il cavallo ad una delle inferriate, e si scosse tutto come per rimettere a posto le sue membra piegate dal lungo cavalcare.

Era quello che si dice "un bel pezzo d'uomo", alto, col petto che pareva imbottito e le lunghe gambe dritte, fasciate come quelle dei cacciatori e dei guerrieri. Il suo primo pensiero fu per il cavallo: lo aveva fatto abbeverare prima di partire, e adesso gli legò al collo un sacchetto d'orzo: si assicurò che stava bene all'ombra, gli batté la mano sul fianco, poi, senza perderlo di vista, andò in cerca del cane, quasi certo che altri non ci fosse.

E appena fu dietro la casa, vide infatti legato davanti ad una saracinesca rossa che chiudeva una delle bocche di scavo, un grosso mastino, che al suo avvicinarsi si sollevò alto come un uomo, con gli occhi accesi di rabbia. Ma un vecchio uscì subito da una porticina della casa, e ai suoi cenni e alle sue carezze la bestia si placò. Scabra e selvaggia era d'altronde anche la sua figura, e sullo sfondo infuocato della saracinesca, egli e il cane formavano come un gruppo scolpito nella materia del minerale intorno: piccole macchie chiare solo il viso giallo dell'uomo e i denti del cane: e i loro occhi, rossastri e diffidenti, tuttavia illuminati per la presenza dello straniero che veniva a rompere la loro solitudine, si rassomigliavano come quelli di due consanguinei.

– Siete voi il guardiano? I padroni non sono qui? – domandò l'ingegnere con mansuetudine, avendo subito inteso con chi aveva da fare.

Cenno ambiguo di risposta, da parte del vecchio. Sì? No? Anche il cane scuoteva la coda, fissando in viso il forestiero del quale, evidentemente, capiva le parole.

– Non c'è altri che voi, qui?

Finalmente il guardiano disse:

– Bisogna andare al paese, qui dietro, e parlare con la vedova e la figlia del proprietario.

Allora parve inutile all'ingegnere ogni ulteriore discorso; ma vedendolo pronto a ripartire, fu il vecchio stesso che lo rattenne.

– Lei avrebbe intenzione di trattare per la miniera? Ma sa quanto i proprietarî ne pretendono?

– Questo, appunto, bisogna vedere; e poi altre cose.

– Quali?

– Anzitutto la qualità del minerale; gli scavi già fatti, i risultati avuti.

Il vecchio fece una smorfia, cattiva.

– I risultati? Tali furono che il proprietario si rovinò e morì di crepacuore.

L'ingegnere, che aveva raccolto un frammento di schisto e lo esaminava con distrazione, tornò a fissare gli occhi leali in quelli diffidenti del guardiano.

– Quando è stato?

– Sono già due anni.

– E nessuno, dopo, si è presentato per acquistare la miniera?

– Anzitutto non si sa ancora se si tratta di miniera, cioè fino a quale profondità arrivi lo strato del piombo argentifero.

– È curioso. Ma vedo che sono stati fatti molti scavi. E il proprietario…

Il vecchio, già pentito di aver parlato in quel modo, troncò bruscamente il discorso. Disse, allungando il braccio verso la svolta del sentiero:

– Il paese è qui vicino. Vada là ad informarsi. Domandi delle signore Gilsi.

L'altro tentò un'ultima domanda:

– Voi non siete del posto?

Il vecchio non risponde, anzi si allontana, scuotendo la testa: pare dica fra di sé: «È un bel tipo questo forestiero», mentre a sua volta il forestiero pensa: «Pare che qui l'amico sia interessato a non perdere il suo posto di guardiano».

Lasciò che il cavallo finisse di ruminare l'orzo, poi ripartì. Seguiva adesso la strada tagliata sulla roccia, fatta costruire dal proprietario per il passaggio dei carri, e che doveva essergli costata un occhio: e capiva il perché del fallimento della miniera, e le grandissime difficoltà di sfruttarla per mancanza di mezzi di trasporto. Tuttavia molto non c'era ancora da tentare; e maggiormente si confortò nel vedere che il villaggio era subito lì, alla svolta della strada, e che d'improvviso la natura del monte cambiava aspetto: il versante si allargava, con declivi terrosi coperti di verde, scendendo verso una valle in fondo alla quale un fiume correva dritto ed eguale come una strada lastricata d'argento.

Il paesetto, gli uomini antichi rifugiatisi lassù forse al tempo delle incursioni barbaresche, lo avevano costruito in una conca, al riparo dei venti: era tutto di casette basse, di pietra

era, addossate le une alle altre, con porticine e finestre simili
feritoie: pareva un paese in gestazione, ancora informe e ag-
gomitolato nel grembo rude della montagna: la chiesetta, davanti, bianca, anzi imbiancata di fresco, col suo campanile ma-
ro ma ardito, tentava di nasconderlo, di difenderlo; e, a sua
volta, per ammansare il viaggiatore arcigno che si azzardava ad
arrivare lassù, lo accoglieva con un bel praticello di lupinella,
teso come un tappeto sotto la scalinata della porta chiusa, e
con la sorpresa di un grande albero di cui ogni foglia si cullava
per conto suo fra la gioia del sole e dell'azzurro.

– Bello – disse l'ingegnere a voce alta; e mentre il cavallo
abbassava la testa con la voglia di dissetarsi a quell'erba più
fresca dell'acqua, egli osservava che dalle ultime cime dell'albero pendevano numerosi orecchini di corallo: erano ciliegie.

Facile gli fu poi trovare la casa delle signore Gilsi: era proprio dietro la chiesa, separata dall'abside di questa solo da una
stradetta lastricata che pareva un cortile. Bassa, nera, come tutte le altre, aveva tuttavia qualche cosa che dalle altre la distingueva: il portoncino a due battenti, con le borchie di ottone, le
finestre nel cui vano tremolavano le tendine di mussolo ricamate a mano. In fondo, a destra, da una porticina aperta, usciva un caldo odore di pane al forno: e fu da questa porticina,
che al picchiare del forestiero alla porta grande, sbucò una
donna grassa, mora, con le mani bianche di farina.

– Abita qui la signora Gilsi?

– Sono io – ella rispose, abbassando la grossa testa avvolta
in un fazzoletto nero: pareva si vergognasse di possedere quel
nome gentile; ma subito capì lo scopo della visita dello straniero e i suoi occhi diffidenti si animarono.

– Si accomodi di là, – disse, indicando la porta con le borchie, – adesso vengo ad aprire.

Sparì nell'interno della casetta, riapparve subito dopo sul
portoncino e fece entrare l'uomo in una specie di salotto sulla
cui parete di fondo una grande aquila imbalsamata, severa e
triste, dava l'idea di un eroe crocifisso. La signora Gilsi era di
nuovo sparita: ma un momento dopo apparve una ragazza alta

e forte, coi capelli scuri corti, e gli occhi così luminosi che da pr
ma non se ne distingueva il colore: ed era anche elegante, cc
suo vestito nero che le sveltiva le forme piuttosto piene. La su
presenza riconfortò l'ingegnere. – Ecco con chi bisogna trattar
– egli pensò, mentre la ragazza gli diceva con fredda cordialità:

– Si accomodi, io sono la signorina Gilsi.

Egli sedette sul vecchio sofà vigilato dall'aquila, e parlò su
bito dell'affare.

– Piacere. Lei, signorina, ha già indovinato lo scopo dell
mia visita. Si vorrebbe, io e qualche mio socio, acquistare le ca
ve (apposta non disse la *miniera*) appartenute a suo padre. Sc
no qui per trattare.

Ella si era seduta, composta e quasi rigida, su una dell
due scranne che fiancheggiavano il sofà: e fissava il viso de
l'ingegnere, ma senza vederlo; ascoltando solo le parole di lu
Domandò, grave e attenta come un uomo:

– Lei conosce già la miniera?

– Sì, vengo appunto di là. Ma il guardiano non ha volut
darmi spiegazioni.

Allora ella, involontariamente, rise: tutti i suoi forti dent
scintillarono, ma c'era una vibrazione di cattiveria in quella ri
sata che sorprese l'ingegnere: la Gilsi stessa dovette capirlo
perché subito s'irrigidì, anzi si fece triste. Piegò la testa, parv
ricordarsi di qualche cosa: e in quell'atteggiamento ebbe una
strana rassomiglianza con l'aquila inchiodata alla parete.

Poi si scosse, e con la sua voce pacata, che pronunziava l
parole quasi misurandole, disse:

– Adesso le dirò una cosa che la sorprenderà. Abbia pazien
za, però, e non ci giudichi male. Io e la mia mamma siamo com
proprietarie della miniera, e disposte a disfarcene, per un prezzo
onesto, s'intende: ma nulla possiamo fare senza il consentimen
to del nonno paterno. Il primo e vero padrone è lui; e con lui bi
sogna trattare e cercare di convincerlo. Non è solo lei che tent
l'acquisto; abbiamo altre proposte, vantaggiose anche. Egli per
è restio. Non perché voglia fare una speculazione, ma per ragio
ni che io non so riferirle, e che egli solo potrà spiegarle bene.

– E dove si può parlare con questo signore?

Come la madre nel sentirsi chiamare "signora Gilsi", ella ebbe un'ombra di vergogna negli occhi, vinta però subito da una fierezza naturale che rasentava l'orgoglio.

– Ah – disse, sorridendo. – Lei dunque non ha capito che il mio nonno è il vecchio che fa da guardiano alla miniera?

– Mi sembrano tutti mezzo matti – pensò l'ingegnere, nonostante la preghiera di lei di non «giudicarli male». Eppure qualche cosa l'attraeva, in quella gente che trattava gli affari in quel modo, e che invece di sfruttare il proprio capitale e goderselo, faceva una vita stentata.

Stentata fino a un certo punto, perché la signorina Gilsi, dopo altri discorsi intorno alla miniera, ma che nulla concludevano, lo invitò amichevolmente a «prendere un boccone» da loro, e in pochi minuti gli preparò un ottimo pranzo.

Apparecchiata la tavola nella saletta, ella vi depose un vassoio con larghe fette di prosciutto, rosse come carne viva, e mezzo capretto arrosto che la madre aveva fatto cuocere al forno. Il pane fresco non mancava di certo, e neppure il formaggio e il vino.

– Il nostro vino non è buono – ella disse, cacciando con forza il cavatappi in una bottiglia polverosa. – È vecchio, sì: l'aveva fatto venir su il povero babbo: ma, come in tutte le altre cose, lo avevano imbrogliato, povero babbo.

– Anche lui – pensò l'ingegnere; e guardò meglio la ragazza.

Non era veramente bella, bruna di pelle e col naso camuso, naso di razza, come quello del nonno e della madre; ma aveva una forza e una robusta agilità di amazzone. Ella sentì lo sguardo di lui, che si era d'un tratto acceso e la penetrava tutta; e per una rispondenza fisica, domandò con voce mutata:

– Lei è da molto tempo nell'isola?

Ed ecco che un'improvvisa intimità, sebbene reciprocamente nascosta, si stabilì fra loro.

– Da due anni – egli rispose; ma non disse altro di sé, ed anche lei parve subito pensare ad altro.

– Presto, presto! Scappa! Oh, che bella sorpresa – gridò, sinceramente allegra, piegando la bottiglia sul bicchiere di lui.

La schiuma rosea veniva fuori stridendo, e tutta la tavola pareva colta da un brivido di gioia.

– Presto, un altro bicchiere; beva, beva – ella diceva, riem
piendo anche il bicchiere per l'acqua. – Com'è?

– Eccellente! E lei diceva che non era buono.

– Ah, io non so: non l'ho mai assaggiato. Lo diceva il povero
babbo. Beva.

Egli beveva. E d'un tratto, come se una luce nuova illuminas
se le cose, tutto intorno gli apparve bello. In realtà, forse, lo era
secondo lo si giudicava. La semplicità, anzi la povertà del luogo
aveva un senso di purezza, di lontananza dalla vita comune degl
uomini: attraverso le tendine trasparenti si vedevano i muri della
chiesa, e pareva di essere nella piccola foresteria di un convento
ospitati gratuitamente per l'amore e la gioia di Dio. Egli disse:

– Come fa, signorina, a vivere tutto l'anno in questo luogo?

Ella, che si era rimessa a sedere (la madre stava sempre di
là, occupata con le sue pagnotte), istintivamente si aggiustò
capelli e il bavero bianco del vestito: poi riprese a parlare cal
ma e giudiziosa:

– Anzitutto non si sta qui tutto l'anno. D'estate e buona par
te dell'autunno andiamo alla miniera: c'è più fresco ed è tanto
bello. Qualcuno viene a trovarci. Si suona la fisarmonica e i
mandolino: si balla, anche. Le notti di luna sono meravigliose
tutta la montagna sembra d'argento. Il nonno brontola; poi, ur
bel momento, sparisce, col suo cane. Dove vadano non si sa
perché qui in paese non tornano. Qualcuno dice che si nascon
dono nella miniera; e non si rivedono se non quando noi si sta
per andar via.

Al ricordo del vecchio stravagante, ancora una volta l'inge
gnere pensò che forse era meglio troncare l'affare: anzi gli par
ve una cattiva azione il trattenersi alla tavola delle Gilsi: eppure
qualche cosa lo seduceva, lo incantava, forse per effetto del vi
no, del riposo dopo il viaggio, dell'impreveduta ospitalità offer
tagli; e sentiva che si sarebbe volentieri fermato lassù, almeno
per una breve sosta, almeno per sentir chiacchierare la signori
na Gilsi. Ella proseguì:

– D'inverno, certo, la vita quassù non è piacevole. Freddo
molto non fa, ma siamo spesso bloccati dalla neve, e a mala pena
arriva la posta, che del resto consiste in qualche giornale per i
parroco, il dottore e il podestà. Il dottore ha quasi cento anni, e i
malati devono andare in casa sua per farsi curare. Fortunatamen

e, di malati non c'è che qualche bambino con l'indigestione, e in tutti i casi il dottore ordina acqua fresca a volontà. Il parroco invece è giovanissimo, pieno di vita e di iniziative: iniziative che cadono a vuoto, perché qui c'è poco da fare. Gli abitanti sono superstiziosi, più che religiosi, e ricorrono piuttosto alla fattucchiera che al prete. Oh, se le dovessi raccontare certe storie! Anche il mio nonno e la mia mamma sono superstiziosissimi. La mamma, per esempio, crede che il giovedì porti fortuna, e quindi si è molto rallegrata nel veder arrivare oggi il signor ingegnere.

– Meno male. E lei?

– Anche per me il giovedì è una bella giornata: perché io, Lei deve sapere, sono la maestra del paese. È vero che mi tocca lavorare lo stesso: si fa il pane, io e la mamma.

– Allora mi dispiace di averla disturbata.

– Oh, niente! Anzi le chiedo scusa della povera ospitalità offerta. Beva un altro bicchiere di vino.

Egli non intendeva bere oltre; e desiderava alzarsi e ripartire. Dovette però accettare il caffè che la vedova Gilsi portò bruscamente in tavola, ritirandosi subito dopo senza pronunziare parola. Anche il caffè era ottimo e finì col dare un lieve senso di ebbrezza all'ingegnere.

La ragazza continuava a parlare: cose semplici, ella diceva, raccontando la vita povera del paesetto, la vita sua più povera ancora: solo si animava riaccennando alla casa della miniera.

– Sarà perché ci abbiamo passato giorni felici, pieni di grandi illusioni, quando era vivo il babbo. Si stava tutti là, assieme, uniti in uno stesso sogno: io e la mamma si lavorava, come adesso, come sempre, ma con altra fede, con altra forza. Volevamo che il babbo riuscisse nel suo intento, e lo circondavamo di ogni cura, di tutto il nostro affetto. Ed egli tentava ogni sforzo per noi, per me specialmente. Mi diceva: «Sarai ricca». A me, questo non importava; anzi, l'idea di cambiar vita, di lasciare la casa e la miniera, mi dispiaceva. La felicità era quella, di sperare, di lavorare gli uni per gli altri, di volersi bene, lontani dal mondo, intorno al nostro tesoro nascosto: poi tutto cambiò.

Ed ecco che anche lei aveva cambiato viso: un solco di dolore le scavava gli angoli della bocca, e la voce si assottigliava in un tremolìo di pianto. L'uomo pensava: – Ma perché le racconta a me, queste cose? Vuole forse intenerirmi?

E pensava anche al regalo che poteva farle, per l'ospitalità ricevuta; ma lì per lì non sapeva e non poteva: le avrebbe mandato un pacco di dolci. Poi trasse la scatola delle sigarette e disse:

– Tutto cambia, nella vita, da un anno all'altro, da un giorno all'altro. Bisogna farsi una ragione, e pensare che è una legge inesorabile per tutti. Finché poi, come in lei, che è giovane e sana, tutto può mutare in meglio. Mi permette di offrirle una sigaretta?

– Grazie, no; la mamma non vuole. Ma lei fumi pure.

Gli avvicinò, sulla tavola, un piattino per la cenere, e tornò a guardarlo dritto in viso, con occhi quasi severi: pareva indovinasse i pensieri di lui, per istinto, come il nonno, come il cane. Disse:

– Non importa. Certo, volendo, potrei cambiare vita. Dopo la morte del nonno la miniera sarà esclusivamente mia, e ne farò quello che mi piacerà. Ma io non desidero la morte di lui: tutt'altro! Anzi il nonno mi sembra davvero il guardiano di un tesoro, del quale egli solo conosce il valore. E non se lo lascerà prendere se non per quello che vale. Se lei sapesse come tutti, cominciando dai parenti, cercano di imbrogliarci! Poiché siamo donne sole, difese da un vecchio che sembra, ma non è un idiota.

Queste parole ridestarono i progetti dell'ingegnere. Adesso egli cominciava a capire il mistero dell'affare: era questione di diffidenza e di calcolo, da parte dei Gilsi: null'altro. Ed ebbe voglia di imitare la risata strana, fra la beffa e la cattiveria, che di tanto in tanto fioriva le chiacchiere della ragazza, quando ella disse:

– Il mio nonno però ha una sua idea curiosa. Egli vorrebbe cedere la miniera solo ad un uomo che mi sposasse. Così, egli afferma, non ci si intrigherebbe. Io invece…

Egli scosse la cenere dalla sigaretta, e cercò, pacatamente, coi suoi chiari occhi umani gli occhi di lei. Fu un attimo. Ella ebbe quasi paura di quanto aveva detto, e tentò di rimediarvi subito.

– Io invece penso il contrario.

Ma sentì che un seme, forse un cattivo seme, era stato gettato: poiché adesso gli occhi dell'uomo la esaminavano meglio, da capo a piedi, con uno sguardo, diremo così, anatomico, come per accertarsi che oltre all'essere bello, il corpo di lei era sano e perfetto. E fu per dirgli:

– Lei crederà che ho parlato così con uno scopo. Si sbaglia, però.

E non lo fissò più in viso: anzi si alzò, e si diede da fare, con la fronte corrugata, rimettendo alcuni oggetti nella credenza e cominciando a sparecchiare. Egli capì ch'era tempo di andarsene; quindi a sua volta si alzò e si scosse tutto, come fosse pieno di briciole. Ma questo era un suo gesto abituale, ch'egli subito cercò di correggere per riguardo all'ospite. Disse, con accento lievemente commosso:

– Lei non mi manda via, signorina! È troppo buona ed io non so come ringraziarla: il tempo provvederà.

E d'un tratto, mentre stava ancora davanti alla credenza, ella se lo sentì alle spalle, con tutto il calore, la carne, l'odore dell'uomo forte e sensuale; ed ebbe terrore che la stringesse a sé introducendole le braccia sotto le ascelle.

Terrore, o desiderio? Ma non ne fu nulla, e quando ella si volse, egli si era già scostato di un passo, dicendo amichevolmente:

– Sa che cosa faccio, adesso, signorina? Torno alla miniera e parlo con suo nonno. Ed anche col cane, se occorre. Tentare non nuoce.

Ancora una volta ella lo fissò, cercando d'imitare lo sguardo scrutatore di lui. Gli vide i denti un po' irregolari, ma sani e acuminati, di uomo che molto ha mangiato e molto ha bisogno di mangiare ancora: gli vide la nuca rasa, prepotente, che pareva scolpita nel granito rosso; e infine le mani grandi, gonfie di vene che davano l'idea di serpentelli nascosti sotto la pelle: e di tutto provò un senso di fascino e nello stesso tempo di disgusto.

– Senta, – disse, riprendendo la sua voce maschia, – non riferisca al nonno le mie chiacchiere. Gli dica, solo, che io e la mamma, per conto nostro, siamo disposte a vendere. E cerchi pure di convincerlo: gli dica che della miniera si farà la perizia da gente pratica...

Egli la interruppe, quasi ruvido:

– Questo si farà a suo tempo: è questione di fiducia e di coscienza da entrambe le parti.

Poi ripartì, senza neppure ricordarsi di salutare la madre della ragazza, sempre intenta al suo pane.

Ripassando davanti al praticello della chiesa, gli venne l'idea di cercare del parroco per domandargli informazioni dei Gilsi. Ma che informazioni poteva avere, che egli già non avesse? La signorina Gilsi, sebbene egli ne ignorasse anche il nome, gli sembrava di averla sempre conosciuta: era una gran brava ragazza, sana, gagliarda di corpo e d'anima. E le parole di lei lo seguivano, lo avvolgevano, anzi, come un velo iridescente ch'ella gli avesse gettato sul viso per costringerlo a veder la realtà più bella di quanto lo fosse. Per suggestione di queste parole, la miniera, adesso, gli appariva simile a un rifugio di pace; fonte di ricchezza, di amore e di gioia. «Sarà perché lì abbiamo passato giorni felici, pieni di grandi illusioni, quando era vivo il babbo. Si stava tutti assieme, uniti in uno stesso sogno: io e la mamma si lavorava con una grande forza in cuore. Volevamo che il babbo riuscisse nel suo intento, e lo circondavamo di ogni cura, di ogni affetto. Ed egli tentava ogni sforzo per noi, per me specialmente. La felicità era quella, di sperare, di lavorare gli uni per gli altri, di volersi bene».

– La felicità era quella...

E perché questo sogno non poteva rinnovarsi?

Ma a misura che costeggiava la schiena del monte, e si riavvicinava alla miniera, le cose prendevano di nuovo un aspetto diverso. Il sole cadeva sopra le cime, e le ombre di queste si allungavano metalliche e tristi: parevano nuvole pietrificate. La melanconia delle interminabili giornate di primavera sembrava ancor più densa lassù: la casa, le cave, i mucchi di scarico, apparivano con tutta la loro desolazione di abbandono e di rovina: e gli urli del cane, ripercossi di pietra in pietra come da una torma di lupi incatenati, diedero un colore nemico alle impressioni dell'ingegnere. Più che mai l'impresa gli parve difficilissima: o, peggio, egli sentì una improvvisa impotenza davanti al rischio e alle fatiche da superare: occorrevano molti capitali, che egli non aveva, o qualche socio più forte di lui.

– Ma sposando la signorina Gilsi, il miglior socio sarebbe lei.

Nel formulare con precisione d'uomo d'affari il pensiero che lo aveva quasi istintivamente ricondotto alla miniera, egli si sentì ancora pieno di energia e di volontà: e forse fu tale coscienza della sua forza che lo fece arrossire.

Questa volta il vecchio gli venne incontro, meno ostile, tuttavia sostenuto e guardingo: il cane, invece, per quanti cenni il padrone gli facesse, non smetteva di ringhiare.

– Eccoci di nuovo qui – disse l'ingegnere, legando il cavallo all'inferriata della finestra. – Sono stato a casa vostra: ho conosciuto la vostra brava nipote.

L'altro ascoltava, fermo, chiuso.

– Vostra nipote sarebbe disposta, anche per conto della mamma, a trattare per la vendita della miniera; adesso ci vorrebbe il vostro consenso.

– Venga – disse il vecchio, avvicinandosi alla porta della casa; e fece entrare l'ingegnere in quella specie di studio che si intravedeva dalla finestra del pian terreno.

Tutto vi era coperto di una polvere scura che pareva sabbia, ma tutto anche illuminato da una viva luce azzurra: ed essendosi finalmente il cane placato, l'ingegnere sentì un velo di silenzio avvolgerlo. Come si sarebbe potuto lavorare bene lì dentro, con lucidità di mente e calma di cuore! Un raggio di sogno tornò a rischiarargli il pensiero, mentre sedeva davanti allo scrittoio, al posto del proprietario morto: vide una carta asciugante, seminata di parole e di cifre alla rovescia, ed ebbe l'impressione che quei geroglifici significassero qualche cosa che lo riguardava, ma che non riusciva a decifrare.

Anche negli occhi del vecchio, a momenti buoni a momenti torbidi, scorgeva un non so che di strano, come se il Gilsi avesse una gran voglia di parlare, di spiegare tante cose, e non ci riuscisse. Bisognava aiutarlo, destare la sua confidenza con la confidenza.

– Senta, – disse, dandogli per la prima volta del lei, con rispetto sincero, – io ritengo che ci si possa intendere facilmente. Anzitutto si farà una perizia: lei non ha nessuno a cui possa affidarsi? Riguardo a me, troverò un uomo onesto.

Il vecchio, in piedi a fianco dello scrittoio, piegò la testa, parve pensare, disse:

– Devo prima raccontarle una cosa. La miniera, prima che mio figlio cominciasse a scavare, apparteneva a me esclusivamente. Già da tempi lontani era proprietà della mia famiglia; mio nonno fece, per primo, un assaggio: scavò da sé una buca e trovò subito il minerale; ma disse che ne era venuta fuori una colonna di fumo, e una voce gli aveva gridato: «Vattene, se vuoi evitare sfortuna; continua a fare il pastore, che sarà molto meglio per te». Ed egli, che era superstizioso, chiuse la buca. Anche mio padre aveva paura, – proseguì il vecchio, sospirando, non si sa se per compassione dei maggiori, o di sé stesso che rimaneva aggiogato alla loro tradizione, – paura che gli scavi gli portassero disgrazia. Diceva: «Sì, finché si può vivere senza chiedere l'elemosina, finché si può lavorare, è meglio non cercare la ricchezza. È la ricchezza che porta sventura». Che vuole, signor ingegnere? Saranno idee antiche, ma noi le abbiamo. La gente può ridersene, ma a noi non importa nulla della gente: ci importa di vivere tranquilli. Mio figlio, però, non la pensava così. Mio figlio aveva studiato: era maestro di scuola: non gli bastava quel posto, e volle tentare la sorte. Ma appena iniziò l'opera, un male triste lo colse, lo fece morire, giovine ancora, nel pieno delle sue forze. Questa è storia vera.

– Ebbene, e non è una ragione di più per disfarvi della miniera?

– Ed io lo farei, sì, ma, vede, ho paura. E con me le donne, sebbene non lo dimostrino. È una cosa più forte di noi. Abbiamo paura che il denaro ci porti sfortuna. Mia nipote avrà fatto la brava, con lei, ma, creda a me, ha più paura di tutti. Queste cose le dico a lei, perché mi sembra un galantuomo: magari riderà anche lei; ma questa è la storia.

L'ingegnere non rideva, no: col viso piegato sulla carta asciugante, pareva intento davvero a decifrarla. No, non era un mistero, quello che il vecchio gli raccontava: egli conosceva gente civilissima più superstiziosa di questa razza di pastori; tutto stava a trovare il modo di sciogliere praticamente l'incantesimo.

Le parole della signorina Gilsi gli tornarono in mente: anzi gli sembrò di vederle riprodotte dai geroglifici che gli stavano sotto gli occhi: dette cioè in un modo, per significarne un altro.

«Il mio nonno s'è fissato in mente l'idea di darmi la miniera per dote».

– Così, – pensò l'ingegnere, – se sventura ha da succedere, succede al signor futuro sposo: salute al resto.

Sollevò d'un tratto la testa, guardò il Gilsi con gli occhi azzurri pieni di luce.

– No, – disse, – non rido: capisco benissimo le loro idee; e in qualche modo le condivido. Avere il minimo per vivere, prodotto dal proprio lavoro, e potersi con questo creare una famiglia, volersi bene, aiutarsi a vicenda, questa è la vera felicità. E il mio scopo è questo, – aggiunse, arrossendo di nuovo, – e per questo sono arrivato fin quassù, più che in cerca di fortuna, in cerca di lavoro. Sono ingegnere; ho studiato chimica; conosco l'industria mineraria: qui ci sono difficoltà enormi da superare, ma appunto per questo l'impresa mi tenta: qui posso trascorrere una vita attiva, piena, tenace; posso proseguire, con miglior successo, l'opera del suo figliuolo; dare lavoro e benessere alla popolazione, forse all'intera regione. Non si vive solo per noi, nella vita; bisogna guardare più in là. Noi possiamo intenderci, signor Gilsi, perché anche lei è un galantuomo. Riguardo al resto, niente paura. Io non sono superstizioso. Non sono giovanissimo, – proseguì, sempre volgendo e rivolgendo la carta misteriosa, che adesso gli sembrava un'antica pergamena, – ma sono ancora forte, sano, pieno di volontà. Vivrò qui, se lei mi aiuta, in lotta con la materia, con la morte stessa, se occorre: ma vincerò io. E sopratutto si metta in mente, signor Gilsi, che io non voglio ingannarla: lei non sarà defraudato di un centesimo.

– Non è questo, non è questo – insisteva il vecchio, scuotendo lentamente la testa: ma aveva anche lui sollevato il viso cereo, e come dal fondo di una caverna gli occhi andavano, quasi chiedendo soccorso, verso quelli del forestiero: poiché anche lui vedeva il problema risolto; la responsabilità addossata ad un altro, l'incantesimo rotto.

L'ingegnere capiva: fu per dire:

– Sposerò sua nipote.

Ma ebbe paura: di che, precisamente non sapeva, per il momento; paura che il vecchio intese, poiché era il suo stesso male, e che tentò, a sua volta, di dissipare.

– Sì, lei può fare molto, qui – disse.

Poi, già legato all'altro dal filo dello stesso pensiero, domandò:

– Lei ha famiglia?

– No – rispose bruscamente l'ingegnere; e d'improvviso sfuggendo alla strana intimità usata nel trattare un affare simile a quello, aggiunse: – Non è detto, del resto, che ci si debba intendere immediatamente. Basta che lei e la sua famiglia promettano di non aprire trattative con altri. Io ritornerò qui; ritornerò da sua nipote, fra qualche giorno. Intanto loro hanno tempo di consultarsi e decidersi. Il mio indirizzo è questo: se vogliono, possono chiedere anche informazioni sul conto mio.

Lentamente, come cercandolo fra le molte carte che gonfiavano il suo portafogli, trasse un biglietto di visita. Il vecchio lo prese con una certa timidezza: lo fissò, da una parte e dall'altra, lo mise sullo scrittoio: poi disse:

– Io non so leggere.

Ma egli si sentiva già, di·fronte allo straniero, un altro uomo. Senza impegnarsi, senza nulla promettere, senza fare ulteriori confidenze, condusse quello che tuttavia considerava suo ospite, a visitare la piccola galleria chiusa dalla saracinesca: questa salì su con uno stridore di rabbia, e il cane ricominciò ad abbaiare. E parve che la voce misteriosa udita dal nonno del nonno, salisse ancora dalla profondità del monte violato. Il silenzio, intorno, si empì di gemiti: un odore di catacomba uscì dalla bocca nera della galleria: e per la seconda volta l'ingegnere ebbe un vago senso di paura. Il male dei Gilsi, quella credulità in una fatalità sotterranea, gli scorreva già nel sangue come un contagio: ma subito egli cercò di guarirne; si guardò attorno, andò oltre, tastò le pareti, misurò, calcolò tutto, fin dove arrivava la luce; quella luce del cielo alto, perlato, con strie d'oro e di rame, che pareva a sua volta, sullo sfondo dell'apertura, una miniera favolosa. Il vecchio era rimasto fuori, lontano, estraneo all'*affare*: ma un pensiero nuovo, anzi una preoccupazione profonda, gli fermava gli occhi, sotto le sopracciglia aggrottate: poiché aveva capito benissimo le allusioni dell'ingegnere, al quale doveva essere piaciuta molto la signorina Gilsi, e quando parlava di crearsi una famiglia, accennava certamente a lei. E anche lui, il vecchio solitario, vedeva la famiglia ricomposta, la casa della miniera di nuovo animata, forse rallegrata da gridi di bimbi.

Lampi. La diffidenza lo riavvolse col suo velo scuro quando l'ingegnere tornò fuori sorridente e soddisfatto, ma invece di esprimere la sua contentezza, domandò se c'era modo di passare la notte lassù.

– Si fa tardi, e il cavallo è stanco.

– Se lei si contenta di pane e cacio.

– Oh, per questo non importa: sua nipote mi ha fatto mangiare come un lupo.

Così egli rimase. Suo scopo era di stringere amicizia col vecchio, di farlo parlare, di condurlo ai suoi intenti: il Gilsi lo capiva, e, sebbene ancora incerto se fidarsi o no, tentò di assecondarlo. Rimasero a lungo seduti su una panchina davanti alla casa, mentre il cavallo ruminava la sua seconda porzione d'orzo, e il cane ogni tanto ringhiava, ma piuttosto benevolo, come volesse solo richiamare l'attenzione del vecchio.

– È geloso, – questi spiegò, – lei non può figurarsi quanto. Questa scorsa estate, quando vennero qui mia nipote e la madre, perché io stessi attento a lui si fingeva malato. E poi capisce tutto. È una bestia che, se agli altri può sembrare indiavolata, per me è come un parente. Ma che dico parente? È un angelo custode: l'ho da sette anni, e mai una volta che non mi abbia avvertito di un pericolo, di qualche cosa sbagliata che io stessi per fare. Una volta…

E qui un lungo rosario di esempi, uno più straordinario dell'altro. L'ingegnere lo ascoltava benigno, senza interessarsi gran che dei miracoli del cane: certo, però, pensava che la bestia, dopo che egli entro di sé stabiliva disegni di amicizia, e, lo si dica pure, di parentela coi Gilsi, dimostrava di partecipare alla buona intesa.

Anche il vecchio, in fondo, era meno scontento del solito; poiché vedeva finalmente una soluzione al problema della miniera, e l'ingegnere gli appariva come un inviato da Dio.

– Io non credo molto in Dio, – diceva, seguendo la scia del suo pensiero, – ma pure qualche cosa grande ci dev'essere, se c'è il sole, il mare, il firmamento. E poi certe cose, nella vita: certe cose che, a raccontarle, sembrano inventate. Una volta…

E qui un altro rosario di avvenimenti inverosimili, che avrebbe fatto rabbrividire uomini meno solidi dell'ingegnere.

Intanto il sole era tramontato dietro il monte, e dalle lande argentee del mare saliva la luna: l'aria, sebbene il vento fosse completamente cessato, si faceva fredda, densa, come si congelasse repentinamente. E tutte le cose, a misura che s'alzava la luna e il suo chiarore si fondeva con quello del crepuscolo, avevano di nuovo uno scintillìo minerale, ma gelido, triste, inumano.

L'ingegnere lo sentì fino al cuore: si alzò, ebbe voglia di stirarsi, come una bestia dopo che è stata a lungo nel covaccio; sbadigliò, anche, e disse che bisognava mettere al riparo il cavallo. A questo ci pensò il vecchio, conducendo la bestia sotto una tettoia a fianco della casa; e scrollò con disprezzo la testa quando l'ospite domandò:

– C'è pericolo che me lo portino via?

– Con quell'anima in vigilia che è il mio cane? Non rotola una pietruzza che esso non se ne accorga.

Poi anche lui offrì da mangiare. Egli di solito passava la notte nella cucina della casa, la cui porta guardava sullo spiazzo davanti alla saracinesca: dormiva vestito, su una vecchia ottomana coperta di una coltre scura; ma la cucina era grande, col camino e una lunga tavola che pareva quella di un'osteria.

E al pane scuro casalingo, ed al formaggio pecorino che odorava di erbe aromatiche, egli unì una scatola di sardine che, a parte la testa mancante, sembravano appena pescate: tanto che l'ospite fece di nuovo onore all'invito.

Mancava il vino, essendo il vecchio Gilsi astemio; per compenso c'era il caffè, al quale l'ingegnere mescolò alcune gocce del rum che teneva nel fiaschetto della sua bisaccia: e le sigarette che egli fumò dopo, lo rimisero nello stato di grazia dell'uomo che vede tutto chiaro e buono nell'avvenire.

Adesso era lui che aveva voglia di chiacchierare: cominciata però a raccontare una sua avventura di caccia, vide il vecchio, che s'era messo anche lui a fumare la pipa, alzarsi di scatto e tendersi in ascolto. Si sentiva un fischio lontano, che si avvicinò, guizzò, si spense, rapido come una stella filante.

– Che cos'è? – domandò l'ingegnere. – Un animale?

Il vecchio andò a vuotare la pipa sull'orlo del camino, poi si rimise a sedere, tranquillo. Disse:

– Chi lo sa? Spesso si sentono voci curiose. La mia nuora

diceva che erano fantasmi: io, naturalmente, non ci credo: però in questo mondo non si sa mai niente. Del resto, poi, basta avere la coscienza tranquilla.

Insomma, era un luogo strano, quello. La solitudine completa, l'abbandono, la stessa mancanza di vegetazione, di uccelli, di bestie sia pure selvatiche, lo rendevano più desolato e inquietante. Quel fischio medesimo, che per fortuna non si ripeteva, era forse il lamento di un masso che si sgretolava, o davvero di qualche fantasma che attraversava a volo la notte della montagna.

E d'un tratto, mentre stava per coricarsi, anche lui vestito, sul lettuccio di una delle camere del piano superiore, – forse la camera della signorina Gilsi, – l'ingegnere ebbe per la terza volta un senso di paura, quasi di soffocamento.

A dire il vero la cameretta era triste, polverosa, con un odore di chiuso e di naftalina che destava voglia di starnutare: egli quindi aprì la finestra, e vi rimase davanti, con un grande sfolgorìo di argento e di zaffiro negli occhi. E non per romanticheria, ma per una forza interiore che d'improvviso lo sopraffaceva come un avversario abbattuto che d'un tratto si solleva e si getta inesorabile sul vincitore, pensò alla sua fidanzata. Era un vecchio amore, che molte vicende, – la guerra, la povertà della donna, la poca fortuna di lui in tutte le sue imprese, – avevano annacquato, sbiadito, ma non spento.

Ella aspettava: egli voleva mantenere la sua promessa. Quando aveva parlato al vecchio Gilsi di una famiglia da crearsi, per la quale vivere e lavorare, non intendeva di mentire. Solo c'era stato, da parte di entrambi, scambio interessato di persona.

Ma adesso, tutte le cose strane che affioravano come segni fatali sul ricordo di quella giornata, in apparenza limpida e di buon augurio; e quel fischio, e i fantasmi che in verità si annidavano all'ombra di ogni sasso, in quel mondo pietrificato e morto come quello della luna, ov'egli si trovava quasi senza volerlo, tutto infine gli ridestava la coscienza del proprio dovere.

Andò a letto con la finestra socchiusa (anche lui non aveva nulla da temere), deciso di ripartire all'alba, di mandare un bel regalo alla signorina Gilsi e scriverle che non aveva la possibilità di acquistare la miniera.

LA VIGNA SUL MARE

Appena arrivata, la donna, che, non più giovanissima, rivedeva dopo molti anni il suo paese d'origine, si affacciò alla loggia sul mare; ma invece di ricordare in quell'istante il suo passato di fanciulla, ripensò al periodo di vita trascorso dal momento in cui si era affacciata a quella stessa loggia per dare il saluto di addio al paesaggio della sua giovinezza.

E sembrandole che quel periodo grigio ed arido di vita si staccasse da lei, si tolse anche, istintivamente, per un impulso quasi fisico, l'anello matrimoniale, facendolo girare intorno al dito e nascondendolo poi nel pugno. Poiché il cerchio del mare e della pianura sabbiosa le ricordava l'anello favoloso che da bambina credeva si trovasse dove comincia e dove finisce l'arcobaleno, quando si riflette e s'incurva sul mare: l'anello che una volta trovato dà la felicità. Ed ella credeva di averlo trovato, di poterlo sostituire, dentro il suo pugno, a quello della sua triste esistenza di moglie sterile.

Poi rilesse la lettera dell'uomo che da quella notte doveva essere il suo amante.

Era una specie di inno nuziale, che egli le inviava; eppure quella lettura la richiamò alla realtà nuda della vita palpabile: pensò al marito, che non l'amava, ch'ella non amava, ma pensò a lui con un semplice istinto di umanità. Completamente ignaro del tradimento di lei, egli era rimasto nel roveto ardente della città, a lavorare per tutti e due: forse anche lui, in quei giorni di libertà, si divertiva a modo suo: ma era sempre l'*uomo* ingannato e derubato del suo, l'uomo che la sorte deride facendogli ignorare anche il suo dolore.

Un ragazzo passò in bicicletta sotto la loggia, sulla strada di sabbia spruzzata d'erba, dove i giovani pioppi col tronco ancora fasciato di siepe, danzavano al vento lieve accompagnandosi col suono di nacchere delle loro foglie. Nell'accorgersi della signora che lo fissava, la salutò: poi sparve, rapido e dorato come un cervo, coi capelli che si sciogleivano nell'azzurro un po' fosco del mare.

Anche lei credette di riconoscerlo: ma fu un istinto. Era lei stessa che si rivedeva, adolescente, mentre trasvolava in bicicletta la riva, radendo l'acqua come un gabbiano. Un senso di gioia la travolse: le sembrò di rinascere, di essere ancora innocente, con l'anima senza carne e senza peccato: il suo amore le apparve di nuovo il primo e l'ultimo, quello voluto da Dio; e la speranza che appunto per miracolo di quest'amore ella poteva finalmente diventare madre e *rivedersi* davvero, un giorno, in un fanciullo come quello che l'aveva salutata, la sollevò fino al sole.

E nell'impeto di questa esaltazione quasi religiosa, per purificarsi meglio decise di scrivere al marito e rivelargli la verità.

Scrisse e andò subito alla posta per raccomandare la lettera. Alla posta, c'erano forse anche lettere dell'altro che le dovevano confermare l'arrivo di lui per la sera. Per evitare qualche antica conoscenza, ella passò nella strada campestre dove si affacciavano solo le aie ed i cortili dei contadini. Si sentiva l'odore di fumo delle loro case, il muggito dei bovi, il pianto dei bambini di pochi mesi che rassomigliava al beato grugnire dei maialini. Sui prati ai margini della strada, quadrati di frumento appena sgranato, ancora umido di linfa, stavano ad essiccare al sole. Le massaie non avevano esitato a stendere sotto il grano fresco le loro lenzuola nuove, come sotto la puerpera col suo neonato al fianco.

Qui, la donna riviveva davvero la sua mite fanciullezza. Ancora un po' stanca del viaggio, la pesantezza della testa le dava l'impressione che i capelli le fossero ricresciuti, come li aveva *allora* quando percorreva quella stessa strada pallida e molle di erba secca, solcata in mezzo come un dorso d'uomo: le siepi brune e smerlate che parevano muri vecchi, i pioppi smilzi e selvaggi, i comignoli delle case campestri, conservavano, coi brandelli delle nuvole di topazio, i ricordi del suo passato; e l'aria aveva l'odore del suo alito di vergine.

321

Quindi arrivò un po' trasognata al buco polveroso dove
nella cornice dello sportello scuro, due occhi olivastri di vecchia ragazza la guardavano dal vuoto di un'anima povera e maligna: e prima di consegnare la lettera domandò se c'erano *ferme in posta* per lei.

La ragazza guardò: si rivolse, soddisfatta sotto la sua aria di
noia.

– Nulla.

Allora, non un'ombra, ma il fantasma di un'ombra, simile a
quelli delle nuvole dentro l'acqua, impedì alla donna di impo-
stare la sua lettera.

Al ritorno, alla svolta fra la strada dei contadini e quella
dell'arenile, ella sedette sulla proda alta al limite di un prato,
per riposarsi. Dava quasi le spalle al mare, ma ne sentiva il rumore, e le sembrava che questo diventasse sempre più forte,
insistente e vicino, per farsi notare da lei.

– Il mare è mosso. Strano, con quest'aria ferma e il cielo sereno – ella pensò, volgendosi.

La brezza infatti era cessata, e le nuvole scomparse: ma nel-
l'aria grave, nel silenzio e nell'immobilità improvvisa delle cose,
si sentiva alcunché di angoscioso: e il rombo del mare diveniva
sempre più minaccioso come quello di un fiume in piena.

Anche la donna fu presa da un senso di angoscia: le sembrò che due mani le afferrassero le spalle, annunziandole un
pericolo misterioso.

Arriverà l'uomo?

Forse egli vuol farle una sorpresa, tenerla così, attanagliata
e ansiosa per qualche ora, e trarla poi meglio con sé nel vortice
divino che li attende.

Verrà: egli verrà certamente. Solo la morte, egli ha scritto,
può impedirgli di arrivare.

La morte.

La donna balza su, ferita da una voce che vince il fragore
delle onde: una vecchia contadina nera, con un rastrello nelle
mani di osso, si stacca dal turchino sinistro del mare e sale l'arenile gridando:

– Un bambino si annega.

Di qua, di là, come le mantidi dal fieno, balzarono uomini e ragazzi, tutti diretti di corsa alla riva.

Anche la donna ci andò. I tacchi alti delle sue scarpette si ficcavano come chiodi nella rena, quasi per impedirle di continuare: arrivò quindi che già una siepe umana dai colori dell'iride s'era stesa per un lungo tratto della riva.

Tutti, con la mano sugli occhi, guardavano verso un punto lontano, dove non si vedeva che il ribollimento verde e lilla delle onde: e queste, basse, cattive, arrivate alla sponda mordevano coi loro denti di schiuma i piedi nudi della folla carnevalesca e tragica; poi tornavano indietro di furia e nello scontrarsi con quelle che arrivavano pareva si comunicassero a vicenda un segreto pauroso.

Gli uomini si erano già tutti buttati in mare, fino alla zona ove questo appariva turchino: alcune donne piangevano, pur coi loro bambini stretti forte per la mano. Gridi e domande s'incrociavano per l'aria.

– Ma chi è? Ma dov'è? Ma come è stato?

Nessuno sapeva il nome dell'infelice: eppure la donna si sentiva anche lei mordere il cuore dalla voce tetra delle onde che le diceva:

– Il ragazzo è quello che ti ha salutato.

I nuotatori cercarono a lungo, invano scavando le acque implacabili. Anche le imbarcazioni erano tutte in mare.

E fu una danza macabra, coi mosconi bianchi e rossi che si sollevavano e si piegavano aprendo le braccia scintillanti dei remi, le onde che li scavalcavano con l'agilità di tigri ammaestrate, i nuotatori intorno come fantasmi liquidi.

La musica del mare continuava impassibile. Che ne sapeva, il mare, del ragazzo scomparso? Non era il mostro intraveduto dalla folla, il demone che divora gli uomini per la sola fame del loro dolore; era pur esso, il mare, un essere stravolto da una forza superiore, e che a sua volta travolgeva senza saperlo.

Ma gli occhi della folla lo guardavano egualmente con un terrore che vinceva lo stesso terrore della morte: e le donne piangevano anche per il pericolo che correvano i nuotatori.

Uno dopo l'altro essi tornarono, come tinti dal colore livido delle onde: rimasero le imbarcazioni, e furono gettate le reti delle sciabiche.

Tre volte le reti furono tirate, e i pescatori non vi colsero i pesci: solo, fra i granchi che si contraevano come piccole mani mozze ancora vivaci, fu preso un berrettino bianco che pareva piangesse.

Allora la donna sentì una misteriosa potenza di dolore, simile a quella che sollevava il mare, riempirle e trasformarle l'anima.

Le sembrò di essere lei la madre del fanciullo divorato dalle onde, ma tutto che di lei era stato fino a quel momento tenebre e morte, fosse in pari tempo scomparso con lui, succhiato a sua volta dall'angoscia sovrumana degli ultimi aneliti dell'innocente.

E si mise a piangere, come una povera cosa spremuta, come le reti della sciabica, come quel berrettino bianco che i granchi avevano afferrato per salvarsi nel loro annegamento sulla terra.

Tutto era dolore, sulla terra, nel mare, nell'aria: eppure perché, in fondo al cuore di lei qualche cosa di salvo esultava come un accordo timido e involontario come quello di un'arpa attraversata dal vento?

La spiegazione gliela diede la stessa vecchia nera che era stata la prima ad accorgersi dell'annegamento del ragazzo. Lei sola non piangeva: anzi disse con sollievo:

– A quest'ora è bell'e che morto. Dio l'ha con sé.

Questo era il mistero. E anche la donna, dopo il suo lungo errare, si sentiva riaccolta sotto le ali di Dio: esse le sfolgoravano attorno coi raggi del sole rifratti dalle sue lagrime.

Alla villa trovò un telegramma dell'uomo che annunziava il suo arrivo per la mattina dopo.

Ella lo bruciò, con le lettere di lui e quella da lei scritta a marito: poi si riaffacciò alla loggia.

Le ricerche in mare continuarono tutta la giornata: si perlustrò invano anche il litorale, nella speranza di ritrovare il cadavere.

Sul tardi ella seppe che il ragazzo era proprio quello da lei veduto passare sotto la loggia: non aveva madre, e il padre si era quel giorno assentato dalla pensione che li alloggiava.

324

Tutta la notte durò la strana burrasca, col cielo limpido, la
ſna e le stelle basse, con l'Orsa che pareva un carro deragliato
ll'orizzonte. Anche il mare era bello, verde, coi riflessi del cie-
ɔ: attraverso le colonne della loggia appariva come una vigna
arica di grappoli d'oro. E il fanciullo vi giocava dentro, con le
ɔmbrine e i piccoli pesci che gli si attortigliavano come anelli
lle dita: giocava fra i cespugli di corallo e le siepi di alghe,
vanzandosi fino alle zone di ombra violetta dove i cefali di
affiro rosicchiavano i grappoli neri dell'uva marina: poi risali-
ʾa in alto, coi capelli scintillanti di conchiglie, gli occhi pieni di
zzurro, agile e largo come l'angelo delle illusioni.

La donna, sulla loggia, era più pallida di lui, con gli occhi
he le si erano aperti come le viole sotto le siepi dove cade la
ʾrina. Seguiva il gioco del fanciullo, e le pareva anzi di pren-
lervi parte, rifatta anche lei di acqua e di luce; e quando all'al-
ɔa seppe che il corpo di lui era stato ritrovato, ripartì tranquilla
ʾ ritornò alla casa del marito.

LA DONNA NELLA TORRE

La bionda Cristina stava affacciata alla ringhiera di ferro della sua prigione, a meditare sul suo triste destino: ma bisogna subito dire che questa prigione consisteva in una stanzetta piena d'aria e di luce, una specie di belvedere coperto, con quattro finestroni che si aprivano sui quattro punti cardinali della torre d'una grande villa, anzi di un surrogato di castello, in riva al mare.

Grande e bello era il mare, in quella sera del tardo agosto e le paranze, appena partite per la pesca, vi si avanzavano lentamente a coppie, quasi leziose, come ballerini in una sala dove ancora non è cominciata la danza: ma grande e bellissima era anche, dal lato opposto, la campagna, con la festa delle vigne cariche d'uva, i prati arati, alle cui zolle l'arancione del tramonto dava tinte di rame; e, in fondo, le muraglie verdi de pioppi scintillanti di occhi di rubino. Nell'orto sotto la villa, i un campo di lattughe tenere, i susini rossi, coi rami completamente filigranati di frutti, davano l'idea di alberi di corallo in ur fondo marino.

Tutto questo non impediva alla bella Cristina di credersi la donna più infelice del mondo, chiusa nella torre per espiare ur delitto non commesso, o dal marito geloso: e chiusa vi era, da marito, ma perché ella non se ne andasse in giro, lasciando aperta la villa, della quale erano custodi.

Il marito, che oltre al custodire la villa, faceva l'ortolano, era andato in città per un suo affare, imponendo alla moglie di vigilare dall'alto della torretta sull'orto e l'entrata della casa: e pe essere più sicuro l'aveva chiusa a chiave, consegnando poi questa chiave a Panfilio, il vecchio contadino che coltivava l'orto vicino al suo. Ella lo sapeva, e aveva voglia di urlare, di spaventare i vicini, di richiamare gente. «Figlio di un boia, figlio di ur cane, malandrino e somaro», erano i titoli più educati fra quelli che in quel momento ella dava al marito; e gli augurava la mala morte, o per lo meno di rompersi uno stinco; o che arrivasser davvero i ladri e saccheggiassero l'orto e la villa: lei avrebbe finto di svenire, per stare zitta.

Nulla però di tutto questo succedeva: sulla spiaggia pulita e argentea come un vassoio passavano le belle bagnanti, coi vestiti di fioraliso ai cui lembi le ondine spumanti pareva tentassero un assalto fraterno: dall'altra parte i ragazzi dei contadini si divertivano a far ragliare il giovane asino in amore di Panfilio; tutti ridevano e si agitavano; lei sola era prigioniera di quel serpente, figlio di un boia impiccato da un altro boia. E propositi di vendetta la consolavano. Alla prima occasione, come del resto spesso faceva, sarebbe scesa a godersi un bagno, col suo costume rosso, comprato di nascosto del marito: costume a maglia, che richiamava l'ammirazione ingorda dei vecchi peccatori della spiaggia; e, sempre offrendosi l'occasione, sarebbe anche andata in pattino, con qualche giovinetto rematore, spingendosi in alto mare e dicendo le solite sciocchezze, non del tutto innocenti, che abbondavano sulle sue labbra tinte con la carta rossa: parole, diceva suo marito, che sembravano albicocche ed erano patate. E avrebbe lasciato aperta la villa, per dare una lezione a lui, che la trattava come un cane perché figlio di un cane era lui.

D'un tratto sbadigliò, e accorgendosi che aveva fame sentì la sua rabbia aumentare. Era l'ora di cena, poiché, come di solito i contadini, lei e il marito andavano a letto presto; e a questo ricordo ella provò un improvviso sgomento. Egli non aveva mai tardato tanto a rincasare: qualche incidente gli doveva esser dunque accaduto. Le imprecazioni ch'ella gli invocava le caddero ai piedi, come cambiate in pietre roventi; poi caddero anche gl'improperî; e dal subbuglio nebbioso dei suoi cattivi pensieri la figura del marito emerse vittoriosa, ritornando ad essere quella di Giollo, il giovinottone forte e rosso come un toro: un toro che sotto il petto velloso nascondeva un cuore di agnello.

Ed ecco ch'ella si scolorì tutta, anche nelle mani, come si scoloriva il cielo sopra il mare: e sentì freddo, e sentì paura. Adesso, davvero, il senso della solitudine e della prigionia le gelò il cuore: vide il fumo salire dal camino di Panfilio, vide una stella, poi un'altra, impigliarvisi dentro, maliziose e dorate come gli occhi del gatto che gioca col gomitolo; e si attortigliò anche lei ai ferri della ringhiera, col proposito di buttarsi giù se fra cinque minuti Giollo non tornava.

I cinque minuti passano, e Giollo non torna. Si sentivano, sì, nella strada ovattata di sabbia, i biroccini tornare, e le voci dei loro padroni che aizzavano i cavalli; ma, fra tutte, quella del suo uomo taceva. Allora si mise a gridare:

– Panfilio, Panfilio!

L'asinello innamorato le rispose con scherno: pareva le dicesse:

– Sta bene lì, capricciosa e scervellata che altro non sei. Abbastanza hai vagabondato ieri, per orti e spiagge, a far la civetta con tutti, mentre Giollone lavorava per te. Per questo egli oggi ti ha chiusa nella stia, come un galletto pazzo. Ben ti sta, ben ti sta.

E lei, a sua volta, replicò con un gemito, che poteva anche essere di pentimento: poiché in quel nuovo muoversi del suo cuore ella si rivedeva servetta, anzi sguattera, nella cucina dei signori che in quel tempo venivano ancora a villeggiare nel castello; e ricordava come Giollo, anche lui al loro servizio, l'avesse pescata dal lavandino, ripulendola come lei ripuliva i bei piatti di porcellana bionda.

Ma lei, a poco a poco, si era dimenticata di tutto; si era mascherata e ubbriacata come a carnevale, rendendo infelice il suo benefattore.

– Giollo, Angelo, angelo mio, perdonami…

Egli non rispondeva; non ritornava; forse non sarebbe tornato mai più. E, quasi per avvalorare questo presagio di sventura, uno splendore rosso, simile a quello che a sera annunzia il turbine per il giorno dopo, sfolgorò ad occidente, riportando sulle cose la luce del tramonto; ma una luce esasperata e demoniaca. Ella balzò, con gli occhi verdi di follìa. C'era un incendio, laggiù: si sentivano urli e richiami: un mugolare di bestie, un correre di gente. Anche l'asino riprese a ragliare: altri risposero: tutto il luogo parve colto dal brivido del pericolo mostruoso. Nel suo terrore incosciente, anche la donna pensò che il fuoco poteva arrivare fino a lei e arrostirla viva sulla graticola della ringhiera. E ricominciò a gridare chiamando Panfilio.

Nessuno le rispose. Dalla casa del contadino vide però uscire un essere strano, una grande cavalletta, che saltava agitando le ali nella luce cremisi dell'incendio. Era il vecchio che con due frasche correva ad aiutare a spegnere il fuoco.

E solo quando il fuoco fu spento, giù, nel silenzio stupito della strada, si sentì finalmente la calma e un po' nasale voce di Giollo. Egli parlava con Panfilio, e si fermò un momento da lui per riprendere la chiave. Solo allora Cristina si rinfrancò, anzi ebbe un moto felino di rivolta; e attese in armi il marito ritardatario. Ma egli non aveva fretta: rimise a posto le sue cose, poi salì, con un passo pesante da vero carceriere.

– Ho fatto tardi, – disse, cercando di scusarsi, – perché mi sono fermato ad aiutare a spegnere l'incendio, giù dai Pagnini. Quelle sono disgrazie! – aggiunse, ma come per conto suo. – Tutto, tutto hanno perduto, i Pagnini: il grano, la paglia, il fieno: una vacca s'è ustionata, un bambino pure, e questo forse se ne va all'altro mondo. La vecchia sembra impazzita: l'abbiamo tenuta a forza, perché voleva buttarsi nel pozzo. Ohé, quelle sono davvero disgrazie, cara la mia gente!

Parlava calmo, con la sua voce un po' nasale, ma, pure nel buio, mentre gli sentiva addosso un odore fumoso di tizzone spento nell'acqua, la moglie lo trovava d'improvviso cambiato. Anche lui, sì; come se anche lui avesse passato un'ora di spavento e corso un pericolo.

– Ohé, quelle sono disgrazie – andò ripetendo, mentre scendevano la scaletta della torre; e si volgeva verso la moglie, come per aggiungere: «In confronto, le nostre beghe sono roba da ridere».

Non lo diceva; lei però lo capiva, e stava incerta se chiedergli o no perdono, come si era proposta nel momento del terrore. Il ricordo del brutto momento la decise per il no: così, un'altra volta, se al buon Giollo tornava il ticchio di volerla chiudere in casa, per farglielo passare ella gli avrebbe ricordato la disgrazia dei Pagnini.

FESTA NEL CONVENTO

Lungo, rigidissimo era stato l'inverno, e le suore di Montalto ne uscivan fuori bianche, fredde come conservate nel ghiaccio: poiché il loro Convento è ancora come ai tempi della sua millenaria fondazione, affacciato fra due sproni di monti, attaccato al resto del mondo solo da una corda di sentiero, cinto di tristi cortili, e, all'interno, con le cucine che sembrano grotte, gole di montagna i lunghi corridoi sempre pervasi da una corrente gelida, senza riscaldamento, senza luce. Il refettorio, che ha l'aria di un coro, con le panche e le lunghe tavole scure lucidate dal tempo, guarda su un cortile, ed è ancora illuminato, a sera, da lampade a olio: più allegra la foresteria, con la mensa sempre apparecchiata, sotto una finestra verde di orto: ma poche volte all'anno questa sala viene aperta, oltre che nei giorni delle due feste annuali del Convento. Due, ma due! E sono come il riaprirsi e il richiudersi della gioia del sole, su questa solitudine aspra e brulla: una a Pasqua, l'altra a settembre.

La Madre Priora si sveglia, una mattina ancor prima dell'ora consueta, e pensa, con istinto di angoscia, che bisogna cominciar i preparativi per la festa. Ella è così aderente alla sua vita metodica, un giorno come l'altro, e tutti di privazione, di vigilanza, di economia e di silenzio, che il solo pensiero della confusione festiva le dà un senso d'incubo. Ma immediatamente vince sé stessa; imponendosi di rallegrarsi e sopratutto di ringraziare Dio che riapre le nuvole e ridona alla terra e alle sue creature il tesoro del sole.

Si alzò, si vestì al buio: era già però un buio meno opaco e freddo delle notti scorse. Si sentiva giù nella valle il fiume torrentizio scorrere placato, e anche la Madre sentiva il suo sangue riprendere calore e forza: sopratutto forza.

Quando fu vestita accese l'antica lampada a tre becchi, che pareva un grifo d'argento, e aprì la finestra.

Un palpitare di astri al tramonto, un odore di pietre umide, il canto del gallo risposero all'inchino ch'ella fece salutando la nuova giornata: poi scese, e, quando le suore, al richiamo della campanella, che pareva sgorgasse da un sotterraneo, furon tutt'intorno a lei, disse con voce fredda:

– Sorelle, domenica è la nostra prima festa. Cominceremo oggi i preparativi: occorre fare i dolci e le ostie, il pane e i biscotti; procurarci il vino bianco e il capretto per i sacerdoti e per le autorità che verranno al pranzo. Bisogna dirvi però che è necessario industriarsi, con l'aiuto della nostra Madonna, poiché in cassa non abbiamo un centesimo.

Ella parlava come uno che si lascia cadere di mano gli oggetti, e non si cura più di raccoglierli: e la sua voce non solo era fredda, ma lontana, quasi sprezzante. Eppure le sue parole cadevano simili a scintille nel cuore delle sorelle, e vi accendevano un fuoco primaverile.

Così, senza rispondere, senza conferire fra di loro, tutte insieme si proposero di rendere, quell'anno, più ricca e solenne la festa. Questo proposito, del resto, era fermo nella mente della Madre: e più che altro in modo pratico. Appena il sole, non più freddo come il diamante, penetrò nella dispensa e v'indorò i bottiglioni, gli orci, i barattoli, ella ispezionò bene le sue provviste: scarse, invero, per una festa, ma che ricordavano il droghiere e il fornaio del paese, pronti sempre a far credito al Convento.

Fu dunque mandata suor Lisabetta, quella che faceva i dolci, a procurarsi le mandorle, i pignoli, la marmellata; mentre le altre lavavano e stiravano i paramenti sacri, ripulivano l'oratorio. Fu tirato giù e spolverato con religione commossa il quadretto miracoloso della Madonna del Monte, dipinto, o meglio graffito su una lastra di basalto grigio, trovato mille anni fa da un pastorello sulla cima di una roccia. Tre volte il misterioso dipinto fu portato nel castello; tre volte fu ritrovato sulla roccia; finché il Signore del luogo non fece costruire l'oratorio per deporvelo.

Nel riattaccarlo sopra l'altare, le suore piangevano di amore, chiedendo alla Madonnina di provvedere all'onore della loro festa.

Una sola non prendeva parte alle faccende delle compagne: suor Vittorina, la più vecchia di tutte, che non usciva dalla sua stanza, nella quale, oltre il resto, c'era un telaio a mano, col quale ella aveva tessuto, anni, anni e anni, la tela e le tovaglie per il Convento. Adesso, senza aver nessun male, non poteva più tessere, né fare le scale: anzi stava quasi sempre a letto: eppure, la vigilia della festa, anche lei, aiutata dalla suora alla quale aveva trasmesso il segreto della sua arte, si alzò presto e si sentì arzilla come un tempo.

Il sole rallegrava la grigia stanza dal basso soffitto di legno, e dalla finestra aperta si vedevano le rocce di basalto scintillare come per una luce interna.

Per la prima volta la vecchia suora domandò come andavano le cose della festa.

– Benissimo. Tutto è pronto. Anzi, adesso, col caffè, vi porterò i biscotti.

Questa notizia finì di esaltare suor Vittorina. Per un istinto di abitudine ella sedette davanti al telaio e prese fra le mani, simili a quelle degli ex-voto di cera appesi nell'oratorio, la spola gonfia di filo: l'accarezzò, se la mise in grembo, cominciò a pregare: e pareva sussurrasse tante piccole confidenze a quella sua compagna di pensiero, che aveva in qualche modo tessuto la trama dei suoi giorni. E si vedeva che doveva domandarle anche un consiglio, perché quando la spola, come per un moto di vita propria, le scivolò dal grembo e si nascose sotto il telaio, ella prese il filo per trattenerla, e, col viso rischiarato da una gioia puerile, disse sottovoce: – Tu hai ragione: ed io lo farò; vedrai che lo farò.

Quando tornò la suora per portarle il caffè, ella domandò di nuovo come andavano i preparativi. Tutto bene, con l'aiuto della Madonnina di pietra, ma tutto in debito. Anche il macellaio, al quale si doveva già un bel gruzzolo, aveva promesso di mandare un capretto tenero, e il droghiere i fichi secchi, i datteri, il marsala vero.

– E c'è bisogno di tutto questo sfarzo? – ella brontolò. – Gli altri anni non s'è fatto. E proprio quest'anno che si è in miseria?

– La Madre è fatta così – mormorò l'altra: e non fecero commenti; ma, si sapeva, la Madre, che era una nobile, ci teneva molto a far bella figura: magari, dopo, tutto il Convento avrebbe digiunato. D'altronde la suora giovane si rincorò subito:

– La Madonnina provvederà: e di qualche fedele non mancherà l'offerta.

Poi si piegò a cercare la spola, che la vecchia riprese in mano. Quel giorno suor Vittorina fu trascurata dalle compagne: tutte andavano e venivano, su e giù, per le scale e i corridoi, con un fruscìo d'ali: il Convento sembrava una gabbia di rondini.

La vecchietta però non si lamentava; anzi tendeva le orecchie all'insolito brusìo, e ricordava tante, tante cose. Quando le fu portata la minestra domandò per la terza volta notizie della festa.

– Tutto bene. Il podestà ha mandato un cappone che pare un maialino.

– Lui lo ha mandato, lui se lo mangerà – brontolò; e parve scontenta che cominciassero i regali e le offerte.

Al tramonto era ancora alzata: adesso, dai vetri chiusi, vedeva i monti color viola, sul cielo che aveva già un lieve rossore giovanile; dal piano terreno salivano odori di incenso e di zucchero bruciato, e con quelli le voci delle suore che, cantando il vespro, risonavano di vibrazioni appassionate. Un'atmosfera di festa fasciava già il Convento: e la più felice di tutte era lei, suor Vittorina, che ancora teneva la spola in mano come volesse portarla con sé a dormire, e poi sempre per l'eternità.

Venne finalmente la Madre, per la solita ispezione serale: e aveva fretta, più che mai una fretta di volo; ma la vecchia le afferrò la sottana e la tenne ferma, come appunto un uccello per l'ala.

– Sento dire che per la festa si fanno debiti, quest'anno…

L'altra la fissò, coi fieri occhi sdegnati, mutando però cipiglio quando vide suor Vittorina trarre dal petto, con un certo sforzo, come si trattasse di cosa pesante, un grappolo di scapolari e reliquie, e fra queste staccare un medaglione d'oro, ornato di perle.

– Sono perle vere, Madre. Domani compiono settanta anni che ho pronunziato i voti, ed ho peccato tenendomi questo ricordo. Ma più mai l'ho riaperto. L'offro per la festa: vendetelo, pagate i debiti. Prendetelo.

La Madre, corrucciata, esitava: d'un tratto lo prese e lo intascò, quasi fosse una moneta: e pensava di attaccarlo fra gli ex-voto dell'oratorio; poi decise di venderlo, ma prima ne trasse e prudentemente bruciò il piccolo ritratto d'uomo che il medaglione racchiudeva.

Lunga, onorata e proficua era stata la carriera del cavalier Brischi: proficua, sopratutto, in modo che gli aveva fruttato un magnifico appartamento in città e un grande podere modello, fra mare e campagna, con case coloniche e villa padronale: eppure egli non ne parlava mai, e nessuno dei suoi coloni, tranne forse una vecchia contadina che era stata molti anni al suo servizio, sapeva nulla del suo passato. Era un signore, e basta.

Dei signori aveva, a volte, le stravaganze, almeno agli occhi dei contadini. Certe mattine di estate, per esempio, faceva lunghe cavalcate sulla rozza del suo biroccino, tutto vestito di nero, allampanato come don Chisciotte; oppure si spingeva in alto mare con un suo minuscolo "yacht" che destava l'invidia di tutti i monelli della spiaggia: ma per lo più si divertiva a coltivare il suo giardino tutto speciale, facendo innesti, incroci di fiori, esperimenti con trovati chimici: allora si metteva in testa un turbante di alchimista: e, invero, con le sue strane forbici, i vasetti, le ampolle, gli schizzatoi, e sopratutto con la sua lunga figura triste, il viso di vecchio satiro, pareva un uomo fuori del naturale, intento a qualche misterioso rito agricolo.

Le signore villeggianti, che allungavano le loro oziose passeggiate fino al viale intorno alla villa Brischi, si fermavano davanti alla cancellata, ricca di pilastri, di palle dorate di cattivo gusto, guardando con ammirazione alquanto golosa e beffarda il giardino che, con le sue torte di aiuole screziate di fiori d'ogni tinta e orlate di erbette color marmellata, dava l'idea d'una vetrina di pasticceria: anche i ciottolini candidi e levigati dei viali parevano confetti.

Più a lungo delle altre, una di queste signore, piccola e bruna nella sua vestaglia giapponese, sotto l'ombrellino a stecche, come una gèisha autentica, si fermò un giorno, fissando gli occhi obliqui stupiti sulla figura del caratteristico giardiniere che, senza curarsi di lei, intrecciava le fronde di una pianta rampicante alle sbarre della cancellata, e pareva invero uno scimmione affacciato alla sua gabbia. Nonostante questa rassomiglianza, la donna lo guardava come incantata, e fu col suo passo più elastico e il sorriso più invitante che gli si avvicinò fino a sfiorarlo, dall'esterno della cancellata, con l'onda della manica del suo vestito.

– Signor Manuel?

Egli l'aveva già veduta e riconosciuta; ed anche con un certo senso di smarrimento; ma si dominò; anzi corrugò la fronte, sopra i piccoli occhi verdi, come cercando cortesemente di ricordarsi.

Ella gli venne in aiuto.

– Come, non mi riconosce? Sono la signorina, adesso signora Laura.

– Ah, già, già, scusi, ricordo benissimo; come sta?

– Io? Bene. E lei? Vedo che è sempre giovane, arzillo, infaticabile.

Egli sbuffava, tuttavia lusingato per i complimenti, i sorrisi, gli sguardi della piccola bella signora.

– E vedo che è diventato un nababbo, caro signor Manuel! Com'è bella la sua villa: e come incantevoli il suo parco, il giardino, la pergola! Beato lei. Deve essere proprio felice e soddisfatto. Ma se lo meritava, caro signor Manuel, anzi cavalier Brischi: io però continuo a chiamarlo come *allora*, si ricorda?

Egli ricordava, ma non sapeva se era contento o no che ricordasse lei.

– Ricorda? – ella insisté sottovoce, facendo gli occhi languidi, come quando si evoca un comune passato di amore, che si tenta di far rivivere. – Il suo salottino, con tutti quei fiori finti che parevano veri; e gli specchi; e le grandi riviste di mode? E l'attesa vibrante, che lei ci faceva soffrire e godere; poi l'ingresso al santuario? Una alla volta, signore e signorine! Così diceva lei; e quando la fortunata ero io, avevo l'impressione che un sultano passasse, gettandomi il fazzoletto. Ah, caro signor Manuel!

A misura che parlava, ella aveva preso davvero lo sguardo trepido e voluttuoso della favorita che attende di essere prescelta; e senza più riguardi lo destinava proprio a quello scimmione del vecchio signor Manuel. Tanto che egli la invitò ad entrare.

Ben diverso era al presente il salotto austero del cavalier Brischi, nella villa dove le contadine scalze, con un fazzoletto rosso intorno alla testa mummificata, sfaccendavano silenziose. Una di esse, la più vecchia, la più nera, si fermò a guardare con gli occhi di lucertola l'insolita visitatrice, poi proseguì, scuotendo la testa in segno negativo.

– Posso offrirle un bicchierino di menta? – domandò il cavaliere, aprendo uno stipo del salotto; ma la bella gèisha, pure accettando l'invito, anzi mandando giù d'un sorso il liquore, ripeté il gesto della contadina.

Altro che bicchierino voleva: forse quattrini, pensa il signor Manuel; ma fra di sé anche lui risponde: no, no, cara signora Lauretta.

Già scoraggiata, non del tutto però, ella riprese:

– Lei ha già capito che voglio un favore. Non si allarmi: si tratta di poco. E adesso le spiegherò. Ho fatto un matrimonio di amore. Mio marito guadagna poco, e la mia famiglia, che era contraria a questa unione, mi passa un mensile modestissimo. Ed ecco, caro signor Manuel, gli splendori di un tempo sono spenti: le belle toelette di prezzo tramontate come stelle filanti: ci si contenta di vestitini fatti alla meglio! Il tuo cuore e una capanna! Eppure io vorrei, anche per dare una soddisfazione a mio marito, fare bella figura sabato sera, alla festa dello stabilimento qui sul mare. Lei deve aiutarmi. Riconoscerà che dei bei guadagni gliene ho fatti fare anch'io. Inoltre, io le voglio bene, e lei me ne deve volere ancora. Dunque, io porto la stoffa, tutto quello che occorre, e lei mi taglia il vestito: si lavora assieme, in segreto. Nessuno ha da sapere che il cavalier Brischi è stato il più grande, il più delizioso sarto per signore: il nostro caro signor Manuel, infine. Sì, sì, mi dica subito di sì!

Parlando si era di nuovo avvicinata a lui, e gli tendeva le belle braccia, nude entro il grande calice delle maniche di seta arancione; e lasciava che le falde della veste si aprissero sulle gambe anch'esse nude. Il profumo di giovinezza e di essenza di rosa che emanava da lei come da un fiore vivo investì l'uomo, ridestandogli nei sensi il ricordo di tutto il suo passato bello e tormentoso. Gli sembrò di palpare ancora, con le dita che sembravano polipi, le sete, i velluti, le pellicce e i veli, caldi del fremito delle donne che, più o meno, oltre quella della moda, nutrivano una passione spesso colpevole: passione che gli si attaccava contagiosamente per i loro corpi e le loro vesti.

E fu sul punto di dire di sì; ma il segno beffardo e quasi misterioso della vecchia serva gli tornò in mente: e lo ripeté, identico, in faccia alla leggiadra tentatrice:

– Senta; si rimetta a sedere, ché adesso voglio parlare io. Per conto mio l'aiuterei subito, con entusiasmo. Anzi mi pare già di vederla, nella sala dello stabilimento, sfolgorare, bella fra le belle. Un vestito, ci vorrebbe, per lei, di seta cangiante: color fuochi di bengala, lo chiamavo io ai miei tempi, tra il verde, il viola, l'oro e l'argento. Adesso non so com'è la moda, ma stia sicura che il vestito fatto dal signor Manuel sarebbe il più originale, il più chic di tutti: indosso a lei, s'intende. Ed io, magari, incantato della mia creazione, ed anche di lei, – perché farebbero tutta una cosa, – verrei a vederla, come l'artista va all'esposizione per rimirare l'opera sua; e lei eviterebbe di guardarmi, non solo, ma, arrabbiata contro di me, si volgerebbe dall'altra parte: perché il suo vestito viene da Parigi, e la mia disgraziata presenza le toglie questa illusione, anzi la mette nel pericolo che qualche sua amica si degni di riconoscermi e sveli il segreto. Ed io ne soffrirei, e la mattina dopo, Dio ci scampi e liberi, tornerei alla casa di salute dove sono stato in cura due anni a causa del *nervoso* che i capricci, le esigenze, le pretese, le diavolerie di loro signore e signorine mi hanno procurato.

IL PICCIONE

Come spesso usava, anche quel giorno, nelle ore in cui la breve spiaggia è deserta e il vento soffia da ponente, sbattendo le onde contro gli scogli, la gobbina uscì di casa e scese verso il mare. Aveva un grande ombrello di seta verde, a fiori, non veramente di moda, ma ottimo per ripararla dal sole a picco e dalla cattiva curiosità del prossimo: e lo teneva rasente alla testa, come un vasto cappello. Della sua piccola persona si vedevano solo le gambe di bambina, ben fatte, ben calzate, e i piedini che, dentro le belle scarpette bianche felpate, davano l'idea di due zampine di gatto.

E di gatto che ha caldo, che ha sonno e cerca un nascondiglio fresco dove accucciarsi, ella aveva l'andatura sorniona e svogliata. Scese dunque giù, per la breve china verde e insidiosa di gramigne, trovò il suo posto, in una specie di nicchia che il vento aveva scavato nella sabbia, e vi si adagiò, avendo cura di tirar giù bene i volanti e le trine della sua sottoveste. Adesso l'ombrello la nascondeva quasi tutta, e il vento, che veniva dal mare, l'aiutava a tenerlo basso, rinfrescandone il cerchio d'ombra che pareva, così, quella di un alberello fiorito. Sì, di un alberello fiorito: e l'impressione e l'immagine erano tutte sue, di lei, Agata, l'unica figlia gobba del ricco signor Sansone: di lei, Agata Sansone, che quando riusciva, come in quell'ora, a strapparsi dalla cornice nera e tarlata della sua vecchia casa di campagna, e non si vedeva più negli occhi del suo prossimo, le sembrava di avere la trasparenza e la forza del nome che la sorte le aveva assegnato per scherno.

– Buon giorno, signorina Agata; come sta?

Nel sentirsi scoperta, nonostante tutte le sue precauzioni, ella ebbe un moto di sdegno; ma niente paura: chi la salutava, e le si alzò davanti fra uno scoglio e l'altro e la pennellata lilla dello sfondo, era una vecchia conoscenza. Ed anzi, al primo impeto di dispetto, più che altro provocato dall'irriverenza che le si usava, salutandola cioè quando era evidente che ella voleva essere lasciata tranquilla, seguì un senso di sollievo, quasi di allegria: allegria in fondo ironica, quasi grottesca, ma preferibile sempre allo stato di tristezza, di esasperazione, e si dica pure di odio, che la soffocava quando qualche altra persona si permetteva, in certi momenti, di salutarla. Poiché l'ombra che adesso le stava davanti, come uno sgorbio nero schizzato per dispetto su un bel quadro di maniera, altri non era che un gobbo.

Egli teneva in una mano il bastone, e il berretto che si era tolto dalla grossa testa coperta di una lanugine nera spruzzata di fili d'alghe: con l'altra reggeva un grande coperchio di latta, che brillava come fosse d'argento: e la piccola Agata ebbe, nel guardarlo di sotto in su, una delle sue immagini poetiche: sì, invero, il gobbino pareva uno gnomo del mare, sbucato fuori dalle caverne della scogliera, con la luna piena in mano.

Lentamente, con un fare da odalisca, che le era naturale, ella sollevò i lunghi occhi verdi e scosse il bel braccino nudo, assediato di braccialetti con smeraldi, rubini, acquemarine, che in tutto non avevano il valore del coperchio di latta; poi domandò:

– E tu, come stai? Perché non ti sei fatto più vedere da queste parti? – impiegando un minuto abbondante per pronunciare queste parole.

Grato, commosso, con gli occhi bianchi pieni di lagrime, egli fece un profondo inchino: e subito raccontò i suoi guai, ma con voce di gioia, come si trattasse di una bella canzone.

– Questo coperchio, vede (e lo agitava, incandescente, simile ad uno scudo), me lo ha ordinato la signora Amabilia, la sua cuoca: ed era fatto fin dal giorno dodici maggio; ma giusto quel giorno sono caduto, slogandomi un piede e il polso destro: eccolo, ancora non funziona bene. Fosse stato solo il polso, meno male: un disgraziato, quando ancora può camminare, trova sempre qualche fratello che lo aiuta; ma così! Tre giorni sono stato, nel mio buco, aspettando soccorso: finalmente è venuta la Gilda, la conosce? la ragazzina che va per le case, indovinando alle donne la fortuna. La Gilda ha un po' d'astio, verso di me, perché dice che le donne credono più alla mia presenza che alle sue profezie: ma, insomma, è venuta, forse per assicurarsi che ero morto; e trovandomi ancora vivo mi ha fasciato, mi ha dato da mangiare e da bere, mi ha soccorso in tutti i modi. E adesso vado dalla signora Amabilia, che da prima mi strillerà, poi, nel sentire le mie pene, si metterà a piangere e anche lei mi soccorrerà. Perché tutti mi vogliono bene, ed io voglio bene a tutti. E spero, spero...

In che cosa sperasse non lo spiegò. Sperava, ecco tutto: e pareva fosse la divinità della speranza a raggiare intorno a lui, spandendosi nel mare, nel cielo, nella terra ed in tutte le cose.

Ma quando egli fu scomparso, Agata riabbassò l'ombrellino e si raccolse di nuovo nella sua ombra: un sorriso sardonico le arricciò le labbra sensuali: le sue dita, con le unghie simili a certe spine rosse dei rosai giovani, si affondarono nella rena, quasi cercando di afferrarsi a qualche cosa.

Poiché lei, no, non conosceva la luce della speranza: in nulla credeva né sperava: neppure nel lampeggiare della sua intelligenza, del suo spirito, della sua profonda sensibilità.

Vanità, illusioni. Lo scopo di tutte le cose, in una donna, e forse anche in un uomo, è l'amore. E l'amore non esisteva, per lei. Inoltre, la sua vita era, per necessità di eventi, chiusa, gretta e amara: il padre avarissimo, la madre sempre malata: figure pesanti e opache di fattori, sensali, contadini, preti, serve e operai, sempre intorno a lei, nello sfondo della vecchia casa scricchiolante: e tutti, tranne i genitori, a guardarla col celato terrore della sventura.

Ma ecco che lo sgorbio ritorna ad oscurare la luce della scogliera; e di nuovo si toglie rapido il berretto. Adesso ha un involto sotto il braccio, e, stretto al petto con la mano dolente, un piccolo piccione violetto, col becco e gli occhi rossi: anche il viso di lui è rosso e viola, eccitato come quello di un ubbriaco.

– Hai fatto presto – dice la signorina, senza guardarlo.

– Ho fretta di tornare a casa: sono tanto contento. La signora Amabilia mi ha dato questo piccioncino.

Egli è ansante di gioia: ride, di un riso che sembra pianto. Per un piccione di nido?

– Sì, è rimasto solo, perché il compagno è morto. La signora Amabilia dice: tiragli il collo e màngiatelo. Io? Fossi quaranta giorni digiuno, non gli toccherei una piuma. Lo terrò come un figliuolino: gli farò una casetta…

– Ed esso morrà, perché non ha il compagno. È meglio tirargli il collo – dice Agata, con voluta crudeltà.

Le irsute sopracciglia dell'uomo si sollevano come quelle di un leone: anche lui guarda male la gobbina, la gobbina che porta sventura; e il piccioncino pare diventi ancora più piccolo, entro il nido della mano amorosa, per nascondersi all'occhio malefico che gli augura la cattiva morte.

Ella capisce, e tenta di ridere, ma non può, non può. Per la prima volta sente la sua cattiveria, il fluido velenoso che irradia intorno a sé; lo spirito del male che si annida nel suo petto come il pus in un tumore mortale.

– Ma perché? – si domanda. Perché il gobbo, povero e solo, ha la ricchezza del bene, e lei tanta miseria?

Ella non sa rispondersi ancora, ma già qualche cosa si è aperta, nel suo cuore: ed è lì, il tumore maligno. Forse si crepèrà; forse, col tempo, potrà guarire.

Tutti gli anni, per Pasqua, da tempi remotissimi, veniva giù a far colazione dai Bardi un frate cappuccino. Veniva giù, da dove? Pasqua non lo sapeva precisamente, da dove, ma s'immaginava un luogo bellissimo, poiché suo padre assicurava che frati e suore si scelgono apposta, per i loro monasteri, i punti più ameni del mondo: giù, dunque, dalla cima violetta di un monte, fasciato di boschi, solcato di rivoli sui margini dei quali crescono gli anemoni, e le ghiandaie scendono a bere ed a bagnarsi le ali celesti.

Il frate, invero, portava con sé un colore e un odore di terriccio di castagno, mentre le punte delle dita dei piedi, nudi entro i sandali di corteccia, ricordavano certi funghi carnosi: e, sebbene cambiasse quasi tutti gli anni, per la famiglia Bardi era sempre lo stesso, come ai tempi di San Francesco: il suo piatto, a tavola, anche, sempre lo stesso, e guai se fosse venuto a mancare, il giorno di Pasqua: poiché l'uno e l'altro significavano tante cose grandi: la religione degli avi, il ritorno della primavera, la benedizione di Dio, e sopratutto la tradizione.

Pasqua, però, fin da bambina aspettava il frate per la novità della cosa, e perché, per lui, quel giorno, si mangiavano cibi insoliti e prelibati; specialmente, poi, perché egli raccontava storie di santi, di diavoli, di antichi guerrieri e di martiri, che facevano a volte rabbrividire, a volte anche ridere.

Quell'anno la sua attesa era più viva che per il passato: quasi trepida, anzi inquieta. Verrà o non verrà, il frate? Perché qualche anno, sì, egli era mancato al banchetto. Verrà, dunque, o no? Se viene vuol dire che Pasqua troverà il fidanzato; se no resterà come le sue vecchie zie che si confortano, per mancanza di sposo, con l'andare tutti i giorni in chiesa e poi parlar male di tutto e di tutti.

Questo destino, a pensarci bene, Pasqua non lo temeva eccessivamente, per sé: c'era tempo, a disperarsi, anche se il frate quell'anno non arrivava: poiché giusto quel prossimo giorno di Pasqua ella compiva tredici anni.

Tuttavia ci fu un momento di panico quando, già apparecchiata la tavola, già, in cucina, pronti ad esser buttati nell'acqua
in bollore i cappelletti che odoravano simili a giunchiglie senza
stelo, mentre le campane risuonavano come cembali nella festa della bella giornata, il frate ancora non appariva. Tutti lo
aspettavano con ardore nascosto; anche le vecchie zie, che rivedevano in lui gli antichi sogni, che, anzi, civettavano con lui:
anche la nonna quasi centenaria, che ricordava annate di cattivo raccolto e di sventure domestiche, quando egli era mancato: e tutti, compreso il capo della famiglia, sebbene spregiudicato e niente religioso, si sollevarono dal loro smarrimento
quando l'ospite sacro finalmente arrivò.

E tanto più si rallegrarono, riconoscendo in lui padre Flaminio, che era venuto tanti anni prima, da giovane, e adesso
tornava in apparenza invecchiato, con la barba grigia come
un'onda a sera, ma con gli occhi sempre da serafino: anche la
bocca ridente era sempre quella, anzi più scintillante ancora,
per i denti d'oro che l'adornavano.

Le vecchie zie gli si fecero intorno, arrossendo fanciulle-
scamente; ed anche il capo della famiglia aprì le braccia possenti come per stritolarlo contro il suo petto da capitano di co-
razzieri: ma il frate, che in quanto a robustezza soda e agreste
non la cedeva a nessuno, volse tutta la sua attenzione, quasi
innamorata, alla nonna quieta, facendole segni di benedizione
e di augurio: «Siamo ancora qui, nonna, qui, fra il chiarore del
fuoco e quello delle rose di aprile, e ci resteremo ancora per
lunghi anni, poiché il Signore si dimentica volentieri di chiamare a sé quelli che vivono senza peccato».

– E questa signorina, – domandò poi, volgendo il viso raggiante a Pasqua, – questa bella moretta, che mi par già di aver
conosciuto in Arabia?

– È Pasqua, il nostro unico e tardivo rampollo – dice il ge-
nitore, dandole sulle spalle una manata, che, per quanto amorosa e orgogliosa, la fa trabalzare e ingrugnire, spingendola ad
allontanarsi da lui per sfuggire ad ulteriori manifestazioni di
affetto.

– A tavola, a tavola. E ci racconti dove è stato tutti questi
anni, padre Flaminio.

Egli fece un cenno, per calmare la zia impetuosa che troppo voleva; ma per gentilezza, mentre ella gli colmava il piatto, disse, mandando in su le sue grandi maniche:

– Si figuri: ho fatto il giro del mondo.

– Ho fatto anche la guerra, – osservò, come fra sé, quando si accorse che era il momento di compensare gli ospiti della loro generosità, con qualche cosa che li saziasse e li esaltasse come il loro cibo e il loro vino, – ma non voglio raccontarvene che il lato bello. Disgraziatamente fui anch'io fatto prigioniero, e portato in un campo di concentrazione al nord dell'Austria: un luogo tutto pietre, arido, caldissimo d'estate e siberiano d'inverno. Eravamo in molti, ammassati come belve in un recinto di rocce: fame, sete, tristezza, insetti così grossi che si doveva schiacciarli coi sassi. Io tuttavia conservavo la mia serenità, direi anzi la mia allegria, e cercavo di infonderla agli altri. In uno solo non ci riuscivo: un giovane tenente di fanteria, sempre cupo e avvilito, che non parlava mai, che tentava costantemente d'isolarsi, e verso sera si arrampicava su una roccia, a fissare l'orizzonte, quasi aspettasse un segno del cielo che illuminasse la sua disperazione. Ed ecco, una volta, io mi avvicino a lui, piano piano, e gli dico sottovoce:

– Fratello, forse io posso fare qualche cosa per voi. A giorni, con l'aiuto di Dio, io sarò, per l'indulgenza concessa ai cappellani di guerra, portato di qui in un convento, dal quale, sebbene all'estero, potrò forse comunicare con la patria nostra diletta. Se voi avete fiducia in me…

Egli non mi lasciò proseguire; e mai dimenticherò il suo sguardo di riconoscenza. Disse:

– Sì, al mondo io non ho che una sola persona cara: la mia piccola fidanzata, che da lungo tempo nulla sa di me, e forse mi crede morto. Ebbene, fate in modo ch'ella sappia che io sono vivo; e sopratutto che l'essere prigioniero non è segno, in me, di viltà.

E mi diede l'indirizzo di lei. Che volete? Sono cose che nel mondo succedono. Io conoscevo questa ragazza; non solo, ma ero stato il suo confessore! Grande fu dunque, quasi per un miracolo, la gioia del prigioniero. E più grande fu la mia, quando due anni dopo, finita la guerra, chi unì in matrimonio i due giovani fui proprio io.

Pasqua mangiava con buon appetito, ed anzi profittava della reverente attenzione che gli altri prestavano al frate, per servirsi meglio: tuttavia provava un turbamento pensoso, più che per i racconti ascoltati, per quello che le sembrava significassero.

Sì, non solo il frate era venuto, dalla lontananza dei tempi, e ancor più lunghi della cima dei monti: era venuto dai campi di guerra, dai deserti, dai paesi dei pagani; da luoghi, insomma, donde è quasi miracoloso tornare: e raccontava, lui votato a Dio, storie di amore, di amanti che si ricongiungono, di matrimoni straordinarî. E tutto questo per lei, per significarle che Dio, dunque, le avrebbe permesso di trovare marito.

Semplici cose della vita, affermava padre Flaminio, raccontando altre avventure che sembravano inverosimili, ma alle quali la sua voce timbrata dava un accompagnamento di recitativo musicale: sì, semplici, per lui, forse anche per gli altri, non per lei, che ne sentiva tutto l'intricato, indissolvibile mistero: tanto che, mentre egli riproduceva, con voce tenorile, la melodia di un nostalgico canto dialettale, per mezzo del quale, in alto oceano, in un grande transatlantico, si era riconosciuto con un suo amico d'infanzia, ella scappò via da tavola e corse alla loggia.

E le parve di essere abbacinata, come quando la neve copriva il frutteto sotto la sua casa, e il sole l'arricchiva di prismi iridati: era la cascata dei fiori dei peschi, dei susini, dei peri e dei cotogni: anche i meli fiorivano già, con perle rosa dentro i loro bocci, com'ella sentiva fiorire il suo cuore e il suo seno. Ed anche queste erano tutte cose semplici, per gli altri; per lei, invece, tanto nuove e quasi paurose che ella si sporse sulla loggia e le sue lagrime caddero sugli alberi in fiore.

GIOCHI

Anche il cronista del giornale cittadino si credette in dovere di recarsi ad intervistare il signor Fausto, l'uomo che aveva fatto la straordinaria vincita al lotto.

– Ebbene, mi racconti com'è andata. E, anzitutto, rallegramenti sinceri e sinceri augurî.

Ma, per quanto sinceri, il signor Fausto non pareva disposto a ricevere rallegramenti, e tanto meno augurî. Piccolino, tutto aguzzo, dai piedi ai gomiti, dal mento al naso, con una sciarpa grigia al collo, fissava il visitatore con due grandi occhi azzurri, melanconici e nello stesso tempo freddi ed egoisti. Non lo invitò neppure a sedersi; ma, senza tanti complimenti, l'altro si abbandonò proprio in mezzo al piccolo sofà rosso, scostandone i cuscinetti rotondi che parevano gatti addormentati, deciso a far parlare l'intervistato.

– Dunque, mi dica... Ma pare che lei non sia contento.

– Oh, per questo, capirà...

Si capiva benissimo che duecentocinquantamila lire, piovute in quella casa, rappresentavano una caduta di stelle: bastava guardare il lume a petrolio, adagiato, sul tappetino di lana a frange, e, sulla mensola, sotto lo specchio appannato, un piatto di marmo che offriva una gelida natura morta, pur essa di marmo: due fette di prosciutto, due fichi spaccati, un panino fresco.

– Com'è andata? – rispose infine, più che altro per levarsi la seccatura, il poco amabile signor Fausto. – Così! Ho sognato i numeri, adesso non ricordo più come, li ho giocati, ho vinto.

– Ma lei, dicono, usava giocare tutte le settimane, e in più di una ruota.

Vedendosi scoperto, l'altro s'inalberò, ma lievemente, e subito si ricompose.

– Ne dicono tante! Però, sì, qualche volta ho giocato, anzi, parecchi anni fa mi è capitata una cosa curiosa.

– Racconti, racconti!

– Ero giovane ancora, e andavo volentieri a spasso con una signorina. Era tutta svenevole, tutta romantica, – egli aggiunse, animandosi al ricordo e imitando grottescamente la voce, i gesti, gli sguardi languidi della fanciulla, – così, così. Bene, un giorno si arriva davanti al botteghino del lotto, ed io la invito ad entrare, per comprare un biglietto, con il quale avevo una magnifica quaterna. Che è, che non è, la ragazza si fa livida in viso, mi volge le spalle e se ne va. Dopo, non mi ha guardato più in viso, come fossi stato un ladro còlto in flagrante.

– Dopo, non ha più giocato?

– Dopo, le condizioni mie modestissime migliorarono. Morì il marito di una mia sorella, lasciandole qualche cosa, ed ella mi pregò di vivere insieme per farci compagnia: anche io avevo ed ho lavoro. Così si sta con noi, in questa casa che è di nostra proprietà, e non abbiamo proprio bisogno di nulla.

Pareva volesse scusarsi, adesso, o scolparsi, il signor Fausto; ma il cronista non era soddisfatto, e insisteva con le sue domande:

– Che farà, adesso? Come investirà il suo capitale? Andrà in campagna? Prenderà moglie? Farà qualche oblazione? Ha ricevuto molte lettere?

– Guardi, guardi! Una disperazione – dice, veramente desolato, il vincitore, sollevando e poi lasciando ricadere le lettere ancora in parte chiuse che ingombravano la tavola. – Anche telegrammi, anche libri con dediche. Tutti sono diventati miei parenti, miei amici, miei compagni d'infanzia. E tutti vogliono aiuto, oblazioni, prestiti, come se io avessi aperto una banca. Però il mondo lo conosco...

– Annamaria – s'interruppe, correndo all'uscio e chiamando esasperato la sorella. – Suona... no. Sapristi! Non far entrare più nessuno; non voglio veder più nessuno.

Ma la signora Annamaria aveva già aperto, anzi aveva dovuto spalancare la porta, per ricevere un grande cestino di fiori: bei garofani rossi che dall'arco del manico infiocchettato salutavano con grazioso ardore la pallida e spaurita vedova e la triste casa dove entravano. Il ragazzo che li portava se ne andò senza aspettare la mancia; ma il signor Fausto trovò subito un biglietto di visita nascosto tra i fiori, e quando ne lesse il nome scritto a mano, scoppiò a ridere, fra l'indignato e il contento. Non rivelò tuttavia quel nome, al cronista curioso, e neppure alla sorella trepida: anche per paura di non essere creduto o di apparire ridicolo, poiché era il nome della signorina, adesso vecchia zitella, che lo aveva piantato ignominiosamente davanti alla porta del botteghino del lotto.

«E adesso che farai, caro Fausto? Come investirai il tuo capitale? Andrai in campagna? Prenderai moglie? Farai qualche oblazione? Arriveranno ancora molte lettere?».

Rimasto finalmente solo, così il signor Fausto continuava a intervistare sé stesso, piegato sulla tavola, fra le due trincee di lettere ancor più alte e rafforzate. Aveva l'impressione che a poco a poco, nei giorni seguenti, e poi durante il resto della vita, la maledetta pioggia epistolare avrebbe continuato, fino a riempire la casa, fino a soffocarlo: non questo, però, in fondo, era il suo incubo.

L'incubo vero glielo destava quella terribile intervista con sé stesso: e le innocenti domande del cronista si trasformavano in richiami urgenti e disperati della sua anima. Specialmente alla prima di esse non trovava risposta.

«E adesso che cosa farai?».

Non gli passava neppure per la mente l'idea di continuare a leggere qualcuna di quelle lettere, che in qualche modo gli tenevano compagnia nella notte solitaria; di trovare, fra tante buste ancora chiuse, il segreto di un dolore vero, di una miseria sciagurata: e di sollevarsi sollevando un suo simile. Nulla. Nel suo cuore non c'era posto per nessuno; neppure per la speranza di un po' di gioia materiale.

«Non bevo, non fumo, non mi piacciono le donne: odio la campagna e il mare – così rispondeva a sé stesso. – Che posso farmene, di questi denari? Li metterò alla Banca; sia pure il cinque per cento, ne ho sempre di troppo. Del resto si stava bene anche prima. Solo che…».

Si sollevò, si guardò attorno, si vide nello specchio appannato, lontano, come nella penombra di un bosco, dove si era smarrito e non ritroverebbe più la via per tornare indietro. Eppure era lì, in casa sua, nella saletta che da anni ed anni, nelle sere belle e nelle sere brutte, ospitava la sua volontà, anzi la sua gioia di vivere, di sognare, di vincere la fortuna. Tranne quelle maledette lettere, poiché il cestino dei fiori languiva nell'esilio del corridoio, tutto là dentro era immutato, e immutato, per fermo proposito di lui e anche della sorella, sarebbe rimasto per sempre. Quella melanconia, quel freddo, quell'odore di antico, erano la solita atmosfera, uscendo dalla quale egli sentiva che sarebbe morto come un pesce fuori dell'acqua. Solo che...

Solo che, adesso, l'ambiente s'era vuotato, il sogno più non esisteva: poiché quelle miserabili migliaia di lire non contavano che zero nella vita del signor Fausto. Quello che contava, – e per questo egli si era ben guardato dal confessarlo al cronista, – più che il sogno di vincere, era l'abitudine del gioco, il calcolo, il combattimento, la compagnia assidua, le combinazioni, il pensiero, infine la vita comune coi numeri.

Adesso era finita: ed egli si sentiva come un generale messo a riposo; o meglio si rivedeva ancora davanti al botteghino del lotto, abbandonato dalla fidanzata. Ma il ricordo di questa umiliazione lo scosse fino al cuore. Aprì l'uscio del corridoio, e fece ai garofani sepolti nella penombra un comico segno di addio: poi prese tutte le lettere e le gettò nel sacco della Sacra Famiglia. Così gli parve di aver cancellato quel giorno di tristezza e di vuoto. E, per ricominciare a vivere, sedette di nuovo davanti alla tavola, trasse dal cassetto un libro misterioso, tutto cabale e segni, una carta con un esercito di numeri; e riprese la guerra con questi, cercando di accalappiare quelli che il prossimo venerdì sarebbe andato a giocare.

VOLI

– Sogno, o son desto?

Cantato con voce baritonale, questo verso scoppiò ed echeggiò come un tuono, nel silenzio sonnolento della casa; tanto che Landa, la serva quindicenne, sepolta nella profondità bigia della piccola cucina, trasalì di paura: cosa che del resto le avveniva anche per un improvviso ronzìo di mosca. Ma subito pensò:

– È lui.

Sì, era lui, il signorino, che ritornava dall'aver accompagnato i cari genitori alla stazione: i genitori che si erano mossi per un pietoso viaggio verso il letto probabilmente di morte di un ricco zio scapolo. Era lui, lo spilungone, il grosso folletto, il genio, la gioia e la disperazione della mite famiglia paesana, trapiantatasi in città più per lui che per altro. E quando apparve sull'uscio di cucina, del quale raggiungeva quasi l'altezza, sebbene le sue gambe fossero ancora nude, brune e scabre come tronchi, sullo zoccolo delle corte calze a quadretti; e tutto mani, tutto piedi, tutto sopracciglia e occhi neri turbinosi, Landa trasalì di nuovo, poiché aveva un terrore panico di lui, come di un elemento pericoloso e incosciente che da un istante all'altro poteva travolgerla e annientarla. È vero ch'ella aveva paura di tanti altri elementi, dei tuoni, del terremoto, del padrone, quando, assenti gli altri, entrava piano piano in cucina, e, con la scusa di guardare quello che bolliva sui fornelli, si piegava a fiutare l'odore di giovinezza campestre e grassoccia della persona di lei; paura della padrona che quando tornava dalle visite invariabilmente la sgridava; e, poco fa, del silenzio stupito della casa, un mezzanino semibuio che dava su una strada sempre umida; e della responsabilità addossatale di vigilare contro i ladri, durante l'assenza dei padroni; e, infine, paura persino di sé stessa, o, meglio, di quello che poteva capitarle.

– Niente paura, – disse il signorino, che lo sapeva, – anzi allegria, e sopratutto coraggio. Fra otto giorni saremo forse milionarî.

Aumento di stipendio a te; a me... te lo dirò poi. Intanto, senti, Landa...

Piano piano s'era avvicinato a lei, con la stessa mossa, le stesse spalle un po' curve del padrone; e si piegò a guardare quello che lei cucinava. Ma se il padre aveva un doppio fiuto, lui ne aveva uno solo; e, ad onta dello sgomento trepido e caldo della ragazza, disse con voce melensa:

– Piccione arrosto? Buono, buono! Peccato che io oggi non possa mangiarne.

Si sollevò, lungo, freddo e duro come un palo di ferro: ben lontano dal pensare a quello che Landa temeva e sperava.

– Landa, anch'io devo partire: tornerò presto, però; domani mattina.

Allora ella si volse di scatto, come una marionetta, ricordando la promessa fatta alla padrona di vegliare la casa, e spaventata al pensiero di passare sola la notte.

– I suoi genitori lo sanno?

Ma egli aveva preso quell'aria trasognata che spesso contrastava con l'apparenza vibrante e squinternata di tutta la sua persona.

– Lo sappiano o no è lo stesso. Tanto, quando essi ritornano, io sono già qui. Vado a Genova: in due ore sono là.

Per quanto ignorante e fuori del mondo, ella sapeva che per andare a Genova occorreva quasi una giornata: e le sembrò che il signorino si burlasse di lei. Non era la prima volta, poiché egli, quando aveva bisogno di sfogarsi la fantasia, non potendo farlo coi genitori o con gli amici, le raccontava frottole di ogni genere.

– Non hai capito, stupida? – scattò però questa volta indignato. – Vado per la linea aerea. Arrivo a Genova alle cinque, riparto stasera in treno e domani mattina sono qui.

– Per l'anima mia!

Ella aveva spalancato la bocca, e non riusciva a richiuderla; mentre i suoi occhi, azzurri e dolci come quelli dell'angelo del mattino, si lustravano di orgoglio e di lagrime, quasi fosse lei a dover volare. Adesso capiva perché il signorino, rientrando nella casa dove per qualche giorno era assoluto padrone, cantava quel verso: e anche lei era incerta di trovarsi o davanti ai fornelli o nel lettuccio sgangherato del suo sgabuzzino.

Ma un primo risveglio la scosse subito, perché il signorino diceva:

– Quello che mi dispiace è che bisogna partire quasi digiuni, per evitare il mal di mare.

E di nuovo piegatosi sulla teglia dell'arrosto ne aspirò l'odore del simbolico alloro che insaporiva il piccione.

Il secondo risveglio fu ben più modesto, anzi del tutto spaventoso: e fu quando ella si accorse che il signorino le aveva portato via, coi denari che la signora le aveva consegnato per le spese di quei giorni, i risparmi suoi sacrosanti. Avevano anch'essi preso il volo, i suoi ben guadagnati quattrini: in cambio, al loro segreto posto, c'era un biglietto così concepito:

«Dichiaro di aver preso in prestito, da Orlanda Guerrini, la somma di lire cinquecento, che restituirò fra due settimane. In *caso di disgrazia*, la detta somma verrà restituita dalla mia famiglia».

E sotto, la firma ostrogota del signorino.

Nonostante questa garanzia, Landa fu per gridare, ed anche per gettarsi dalla finestra: non lo fece per paura del portiere; e si buttò invece sul lettuccio, piangendo tutte le sue lagrime. E non sapeva perché piangeva; se per i quattrini, o per paura che il signorino cadesse in mare, o che i padroni, al loro ritorno, la cacciassero via. Era facile anche questo. Ma poi si rianimò: un barlume di coscienza ce l'aveva anche lei, e le rischiarava la mente col pensiero di non aver mancato al proprio dovere. E quando si ha questo conforto, e una lunga vita di lavoro davanti a sé, la speranza ritorna presto.

Nel pomeriggio vennero a cercare il signorino i soliti amici: egli aveva dato loro appuntamento apposta perché la serva rispondesse che era partito per Genova in idrovolante, e godersi da lontano le loro facce: ma Landa si guardò bene dal soddisfarlo. Decise anzi di non aprire più la porta a nessuno, fermandola col paletto. Adesso la paura dei ladri era la più forte di tutte: grande fu quindi ancora una volta il suo terrore quando verso sera sentì qualcuno che, di fuori, dopo aver introdotto la chiave nella serratura, tentava di forzare la porta. Il suo brivido però si confuse e dileguò col suono del campanello. Se si suonava, non erano ladri; forse, anzi, un telegramma del signorino. E la voce di lui la rallegrò tutta.

– Apri, cretina, sono io.

– Come ha fatto, così presto, signorino?

Gli occhi di lei, pieni di gioia e di perdono, sebbene stanchi e pesti, parevano adesso quelli dell'angelo della sera: egli tuttavia sentì un timbro di sarcasmo nella domanda precipitosa; e non volle perdere tempo per risollevare il suo prestigio. Ancora fermo nell'ingresso, illuminato appena da una lampadina fissa sulla vôlta, mentre si toglieva il berretto e il soprabito, egli raccontò:

– Eh, c'è stato un incidente che poteva essere grave. Già, io sono arrivato appena in tempo a prendere il biglietto e ficcarmi nell'idrovolante. Ficcarsi, proprio, perché si scende per una specie di botola, e bisogna allungarsi come un baco da seta. Tu non ci entreresti di certo, con le tue gambe di orcio. Ma una volta là dentro, cara te! Una volta dentro, sei in un altro emisfero. Già ti sembra di scendere a picco in fondo al mare, vederne tutti i mostri e le sue meraviglie, e poi risalire d'un botto in alto cielo: la terra allora è sotto di te, come il tappeto turco del salotto, che ti è caduto l'altro giorno dalla loggia. Ma siamo stati disgraziati: è avvenuto un guasto al motore, e siamo dovuti tornare indietro e ridiscendere nell'idroscalo. Pazienza: per questa volta Dio non ha voluto.

La sua voce era un po' rauca e assonnata, come di uno che ha preso molta aria o si sveglia da un bel sogno: e bello appariva lui alla serva, alto e striato di ombre che, per l'effetto della luce piovente dall'alto, lo rivestivano di mistero. Le sembrava, insomma, un eroe. Ripeté sottovoce:

– Dio non ha voluto.

E non sapeva se ringraziare o no questo Dio degli aeroplani.

Eppure non era vero niente: era la Compagnia di navigazione aerea che aveva negato il biglietto al signorino, privo di carta d'identità e di altre garanzie.

– Questo è il denaro – egli disse, consegnandole intatta la somma. – Restituiscimi la dichiarazione e prepara da mangiare.

Poi, a misura che lei friggeva le patate, egli ne rubava dalla padella le più rosse e, soffiandoci su, riprendeva a raccontare, pienamente convinto di quello che diceva.

– Se vuol trovarsi contento, vada a Castel del Tordo. È, per la caccia, una regione, dirò così, vergine, o per lo meno inesplorata. Il paesetto, amenissimo, e dove ci si trova di tutto, persino le munizioni, è a quattrocento metri, fra colline coperte di castagni e di quercie; di là i monti. Per l'alloggio, se vuole, posso darle l'indirizzo di una brava donna, ex cuoca d'albergo, che s'è fabbricata un villino e fa pensione a pochi villeggianti. L'avverto che, per ragioni locali, la caccia è aperta solo nel mese di ottobre; ma allora è una cuccagna. Caccia minuta, s'intende, perché i cinghiali e i cervi sono da tempo spariti, e di essi, nei castelli dei dintorni, si conservano solo le pelli, e le corna incise, ridotte a manichi dei coltelli da caccia dei signorotti del Trecento. Ma tordi – lo dice il posto – e piccioni, fringuelli, cardellini, e uccelli da passo, starne, beccacce, quaglie e allodole, quante ne vuole. Molte lepri, anche: e, quello che più importa, qualche fagiano e, verso l'alpe, qualche gallo di montagna.

A questo punto, il cacciatore, che coi piccoli occhi di gazza estasiati ascoltava il suo amico di trattoria, si scosse e domandò:

– Scusi, lei è cacciatore?

L'altro capì, e rise cordialmente.

– No, no, non le racconto frottole: e se le parlo di Castel del Tordo è perché mia moglie ci va a villeggiare. A caccia, se Dio vuole, una sola volta mi ci hanno condotto certi amici, da queste parti: e siccome sapevo come la cosa andava a finire, invece del fucile mi armai di bastone, e le allodole le portai già cotte, comprate alla rosticceria.

Ottobre. Il cacciatore è arrivato alla stazione sotto Castel del Tordo, e invece di prendere la corriera, che in pochi minuti sale al paese, un po' per allenarsi, un po' per istinto di esplorazione, preferisce fare a piedi la salita; con Bob, il cane, che non domanda di meglio.

Il bagaglio, che consiste solo in una borsetta con un po' di biancheria di ricambio, è molto leggero, la strada facile, il tempo

fresco, anzi nuvoloso. E tutto il paesaggio, coi suoi poggi verdi ri-
gati di gelsi, e poi di cipressi, e impellicciati, in cima, di castagne-
ti; coi casolari di selci; il fiume scarso che scende bonario di scalino in scalino, indugiandosi a fare qualche ghirigoro intorno ad
allegre famigliuole di pesciolini, tutto, insomma, ha un colore di
presepe, accentuato dalle figure che lo animano. Scendono file
di muli neri, carichi di sacchi di carbone, aizzati da neri carbonai
che hanno gli occhi di diavoli buoni: salgono asinelli bigi, con
sacchi di farina, e un vecchio dalla barba bianca li guida: s'incontrano donne con fascine di legna, con secchi di latte; una, per
non perdere il tempo, fila, e il maialino che le viene appresso come un cane, ogni tanto le tira con affetto il lembo del grembiale:
e finalmente ecco un uomo, del quale si vede solo, sotto il cappello nero, il viso arancione, poiché tutto il resto della persona è
coperto da una candida tovaglia, allacciata sulla nuca e sulle spalle di lui da un nastro rosa. Dal modo cauto col quale cammina,
pare che, sotto la tovaglia, e appoggiandolo al petto, egli regga
un cestino con dentro qualche cosa di fragile e prezioso. E infatti,
alle donne che lo interrogano, risponde pronto:

– L'è la mia bimba, nata ieri, che conduco a battesimo.

Domanda il cacciatore:

– Ma nella vostra parrocchia non c'è l'acqua del battesimo?

– No, signor mio, non c'è: non in tutte le parrocchie la si
trova: bisogna camminare, per trovarla.

Rispondono le donne in coro:

– Eh, qui bisogna camminare.

Ed anche il cacciatore riprende il suo cammino, per trovare
il gallo di montagna.

Il primo ad annunziare che il paese è lì, alla svolta della
strada, è un cane da caccia, anzi da lepre, del colore di questa,
con le zampe larghe e vellutate: con Bob si affrontano, si annu-
sano, pronti ad azzuffarsi.

Il cacciatore li divide, pensando: – C'è già un collega, da
queste parti – e in fondo è contento, perché un cacciatore non
può vivere senza un altro cacciatore.

Ed ecco la casa dell'ex cuoca, riconoscibile per le finestre
nuove e la loggia ancora senza ringhiera. La donna, alta e bruna,

coi mobilissimi occhi neri che dànno l'idea di due rondini in volo, corre incontro all'uomo, lo libera del lieve fardello, lo conduce giusto nella camera del balcone, lasciando che il cane li segua
e faccia il comodo suo.

– Sono arrivati altri cacciatori? – è la prima domanda del nostro.

– Punti, punti. Ma, se lei vuole, domani mio marito, che ha
una carbonaia sul monte, e si diletta anche lui di caccia, le farà
compagnia.

– Bene, bene.

– Peccato che il tempo si guasti – ella dice, mentre una prima
raffica di vento sbatte gli usci della casa con rimbombo di fucilate.

Anche le imposte della loggia si spalancano, e il cane, scappato fuori a curiosare, per poco non precipita nel vuoto.

– Domani verrà il fabbro, per mettere la ringhiera; domani –.
Tutto domani: anche una piccola riparazione ad una scarpa del
cacciatore, spaccata da un sasso della strada. Per adesso, poiché la pioggia scroscia, non c'è che da aspettare la sera e pensare alla cena. E bene ci pensa l'agile donna, con l'arrostire sulla graticola un pollo *alla diavola*.

Il grato odore richiamò l'uomo nella cucina, che per quanto nuova arieggiava le antiche, col camino profondo, gli utensi-
li di rame, le armi da caccia. Sì, anche queste: anzi, per la loro
quantità e varietà, per il senso di antica amicizia che le accompagnava agli spiedi, alle graticole, alle borse per munizioni, ai
trofei di pelli e di ali imbalsamate, pareva di essere nella casa
di un guardia-caccia, in mezzo alla foresta.

E mentre il cacciatore prendeva posto davanti al camino,
col cane accovacciato ai piedi, e di fuori i castagni rombavano
come tanti torrenti, la donna spiegò il mistero:

– Che vuole? Mio padre e mio suocero, e i nonni tutti, si divertivano a cacciare. Mio marito le racconterà le loro storie, di quando
essi, nei giorni di festa, costringevano il parroco a celebrare la messa alle tre del mattino, per partire poi tutti assieme per la caccia.

Il marito non tornò, causa il cattivo tempo. Tutta la notte im-
perversò la bufera; si placò all'alba, e la donna uscì per far aggiustare presto la scarpa del cacciatore. Tornò, col lungo viso di
berbera mortificato, ma non sorpreso. Riportava la scarpa rotta.

– Il calzolaio è già partito a caccia.

– Anche lui?

– Bastasse! Anche il fabbro, che doveva metter la ringhiera, anche il muratore, anche il farmacista.

– Allora posso andarci anch'io: seguirò la processione.

Ma la donna lo sconsigliò: era tardi, e gli altri cacciatori già tutti al loro posto: correva rischio di perdersi e far cattiva figura.

Mortificato anche lui, sguarnito dei suoi distintivi, uscì per visitare il paese. Meno male, questo sembrava disabitato, in mezzo ai suoi poggi umidi di freddi vapori: sola nota movimentata e gagliarda, sopra la solitudine grigia della piazza lastricata di pietre fluviali, sul frontone di una casa, era una targa verde-castagno, con una scritta rossa:

Circolo dei cacciatori.

Egli affrettò il passo, e come un colpevole che vuol nascondersi imboccò un viottolo, poi un altro, finché si trovò ai piedi del bosco. Tornavano le nuvole, da tutte le parti, in lotta fra loro: i vecchi castagni brontolavano sordamente, come frati dietro un funerale: l'ostilità e la desolazione del luogo crescevano, nonostante il fumo dei comignoli delle ultime case dei contadini, e l'annunzio giocondo delle galline che avevano fatto l'uovo. Si udì anche un abbaiare di cani, e l'uomo si guardò attorno per vedere dove si era cacciato il suo.

Invano fischiò, richiamandolo; dovette salire l'erta, scendere dalla parte opposta; i cani abbaiavano più forte, ma nessuno si faceva avanti. Solo Bob, eccolo finalmente: corre incontro al padrone, con un volatile in bocca: un bel volatile grosso, fulvo, con la cresta dello stesso colore, gli speroni che sembrano due piccole corna.

– Disgraziato, tu hai preso un pollastro!

Senza abbandonare la preda, Bob scuote la coda in segno negativo; mentre gli occhi, sopra il furbo muso di pulcinella, gli brillano come scarabei.

Alle sue proteste si unirono quelle di una donna che pareva Marcolfa, accorsa a chiedere l'indennizzo: che fu piuttosto rilevante, poiché si trattava veramente di un gallo selvatico, di razza rarissima, cacciato vivo sui monti, e allevato con cura dalla contadina.

Così, almeno, nelle sere d'inverno, racconta il cacciatore.

MEZZA GIORNATA DI LAVORO

Non sempre il povero batte invano alla porta del ricco. Con questa speranza il sor Checco si alzò alle sei del mattino, l'altro sabato, vigilia dell'antica Epifania.

Da cinque giorni egli non si nutriva che di erbe e di avanzi di pane dei suoi vicini di casa, più poveri di lui. Da cinque giorni pioveva a dirotto, e la Valle dell'Inferno giustificava il suo nome con la sinistra tristezza dei suoi rigagnoli fangosi e dei cespugli demoniaci impigliati fra le nuvole che gravavano sulle creste delle alture.

Non che al sor Checco importasse il paesaggio, il tempo, il colore del tempo: ma egli aveva freddo e fame nella sua capanna fatta di lastroni di latta, dove gli pareva di essere un'aringa dimenticata nel fondo limaccioso di una scatola; e aspettava che il tempo si placasse per andare in cerca di lavoro.

Lavorava a giornata negli orti e nei giardinetti dei quartieri nuovi, ai quattro punti cardinali della città: specialmente nei giardinetti i cui proprietari non si possono permettere il lusso di un giardiniere laureato.

Ed ecco, quella mattina, il sor Checco sente che è venuta la sua ora buona. Un silenzio cristallino, di fuori: una stella, la grande stella che ancora guida i Re Magi verso Betlemme, ingemma il cielo lagrimoso. L'uomo si alza, cinge il suo grembiale di lavoro e parte. Scende e risale la valle tutta umida e pelosa come una grande ascella della città che stende di qua, di là, le braccia delle sue nuove costruzioni; costeggia il corpo addormentato della metropoli, giù, giù, fin dove il colosso che cresce ogni giorno allunga le sue gambe interminabili.

Laggiù egli conosce un posto dove una volta ha trovato non solo lavoro ma anche bontà; e vi si dirige col cuore sicuro, scuotendosi di dosso il freddo e la fame come gli uccellini che si svegliano sui rami dei pinastri già lucidati dalla vernice del sole.

Questi pinastri, nel giardino davanti al quale egli si è fermato, gli procurano però una delusione. Sono già tutti aggiustati e tosati per bene, in modo che sembrano vasi di smalto verde-oro col coperchio a punta, mentre il cedro del Libano, in mezzo ad essi, ha la forma perfetta di una piramide.

E sotto questi giganti, i numerosi altri alberi, nudi di foglie, hanno l'aspetto di un popolo già ribelle e scapigliato che un dominatore ha messo a posto riducendolo in silenziosa servitù. Sono tutti scalvati, potati, e alcuni ridotti a semplice forma di croce.

Anche le aiuole, ripulite e pettinate, con intorno la loro verde barba di convallaria, dichiarano all'uomo che non hanno più bisogno di lui. Ed egli rabbrividisce e sbadiglia, ricordando di aver sentito dire che il proprietario del giardino ha avuto una grossa eredità.

Ma poi, anziché maledire la buona sorte del prossimo, si consolò, si fece coraggio, suonò al cancello.

Il padrone stesso, già mattiniero, venne ad aprire. Riconobbe l'uomo povero, i cui occhi azzurri si riempirono, solo per questo riconoscimento, di luce infinita, lo fece entrare, gli concesse lavoro. Era un lavoro aspro, che il giardiniere di stile non s'era degnato di compiere: un lavoro d'orto, in fondo al giardino, dove questo prendeva quasi un colore di campagna: vi crescevano altissime le canne imbrunite dal gelo, e i carciofi trasandati e inselvatichiti aprivano sulla terra le ali grigie delle loro grandi foglie.

L'uomo si sollevò sulla schiena e guardò in alto; si piegò e fissò l'erba ai suoi piedi. Pareva salutasse. Salutava infatti la sua giornata di lavoro.

Cominciò col segare le canne, poiché l'erba non bisogna molestarla finché dura la brina, come non bisogna svegliare il bambino che dorme. Le canne cadevano, una dopo l'altra, salutando a loro volta i raggi del sole, coi quali avevano tanto scherzato; ma i raggi le seguivano fin dove esse giacevano lunghe stecchite con le chiome ancora vibranti di vita, e pietosamente le riscaldavano.

Anche l'uomo si riscaldava. Non sentiva più la fame, perché il sole e il lavoro nutriscono come il pane; e i suoi pensieri erano tutta una cosa con le cose che egli toccava.

Solo quando si trattò di mutare lavoro, parve ricordarsi di qualche altra cosa: di un vuoto interiore che bisognava colmare. Ma in tasca non aveva un centesimo, e si vergognò di domandare un acconto al padrone del giardino.

Il padrone però, che lo sorvegliava, poiché aveva già veduto la fame negli occhi del povero, tornò in giardino e si mise a interrogarlo.

– Come vi chiamate?

L'uomo, già chino sulla terra a scavare l'erba, sollevò con diffidenza gli occhi, come se la voce del ricco gli arrivasse di lontano, subdola e fraudolenta. E non smise di lavorare, non per timore, ma per abitudine. Non gli importava nulla del padrone: in quel momento, l'erba che egli strappava fino dalle più profonde radici era l'unica cosa che contava per lui. Ma rispondere bisognava:

– Il mio nome è Francesco Costante Vannutelli.

– Sembra il nome di un cardinale! Avete moglie? Figli?

– Li ho avuti. Lei morta, i figli andati per la loro strada.

– E voi dove vivete?

– Io? In una di quelle capanne fatte di lastre di latta, laggiù, dopo Valle dell'Inferno.

– Avete qualche bestia?

L'uomo tornò a sollevare gli occhi: come diversi! Sorridenti, ironici e teneri nello stesso tempo, pareva si beffassero del padrone e della sua santa ingenuità.

– Bestie? Magari.

Riprese a lavorare. E il padrone intese. Magari, possedere un ciuco, un cane amico, o una pecora al cui fiato scaldarsi, o un piccolo gatto traditore. Ma non fece commenti: solo disse:

– Va bene, va bene. Lavoratemi bene i carciofi e a mezzogiorno vi manderò una buona minestra.

D'impegno l'uomo si mise a lavorare intorno ai carciofi. Li sollevò a uno a uno, legandoli a cespo; zappò e rincalzò loro intorno la terra; li slegò; e, sui loro monticelli bruni e freschi, adesso le foglie tutte dritte verso il cielo tentarono di gareggiare con quelle delle palme.

Finita l'opera, il sor Checco stette a contemplarsela con gioia evidente: gli pareva di aver salvato dei naufraghi o, meglio, di aver convertito una torma di infedeli: poiché anche la sua mente lavorava a modo suo, e le parole del padrone «il vostro nome sembra quello di un cardinale» gli ricordavano una storiella sentita raccontare da un vecchio cocchiere dei tempi pontifici.

«C'era dunque un cardinale, ma "di quelli buoni", ch'era stato anche nei paesi dei selvaggi, ed era un golosone e un mangione di prima forza. Una volta usciva dal Vaticano, dopo un pranzo, ma di quelli buoni. Ecco che incontra un poveraccio. – Eminenza, faccia la carità a questo poveretto che ha fame –. Ma Sua Eminenza tira dritto, rosso e sbuffante. Dice: – Beato te; io crepo –».

Di parere diverso fu il proprietario del giardino, che si concesse anche lui la gioia di mandare quasi metà del suo pasto al lavoratore povero, e anche un bicchiere di "quello buono". Poi scese ancora una volta la scaletta che dalla sala da pranzo conduceva in giardino.

Il sor Checco si era adagiato appunto nel sottoscala, con la testa all'ombra e i piedi al sole. La beatitudine più schietta gli rischiarava il viso, il piccolo viso di creta levigato e solcato dal sudore di tanti e tanti anni di fatica.

Domanda il padrone:

– Quanti anni avete?

Adesso gli occhi del povero vanno dritti verso quelli del ricco, sorridenti e fiduciosi: da pari a pari.

– Settanta.

– Settanta? E ancora abbiamo tanta forza e volontà di lavorare?

– Il poveretto, il vero poveretto, lavora fino al suo ultimo giorno.

E finalmente il sor Checco ride, contento della sua saggezza, ma sopra tutto della sua forza e della sua volontà degnamente riconosciute.

L'uomo ricco lo guarda con invidia, ma anche con una certa soddisfazione: poiché in fondo sente che la felicità del povero, quel giorno, l'ha creata lui, e che sta in suo potere, più che in quello divino, crearla ancora; e che questa, infine, è la sua vera ricchezza.

L'ARCO DELLA FINESTRA

Notte buia, lamentosa, di vento. Notte favorevole ai ladri, poiché quelli che dormono, senza preoccupazioni per l'avvenire, nei loro letti tiepidi ben coperti, anche se sentono uno scricchiolìo nella loro camera e si svegliano paurosi, fingono di continuare a dormire, o riprendono a dormire davvero, pronti a sacrificare, per il sonno e per la vita, il loro tesoro.

Altre volte la zia Margotta faceva anche lei così: quando non aveva da sperare e da temere nulla dalla vita, si abbandonava al sonno come ad un amante dolce e fedele. Adesso le cose erano cambiate: in seguito a dissensi con la famiglia, e specialmente con la sorella ed i suoi numerosi figli discoli, la zia Margotta aveva venduto la sua vecchia casa, coi mobili e tutto, e se ne andava di nascosto, lontano, in un pittoresco monastero circondato da giardini di cedri e di alberi di rose, dove le suore accoglievano in pensione donne anziane.

Ecco finita d'imbottire la valigia, la vecchia valigia nera di famiglia, che da tanti anni giaceva come morta e mummificata in fondo a un cassone. Adesso la valigia, che è di cuoio morbidissimo, s'è gonfiata, quasi ingrassata, viva come ai bei tempi delle diligenze festose; e sta aperta sulla tavola dell'ingresso, davanti alla donna, che la guarda e pare studiarla come un libro: il libro del suo passato.

Il suo passato è tutto là dentro, nelle pagine candide della sua pudica biancheria di vecchia zitella, nelle pagine chiuse delle scatole con dentro ricordi misteriosi, nelle pagine stampate dei giornali che avvolgono la caffettiera e la tazza, dalle quali, pure abbandonate le persone più care, non ci si può staccare; e la spazzola d'argento che ha conosciuto i nostri capelli neri e le illusioni che, come banditi in una foresta, vi si nascondevano per ferirci a tradimento; e le pantofole di velluto rosso ricamate in oro, che portano sulle suole di feltro l'ultima polvere della casa perduta.

Un improvviso scroscio di pioggia che si sbatté con furore sulla casa deserta, le fece sollevare la testa.

– Così almeno cesserà il vento – ella disse a voce alta.

Perché, più che sotto la pioggia ed i lampi, aveva paura di percorrere, sola, spinta e respinta dal vento, il tratto di strada che dal paese andava alla stazione. E in quel momento le si schierarono davanti alla memoria i suoi cinque nipoti, tutti alti e vigorosi, come si offrissero ad accompagnarla e portar loro la valigia: il più insistente era Brunetto, il minore di tutti, quello che fino a pochi mesi prima era stato davvero il suo cavalier servente, in casa e fuori, devoto e affezionato, e poi, messo su dalla madre e dai fratelli, le si era rivoltato quasi con crudeltà.

– Via, via tutti – ella disse ancora ad alta voce, scacciando con la mano gli invisibili fantasmi.

Per sfuggire ai fantasmi vivi e morti del passato, ella aveva deciso di passare il resto della notte nell'anticamera che dava su una terrazza dalla quale si scendeva nel giardino: ed anche per la ragione meno sentimentale ch'ella aveva nascosto i danari ricavati quel giorno stesso dalla vendita della casa, in un luogo che i ladri non avrebbero mai potuto indovinare, ma sul quale ad ogni modo bisognava vigilare. Lo scroscio incessante della pioggia l'allarmava anche per questo: poiché gli ottanta biglietti da mille, arrotolati e cuciti dentro un pezzo di tela cerata, stavano riposti, fino al momento della partenza, sopra l'architrave esterno della porta-finestra che s'apriva sulla terrazza. Il luogo era riparato dalla loggia sovrastante, ed il ripostiglio tappato con mattoni; se però la pioggia continuava così, la sua umidità poteva arrivare al tesoro.

Per fortuna però il temporale veniva insolitamente dal nord, e flagellava quindi il lato opposto della casa: per rassicurarsi meglio ella aprì lo scurino della porta-finestra, ed attraverso le stecche asciutte della persiana vide come un confuso velo metallico ondeggiare di là dalla loggia. Ma un fragore scoppiettante ed un bagliore d'incendio la respinsero dal vetro tutta fredda di terrore. Ebbe l'impressione di aver veduto spalancarsi l'inferno.

Chiuse lo scurino e si fece il segno della croce: ma il tremito non le passò: e con lei, al continuare incessante dei tuoni e dei fulmini, tremava tutta la casa, tremava tutto il mondo.

Il più spaventevole era il boato del vento che superava anche il fragore delle saette: adesso penetrava da tutte le parti, e dava l'impressione di un'invasione d'acque, lenta ma inesorabile.

Per di più la luce elettrica, come per un ordine superiore, si spense. La donna ebbe paura, e per sfuggire a quella cecità disperata sfidò la terribile luce di fuori. Riaprì lo scurino e andò a sedersi sulla poltrona di cuoio dove già aveva progettato di passare la notte come su una barca che dal triste passato la trasportava ad un tranquillo avvenire.

Il passaggio però minacciava di essere, più che burrascoso, mortale.

La violenza di quel temporale, che durava già da qualche ora, la zia Margotta non ricordava di averla mai altre volte sentita. E sinistro, oltre allo stridore della pioggia e delle saette che pareva quello del mondo lacerato come una tela inutile, era quel boato misterioso portato dal vento, dapprima lontano, poi sempre più vicino. Ella lo ascoltava con un terrore fisico crescente: le sembrava che il mare, non lontano molto dal paese, si gonfiasse e invadesse la terra.

Chiuse gli occhi e vi mise su, forte, la mano fredda di sudore. Ma fu peggio: perché rivide nitide e ingrandite fino alla realtà certe fotografie di giornali illustrati che riproducevano le rovine di paesi lontani massacrati dai cicloni e dai maremoti di quella stagione infernale. Tutto il mondo era staffilato, più o meno, dall'ira di un Dio impazzito, o forse giustamente sdegnato. Adesso arrivava laggiù, anche nel paese in apparenza mansueto e sonnolento di virtù, ma dove pur gli uomini si abbandonavano alle passioni ed alle vigliaccherie peggiori.

D'un tratto il vento rombò anche da levante: si sentì come l'urto di lotta fra i due giganti dell'aria; era un muro che crollava. Gridi di gente che chiamavano soccorso attraversarono come uccelli spauriti il caos della bufera.

– Questa notte si muore – disse lei a sé stessa: e andò ancora accanto ai vetri, quasi volesse uscire e portare aiuto; ma adesso la pioggia batteva anche alla porta-finestra, filtrava attraverso la persiana, e al fuoco dei lampi pareva sangue: di là si vedeva un prato luccicare d'acque, come se il mare fosse davvero arrivato fino al giardino.

– Dio, aiutaci, Dio, perdona…

Non aveva più la forza neppure di muoversi: ricordava di

aver sentito dire che durante i terremoti, per salvarsi bisogna
mettersi sotto l'arco della finestra; un vago istinto la fermava
quindi in quel cantuccio. Ad ogni modo faceva il suo esame di
coscienza, e molte cose dapprima oscure le apparivano sotto
una luce violenta, come scoperte d'un tratto dal chiarore quasi
divino dei fulmini incessanti.

Aveva peccato anche lei. Era stata sempre egoista: aveva
amato gli altri solo quando il suo amore le faceva comodo e
piacere. E aveva creduto di poter pagare con danaro l'amore
che gli altri le offrivano. Scoperto il gioco, amici e parenti avevano tentato di profittarne. E la cosa le era parsa mostruosa
mentre era naturale.

– Ma tu, Brunetto, tu no... tu no...

Appoggiò la fronte ai vetri e rivide il suo Brunetto che frugava negli angoli del giardino per trovare qualche violetta e
portargliela come il primo saluto della buona stagione. Brunetto ella lo aveva amato davvero, per lui stesso, perché era bello
e buono; ed egli le si era rivoltato quasi per vendicare gli altri.

Adesso i gridi di soccorso si moltiplicavano, s'incrociavano
in aria, vicini, incrinando sinistramente lo sfondo cupo della
bufera. Un altro crollo: dal tetto della casa volavano gli embrici: cadevano frammenti del cornicione, porte e finestre cigola-
vano come spiriti incatenati.

– Bisogna morire – ella disse, sollevando la fronte, quasi rassegnata. Ma subito indietreggiò barcollando; un uomo era nella
terrazza e tentava di aprire la persiana introducendo un uncino fra
le stecche. Ella ripensò al danaro nascosto là sopra, e si accorse di
averlo completamente dimenticato; non solo, ma di non curarse-
ne più, come di tutte le cose terrene quando si sta per morire.

Eppure il terrore umano vinceva quello del sovrannaturale.
La paura che il ladro riuscisse a penetrare in casa e la strango-
lasse, la faceva scivolare lungo la parete, silenziosa, come se
egli, fra tutto quel fragore, potesse sentirla.

Anche lui però, d'un tratto, ritirò l'uncino e parve indeciso
a proseguire nell'opera. Una saetta formidabile, simile allo
scoppio d'una cannonata, faceva tremare la casa dalle fonda-
menta: e il fulmine doveva essere caduto sui ferri della loggia

perché questa scricchiolava.

Vinta dall'istinto della curiosità e dal desiderio che il ladro fosse stato colpito, la donna si riaccostò alla porta-finestra, anche per richiudere gli scurini onde opporre una maggiore resistenza nel caso che il malandrino riprendesse la sua opera.

Il malandrino era ancora lì, flagellato dalla pioggia che dopo lo scoppio della saetta veniva giù a cascate; il vento gli aveva portato via il cappello, ed al chiarore di un nuovo lampo ella riconobbe la figura alta e già robusta di Brunetto.

L'anima le si capovolse; pensò che tutto era un incubo e cercò di svegliarsi, di opporre al sogno spaventevole la realtà serena. Ricordò che quando voleva, con un supremo atto della coscienza soffocata, svegliarsi davvero da qualche sogno angoscioso, cercava di parlare. Il suono della sua voce riusciva a destarla.

– Brunetto, Brunetto – gridò.

– Zia, zia! Oh, finalmente! Apri; la casa crolla.

Ella aprì i vetri, si sentì presa e travolta nella bufera, assieme con lui che la trascinava fuori, giù nel giardino simile ad uno stagno.

– Ho suonato tanto alla porta, per avvertirti, – egli diceva ansando, – non rispondevi; allora ho tentato di aprire lì. La casa è minacciata. Vedi!

La loggia, infatti, crollò: si sfece in un mucchio di rottami davanti alla porta-finestra rimasta aperta intatta sotto il suo arco: i denari furono sepolti.

La zia Margotta si stringeva al nipote; ne sentiva il calore umido, il fiato ansante; ne sentiva le mani che cercavano ripararle la testa; e le pareva di sentirne anche il cuore che batteva come quello di un uccello ferito che però è riuscito a salvarsi.

Ma un senso di confusione le rimaneva nell'anima. Quale era il sogno? Quale la realtà?

Se Brunetto avesse davvero picchiato alla porta di strada ella avrebbe sentito. No, anche lui forse era stato colto da un incubo; aveva creduto ch'ella dormisse e tenesse i denari dov'egli sapeva ch'ella li riponeva...

La voce di lei lo aveva svegliato. Ad ogni modo ella pensava che l'arco della finestra li aveva salvati tutti e due da un disastro irreparabile.

FILOSOFO IN BAGNO

Da cinque giorni il filosofo artritico faceva una cura di fanghi e di bagni caldi, in un modesto e quindi ancora tranquillo stabilimento termale; e dopo le abbondanti sudate e, soprattutto, dopo i casalinghi pasti quasi all'aria aperta, nel portico di una trattoria campestre là vicina, sentiva la sua mente riaprirsi alle belle speculazioni di un tempo.

Il sesto giorno scese senza zoppicare le scale, e imboccò con una certa sveltezza il corridoio sul quale si aprivano le celle di cura di seconda classe. Era di ottimo umore, tanto che, per la prima volta, diede confidenza al giovane erculeo bagnino che lo assisteva.

– Giovinotto, – gli disse, mentre questi lo aiutava a spogliarsi, – voi credete che io abbia scelto la seconda classe per economia? Povero, sì, ma non avaro. Ho scelto dunque la seconda classe perché le vasche vi sono più corte, basse, grezze; mentre nella prima sembrano tombe di porcellana: vi si scivola, vi si affonda: buone per lunghe dame nuotatrici, o per fratoni prosperosi. Noi, invece, come avete già constatato, e credo non senza una maliziosa soddisfazione, abbiamo un corpo tutto nostro speciale, e dico nostro intendendo la nostra classe di uomini celebri: corpo corto e panciuto, testa grossa e gambe piccole: tutto il contrario della gente creata da Dio per correre le vie del mondo e della felicità terrestre. E, ditemi una cosa, giovinotto – aggiunse, mentre l'altro, rispettoso, ma di un rispetto glaciale, e indifferente a ogni altra cosa che non fosse la sua faccenda, lo aiutava a sedersi e poi a coricarsi nudo supino sul lettuccio coperto di un rozzo lenzuolo caldo: – chi abita quella casetta bianca in cima al poggio, qui sopra lo stabilimento?

Il giovine non rispose subito, perché bussavano all'uscio, e, appena questo dischiuso, vi fu introdotto il secchio di fango bollente. L'odore dell'iodio rese più greve l'atmosfera calda e rarefatta del camerino, che al filosofo dava l'idea di una tazza di maiolica.

– Non glielo so dire, – rispose infine il bagnino, mentre gli plasmava il fango sulle gambe, – io non sono del posto. Vengo di lontano e non mi occupo della gente di qui.

Ma il contatto con la materia caldissima, che gli pareva lava, attutiva la curiosità del filosofo: una smorfia scimmiesca gli contraeva il viso, e per non lamentarsi sbuffava. Quando il peso ardente gli ebbe sepolte le gambe, e il giovine gli coprì il petto velloso, da prima col sudario di un asciugamano, poi coi lembi del lenzuolo, e infine lo sopraccaricò di coperte che gli ricordavano quelle per cavalli, riprese a parlare.

– Venite di lontano e non vi occupate della gente di qui. Vi si vede dal volto. E voi partite dal punto dove io sono già arrivato. Neppure l'uomo sepolto nel fango vi interessa.

Infatti il giovine aveva preso in mano il secchio e si scusava di dover subito correre a «fare un altro fango».

– A momenti sono qui; cerchi di sudare.

Senza cercarlo, già il sudore sgorgava dalle tempie, dalle spalle, dai fianchi del paziente. Egli se ne sentiva riempire gli occhi e le orecchie, e gli pareva che colasse lungo il collo come un rivoletto che rinfresca l'aridità di una china pietrosa. E ne provava contentezza. Era la prima buona sudata che faceva dopo cominciata la cura: segno che il suo corpo esausto riprendeva vigore e ricacciava il veleno che da lungo tempo lo intossicava.

Il pensiero della casetta in cima al poggio lo riprese, come una piacevole ossessione. Chiudendo gli occhi la rivede, quale essa, del resto, appare anche dietro i vetri appannati del camerino. È tutta bianca, sotto il cappuccio rosso del tetto nuovo, con le persiane d'un solo pezzo, quali usano nelle case dei contadini benestanti. Ma questa, più che un'abitazione colonica, ha l'aspetto di una villetta: forse ci abita un artista, forse una quieta famiglia borghese in villeggiatura.

È così graziosa e pacifica che tutto, sotto e sopra, ha un senso quasi di ascesi: le chine, con file di alberelli nani, salgono lente fino ai suoi piedi, e l'una gareggia con l'altra per il suo declivio dolce e vellutato, per il suo colore verde e oro, o verde argento; mentre l'estrema cima del poggio la ripara con la sua cupola scura, e due cipressi, sospesi sul cielo, sembrano fieri di essere arrivati i primi a godersela dall'alto con gioia paterna.

– Luogo di pace, sembra, – egli pensa, – e può essere invece luogo di dolore. Avidi e bestiali coloni l'abitano: le donne sono anchilosate dalla fatica, o afflitte da malattie loro speciali; i bimbi sudici, i vecchi ubbriaconi.

– Giovinotto, – risponde poi al bagnino, che è rientrato per chiedergli se sta bene, – io sto benissimo. Mi sembra, persino, di essermi trasformato in un tritone.

Il giovine ignora che cosa sia un tritone, e non osa chiederlo al filosofo, tanto rispetto questi gli inspira. Rispetto che non vien meno neppure quando egli scopre il paziente, ne raschia il fango dalle gambe stecchite, lo tira su come un povero Cristo del quale può fare un suo zimbello; poi lo aiuta a scavalcare la vasca da bagno, e quando sul misero corpo, che dentro l'acqua salsa a quaranta gradi, tende a salire a galla come fosse di gomma elastica, stende pietosamente un asciugamano dal petto al ventre: e tanto meno quando gli lava una dopo l'altra le gambe, ancora imbrattate di fango, e infine le mani, indugiandosi a pulire la destra gloriosa.

Il filosofo lo guarda, non senza una certa fredda tenerezza. Quella testa di Ercole imberbe, coi capelli castanei ricci così densi che sembrano di terra cotta, la bocca sensuale e triste, non gli desta invidia: solo pensa che gli farebbe comodo avere quotidianamente ai suoi servizi un domestico così forte, discreto, insensibile alle miserie ed ai fatti degli altri. A proposito, il ricordo della casetta bianca gli ritorna in mente: e, appena lasciato solo, si rimette a fantasticarci su. Adesso però la sua visione è ottimista; forse perché l'azione del bagno gli dà un senso di benessere fisico.

Bella gli riappare la casetta, come la si vedeva il giorno avanti, all'ora del tramonto: quasi rosea, e tutto intorno roseo, non per l'effetto del sole al declino, ma come per il riflesso del colore della vita intima che si svolgeva dentro le sue camere. Poiché le finestre erano state tutte spalancate, per ricevere completa la gioia del tramonto; e il filosofo pensava chi poteva averle aperte così. Forse una giovane sposa che col suo compagno novello passa la luna di miele nel delizioso rifugio; o uno studioso in beata solitudine; o una mamma felice, i cui numerosi bambini giocano sotto il pergolato, arrampicandosi fino ai cipressi della cima.

Egli non ricordava di aver veduto il fumo salire dal comignolo della casetta, ma gli pareva di veder egualmente il fuoco acceso nel camino della cucina volta a nord, e la serva squadrata, dalle gambe nude di basalto, appendere al gancio il paiolino per il purè di patate.

L'antica poesia della casa e della famiglia è dunque viva ancora, in qualche angolo del mondo, e il cuore del filosofo se ne rallegra, come se quest'angolo sia il suo stesso vecchio cuore, riscaldato dal bagno salutare e dalla speranza di una sua guarigione non solamente fisica.

Rinnovarsi; sentirsi ringiovanire: poter ancora ridere e amare! Tanta è la sua soddisfazione che, mentre la sua testa di bronzo sta fissa sulla tavoletta in cima alla vasca, le braccia hanno qualche velleità di nuoto: egli ancora sente davvero l'agilità e la forza di un tritone.

Il socchiudersi dell'uscio gli fece smettere gli esercizî. Il bagnino rientrava, abbracciato al lenzuolo caldo che doveva avvolgere il filosofo: e questi tentò di sollevarsi da sé, ma scivolò e ripiombò miseramente dentro la vasca.

Il giovane gli porse la mano, lo tirò su come un naufrago; e, quando lo ebbe avvolto bene nel sudario, disse:

– Professore, ho domandato per quella casetta bianca, lassù. Non ci sta nessuno: è da vendersi o da affittarsi.

IL SOGNO DI SAN LEO

Leo e Marino, da poco convertiti alla religione di Cristo, avevano lasciato la natìa Dalmazia per cercare nelle coste d'Italia un rifugio alla loro fede.

I monti li attiravano. Giunti alle rive del fiume Marecchia sostarono quindi per decidersi; poiché cime non troppo elevate ma favorevoli per anfratti, macigni e boschi ancora intatti, sorgevano sopra i fianchi della valle. Disse Marino, deponendo il suo pesante sacco sull'erba della riva:

– Quello a destra è il Monte Titano, e lassù voglio arrivare io: lassù scaverò la mia casa nella roccia; i pastori verranno a me ed io li convertirò alla parola di Cristo. Fonderemo una chiesa e poi una città che sarà alta e luminosa nei secoli come un faro inestinguibile di fede e di libertà.

Leo scuoteva la testa, col viso basso già scolpito fino alle ossa dal digiuno e dalla astinenza da ogni peccato. Al contrario del compagno, egli voleva fare l'eremita, vivere in nuda solitudine, nutrendosi di erbe e di ghiande, nella contemplazione di Dio.

Erano entrambi tagliapietre, e dentro il sacco portato or dall'uno or dall'altro, tenevano gli strumenti del loro mestiere: picche, martelli, scalpelli, misti alla pietra focaia, a tozzi duri di pane d'orzo e pezzi di formaggio di capra.

Marino era provveduto anche di un mantello, mentre Leo vestiva da mendicante, con una vecchia dalmatica stretta alla cintura da una corda di giunco.

Era d'agosto ed il fiume in secca stendeva appena una trama di vene azzurre sul grande letto di sabbie rosee, fra l'ampiezza delle chine coperte di quercie dalla cui marea verdone i macigni emergevano come grandi scogli. I prati ai margini delle rive, gialli e violacei per i fiori della rughetta e del radicchio, confortavano gli occhi di Leo con la promessa di un buon nutrimento. Per l'ultima volta egli mangiò il pane ed il cacio offerti dal compagno, ma rifiutò gli strumenti di lavoro che questi gli porgeva.

– D'ora in avanti il mio scalpello sarà la preghiera, martello il cilizio e picca il digiuno. E pietra da lavorare, per il grande edificio di Cristo, l'anima mia.

– Tanto meglio per me – disse Marino, che conservava l'arguzia pratíca della sua razza. Raccolti quindi gli strumenti nel sacco legato con una corda di pelo simile a quella che il compagno usava per cilizio, si caricò il prezioso peso sulle spalle e sparì fra le quercie sotto il Monte Titano.

Leo andò dalla parte opposta. Non sapeva il nome dei luoghi che attraversava né della cima alla quale voleva arrivare, ma non gliene importava. Il suo mondo oramai era tutto dentro di lui, negli abissi dei suoi peccati e sui vertici della sua fede: la bellezza dei luoghi dove saliva, la finezza cristallina dell'aria, il profumo delle rose selvatiche, esistevano solo in quanto rivelavano la divinità dello spirito che li aveva creati: e quando un'allodola zampillò dal fitto delle quercie e salì dritta cantando nell'azzurro silenzioso fino al cielo, gli parve un grido di gioia dell'anima sua che salutava il Dio delle solitudini.

Al tramonto viaggiava ancora: s'intravedeva da qualche radura sull'orlo delle ripide chine la valle del Marecchia tutta rossa come una conca di corallo, con le vene del fiume che brillavano simili all'oro fuso. E di fronte il monte violetto dove saliva Marino.

Il silenzio era tale che Leo credeva di sentire, attraverso lo spazio, l'eco dei passi pesanti del suo compagno. E compiangeva il povero Marino, per il carico inutile che si era portato addosso, mentre lui saliva sgombro e leggero, senz'altro fardello che la sua carne nemica.

Sul far della sera questa gli fece sentire la fame e la stanchezza; egli continuò a salire lo stesso, finché una grande luce improvvisa sopra il bosco non gli annunziò che era arrivato alla cima.

Allora si buttò sulla nuda roccia e si addormentò sotto la fresca coltre del cielo ricamata dalle costellazioni.

La notte si fece fredda ed egli sognò di camminare ancora, attraverso una pianura coperta di neve: e grande era la sua pena, non per l'incorporea fatica, ma perché egli non vedeva la

fine né sapeva lo scopo del suo viaggio. Tutto intorno era gelido immobile, senza vita, senza principio né fine: anche il pensiero di Dio si sperdeva in quel deserto polare, che era appunto come le terre informi prima che l'uomo nascesse e con lui il
concetto della divinità.

Anche nel sogno, però, Leo combatteva contro gli spiriti te-
nebrosi che volevano distruggere la sua fede. Per tentare di
scaldarsi e di sciogliere il vuoto intorno a sé cominciò ad am-
mucchiare con le mani la neve: ne fece un blocco, e con gioia
rivide sotto i suoi piedi la terra. Il gelo però non cessava, il
blocco si scioglieva. Allora egli si ricordò di Dio.

– Dammi un segno della tua potenza, – pregò, – ed io lavorerò questa neve come il marmo per le colonne del tuo tempio.

Si svegliò subito, tutto intorpidito: albeggiava, od era il
chiarore della luna che imbiancava le pietre?

Egli credette che spuntasse il giorno perché già si sentiva,
lontanissimo eppure chiaro, un suono di lavoro umano: ed egli
lo conosceva bene, quel suono, continuo, insistente, di cui
ogni battuta risuonava lasciando dietro una vibrazione sottile e
luminosa come un raggio d'argento.

Era un tagliapietre che lavorava sul macigno duro.

Dapprima Leo credette che il luogo fosse abitato: che lavoratori già desti riprendessero l'opera lasciata il giorno avanti; ma
poi si accorse che il suono non vibrava né sotto né intorno a lui.

Si sollevò sul masso e si tese ad ascoltare meglio. Il suono
veniva nell'aria, da monte a monte, come un filo magico musicale: e Leo ne intese la provenienza.

Era il suo compagno Marino, che arrivato in cima al Titano
lavorava già al chiaro di luna: e il macigno da lui battuto rispondeva come il cristallo.

Per qualche momento Leo si divertì ad ascoltare; poi il
freddo lo riprese e con esso un senso di tristezza. La valle e le
chine bianche di luna gli rinnovavano l'impressione del deserto di neve e del suo vano sforzo di lavorare nel nulla: e invidiò
Marino che s'era portato gli strumenti e si serviva di essi, con
gioia, come il poeta della sua lira.

Ricordava le parole del compagno: – L'uomo è nulla, se non è in quanto lascia fatto col suo pensiero e con la sua opera.

Anche il suo sogno gli sembrava una rivelazione di Dio. A lungo rimase così, sulla roccia, triste, avvilito. Avesse potuto accendere un po' di fuoco! Neppure la pietra focaia e l'esca egli aveva voluto portare con sé, con la presunzione di farne a meno: e Dio forse lo castigava per questa sua presunzione, facendogli sentire il freddo in piena estate.

Si scosse e pensò ch'era ancora in tempo a ravvedersi, a rientrare, uomo tra gli uomini, nella legge dettata da Dio al primo di essi.

E poiché fra le pietre sparse intorno, alle quali la luna dava un chiarore argenteo, ne vide una che gli ricordava il blocco che egli nel sogno aveva promesso di sbozzare, gli venne un'idea.

– Marino, – chiamò nel grande silenzio lunare, – non potresti, con l'aiuto di Dio, gettarmi qualche strumento?

Il picchiare del tagliapietre cessò: come uccelli si videro volare i martelli e gli scalpelli che Marino lanciava al suo compagno, da monte a monte; e la roccia intorno a Leo vibrò al loro cadere.

Fu così che anche lui ricominciò a lavorare. Conosceva l'arte fina dei Romani e, prima ancora di scavarsi un rifugio come faceva il compagno Marino, cominciò a scolpire fregi e capitelli, sognando di costruire una chiesa.

La chiesa fu fatta, dopo di lui, e forse sono suoi i capitelli intorno al cui immoto fiorire si affissarono e vi lasciarono la loro luce immortale gli occhi del divino poeta, in pellegrinaggio da Ravenna a San Leo.

L'AVVENTORE

Capitò quella sera, nel locale del signor Giglio, un insolito avventore. Il signor Giglio è il vinaio del nostro quartiere: il locale, aristocraticamente intitolato "bottiglieria", è rifulgente di stucchi, di dorature, di eleganti scaffali; ma la clientela è sempre quella: piccoli borghesi, operai, infermieri, commessi, garzoni di bottega; anche donne, che sorvegliano i mariti ubbriaconi. Così, le due sale, la prima col banco, la seconda più raccolta e tiepida, sono sempre piene, sempre pervase da un'atmosfera di quieta letizia: si gioca, si beve; a qualcuno è permesso anche fare un breve pasto economico: tutto procede con calma, e gli avventori si conoscono l'un con l'altro come tanti parenti; e si vogliono bene. Tutto questo lo si deve all'onestà bonaria del signor Giglio, che dal suo trono di zinco presiede l'assemblea e, a sua volta, con la sua bella testona ricciuta di autentico Bacco saluta gli avventori come tanti suoi fratelli.

L'avventore nuovo attraversò, dunque, la prima sala e andò a sedersi nella seconda, come se lo usasse fare da molti anni; e si mise proprio nell'angolo accanto all'uscio del retrobottega, davanti a un piccolo tavolo che, appunto perché piccolo, rimaneva quasi sempre disponibile. Una rete di sguardi, da prima quasi sorpresi, poi curiosi, infine forzatamente noncuranti, lo chiuse subito in quell'angolo, come in una gabbia di uccello raro: poiché, in quell'ambiente allegrone e familiare, egli aveva in verità qualche cosa di estraneo, non solo, ma di esotico; col suo soprabito foderato di castoro, la bombetta un po' a sghimbescio sui capelli radi ma bene aggiustati dal parrucchiere, il lungo viso malaticcio, e infine i guanti di camoscio e il bastone con l'immancabile testa di cane buono e brutto.

Sembrava, per lo meno, l'aristocratico membro decaduto di una famiglia ducale, o un nobile da cinematografo: e quello che sopra tutto sorprendeva, nel suo viso ovale di antico ritratto, era lo sguardo mite dei suoi occhi azzurri, a mandorla, che, per le lunghe ciglia arricciate, ricordavano non so quale fantastico fiore

raggiante. Tutti credevano di averlo già veduto, in qualche luogo, le donne in chiesa, gli uomini per strada, ma come in sogno:
e nessuno lo disse, perché la presenza di lui, fin dal primo momento, aveva sparso intorno un senso di soggezione, quasi di
vaga paura. Sì, paura: perché, se egli non era un nobile autentico o un diplomatico straniero in visita di studio presso le leggendarie osterie romane, era probabilmente un degnissimo commissario di pubblica sicurezza.

Con ciò non s'intende dire che i pacifici avventori del signor Giglio avessero gran macchie sulla coscienza, se ne togli
il vecchio vizio del bere: ma insomma! Il quartiere, in questi ultimi tempi, era stato afflitto da piccoli furti: un misterioso signore vestito, al solito, di grigio aveva dato un cioccolatino a
una bambina: e, più impressionante d'ogni altra cosa, quasi
tutte le sere gridi disperati allarmavano le donne e i bambini.
Forse erano gatti, forse qualcuno che si divertiva a imitarli; infine, nella vita non si sa nulla di preciso.

Il solo a non scomporsi fu il bravo signor Giglio: prima di
tutto perché aveva la coscienza più lucida del suo banco, e poi
per la speranza di un nuovo buon avventore: di quelli che, sotto le apparenze colte e severe, trincano più degli altri: e alla
sua salute, quando andò in cantina a prendergli una mezza
bottiglia del suo miglior vino, mandò giù di un fiato una mezza
bottiglia per conto suo. E quando lo servì non gli rivolse la parola, ma rimase un po' mortificato che anche l'altro restasse rigido e muto al suo posto, come un fantoccio ben vestito.

Un'altra persona che non si impressionò troppo fu la so-
praggiunta signora Mercedes, col suo scialetto a fiori, la trec-
ciolina di lana grigia annodata in cima alla testa tremula, e un
piccolo cestino in mano. Con questo cestino ella vendeva, durante la giornata, giunchiglie e altri fiori campestri, e tutti gliene compravano almeno uno, – dai venti ai cinquanta centesimi, – perché s'era sparsa la voce ch'ella portava fortuna.

Ma se la portava agli altri, ella certo non la portava a sé
stessa, se si guardavano le sue scarpe da uomo, che, diceva lei,
ridevano per le tante piccole bocche delle crepature, e se dal
cestino trasse, per cenare, un involtino, e dall'involtino una

pietosa testina di abbacchio, arrostita. Ci mancava il meglio, alla povera testina, i cui occhi pareva piangessero ancora per le scottature: ci mancavano le cervella; ma le coppe ossee di queste, la vecchia aveva riempito di mollica di pane bagnato, col sale sopra; e parve darsi l'illusione di un pasto squisito quando cominciò, con le sue piccole mani grigie di mummia, tuttavia odorose di giunchiglia, a staccare la mandibola della testina: se la portò alla bocca sdentata, e la succhiò, poiché non c'era veramente altro da fare; e poi la intinse nella mollica, e ancora la succhiò. E succhia, e mangia mollica, e bevici su un sorsetto avaro da un bicchiere di vinello rosso, servitole dal signor Giglio, ella parve dimenticarsi di tutto e di tutti. Scuoteva però la testa, con gli occhi grandi socchiusi, e con quei cenni significativi certamente ella diceva qualche cosa a sé stessa, qualche cosa di molto importante.

– Signora Mercedes, – le disse il sor Tasso, suo vicino di tavola, – si ricordi che oggi è la Vigilia e lei ha mangiato di grasso.

Parlava sul serio, il sor Tasso, chiamato così proprio in onore del poeta, perché anche lui era un sentimentalone tragico, sempre vanamente innamorato di fantastiche principesse: chiamato così, dai suoi antichi compagni di scuola. Adesso, di decadenza in decadenza, aveva finito col fare il guardiano di cantieri; ma l'anima la conservava la stessa, fedele a Dio, alla Patria, all'amore per il vino del signor Giglio.

La vecchia fioraia trasalì. E anche questa sembrò una commedia, ma non era.

– Che volete, – disse con la sua voce di capretta, – io non lo ricordavo: ho perduto la memoria; e poi la testina me l'ha data la signora del villino qui accanto; e se me l'ha data lei, che è buona e religiosa, che dà le croste di formaggio ai gatti randagi, e le briciole agli uccellini, e mette al sole i suoi pesciolini rossi perché, dentro il loro vaso azzurro, credano di essere ancora nel Fiume Azzurro della Cina, vuol dire che anche oggi potevo mangiarla.

– Quante chiacchiere per farsi assolvere; dica piuttosto che è una golosa ipocrita – ribatté il sor Pippo, l'altro vicino di tavola, il nero pittore di pareti, che rassomigliava a Nerone, prode come questi nel bastonare la moglie e quanti gli capitavano sotto.

La signora, anzi signorina, Mercedes non replicò: aveva paura: ma il sor Tasso, che già qualche volta aveva sentito il sapore delle botte del sor Pippo, la difese impavidamente. Con la bocca un po' storta dell'uomo che ha ben bene assaggiato il calice d'acqua di cicoria della vita, disse sottovoce:

– La signora Mercedes avrebbe certamente preferito sorbirsi un maritozzo con la panna, per rispettare la vigilia; e berci sopra un mezzo litro di quello dolce; ma chi glieli dà? Cristo Dio?

E sorrideva, il poeta, con gli occhi verdi di bile, eppur mansueti come quelli dell'agnello la cui testa era stata divorata dalla signora Mercedes. Allora, nella bottiglieria Giglio, accadde un fatto straordinario. Mentre il prepotente sor Pippo cercava entro di sé una risposta, e non trovandola arrotava i denti, l'avventore impellicciato si alzò dal suo tavolino e andò dritto al banco; pagò, poi disse qualche cosa al padrone: infine se ne andò, tranquillo, sollevandosi sulle orecchie il bavero che ancora aveva il tepore del castoro vivo.

Ed ecco il ricciuluto signor Giglio avviarsi zoppicando al retrobottega, donde subito dopo uscì con un piattino che pareva d'argento e un calice che pareva d'oro. Il tutto depose davanti alla signora Mercedes, dicendo: – Ve lo offre quel signore con la bombetta.

Ella si sentì come squarciare le cataratte dei suoi occhi quasi centenari. Si alzò, si fece il segno della croce e disse: – Se ero ancora al mio paese avrei detto: quello è certamente il Figlio di Dio.

Tutti capirono il senso di queste parole: e, d'impeto, d'istinto, dal fondo dell'essere, scoppiò e percorse i loro corpacci un brivido d'infinita gioia; le donne rividero, oltre le dune di questa sabbiosa vita, sullo sfondo marino della fanciullezza, la figura del sacerdote che impartiva loro la prima Comunione.

E, sul piattino di latta, quel maritozzo con la bocca colma di panna, e quel calice entro la cui trasparenza l'oro schiumante del vino sembrava volesse sollevarsi in zampillo per svanire prima di esser bevuto, ebbero per tutti un fulmineo, sebbene non distinto, significato di divinità.

Poi cominciarono i commenti, gli scherzi, le risate, e ciascuno rientrò nel suo cerchio di povera ma allegra umanità.

LA CASA DEL RINOCERONTE

Si affacciava sopra un turbolento gomito del fiume Senio, la casa del Rinoceronte.

Il luogo era degno di lui: orrido o bellissimo secondo la stagione e l'ora: una rupe enorme, rivestita di musco verde e nero, tutta buche e scavi, asilo di rettili e di uccelli, affrontava, di là del Senio, la casaccia che, a sua volta, in fatto di prepotente antichità, e nello stesso tempo tenera, sotto e sopra i muri e gli embrici, di nidi, di parietarie, di rampicanti e persino di capperi e di vischio, pareva oramai far parte delle cose naturali che la circondavano.

Le rondini, specialmente, che forse da secoli ne avevano formato il loro luogo di villeggiatura, entravano e uscivano dalle finestrelle senza persiane, e alcune anche senza vetri; e tessevano l'incessante trama dei loro amori sopra l'orto verdiccio e lucido, che stava alla casa come lo strascico di damasco stracciato di una vecchia dama povera: ai loro stridi molli rispondevano quelli duri delle ghiandaie dalle cime della rupe, se la voce del fiume lo permetteva: poiché, a giorni, dopo solo qualche ora di pioggia, il fiume si gonfiava infuriato, mugolando come un demonio: allora ogni altro rumore taceva, e il Rinoceronte si affacciava sull'altana di legno sopra la porta della sua casa.

S'affacciava all'altana nei giorni brutti, quando cioè era sicuro che gente non vi passasse sotto. Sapeva che tutti, anche i grotteschi carbonai che scendevano dai monti, e le umili lavandaie, e sopratutto gli sbilenchi monelli che sguazzavano di qua e di là del fiume, facendo concorrenza alle trote e alle cornacchie, lo chiamavano con quel nome, senza saperne bene il significato, per la sua persona tozza, per i grandi piedi gonfi della podagra, per la sua vista corta, e infine per la sua selvatica insensibilità ai rapporti col prossimo: o forse anche per invidia della sua orgogliosa solitudine, non turbata neppure dal battagliero contatto con la parentela.

Si affacciò dunque anche quel giorno, quando, dopo ore ed ore di pioggia diluviale, sentì l'urlo amico del fiume chiamarlo. Ed era tempo che l'acqua facesse sentire la sua voce lampeggiante. Erano mesi che non pioveva: anche le bestie cominciavano a soffrire la sete, e le foglie degli alberi cadevano come in un autunno inoltrato. Ma, sull'altana scricchiolante, l'uomo non sentì il refrigerio solito dopo un temporale. Il fiume, sì, era alto, sulle sponde rocciose, e ribolliva con un colore di lava, come se davvero i vulcani spenti dei monti si fossero avvivati e vomitassero quel torrente bluastro bavoso di rabbia.

Anche il cielo, pur cessata la pioggia, conservava un colore cupo, verdastro, quasi minerale. Il vento spirava dal nord, a tratti: spingeva in là, come pecore, le onde del fiume, che non gli si opponevano: poi, quasi sdegnato per questa loro remissione, si fermava, per tornare dopo un intervallo durante il quale tutta la vallata pareva intontita per il rombo delle acque.

Anche gli uccelli si erano nascosti: solo un rondinotto volteggiava solitario e basso sull'orto mortificato dalla pioggia, e pareva cercasse qualche cosa smarrita; ma al soffiare brigantesco del vento spariva anch'esso, per riapparire nell'improvvisa inquietante sosta che seguiva.

L'uomo conosceva bene il rondinotto, perché spesso entrava nelle stanze della casa, vi faceva un rapido giro d'ispezione, gli sfiorava la testa, e se non gliela piluccava, come egli aveva letto che certi uccellini fanno col rinoceronte vero, era perché la sua insensibilità non arrivava a permettere tanto. Quel giorno il rondinotto non entrava in casa: tutt'al più si spingeva fino alla soglia della cucina, e subito fuggiva via quasi spaventato.

L'uomo, come tutti i solitari, era un grande osservatore: sentiva, anche se gli sfuggivano allo sguardo miope, le minime sfumature dei più piccoli avvenimenti, le più nascoste incrinature delle cose. In quell'andirivieni insolito e smarrito dell'uccellino leggeva come una misteriosa avvertenza: forse era morto il suo unico fratello, da lungo tempo malato di cancro, e il suo spirito, alleggerito dalla divina bontà della morte, gli passava accanto: ritornato bambino giocava nell'orto, tentava di rivedere la casa, di rientrare nel cuore del fratello. Gli occhi di questo si lucidarono di lagrime: le sue braccia si aprirono sul legno dell'altana, con un desiderio di abbraccio; e non si accorgeva ch'era lui, a ritornare fanciullo, solo perché pensava che forse il fratello aveva finalmente cessato di soffrire.

E non si stupì nel vedere che un uomo, con una cappa nera svolazzante al vento, saliva la strada rocciosa che dal paese conduce alla sua bicocca. Era l'uomo che – portalettere, usciere, messo – portava sulle carte scritte le notizie buone e cattive del mondo; pareva un grande corvo, con le lunghe gambe irrigidite da vecchi stivaloni; e, come l'uccellaccio, saltellava sui sassi della strada. Arrivato alla porta del Rinoceronte, si fermò; mandò indietro sulle spalle le ali della sua cappa e da una borsa trasse una carta dura, scritta fitta fitta.

L'uomo, sull'altana, capì d'istinto che si trattava d'una cattiva notizia, ed ebbe voglia di sputare sul messo malefico e sulle sue ambasciate.

– È una carta bollata, maledetta sia ogni sua parola scritta – pensò, scendendo ad aprire.

Nel vederselo davanti all'improvviso, il corvo trasalì: poi, nel porgergli il foglio, tentò di spiegargli amichevolmente di che si trattava: e pareva volesse scagionarsi del malanno che, come un appestato, involontariamente portava.

– È la sua signora cognata, che lo cita, per aver la parte della casa: l'ala destra, solo l'ala destra: gliene rimane, del posto, a lei, che è solo.

E guardava la casa, a destra, a sinistra, misurandola con gli occhi miti, con la buona intenzione, in fondo, di confortare il Rinoceronte: il quale, però, non aveva bisogno di conforti. Gridò infuriato:

– La casa è tutta mia, e quella vecchia bastarda non ha aspettato neppure che il cadavere del mio povero fratello si raffreddasse, per gettarsi su di me. E va bene. Ala destra o ala sinistra è lo stesso: posso cederla anche tutta, pur di non avere certi contatti. C'è di là la rupe, con le sue grotte: me ne vado là con piacere – aggiunse, con accento sincero e quasi nostalgico, mentre fissava la roccia con gli occhi rossi di collera.

– Sì, – disse infine, scuotendo il foglio come un ventaglio, per scacciare d'intorno tante brutte cose, – solo questo ci mancava, di togliermi anche la mia tana. Tutto il resto me lo avete già tolto, cari concittadini e parenti; tutto, persino il nome: ma un amico ce l'ho ancora; oh, se ce l'ho; e salterà fuori al momento buono.

Non disse chi era, né il messo glielo domandò. Dopo tutto egli faceva il proprio dovere: amici o non amici non gl'importava di nessuno; e ridiscese la strada saltellando sui sassi umidi.

Il vecchio, allora, fermo sulla soglia della sua casa, lesse sghignazzando l'atto di citazione. Era una cosa iniqua, perché il fratello aveva già avuto la sua parte di beni; ma la sola idea di andar a cercare un carnefice di avvocato gli dava un dolore mortale.

– Pigliatevi tutto – gridò, buttando la carta all'aria; e il vento, arrivato di nascosto dall'angolo dell'orto, se la portò via con impeto, la fece volare a lungo, la sbatté infine sul gonfiore del fiume: e l'acqua la ingoiò, la vomitò, più in là se la riprese come coi denti divertendosi a tormentarla. Allora il Rinoceronte vide una cosa strana: il rondinotto volò sul fiume, sfiorò le onde, quasi volesse ripescare la carta, si sollevò impotente, tornò verso la casa; infine, col guizzo di una freccia, fuggì verso la rupe.

– Signore, – gemette l'uomo, – mi pare di sognare –. E si picchiò un dito sulla testa, per svegliarsi, ricordandosi di aver letto che gli uccellini che beccano, per nutrirsi, sulla groppa fangosa del rinoceronte, fuggono davanti a lui e così lo avvertono se un pericolo lo minaccia. Ecco perché il rondinotto fuggiva: ma il pericolo egli lo conosceva già: era lì, in quella carta che ancora naufragava nel fiume; e di che altro egli poteva temere? Eppure un senso indefinibile di angoscia lo teneva fermo sulla soglia corrosa, della quale conosceva ogni ruga e che amava come una cosa viva. Sentiva che sarebbe morto, quando gli estranei, i nemici, gli usurpatori, gli avrebbero conteso quella pietra, cacciandolo via davvero dalla sua casa come una bestia dalla tana. Lentamente, appoggiandosi al muro, scese lo scalino, attraversò la stradaccia, fino al parapetto del fiume. Là si volse, e guardò la sua casa. Ala destra, ala sinistra: in mezzo la vecchia porta ad arco, con pretese gentilizie: sopra, l'altana di legno, corrucciata e ancora piangente lagrime d'umido.

E cominciò a farle dei segni, col testone grigio, con la faccia di maschera pietrosa; segni di sdegno, di minaccia, di beffa e di sfida, rimproverandole di volerlo anche lei tradire come tutti lo avevano tradito.

Ed ecco che la casa risponde: l'altana trema, trema il frontone della porta, trema la terra, sotto, con un brivido che arriva fino a lui e gli si comunica a tutte le vene.

Gli parve di sentire i lupi urlare: era il vento: la casa si mosse, dondolandosi come una ballerina prima di cominciare la danza; pareva dicesse: sì, sì. Uomo, c'è qui il tuo terribile amico, la giustizia di Dio. E l'ala destra della casa crollò, lasciando intatta la porta. Era il terremoto.

LA ZIZZANIA

Arrivò un giorno in cui la madre, che sempre aveva predicato ai figli di patir la fame piuttosto che rubare una sola fava ai vicini di terra, la madre stessa fece loro intendere che bisognava si muovessero.

Non esasperata, e neppure ribelle, ma certo un po' strana, con gli occhi diafani e le gengive bianche di fame, disse:

– In casa non c'è più niente: vostro padre è lì, con la pleurite che si è succhiata tutte le nostre robe; anche i miei orecchini, l'anello, l'armilla. Ecco – e si scuoteva come un albero spoglio dei suoi frutti. – Anche l'ultima gallina se n'è andata. E tu, Giolì, hai diciassette anni, e tu, Gino, quattordici e mezzo.

Essi lo sapevano, e lo sentivano bene, per la loro forza traboccante e per il loro formidabile appetito. Ma non c'era proprio nulla da fare. La neve, uno strato sopra l'altro, copriva con la sua lapide la terra morta; non si poteva andar neppure a cogliere radicchio; e in casa, tutto, davvero, fino all'ultima cotica del lardo, era stato rosicchiato dalla malattia del padre e dai loro diamantini denti di giovani lupi.

Il solo a non preoccuparsi troppo era Giovannino, il più piccolo; anzitutto perché il suo maestro di scuola, che la natura aveva tagliato sul modello disusato di qualche antico apostolo, insegnava che la Provvidenza non manca mai: e poi perché questo riverito signor maestro, oltre al distribuire ai suoi alunni poveri il pane della scienza, faceva loro servire, tutti i giorni d'inverno, una scodella di minestra calda.

Giovannino, dunque, va a scuola, con gli occhi freschi come nocciuole nuove, il naso di garofano rugiadoso di moccio.

La giornata è bella: sopra i cappucci di feltro bianco dei monti lontani brilla un grande sole i cui raggi un po' mordono, un po' sorridono, allegri e felini come gli occhi del gatto del maestro. Questa è l'impressione di Giovannino, forse perché egli ricorda le parole della nonna: il sole d'inverno ha i denti: e si sente allegro e cattivo anche lui, pensando alle parole della mamma, al viso di morto del padre, ai fratelli grandi buoni a niente. La scuola non è lontana, ma sorge isolata tutta rifulgente di vetrate, come una chiesa, in mezzo a un prato coperto di neve. Gli alberi, intorno, sono neri e bianchi, cornuti come fantasmi di cervi favolosi: e alcuni hanno anche gli occhi, vuoti eppure luminosi, che di notte farebbero paura.

Arrivano, di qua, di là, altri ragazzini, col naso sgocciolante, le mani gonfie di geloni, le scarpe che pare abbiano battuto tutte le strade del mondo: ma quello che sorprende Giovannino è l'accorgersi che anche i suoi fratelli spuntano in fondo alla grande spianata, quasi vogliano ritornare a scuola. Giolì, uno spilungone col viso di mela rosa, s'è messo il tabarro e il berretto del padre, il che gli dà un'aria distinta di galantuomo, mentre l'altro ha indosso un sacco, e pare il servo del fratello maggiore.

Dove vanno? Giovannino si ferma un momento ad aspettarli, poi pensa che forse è meglio il contrario, e fingere anzi di non vederli. Infila quindi la porta della scuola, entra in classe e trova il modo di spiare dalla vetrata: e vede i fratelli aggirarsi intorno all'edificio scolastico, all'annessa abitazione del maestro, al muro dell'orto, come direttori didattici in ispezione.

Il ritorno a casa fu ancora più felice dell'andata a scuola. Il sole aveva rammollito la terra e si poteva, Dio volendo, far dispetto ai compagni, buttando loro a tradimento, sulla testa dura, palle di neve che infine non producevano danno, anzi riscaldavano le orecchie ancora imbottite delle parole del maestro.

Vasto e magnifico era stato quel giorno il programma delle lezioni. Religione: ricòrdati di santificare le feste (figuriamoci, domani è domenica); e i precetti della Santa Chiesa: non mangiar carne di venerdì, e digiunare nei giorni prescritti (oh, questo lo sapevano, anche per i giorni non prescritti). Disegno: sciatori che attraversano una vallata piena di neve (facile quadro da mettersi in azione); e, infine, dopo la medicinale grammatica, la gagliarda e commovente recitazione:

L'han giurato: li ho visti in Pontida...

A casa, poi, lo aspettava una gradevole sorpresa. Il dottore, venuto a visitare il babbo, lo aveva trovato molto migliorato; non solo, ma, invece di pretendere le dieci lire per la visita straordinaria, trattandosi di località eccentrica, aveva lasciato uno scudo alla povera madre. E dire che il dottore, più che per la sua scienza, era famoso per la spilorceria. La madre, con lo scudo che davvero, dati i tempi sosteneva con valore il suo eroico nome, aveva comprato uova per il malato e un bel chilo di fagiuoli cremisi, detti galantemente della Regina, quelli che in realtà sono tanto ricchi da crearsi il condimento col loro sangue stesso.

Il padre sorrideva: un sorriso tutto denti, simile a quello del sole invernale, ma, come questo, fulgido di speranza. La gioia della vita ricomparve poi nella stamberga col ritorno dei fratelli. Da lontano si sentivano le loro voci, e le risate rimbalzanti cristalline sulla neve: e la stessa fiamma, nel focolare, si fece più alta e allegra per ascoltare le loro frottole.

Disse Giolì:

– Siamo stati a caccia: sì, sì, accidenti a chi non ci crede: siamo stati con un cacciatore che ci ha messo a guardia del varco delle lepri; e ne ha prese quattro. (– Per cominciare, non c'è male – pensò il padre»). Una l'ha data a noi, tenendosi lui la pelle, con la testa, e le zampe e la coda, che serve alle signore per metterla al collo.

E Gino trasse dal sacco una lunga bestia insanguinata, già sventrata, pronta alla cottura.

La madre non la prese, fissandola con gli occhi vitrei: Giovannino si sentì la bocca piena di parole, ma se le ringollò una per una. Allora Giolì, senza aspettare altro, infilò la bestia nello spiedo, da provetto cacciatore.

E quando ebbero mangiato, i due fratelli uscirono di nuovo col sacco ancora insanguinato, senza badare alle rimostranze della madre che, con quelle sue parole fatali, li aveva oramai liberati come puledri dalle pastoie.

Giovannino avrebbe voluto seguirli, ma non poteva: e nel vederli sparire, fra il chiarore della neve e della luna, adesso però silenziosi più che le loro ombre, gli parve di vivere in una fiaba.

Nessuno li sentì tornare, e solo sul tardi, la mattina dopo, la madre si accorse che essi avevano seppellito qualche cosa sotto un mucchio di paglia e di neve, e che nel pollaio, già desolatamente vuoto, c'era il miracolo di una gallina viva.

Ben venga, la gallina, in questo santo giorno di carestia; non aveva anche, una volta, preso forma di volatile lo stesso Spirito Santo, mandato da Dio ad annunziare la sua grazia e la sua misericordia agli uomini angustiati?

Il lunedì mattina il maestro tardò alquanto ad entrare in classe. Giovannino, in cuor suo, come meno ipocritamente i compagni, sperava che il signor maestro fosse malato. E il viso, infatti, era pallido, più scarno e osseo del solito: gli occhi tuttavia vivissimi, con lucentezze di febbre. A Giovannino parve stranamente che egli rassomigliasse, quel giorno, al suo babbo; e ne provò un vago terrore, come appunto quando il padre si aggravava e l'odore della morte penetrava, col vento di scirocco e il buio delle nuvole, nella casa disperata.

Le lezioni, quel giorno, procedettero fiacche; e, insolitamente, quella sulla religione fu lasciata alla fine. Fuori c'era un po' di nebbia; d'un tratto però il sole vi si sollevò sopra, come un grande uccello d'oro, e le vetrate si riempirono di perle. Allora il maestro si alzò solennemente, e lesse la parabola del grano e della zizzania:

– In quel tempo propose Gesù alle turbe questa parabola. Il Regno dei cieli è simile a un uomo, il quale seminò buon seme nel suo campo. Ma nel tempo che gli uomini dormivano, il nemico suo andò, seminò zizzania in mezzo al grano e se ne partì. Come poi il seminato germogliò e granì, allora apparve anche la zizzania. E i servi del padrone di casa andarono a dirgli: «Signore, non hai seminato buon seme nel tuo campo. Come mai c'è la zizzania?». Ed egli rispose loro: «[Un] uomo nemico ha fatto tal cosa». E i servi gli dissero: «Vuoi che andiamo a coglierla?». Ed egli rispose: «No, ché cogliendo questa, non strappiate con essa anche il grano. Lasciate che l'una e l'altro crescano sino alla mietitura: e al tempo della raccolta dirò ai mietitori: sterpate prima la zizzania e legatela in fasci per bruciarla: il grano, poi, riponete nel mio granaio».

Finita, con voce un po' monotona, la lettura, egli sollevò la testa liscia, e per un attimo, ma come distrattamente, fissò quella arricciata di Giovannino. Giovannino si aspettava quello sguardo, eppure sentì come un soffio di vento freddo penetrargli fra i capelli di agnello nero.

– Vi ho detto questa parabola, – disse il maestro, melanconico, – perché sabato scorso, di giorno, mi è stato rubato il gatto, e di notte le galline. Vada pure per queste, ma il gatto lo si doveva rispettare. Lo conoscevate tutti: era uno di famiglia. E noi sappiamo benissimo chi ha fatto la prode caccia: e si potrebbero mandare i signori carabinieri per scovare, alla loro volta, i bravi cacciatori; ma nella loro casa ci sono anche anime innocenti che possono crescere come il grano in mezzo alla zizzania e, a suo tempo, dar buoni frutti.

RACCONTI A GRACE

Fra venti anni, speriamo anche trenta, la vecchia nonna Grazia dirà alla sua bella nipotina Grace, figlia di suo figlio e di una nuora inglese o americana, o magari gagliarda e fiera ciociara:

– Tu, mia carissima, ieri nel pomeriggio hai pregato la tua mamma di accompagnarti a fare uno spuntino nella pineta di Cervia, vicina a quella famosa di Ravenna: in un'ora e tre quarti, per via aerea, siete arrivate felicemente lassù. Tua mamma, che ha ancora qualche goccia di romanticheria nel suo sangue generoso, voleva scendere nell'antica casetta dei nonni, sul margine della verde-azzurra Cervia dantesca; tu hai preferito il grande albergo della pineta, ed hai anche ballato: verso sera, già eravate a casa, fresche e lievi come piccioni viaggiatori. Ai miei tempi, invece! Sai quante ore ci volevano per andare da Roma a Cervia? Dieci, ed anche dodici. Dodici ore, dico, e tre trasbordi. La prima volta che si dovettero fare questi tre trasbordi, il nonno tuo non me lo disse che al momento della partenza, per non destarmi spavento e, sopratutto, non decidermi a non partire. Ma poi le cose andarono bene. Io avevo preparato un cestino di provviste per una ragione che ti spiegherò poi: e dentro questo cestino, bene avvolte nella carta oleata, oltre le classiche uova sode e il salame e il pollo, ci si trovavano le tenere membra arrostite di una squisita lepre che, col relativo rosmarino, mi era stata regalata da una giovanissima scrittrice, proprietaria di fattorie e boschi, allora alle sue prime armi, adesso celebre in tutto il mondo. Si tratta della nostra buona amica Midi. Perché il prezioso cestino e la domestica che lo portava non andassero sperduti nella confusione dei trasbordi, ci si prese il lusso di farli viaggiare con noi, in seconda classe: per la verità, aggiungo che la donna la volli io, al mio seguito, perché aiutasse meglio il tuo caro nonno a caricarmi sul treno.

Tutto, dunque, andò bene: eravamo noi soli nello scompartimento, ed a misura che si saliva l'Appennino dorato di ginestre, mi pareva di ringiovanire, di esser bella come tutto è eternamente bello in questa nostra sempre giovane Italia. A Falconara, primo

trasbordo, il vento del mare ci accolse festoso, più che un fanciullo che va incontro ai suoi genitori; a Rimini, secondo trasbordo,
con fermata di due ore, tutta la chiara città, e la spiaggia e il cielo
di vero zaffiro, tutto fu nostro; a Bellaria, il nonno esclamò: «Ecco
la villa di Alfredo Panzini!». E si stette in silenzio, come pregando.

Ma questo viaggio, cara la mia Grace, è un portento di rapidità in confronto a quello mio primo. Il mio primo viaggio,
se non contiamo quelli sui plaustri latini, ai tempi della mia
beata infanzia, lo feci in diligenza: e fu il più bello della mia vita. Si andava da Nuoro, gagliardo cuore di Sardegna, a Casteddu Mannu, Cagliari, Karalis fenicia, per la celebre festa di Santo
Efisio, ai primi di maggio. Avevo undici anni. La festa della primavera e quella della mia fanciullezza coincidevano dunque
con la sagra del grande Santo sardo.

Bellissima era la diligenza, tutta lucidata a nuovo, con le
ruote solari che non minacciavano pericoli di sgonfiamento: e i
due cavalli bai che la tiravano non chiedevano altro che di camminare, sdegnando le frustate, anche se amichevoli, del vettura-
le in costume. E bella era la bisaccia, con dentro due cestini,
che zio Andrea portava: bisaccia tessuta a mano, come un araz-
zo, coi motivi simbolici, in rosso e blu, e verde e giallo-oro, tra-
mandati forse dalle ricamatrici di Babilonia: e dentro i cestini
ogni ben di Dio. Ecco, perché, per il viaggio a Cervia, la tua
previdente nonna, o maliziosa e deliziosa Grace, aveva preparato il cestino con le provviste: non per avarizia, ma per quella
forza dell'abitudine atavica che vince ogni altra potenza umana.

Mai compagni di viaggio furono più amabili e cari dei nostri: oltre zio Andrea, che aveva gli occhi del colore del solfato
di rame, per cui tutte le donne brune della contrada lo adora-
vano, c'era il suo inseparabile amico Antonio, pallido e fibroso
come un nerbo di bue; e, fra gli altri, il carpentiere ziu Con-
chedda, dalla bella testa di sacerdote pagano, che faceva, oltre
i carri, le più misteriose stregonerie; ma era allegro, e la sua voce tenorile incantava, più che le sue fatture, le clienti che ricor-
revano a lui per le loro beghe amorose.

Prima tappa fu una cantoniera, per il cambio dei cavalli. Sperduta nella solitudine dei pascoli, ombrati qua e là dalle distese violette del puleggio in fiore, questa piccola casa biancastra, che qualche rovina di nuraghe guardava con disprezzo, a noi invece apparve come il palazzo delle fate; poiché intorno vi sbocciava, con le rose canine, una ghirlanda di bellissimi marmocchi, e la loro mamma, la moglie del cantoniere, vendeva, per pochi centesimi, ai viaggiatori assetati, bicchierini di vernaccia, o di acquavite, o tazzine di caffè reso innocuo dalla mescolanza con l'orzo. Ma i ricordi delle case delle fate, lucenti d'occhi di finestre ospitali nella notte della foresta, impallidirono al nostro arrivo a Macomer, e precisamente dopo che, smontati dalla tiepida diligenza, si entrò in un vero palazzo illuminato a giorno; e si fece sosta in una grande sala dove le tavole, con fiori e argenterie, sembravano apparecchiate per un banchetto nuziale. I nostri cestini si nascosero ben bene, nei ventri della bisaccia, vergognosi davanti alle vivande, ai dolci e alle frutta che abbondavano sulle mense.

Era, infine, il ristorante della stazione.

Dopo di che, solo la meraviglia del treno poteva cancellare le altre emozionanti sorprese.

E solo dopo quella del treno, l'arrivo a Cagliari, il nostro Casteddu Mannu, il Castello Grande, la più bella e forte città del mondo, che sola può competere con la sua rivale Sassari, gloriose metropoli entrambe, superiori a tutti i Castelli, le Ville, i Fori antichi e moderni. Al carpentiere-mago brillavano di fierezza gli occhi: pareva che l'incanto della radiosa città, delle sue palme, dei suoi bastioni, delle sue torri leggendarie, lo avesse creato lui con le sue stregonerie; zio Andrea piangeva lagrime azzurre, mentre il suo duro amico Antonio, come al solito, lo sbeffeggiava. E quando dall'aerea loggetta medioevale di un'antica casa della città alta, Casteddu 'e susu, si vide per la prima volta il bel golfo veramente angelico (Golfo degli Angeli), tutto increspato di argento, mi parve che quel movimento luminoso lo destasse il guizzare dei pesci.

E si indossò il vestito buono, fatto dalla sarta di famiglia, la buona Grazietta Murroni (non si fa il suo nome per réclame), la quale, in quel tempo, usava ancora i piccoli ganci di fil di ferro dell'epoca neolitica, quelli che lasciavano il segno della ruggine sul percalle della sottoveste: e si andò per la città festante. Si va, si va, stretti nella nostra piccola comitiva, con le scarpette nuove che fanno male, con la testa che, a veder tante meraviglie, palazzi grandi, balconi fioriti, negozi di lusso, monumenti e giardini, e bastimenti e barche, e sopra tutto la processione del Santo, che da sacerdoti e gentiluomini in costume spagnolo viene condotto per due giorni a Pula, si tramuta in una vera girandola.

A Pula, presso la costa, meta un tempo delle incursioni barbaresche, per salvarle dalle quali le reliquie del prode Efisio furono rimosse dalla primitiva chiesetta e trasportate a Cagliari, la festa dura due giorni, fra preghiere e canti di popolo, e gioia di mare e di cielo.

Non si rimase nella città: troppe cose c'erano da vedere e da godere; e di feste campestri, a casa nostra, ne avevamo, da maggio a novembre, una collana doviziosa.

Stracittadini si doveva essere, in quei giorni che la nostra Capitale ci ospitava all'ombra della sua Torre dell'Elefante. E si va, e si va, di meraviglia in meraviglia, finché alla sera del terzo giorno, stanchi di beatitudine, poiché si deve ancora assistere allo sparo dei fuochi d'artificio, invece di sederci al caffè, si pensa di salire su un palco eretto in mezzo ad una piazza. Si deve star bene, su questo palco imbandierato; e zio Andrea, senz'altro, mi piglia per mano e va su, seguito dagli altri. Se non che un giovane signore in tuba si affaccia dall'alto della scaletta e grida sdegnato:

– Ma chi è questa gente? Ma chi è questa gente? Via, via, rusticoni.

E noi giù frementi, a testa bassa. Umiliazione più cocente non si ebbe in vita nostra: né ancora ci riconforta il pensiero che quello era il palco per il Comitato della festa.

I PRIMI PASSI

Avevo undici anni e ripetevo la quarta classe elementare; non perché fossi stata bocciata, ma perché nella mia allora piccola città di Nuoro non c'erano in quel tempo altre classi di scuole femminili.

Si andava, io e le mie compagne vicine di casa, molto volentieri a scuola: anzitutto, diciamolo pure senza ipocrisia, per la scuola stessa, e poi perché era un diversivo alla monotona e quasi claustrale vita di famiglia. Per arrivare alla scuola, che era in un antico convento di frati, si attraversava tutto il paese, dalle nostre straducole pietrose che sapevano di montagna allo sbocco glorioso della piazza dove le erbivendole sedute per terra esponevano le verdure ancora brillanti di rugiada, e intorno ai cestini di cefali azzurrini del pescivendolo venuto dalla Baronia si affollavano le serve di buona famiglia; poi si scendeva trepidanti per il Corso, ci si fermava ancora una volta ad ammirare i balconi del palazzo di Don Antonio, o davanti a qualche piccola vetrina, o nella cartoleria a comprare un pennino e un quaderno (cinque centesimi in blocco); si dava una sbirciatina altrettanto rapida quanto assorbente ai clienti del Caffè; poi, lasciato il cuore della città, giù nei quartieri popolari prima di arrivare alla scuola, si trovava il modo di comprare le castagne o le ciliegie a seconda della stagione; e finalmente, sul margine della strada ancora campestre del Convento si coglieva un fiorellino e si dava uno sguardo amoroso alla valle che declinava giù lenta, tinta del verde degli orti e delle vigne, del glauco degli olivi e sopratutto del colore del mistero. Il mistero della vita, che si apriva con l'aprirsi dei fiori dei mandorli, con lo spalancarsi del cielo invernale sopra i monti dell'orizzonte.

A scuola, a parte la modestia, la prima ero sempre io, forse per i miei cómpiti fantasiosi; quando veniva il signor Ispettore, l'interrogata era invariabilmente Deledda Grazia; onore che non mi lusingava, perché avevo una terribile soggezione dell'egregio superiore. Era un uomo tarchiato, con una testa di leone nero:

393

tragico e colto come un gesuita. Ne abbiamo incontrati personaggi importanti nella vita; nessuno che facesse tremare le vene come l'Ispettore delle nostre scuole d'allora. La maestra, invece, era mite ed indulgente: non eccessivamente colta, invero, se parlando di Silvio Pellico ci additava con la bacchetta, come luogo di prigionia del martire, le isole Spitsberghe.

Finita di ripetere la quarta elementare, finiti i miei studi; e forse anche la carriera di scrittrice. Ma ecco in ottobre arriva un nuovo professore d'italiano, del Regio Ginnasio: arriva con un baule di libri, e va ad abitare in casa di mia zia Paulina, di rimpetto a casa nostra.

Questa zia Paulina era una donna intelligentissima. Piccola e grassa, col bruno viso camitico, sedeva sempre a filare, sotto il fico del suo cortile, e parlava come un filosofo stoico. Il suo stesso avvocato andava a trovarla, apposta per sentirla discorrere: anche il professore nuovo si fermava a conferire con lei. Così si fece amicizia: e mio padre, che aveva anche lui studiato quella che ai suoi tempi si chiamava rettorica, pensò di mandarmi a prendere qualche lezione d'italiano presso il benevolo professore. Benevolo egli era e gentile, e gli piaceva risiedere nella nostra salubre città per il vino generoso della vicina Oliena: quando leggeva i poeti del tempo piangeva come se le loro passioni fossero le sue. Eppure egli non mi inspirava la soggezione del signor Ispettore: anzi una certa fredda commiserazione: e non gli fui né grata né amica neppure quando un giorno, dopo aver letto un mio componimento, egli batté sul foglietto il dito bianco e scarno, dicendo come a sé stesso:

– Questo si potrebbe anche pubblicare.

Freddezza esteriore, però, da parte della scolara: dentro un subbuglio di orgoglio, di ambizione, di sogni.

Un bel giorno, cioè una notte, il professore sparì senza più far ritorno. Aveva da pagare alcuni debiti, fra i quali il fitto della camera: in questa però, onestamente, lasciò i suoi libri. E su questi libri, un po' per volta emigrati in casa mia, io continuai da sola ad inoltrarmi nella meravigliosa selva fiorita dell'arte poetica.

– Tu non crescerai mai, e mai sarai buona a niente, perché leggi troppo – mi dicevano in casa; ed io leggevo e scrivevo di nascosto. Di nascosto mandai una prima novella ad un giornale di Roma.

La novella viene immediatamente pubblicata, non solo, ma la Direzione me ne chiede subito un'altra. Mi pareva un sogno: e il mio nome stampato, per la prima volta, mi dava come un senso di allucinazione. Lo fissavo a lungo: le lettere s'ingrandivano, nere, vive, allarmanti. Ero *io*, quella? No, non ero io, la piccola, la segreta, la quasi misteriosa scrittrice: eppure quel nome era l'eco del mio, che rispondeva da una lontananza infinita, di là dai monti, di là dal mare ancora a me sconosciuto: rispondeva al grido del mio essere anelante di espandersi in quella immensità. Ancora adesso il mio nome stampato mi produce come il riflesso di quella prima impressione.

Ma all'ebbrezza del successo seguirono amarezze e scoraggiamenti profondi. In famiglia non volevano che io pubblicassi le mie cose, non perché fossero vere fanciullaggini, ma perché non stava bene che una ragazzina di buona famiglia, con quei suoi atti di indipendenza spregiudicata, nuovi nel luogo, si esponesse alle critiche della gente.

E che critiche! Di quelle personali non mi importava: non guardavo in faccia nessuno: ma una mattina, indimenticabile mattina di primavera, mentre ci si disponeva ad andare a trascorrere la giornata in campagna, e io contavo di godermela a modo mio, fra le ginestre in fiore, con gli usignuoli, le coccinelle, le farfalle del buon Dio, ricevo una larga busta con dentro un foglio di carta protocollo scritto minutamente e non firmato.

Mi parve una di quelle sinistre irrevocabili sentenze notificate per mano d'usciere ad un colpevole di gravi reati. Era infatti una solenne stroncatura alle cose da me pubblicate: e la bella giornata si mutò per me in quella dei morti.

Si disse che la critica feroce era opera di una donna: ma io avevo l'impressione che fosse stata scritta da un uomo; un uomo che viveva una sua strana vita solitaria, di studioso e di poeta, del quale tutti però conoscevano ed apprezzavano l'ingegno. E il dubbio mi avviliva tanto, che smisi di scrivere. Un giorno, invece, bello e memorabile anche questo, ricevo un sonetto dello stesso poeta, che forse aveva voluto rendere un atto di giustizia alla povera maltrattata Grazietta. Eccolo qui, scolpito sulla lapide della memoria:

Tu, dell'ingegno figlia benedetta,
non sogni lo svanir de le viole,
ma forte e ardente come la vendetta,
hai l'impeto de l'odio e le parole.

Su, in alto, ov'è la palma che t'aspetta,
su ne l'immenso azzurro che ti vuole,
vola – e selvaggia libera aquiletta,
ti sublima oltre i monti, e affisa il sole.

Noi seguiamo i tuoi voli; in alto, in alto,
in alto l'ali tue sbatti e dilata,
da' al cielo ed alle folgori l'assalto.

Vola, aquiletta, vola, finché amore
non ti richiami al nido ove sei nata,
e l'ardor de la mente avrai nel core.

Il poeta si chiamava Giovanni Antonio Murru. E l'aquiletta
riprese la penna. E svolazza di qua e svolazza di là, trovò anche l'editore che pubblicò il suo primo volume, non solo, ma
lo compensò con la cospicua somma di lire italiane cinquanta
(senza percentuali s'intende).

E che la femminilità non fosse spenta in me dalla smania di
scrivere, come pretendevano i miei nemici, lo prova il fatto che il
primo acquisto pagato coi guadagni letterari fu quello di un fazzoletto di seta azzurra, che avvolto intorno alla mia testa dava ri-
salto al nero dei capelli e procurò alla scrittrice la prima dichiarazione d'amore. Adesso, nella sua casa di Roma, ella possiede un
quadro di Michele Cascella intitolato *L'Invito*. È un cancello aperto su un campo di lino fiorito: i toni più deliziosi dell'azzurro vi si
fondono, con un'armonia che, oltre il sentiero dorato attraverso
la distesa celeste del campo, invita gli amanti dei sogni a perdersi
nella sua divina luminosità. Ogni volta che la scrittrice solleva gli
occhi verso questo quadro, ricorda il suo fazzoletto azzurro.

PARTITE

Di tanto in tanto mio padre imbastiva certe speculazioni che, mezzo poeta com'egli era, naturalmente gli riuscivano sempre male. L'ultima era stata una piantagione di aranci e limoni; solo il muro del recinto, poiché bisognava salvare solidamente l'aureo prodotto, era costato migliaia di lire. Le pianticelle già ben sviluppate, venute dal loro paese natìo, furono collocate in bell'ordine nelle buche profonde foderate di concime; un uomo rimase a guardarle; un altro calò di peso, a furia di andar su e giù in cerca d'acqua per innaffiarle: il tempo passò, e delle piante non si sentì che il profumo delle foglie; poi anche queste si ammalarono, di tisi e di rogna, e solo un arancio, dopo qualche anno, diede due frutti che, fra i rami ormai neri e nudi, parvero due brage in un focolare di sterpi spenti.

Adesso era la volta del sommacco. Ancora non so bene di che si trattasse, e cerco la spiegazione della parola. Sommacco, pianta della famiglia delle Anarcardiacee, la cui corteccia si adopera a conciar pelli.

Questa volta con le piante, o i semi, venne anche un uomo che si intendeva della loro coltivazione. A quanto pare la faccenda andò così bene che mio padre, lasciato ogni altro affare, decise di ampliare e intensificare la coltivazione. Trovò anzi un socio: un conciatore di pelli, che si era arricchito col suo mestiere, e adesso possedeva terre e faceva studiare il suo unico figlio, al quale, forse per far dimenticare il cattivo odore delle concerie paterne, era stato imposto il nome di Giglio.

Questo Giglio cominciò a fiorire nella mia fantasia dodicenne con tutto il profumo mistico e sensuale, con tutto lo slancio ed il puro e carnoso sbocciare verso il cielo, del fiore al quale era stato rubato il nome. Ma l'eroe, il quale aveva sì o no sedici o diciassette anni, poiché frequentava ancora il Liceo, mi piaceva sopratutto perché portava gli occhiali.

Or dunque quell'anno, prosperando l'azienda, ed in vista di larghi guadagni, mio padre prese la scusa di andare a curarsi

397

di un principio di dolori artritici, in una piccola stazione termale di proprietà di un suo amico, per condurre tutta la famiglia
in villeggiatura. Si lasciò in casa la vecchia serva patriarcale, e
si prese in sua vece una ragazzona agreste e ardente come un
corbezzolo sanguinante di frutti.

Quando si arrivò alla famosa stazione termale, lei sola, delle donne, non si sgomentò nel vedere che si trattava di una casa solitaria e malandata, in pieno deserto, senz'altra popolazione che i pastori dei dintorni, uno dei quali, al servizio del
proprietario della sorgente, ci consegnò le chiavi. Si respirava
intorno l'odore nauseante e l'umidità calda dell'acqua solforo-
sa; il tutto però si sperdeva nella grande aria di fuori, nell'estate
primaverile dell'altipiano fiorito di asfodeli e di verbasco.

La casa era stata messa tutta a nostra disposizione, e con
meraviglia ci si accorse che dentro, come nelle case delle fate
in mezzo al bosco, nulla mancava per viverci comodamente:
neppure il latte ed il coscio d'agnello offerti dal pastore; neppure le tovaglie ed i quadri, dei quali ricordo una verdognola
Madonna della Solitudine, con un grande vestito ed un manto
che parevano una capanna di frasche, e che ci accolse come la
Signora del luogo.

La serva aprì le finestre ed esplorò tutte le stanze: si sentivano risonare i suoi passi sui pavimenti di legno, ed i suoi gridi
di soddisfazione: gridi che, quando ella penetrò nella soffitta,
si cambiarono in richiami di soccorso.

Si andò su, di corsa, a vedere.

Nella soffitta, aperta a tutti i venti, le civette avevano fatto i
loro nidi: ed in uno di questi, più leggiadro e perfetto di un pa-
nierino di giunchi, si vedevano le uova, piccole e giallognole
come susine.

Che bella vita cominciò! Con tanta sorgente in casa, bisognava però fare chilometri di strada per trovare l'acqua da bere. La ragazza ci andava volentieri, e, se occorreva, si spingeva
fino al paese meno lontano, per le provviste. Per camminare
meglio aveva liquidato le scarpe, verso le quali nutriva un odio
personale, ed i suoi larghi piedi di creta scivolavano sul fieno

secco e la polvere come nel loro elemento naturale. Quando tornava con l'anfora umida sul capo, e piano piano la reclinava poi tra le braccia per farci bere, sembrava davvero la statua di una fonte silvana. La preoccupazione dell'acqua e dei viveri, era la sola che riempiva il vuoto luminoso di quei giorni di vita beatamente animale. Si stava giorno e notte all'aperto, e solo il lontano scampanìo delle greggie, sperdute fra i ginepri e gli asfodeli, ricordava che laggiù esistevano altri esseri ed altri interessi diversi dai nostri.

Io poi avevo trovato un nascondiglio dietro la casa, una rovina di cisterna, ricoperta di rampicanti campestri; e ci stavo dentro con la soddisfazione barbarica dell'uomo primitivo che ha trovato la sua caverna. Nascondersi, per nascondere a sé stessi la realtà esteriore e inventarsene una per proprio uso e consumo, non è questo il segreto della vera felicità?

Ma poi viene la noia, e si ha bisogno di tornare all'aperto, in cerca di quello che non si trova. Dopo qualche giorno di quella ferma vita pastorale, si cominciarono a sentire sbadigli, e qualcuno domandò se non si era portato un mazzo di carte. No, non si era portato, ma la provvidenza, o il diavolo che, a quanto affermava il pastore custode della casa, è stato il primo fabbricante di carte da gioco, ne mandò un bel mazzo nuovo, quel giorno stesso, per mano di un personaggio che mise in subbuglio la nostra flemmatica colonia.

Era il figlio del socio di mio padre, il bellissimo Giglio dagli occhi di cristallo.

Questi occhi non si degnarono di posarsi su di me; ed anche i miei, corrucciati e diffidenti, non si volgevano mai a guardare il giovane Adone; ma la sua sfolgorante presenza era dentro di me, come quella di Dio nei fedeli che hanno fatto la comunione: per la gioia del suo arrivo, anzi, andai a nascondermi nella cisterna. Sapevo che egli veniva per parte del padre, con certe comunicazioni dell'azienda, come un corriere di affari, insomma: cosa che a me non importava: per me egli era un inviato del cielo; il principe della casacca azzurra coi bottoni di lapislazzuli; il Sogno e l'Ideale.

Fu quel giorno che la ghiandaia, che si posava ogni tanto su una quercia davanti al mio rifugio, e veniva giù famigliarmente se io le buttavo qualche mollica di pane, mi apparve come un uccello meraviglioso: le sue ali erano di platino, orlate dello stesso azzurro del cielo; e quando svolazzò giù come pattinando per la china dell'aria, per afferrare il pezzo di biscotto che io le portavo, mi sembrò che mi chiamasse per nome, invitandomi a volare con lei.

Bisognò invece rientrare per la cena. L'odore grasso delle anguille in graticola si univa a quello dello zolfo, per soffocare il profumo della sera campestre; nella saletta da pranzo il lume era insolitamente già acceso, e i ragazzi giocavano a carte. Io rimango fuori; li vedo ancora, attraverso l'inferriata della finestra, piegati ed assorti come a giocare una partita tragica. Di tanto in tanto uno si solleva, striscia la carta sulla tavola, poi scoppia in un grido belluino: ha vinto. La partita ricomincia; finché la serva scalza, col viso che fa concorrenza alla luna piena sorgente sulla riva dell'altipiano, non entra con una colonna di piatti fra le mani, e senza tante scuse invita i giocatori a sgomberare.

Si cena: anche *lui* mangia, e come! Ed è anche buongustaio. Dice:

– A me, un tempo, delle pernici piaceva solo il petto: adesso neppure quello. Se non è condito con una buona salsa, sa di stoppa.

Un tempo. Vuol dire che gli anni e l'esperienza hanno raffinato i suoi sensi: e quest'impressione, sebbene me lo allontani ancora di più nella realtà, lo rende più rispettabile nel sogno.

Tre giorni egli rimase con noi. Andò con la serva e i ragazzi al paese, e lì si fece prestare una chitarra. Allora la festa fu completa; le partite a carte, alle quali adesso prendeva parte rumorosa la serva, si seguivano alle strimpellate sentimentali, o queste accompagnavano quelle.

Venne il pastore, con doni del suo ovile; passò un pescatore di fiume e lasciò, per poche lire, un trofeo di trote infilzate crudelmente per la triste bocca ad un giunco. Nella cucina c'è odore di dolce, ed il mio cuore si fonde per la crema d'oro pallido rimescolata dalle piccole mani materne, quando, di fuori della finestra dalla quale spio, sento che mio padre, appena uscito dal bagno ed ancora avvolto nell'accappatoio bollente, dice, accennando all'ospite ed a me:

– Fra cinque o sei anni li faremo sposare.

Io corro ancora, smarrita, coi capelli che si sono sciolti per la gioia paurosa del mistero annunziato dal verbo paterno. La ghiandaia mi chiama: non ho nulla da darle: le mando un bacio col bocciolo delle dita chiuse: essa sbatte le ali frullando il verde della quercia e vola via con uno sghignazzare da mascalzone.

I ragazzi si contendevano la chitarra, che passava rassegnata, gemendo flebilmente, dall'uno all'altro. Il campo delle partite a carte, l'ultimo giorno, rimase all'ospite e alla serva. Seduti uno per parte dello spigolo della tavola ricoperta di un tappeto in carattere, verde pisello, essi giocavano un po' distratti, come ascoltando le note dello strumento per regolarsi sulla carta da gettare. La ragazza, insolitamente silenziosa, mi pare un'altra. Appoggiata alla mensola della credenza, io li guardo con un sentimento già umano di gelosia, e per fare qualche cosa svolgo e riavvolgo il filo di un gomitolo: ma anch'io ascolto una musica lontana, che va e viene, vibrando attraverso un filo svolto e riavvolto come quello che le mie dita tormentano: forse il filo del destino. D'un tratto il gomitolo mi scappa dalle mani; silenzioso ma come vivo corre sul pavimento, fin sotto la tavola dove i due fanno il loro gioco senza badare ad altro. Io mi piego e seguo il filo che mi è rimasto fra le dita, spinta da un senso incosciente di scoperta, come quando in sogno si cerca qualche cosa di indefinito: finché non vedo il gomitolo fermo, sgomento e malizioso a guardare le gambe tozze e i polverosi piedi scalzi della serva serrati fra le gambe eleganti e i piedi ben calzati del giocatore.

IL SEGRETO DI MOSSIÙ PERÒ

Il suo vero nome era un altro, che si pronunziava press'a poco nello stesso modo; ma noi lo chiamavamo così, un po' per scherno, un po' per convenienza. Di nascita, o almeno d'origine, francese, grande cacciatore agli occhi di Dio, era venuto di lontano al nostro paese per una sola stagione di pernici, e vi si era fermato per tutta la vita.

Aveva due magnifici cavalli e una torma di cani che per un certo tempo formarono il terrore di tutti i bambini, i gatti, le galline della contrada: in seguito alle proteste dell'intera popolazione, prese in affitto un orticello, a sue spese lo ricinse di un alto muro, e vi rinchiuse la sua *famiglia*, come egli chiamava i suoi bracchi e i suoi segugi.

Non aveva altra famiglia, infatti, e ogni volta che passava davanti a mio padre, seduto all'ombra della casa a leggere *Il Risveglio dell'Isola*, si fermava a parlare solo di cani, di caccia, di avventure di bosco.

Alto, infiammato, vestito sempre con un costume da caccia un po' brigantesco, parlava con un linguaggio misto di francese, d'italiano e di dialetto: la sua voce aspra e risonante echeggiava nel silenzio della strada e faceva affrettare il passo alle donne che andavano al Molino con le grandi ceste di frumento sul capo.

I ragazzi si nascondevano o lo spiavano di lontano. Egli non faceva male a nessuno, anzi era generoso e regalava ai suoi amici, e specialmente a mio padre, bei grappoli di pernici dorate e lepri con gli occhi ancora spauriti dal senso della morte: eppure tutti lo temevano, forse per la sua figura di barbaro esotico, per la sua voce che stonava in un paese di taciturni come il nostro, e sopra tutto per le leggende che correvano sul conto suo e delle quali egli si compiaceva apertamente.

Inoltre si diceva che era ricchissimo. Infatti spendeva molto per i cavalli e i cani, mangiava nella migliore trattoria del paese e, oltre ai buoni cibi e al buon vino, gli piacevano le belle paesane ed anche le borghesi di meno facile conquista.

Sempre al dire della gente, egli attirava le donne nella sua abitazione, una specie di bicocca fuori di mano, e le trattava senza complimenti: tanto che una nostra serva, bella e formosa ragazza da tutti adocchiata, si rifiutò di andar sola da lui un giorno che mio padre le ordinò di portargli una lettera della quale doveva aspettare la risposta.

Allora le si procurò una specie di guardia del corpo, composta di tre ragazzine coraggiose e di buona volontà. Una ero io. Si andò, a dire il vero, con molto coraggio, sì, ma anche con una curiosità trepida e quasi morbosa. Perché, fra le altre cose, quel boia di forestiero tiene, nella sua casa, una camera sempre chiusa dove ogni tanto, quando non va alle sue cacce del diavolo, si ritira per ore ed ore. Allora si sentono rumori strani, come se egli apra e chiuda casse e bauli. Che cosa ci sia nella camera, e che cosa egli vi faccia, non lo sa nessuno: neppure la vecchia Gavina che ogni mattina pulisce le altre stanze; neppure l'uomo che accudisce ai cavalli ed ai cani. Un tempo si diceva che in quel nascondiglio Mossiù Però ci tenesse chiusa, come usava l'orco, una bella ragazza; ma le belle ragazze mangiano, e lui non portava niente a casa. Che ci può essere dunque? Un tesoro o qualche disgraziato da lui ucciso e poi chiuso in una cassa? O che egli vi faccia delle stregonerie? Certo, un contadino che venne una volta a protestare perché i cani gli avevano rovinato il campo, dopo aver bevuto un bicchiere di vino offerto da Mossiù Però cadde malato, ed ancora lo è, di un male che i dottori non sanno definire. E quella vecchia strega di Gavina quando sente dire queste cose ride, con la sua bocca senza un dente che la fa parere la morte: ride, ma forse lei ne sa qualche cosa ed è complice dell'indemoniato forestiero.

Così parlava la portatrice della lettera, e la sua tenera scorta le si stringeva addosso, in modo che il gruppo procedeva per l'erta straducola come un corpo solo.

– E poi? E poi?

Ella continuava. Anche i cani del cacciatore erano diversi dagli altri cani: uno pareva parlasse, e se qualche ladruncolo tentava di avvicinarsi alla casa, gli urli umani della bestia spaventavano la gente a chilometri di distanza. Interrogata anche su questo, la vecchia Gavina rideva: rise, col suo riso muto e vuoto, quando,

dalla porticina laterale della bicocca, sul cui scalino sedeva con
un gatto rosso in grembo, avvistò la nostra compagnia.

– Adesso gliene dico due – brontolò la serva, irritata dal-
l'accoglienza ironica della vecchia.

E le fece vedere la lettera:

– Portatela al vostro padrone: noi aspettiamo qui la risposta.

L'altra si fece dura, senza smettere la sua aria di beffa.

– Va tu, a portargliela. O hai paura che egli ti palpi i fianchi?

– I fianchi li palperà a voi, per ricordarsi della morte, il vostro bel padrone.

– Io non ho padroni: la padrona sono io, in casa mia.

– Bel palazzo, la vostra casa.

La vecchia afferrò il gatto, come volesse gettarlo addosso
alla ragazza: ma la bestia aprì due occhi azzurri stupiti e innocenti, sbadigliò e tornò ad accovacciarsele in grembo. Per far
cessare la questione, noi trascinammo via la serva, girando attorno alla casa. Ecco la porta principale d'ingresso: è socchiusa
e lascia vedere una scaletta ripida che pare scolpita nella viva
roccia: in alto c'è buio; quindi, prima di avventurarci nell'asce-
sa pericolosa, facciamo rintronare tutta la casa coi colpi di un
grosso anello di ferro infisso alla porta.

Risponde un cane dall'attiguo recinto, ma il suo è un semplice latrato, giovane, chiaro, quasi benevolo. In pari tempo il
cacciatore si affacciò ad un finestrino che pareva una feritoia:
il suo viso volpino, di pelo tutto rosso, quasi arancione, lo conoscevo già; ma non mi fece più paura perché per la prima
volta avevo l'occasione di conoscere anche i suoi occhi: grandi, stupiti, azzurri e innocenti come quelli del gattino disturbato in grembo alla vecchia.

Forse anche Mossiù Però dormiva, nella sua pietrosa solitudine, in quel silenzio meridiano che l'abbaiare del cane rendeva più sensibile; forse lo abbiamo disturbato mentre nella camera misteriosa era intento a qualche opera di magìa.

L'aspetto del negromante ce l'aveva, quando ci apparve sul
pianerottolo in cima alla scaletta: poiché gli stivaloni e il costume da caccia erano sostituiti da un bel paio di pantofole orientali
e da un vestito da camera a fiorami gialli e viola, stretto alla vita
da un cordone del colore dei capelli dello strano personaggio.

Fin dal primo sguardo, egli aveva riconosciuto la serva e la figlia del suo amico: ci salutò, dunque, con una voce che non pareva più la sua, tanto gentile e mansueta risonava, e ci fece subito attraversare un piccolo corridoio sul quale si aprivano alcuni usci, pregandoci di «prender posto» in una stanzetta che doveva essere il salotto.

Mentre egli leggeva la lettera, fra lo smarrimento generale io osservavo con una certa calma l'ambiente, che però non mi rassicurava del tutto. Era una piccola stanza col soffitto di legno grezzo, le pareti completamente coperte di armi e trofei di caccia. Un nibbio imbalsamato apriva le grandi ali secche come ventole, sopra una mensola polverosa. Ma quello che più impressionava, che dava al luogo un colore tra l'antro brigantesco e il presepio, era il mobilio; sedili, angoliere, tavolini e scaffali tutti fabbricati col sughero: alcuni rozzi, altri decorati e traforati con una finezza artistica sorprendente.

Oltre ai recipienti d'uso pastorale e domestico, io conoscevo già qualche oggetto confezionato col sughero; ma non immaginavo che se ne potessero trarre mobili ed anche quadri. Infatti, scolpito pur esso nel sughero, un quadro in bassorilievo, che pareva di terracotta, attrasse la mia attenzione: rappresentava una scena di caccia.

Intanto Mossiù Però, aperto un secondo uscio della stanzetta, si era ritirato per scrivere la risposta. Sparito lui, svanita la paura del pericolo, ci si guardò tutte in viso, incerte se ridere o no. Era questo l'orco, il negromante, l'uomo dalla camera misteriosa? E dov'era questa camera misteriosa? Un pensiero ardito e fulmineo mi fece balzare nel corridoio, per guardare dal buco della serratura degli usci chiusi. E in uno intravidi un letto: nell'altro nulla, perché c'era la chiave dentro: nel terzo…

Non ho mai dimenticato il senso di terrore che m'irrigidì come il nibbio imbalsamato quando il terzo uscio si aprì e, leccando il lembo della busta destinata a mio padre, vi ricomparve il cacciatore. Nel vedermi d'improvviso davanti a lui, parve dapprima contrariato; poi un sogghigno gli sollevò il baffo sinistro e i suoi occhi rassomigliarono a quelli del gatto che afferra il topolino. Mi afferrò, infatti, e mi tirò dentro la stanza misteriosa. Lo spavento m'impediva di gridare: anche lui non parlava, ma agitava la lettera, di qua, di là, come per indicarmi meglio gli oggetti intorno. E il mio terrore si sciolse subito, in un senso di gioia, di curiosità soddisfatta ma anche delusa, e infine di vergogna per la meritata lezione che subivo.

Poiché la famosa stanza era una specie di laboratorio, con un banco come quello dei falegnami, con gli stessi arnesi; ma invece di assi vi erano ammucchiati blocchi e lastre di sughero, alcuni a bagno in una tinozza; e sul davanzale stavano ad asciugare alcuni biglietti di visita, che parevano di carta rossastra, sui quali il negromante, il grande peccatore, aveva inciso il suo nome e tre foglioline di edera.

IL SESTO SENSO

Da otto giorni non mi riusciva di prendere la penna in mano. Tutto era buono per favorire questa separazione: il caldo, le mosche, il mal di denti; ma sopratutto l'esistenza, in quei dintorni, di un "magneta" che, per essere locale e dilettante, non la cedeva a quelli professionisti e di fama mondiale. Questo magnetizzatore io non lo conoscevo, né lui mi conosceva; ma sapevamo l'uno dell'altro per sentito dire: lui perché il mio nome era apparso nella gazzetta del luogo; io perché da due mesi che si villeggiava lassù, tutte le persone che avvicinavo, grandi e piccole, dotte e ignoranti, non parlavano che di lui. Si chiamava il cavalier Zucchi; e uno spirito ancora spregiudicato, ancora non convinto dei miracoli dell'ipnotizzatore, diceva che la popolazione, indigeni e forestieri, soffriva di una *zucchite acuta*.

Io e questo signore eravamo i soli personaggi del luogo che non assistevamo agli esperimenti, e dunque ancora non tocchi dall'epidemia. Di giorno in giorno, però, i riferimenti delle meraviglie operate dallo Zucchi si facevano impressionanti e quasi allarmanti.

Egli aveva preso di mira specialmente i membri più giovani delle famiglie dei villeggianti: ragazzi estenuati dai recenti esami, signorine che si lasciavano attrarre dai suoi occhi favolosi come da quelli di un loro particolare innamorato: dai primi, fra le altre cose, si faceva consegnare i portafogli invero non troppo forniti; alle seconde imponeva di indovinare la data, la provenienza ed anche il contenuto delle lettere che si trovavano nelle tasche degli astanti. Doppiamente bendato, egli, poi, ritrovava gli oggetti più piccoli, accuratamente nascosti; indovinava l'ora, il minuto, il secondo degli orologi montati a caso ed in segreto dai suoi soggetti; svelava il pensiero delle donne isteriche, ed a queste riusciva ancora ad imporre di non sentire più i loro disturbi.

Una sera fece zimbello suo e del pubblico un nostro ospite adolescente, che per il resto della notte e il giorno dopo fu colto da emicrania e vertigini preoccupanti.

– Zucchite acuta, zucchite letargica – diceva il signore incredulo.

Io feci purgare il ragazzo e gli proibii di ritornare agli esperimenti: ma il cavalier Zucchi, che aveva trovato in lui uno dei suoi più efficaci soggetti, tentò di attirarlo ancora: allora io mi lasciai scappare parole sgarbate a suo riguardo.

Egli però non era uomo da offendersi, e mi mandò a dire che anche a distanza avrei sentito gli effetti della sua potenza. Infatti il giorno stesso mi venne un gran mal di denti. Qui bisogna dire però che la nostra casa era in mezzo al bosco: uno di quei graziosi «villini affondati in mezzo al verde», la cui fotografia, riprodotta sulle cartoline illustrate, serve di réclame al luogo. C'era accanto una fontana con pretese artistiche, buona per l'acqua fresca, ma che attirava le zanzare crudeli. Posto incantevole, umido e malsano, dunque; e all'umidità della casa fu attribuito subito il mal di denti; e al mal di denti e alle zanzare i primi sintomi di ripugnanza a toccare la penna. Ma no, che non era ripugnanza; piuttosto impotenza. La penna è lì, coricata accanto al fido calamaio, sul tappeto il cui verde sbiadito va a sconfinare col verde vivo della persiana socchiusa e con quello denso dei castagni immobili pesanti sul cielo di smalto: è lì, e aspetta la mano materna che la prenda. Ma questa preferisce sostenere il peso della testa gonfia di pensieri; e non si muove, non si muoverà più per il resto del giorno, forse dell'anno.

Eppure l'inspirazione non manca; la nitida cartella è lì, come una vergine sposa che aspetta: tutto è pronto per il rito creatore. Ma la mano non può muoversi.

Ancora una volta mi torna in mente il dramma di un nostro colono. Era un giovine aitante, coraggioso, senza pregiudizi: tanto che aveva preferito ad una sua giovane fidanzata povera, una vedova ricca.

– Fa pure, – dice la fanciulla abbandonata: – la vedova ti ha stregato coi suoi quattrini; ma io ti preparo una fattura che ti impedirà di essere uomo con tua moglie.

Ed egli, infatti, ogni volta che si avvicinava alla sposa, si sentiva come legato. Le sue mani non riuscivano a toccarla, le labbra gli pendevano inerti, anche le palpebre si rifiutavano di funzionare: la *fattura* della fanciulla offesa aveva tale potenza che, per quanto egli affermasse di non crederci, lo avvinceva e dominava.

Nella mia penna sdraiata sul verde melanconico del tappeto mi pareva di rivedere il contadino buttato sull'erba del campo della vedova, avvilito e vinto. A che gli servivano le ricchezze, la gioventù, la sua stessa forza, la sua volontà di vita?

A che servivano più, alla mia penna, la mia voglia di scrivere, il mio bisogno di rivivere, sia pure con umiltà, sulla cartella pallida anch'essa per la sua vana attesa? La mano non si muove, non si muoverà mai più per scrivere.

E va bene per il primo giorno: ma il secondo, il terzo? Il caldo diminuisce, le mosche vengono massacrate da un potente specifico: la nevralgia guarita da uno specifico più potente ancora. Quelli che non hanno più potenza sono il mio bisogno e la mia volontà di lavorare. Lavorare! Non lasciar cadere il giorno come un seme sterile: lavorare, sia pure modestamente, sia pure solo per esprimere quest'ambascia misteriosa e nuova, che grava sul mio essere come una minaccia di morte.

Impossibile. La penna è lì, la cartella è qui, come uno specchio appannato che non dovrà più riflettere la luce dei miei occhi: la mano sinistra si allunga a toccarle, quasi per assicurarsi che esistono, ma la destra non si stacca dalla guancia, e tutta la testa vi si appoggia con desolazione.

Intanto osservavo che, da quando era cominciata la mia strana malattia, nessuno più mi parlava dell'ipnotizzatore. Era passato di moda, o si riposava? Io non domandavo di lui, anche perché mi pareva che gli altri, a loro volta, mi osservassero o conoscessero il mio tragico e ridicolo segreto.

Durò otto giorni, la curiosa faccenda: all'ottavo giorno, prima di mettermi a sedere davanti al fatale scrittoio, mi ricordai di aver imparato, molti anni prima, ai tempi del contadino *fatturato*, uno scongiuro potentissimo contro i disastri del genere. Perché anche allora esistevano, e come!, i fenomeni del sesto senso: la volontà forte che s'impone alla volontà debole; la donna invidiosa che toccò i miei lunghi capelli, e questi in pochi giorni mi caddero; il vecchione che, con parole magiche, impose alle volpi di non penetrare oltre nella vigna; il sacerdote che scacciò i demoni dalla fanciulla isterica; e, infine, più formidabile e utile di tutti, l'uomo che coi suoi indizî sonnambolici, aiutava a ritrovare i ladri e gli assassini.

Lo scongiuro che mi era stato insegnato in segreto e sotto giuramento di non trasmetterlo a nessuno, consisteva in una catena di atroci imprecazioni, sacrilegamente mescolate a preghiere alla Vergine e ai serafini. Provo a ripeterlo, ma non mi riesce: il tempo lo ha cancellato dalla mia memoria. Allora mi viene in mente di sostituirlo col sesto senso: con la volontà ferma di vincere quella dell'incantatore.

Chiusi gli occhi e pensai a lui: e mi parve di vederlo, come lo descrivevano i suoi soggetti, piccolo, diabolico, con un frac verdognolo, gli occhi belli e lucidi come quelli della civetta, il viso scarnificato dall'alcool e dall'incipiente follìa.

– Cavaliere, – gli dico, – mi fa il santo piacere di lasciarmi in pace? No? Badi che anch'io avrei la forza di augurarle un male, ma un male grande.

Gli occhi di civetta mi fissavano, lusinghieri, equivoci e veramente affascinanti: io sostenevo il loro sguardo coi miei occhi chiusi, e sentivo come una fiamma sollevarmi i capelli e avvilupparli con sé in una sola torcia.

Non parlo più col mio avversario, ma egli deve sentire il riflesso bruciante della mia volontà. Perché i suoi occhi si chiudono come alla luce di un lampo. Io riapro i miei e mi pare di svegliarmi da un incubo. Superstizione, fantasia? Il fatto è che l'incantesimo fu rotto.

CONTRATTO

Mi sono stancata della mia casa di città. Forse perché mi ha fatto troppo godere e troppo soffrire.

Dapprima ero io la padrona: poiché non l'amavo e quindi non mi curavo di essa. Mi curavo solo di me e delle cose esterne che ingombrano l'esistenza delle donne, come le nuvole di colore l'orizzonte della sera. Peccati e leggerezze d'ogni genere. Ma le pareti ancora fresche e disamate guardavano e giudicavano: forse respiravano l'ostilità, o peggio ancora l'indifferenza, il disamore, le cattive passioni della loro padrona; e pensavano di vendicarsi.

Col passare del tempo le parti s'invertirono. La padrona diventò lei, la casa, e si vendicò davvero.

Di fuori, l'orizzonte si era scolorito e sgonfiato delle sue vane chimere; ma come farfalle notturne, esse penetrarono nella mia casa e si appicciccarono alle pareti.

Diventò allora lei la padrona, la casa che si era logorata nel lungo abbandono; e sfruttò il mio tardivo amore per essa. Richiese di essere rinfrescata, rivestita da capo a piedi: domandò ornamenti; pretese cose inutili e di lusso: così l'amante che non ama più, e però vende il suo amore.

Si era come investita dei miei gusti di un tempo, la casa modesta e silenziosa; voleva cose esterne e di colore, non per sé, non per far piacere a me e agli altri suoi abitanti, ma per gli estranei, per far loro vanitosamente credere di essere una casa ricca e felice.

E poiché le serve e gli operai non la contentavano, pretendeva l'opera mia: fatiche da galeotti e da pazzi, quali solo il maniaco amore per la casa può far compiere a una donna.

Fu davvero una vendetta tragica, che richiese il mio sangue e lasciò il mio fianco malato. Allora sono fuggita.

Ma non posso vivere nelle case degli altri. Troglodita d'origine, posso vivere anche in una grotta, ma che la grotta sia mia. E mentre oggi camminavo smarrita e stanca, con un dolore di vagabondaggio nei pensieri, o meglio nei piedi polverosi, e con l'impressione mortale che più non c'era sosta nel mio andare, sollevando gli occhi dal biancore desolato della strada campestre vidi come uno degli antichi miraggi che rallegravano l'orizzonte della mia fantasia:

Villa da vendere.

Così è scritto sul frontone della casetta color biscotto, con le persiane di menta glaciale verde, che pare sbocciata dalla sabbia per l'opera magica di una fata e per mia esclusiva consolazione.

Mi tornano in mente le favole rugiadose dell'infanzia selvatica; un uomo cammina nel deserto o nella foresta: si è smarrito, ha fame, ha sonno, ha paura di non ritrovare più la sua strada e di essere divorato dalle belve; ma quando più dispera, vede come una siepe fiorita di rose: è la facciata di una casa. La porta è spalancata: egli entra; trova la tavola apparecchiata, il letto pronto, il lume acceso: e nessuno gli contrasta il possesso della quieta dimora.

Anche la villetta da vendere è aperta: vi penetro, mi guardo attorno: gli usci spalancati, il corridoio, la scala, tutto m'invita a proseguire nella mia visita, anzi nella mia istintiva presa di possesso. Poiché sento di essere già la padrona del luogo: tutto mi piace; le stanze non troppo grandi ma ariose e fresche, la cucina, il piccolo portico, e sopra tutto la terrazza: sulla terrazza mi pare di riavermi dopo un lungo svenimento. Rivedo l'azzurro del cielo, e nell'alito del mare sento l'alito stesso della speranza.

Io ti comprerò dunque, piccola casa che hai per ali il mare: le condizioni però, da stabilirsi senza notaio e senza l'ufficio del Registro, sono queste, ferme e chiare:

– Io non sarò la tua padrona, né tu la mia. Saremo comproprietarie, per la vita e per la morte. Tu mi chiederai solo le più elementari riparazioni contro i dispetti del tempo, e io non ti domanderò che di salvarmi dal camminare per le divoranti vie del mondo in cerca di un altro rifugio.

Non pretendere di essere circondata da giardino. Troppo ho sofferto e faticato per un altro giardino, e vengo a te anche per dimenticare quello. Tutt'al più ti cingerò di una ghirlanda di agili pioppi del Canadà, che ridono al vento di estate e si piegano al vento di autunno offrendogli, come coriandoli, le loro foglie stanche di godere.

Lascerò crescere sulla sabbia del tuo recinto le erbe, i giunchi, i cespugli marini: crescere, morire, rinascere; come il buon Dio vuole.

Non toccherò un fiore; non sarò più nemica neppure della gramigna: cresca anch'essa e stenda un tappeto di lana verde intorno al pozzo biblico.

Le tue stanze saranno come quelle dove è avvenuto un sequestro: non ci sarà che il puro necessario; e il sequestro lo avranno eseguito gli uscieri della mia esperienza e del credito del tempo e del denaro che ho prestato a me stessa per comprare oggetti inutili, ingombranti e odiosi.

E neppure libri voglio regalarti. Troppi libri e musiche si sono fatti, se non leggere e studiare, riordinare e spolverare da me. Quante volte li ho maledetti! Lascerò entrare nella mia nuova casa solo il foglio che porta l'eco della vita di un giorno e poi sparisce come è venuto, come l'eco della vita di un giorno.

I miei libri saranno le tue finestre: verso il mare e verso la pianura verde e azzurra di vigne e di tamerici: come da fanciulla voglio studiare ancora le pagine della natura; sola musica quella del mare e del vento, soli colori quelli delle stagioni e delle ore.

Non voglio quadri sulle pareti innocenti: e tanto meno specchi: sono stanca di vedere il mio viso, che d'altronde so non essere il mio vero viso. Chi ha mai veduto allo specchio il suo viso vero, quello che ride o piange, quello che si annoia o si beffa della vita?

E non porterò cani né gatti né uccelli nella nuova dimora: troppo anch'essi mi hanno fatto amare e soffrire inutilmente: ma tutte le rondini che, coi loro nidi, appenderanno le lampadine del buon tempo sul cornicione della casa, le cicale che segano i raggi del sole sui rami delle tamerici, le farfalle che sbocciano come fiori volanti dai cespugli dell'arenile, tutte saranno mie compagne: tutte assieme, sotto la protezione di Dio.

Sul tavolino di legno nudo, davanti alla finestra, ci saranno ancora il calamaio, la penna, il bianco abisso delle cartelle non scritte: sì, ci saranno ancora, compagni sino alla fine; ma prima di piegarsi sulla profondità pericolosa della pagina vergine, gli occhi si solleveranno all'azzurro del cielo per chiedergli che le parole da scrivere portino un riflesso della sua luce consolatrice.

Poiché io voglio varcare la tua soglia, o piccola casa nuova, con l'anima rinnovata: nella sabbia, ai tuoi piedi, seppellirò il fardello delle cattive passioni; e se il dolore non vorrà egualmente separarsi da me, entri pur esso nelle tue stanze che finora conoscono solo la gioia del mare e del sole, ma vi entri anche lui servo silenzioso e fattivo.

INVERNO PRECOCE

Ci siamo impuntati, quest'anno, a rimanere oltre il necessario nella casa in riva al mare. E il mare si vendica, da par suo.

– Andate via, andate via; avete ingombrato abbastanza, con le vostre ore di ozio e di noia, e le vostre inutili fantasticherie, la spiaggia dovuta a ben altre cose, – pare dica col suo primo corrucciato brontolìo – fate posto ai rudi pescatori invernali, che già piantano i loro pali sull'arenile seminato di arselle vive: e, più secchi dei loro pali, offrono, se occorre, anche la loro vita per il pane alle loro donne e ai loro bambini.

Infatti è vero: i pali, tagliati dai garruli pioppi che già rallegravano i viali per le nostre passeggiate, annunziano la tristezza invernale e la carestia delle famiglie povere: i grandi imbuti di rete delle sciabiche si allungano sulla riva, fra i granchi morti sgretolati dal vento: c'è intorno odore di camposanto.

Poi, data la nostra cinica indifferenza, il mare tace, ma di un silenzio minaccioso di profeta che medita sull'indegnità umana: e tenta anche di sparire ai nostri occhi, confondendosi coi vapori grigi dell'orizzonte: si ha voglia di camminare sulla spiaggia ancora gialla e lucida, ma di un giallo di vecchia dama ossigenata: voglia di andare a cercare ancora con la punta dei piedi nudi l'onda molle e felina; fa freddo, però: un freddo anch'esso insolito, quasi ambiguo: non quello tedioso della città, né il gelo amico della montagna: è, più che altro, una sensazione nostra interna, un brivido di disperazione, come se debba avvicinarsi l'inverno polare, con la morte del sole e le muraglie di ghiaccio.

Dentro casa si sta ancora bene, coi fornelli accesi, nella cucina ridanciana di pomidoro e di peperoni fiammanti: il cefalo si lamenta sulla graticola, e il suo fumo di sacrifizio ammorba allegramente tutta la casa, penetrando anche nel presuntuoso salottino, che fino a ieri offriva ai visitatori le sue fresche sedie di salice bianco, e oggi sembrerebbe una ghiacciaia senza la bocca rosea del caminetto piena, come quella di un'amante, delle più ardenti promesse.

Manca la legna (oh, imprevidenza giovanile della bella stagione!); ma si farebbe presto a mandarne a chiedere una cesta al nostro buon vicino, il vecchio colono Panfilio; e con la legna, per accendere il fuoco, una manciata di foglie secche rastrellate sotto la pineta, della quale, con la fiamma, sprigionano ancora l'aroma e il chiarore dei tramonti estivi. Panfilio sarà beato di servirci, poiché il suo cuore è impastato di generosità; ed è ben lui, povero, che spesso dona ai suoi ricchi vicini i frutti del suo orto, l'uva, il primo vino nuovo dolce e innocente come la granatina: e infine la *pieda* calda, la focaccia di Romagna che ha il sapore inconfondibile del frumento italiano. Pensando a questo vecchio lavoratore della terra, che vive veramente del suo sudore, che ha una cucina, casa assieme e fortificazione, come nei felici tempi preistorici, che ha il giaciglio accanto al camino e la lampada sopra l'arca colma di farina, in questi giorni di freddo, e talvolta, per la lontananza del paese e la poca puntualità dei fornitori di viveri, anche di carestia, si prova un vago senso d'invidia o, almeno, di ammirazione.

Ma non bisogna insistere su questo tasto, per non destare, a nostra volta, sorrisi di compatimento: volgiamo invece il pensiero ad un'altra casa, non molto distante dalla nostra, e bella anch'essa e ricca, sebbene non circondata di vigne e di poderi; la casa del poeta Marino, dove forse a quest'ora, nelle stanze leggiadre di mobili antichi e di guizzanti quadri moderni, si raccolgono amici letterati e donne intelligenti: il calore delle discussioni d'arte appanna i vetri delle finestre, nascondendo la tristezza del tempo; e in mezzo alla sala terrena, che una volta fu una gloriosa pizzicheria, appare un fantasma, rifulgente e triste come un arcangelo addolorato: è Garibaldi, che in fuga verso il lido di Ravenna, con i suoi ultimi seguaci e Anita già toccata dall'alito della morte, si rifornisce per essi di pane e di altri viveri.

Ma ecco che adesso la sera si addensa, e i vapori dell'orizzonte si mettono in viaggio su per il cielo. Il mare scopre il suo viso, calmo, ma di una calma funerea: e non si dà l'aria di esser lui a mandar su tutti quei globi di lana grigia che a poco a poco danno al cielo un miserevole aspetto di materasso sfatto. Un momento, e il cielo sdegnosamente, si scrolla di tutta quella robaccia: ma subito dopo è invaso da torme di bestie fantastiche: elefanti e tigri, balene e pescicani s'inseguono e si divorano a vicenda: il loro sangue lascia tracce visibili sui margini del cielo; vaghi bagliori di fuoco, vene di azzurro, macchie di mosto e persino civettuoli scampoli di crespo rosa, accompagnano la nuova invasione di nuvole più miti; ad occidente il sole, prima di tramontare, dà un fulmineo sguardo alla terra, come per assicurarsi che il padrone di ogni cosa è pur sempre lui: e tutto gli sorride, anche il mare già ricoperto della sua corazza infernale di tempesta: attimo di tregua, dopo il quale s'alza la voce terribile del vento.

Aveva una sete insaziabile, quella sera, il vento: sete di mostro: bevette le onde, sollevando una tromba marina; spinse bestialmente di qua e di là le barche da pesca, e una la schiantò come una noce: due dei pescatori che v'erano dentro sparvero tra i flutti.

Notte di angoscia inumana, quando per vincere la tentazione di non credere più in Dio, bisogna ricordare la Sua parola, fermata nelle sacre scritture. Notte in cui le porte dell'inferno sembravano davvero aperte, e da esse scaturisse il rombo della tempesta. Pioggia, tuoni che sfioravano con la loro sega mostruosa i muri della casa: e i sibili del vento, mefistofelici; e, dominatore implacabile, il rumore delle onde. Adesso, sì, aveva ripreso la sua voce delle grandi occasioni, il mare senza pietà; e davvero la sua parola rassomigliava a quella di un dio sterminatore.

Chiusi alla meglio in casa, si aveva paura di andare a letto: da un momento all'altro un maremoto ci poteva spingere ad una fuga tragica: e le cose dolci della vita di ogni giorno, i nostri buoni mobili, le piccole tovaglie pallide negli angoli scuri, e i fiori – i fiori in quella notte! – ci apparivano come in un cupo vaneggiare di allucinazione. I fiori sopra tutto: i gerani di carminio esasperato, le dalie violette e le tuberose coi loro grappoli di carne feminea, il cui profumo vinceva anche l'orrore della tempesta. Poi, un brutto momento, mancò la luce: parve da prima uno scherzo, o che le lampadine chiudessero gli occhi stanche di stare così a lungo accese: si aspettò, sospesi in quel grande squilibrio universale: poi qualcuno rise: e quando l'uomo ride, di cuore, è segno che il padrone definitivo della situazione è lui. Furono accese le umili candele steariche, e qualcuno disse: viva l'antichità! Era probabilmente lo stesso individuo che ammirava il contadino Panfilio seduto davanti al suo focolare acceso. E le candeline anemiche si fecero forza per allungare le loro fiammelle, piangendo per la gioia tutte le loro lagrime bianche.

Durò tre giorni, la tempesta; in mare si tentava invano la ricerca dei pescatori annegati, e il porto, con le paranze abbrunate, pareva un cimitero. Tutto il paese rabbrividiva con quell'acqua livida di angoscia, che pareva non dovesse più riflettere i colori delle vele afflosciate: e il dolore di noi tutti fasciava, per sorreggerla, la casa degli annegati, dove le donne e i bambini si ostinavano ad aspettarne il ritorno.

I nostri fiori furono buttati via, poiché pareva avessero una tinta di scherno; buttati in una buca in riva al mare; ma mentre i gerani si scioglievano in gocce di sangue, le tuberose continuarono a profumare anche la loro tomba. E nella nostra casa, le pareti già sane e fresche di gioventù, si coprirono di macchie d'umido, sinistre come quelle dei malati d'infezione al sangue.

Furono sette giorni d'incubo. Il vento di tramontana parve alzarsi in offesa allo scirocco, per respingerlo ed aiutare i pietosi che cercavano gli annegati: infranse le nuvole, mandò verso oriente le onde crudeli: di notte si sentiva il motore dei sommergibili che aravano le profondità marine e non lasciava in pace l'anima nostra neppure nel sonno. Nel porto le barche da pesca rimasero ferme, legate al molo come prigioniere: non una andò in mare finché i morti continuavano a navigare coi pesci. Al settimo giorno finalmente, la terribile pesca ebbe il suo esito: gli annegati furono rinvenuti. Quando il guardiano della spiaggia ci portò la notizia, i suoi occhi di delfino brillavano di gioia. E alla mia domanda se i corpi degli sventurati erano ancora intatti, egli rispose:

– Sì, solo qualche morsicatura. Capirà, i pesci…

Allora si andò a salutare un'ultima volta la spiaggia rasserenata. Il mare, dorato e buono, sembrava un campo di grano; i bambini si cacciavano dentro l'imbuto della sciabica, felici come nel grembo della madre: un pesciolino morto, di madreperla azzurra e verde, luccicava sulla sabbia, pur esso vittima della tempesta.

RITORNO IN CITTÀ

Felicissima si presenta la prima gita dopo il recente nostro ritorno in città. Si tratta di andare alla Banca, a ritirare quattrini. Quattrini santamente guadagnati, e disposti a essere ancora più santamente spesi: poiché la nostra casa ha bisogno di urgenti riparazioni, prima che l'inverno vi ci chiuda dentro: e per l'inverno occorre rinnovare i caldi vestiti, e le soffici coperte di lana che col loro discreto tepore ci riporteranno, nei sogni tranquilli ed egoisti, alle belle spiagge e alle auree colline appena adesso abbandonate.

Ma anche il lusso di comprare qualche libro ce lo possiamo permettere; ed anche quello di un'automobile alla porta di casa, che ci farà rivedere la nostra grande tradita città, da signori pur sempre degni di lei. Oh, quanto ti abbiamo non solo tradito, ma anche odiato e calunniato, da lontano, amica città! Si capisce, però: il mare e la campagna, che ci offrivano a gara le loro opulenze estive, i tramonti appassionati, e i pesci e i polli e i frutti per niente, facevano di tutto per sostituirti nel nostro cuore.

Ma tu adesso ci perdoni: l'azzurro del tuo cielo è oggi più commovente di quello sopra i poggi dell'estrema Toscana, e lo strido delle sirene più musicale di quello delle ghiandaie nei loro querceti: e il verde dei tuoi viali, che si tinge di rosso e di rame come le belle donne che vi passeggiano sotto, cancella il ricordo delle strade alberate della Valle Padana.

Si direbbe che questa diafana mattina di mezz'autunno, la città l'abbia tenuta in serbo per quelli che ritornano a casa dalla campagna con un cestino d'uva in mano, e il rancore e la diffidenza nel cuore: o forse tutto ci sembra più bello perché abbiamo in tasca un discreto assegno bancario, e, vista attraverso i vetri di un'automobile, la gente affollata nelle stazioni tranviarie ci ricorda le feste della *rotonda* balneare. Del resto, le donne sono forse le stesse, e non meno agili e spensierate; pronte sempre alla danza della vita: anche questa, che si distacca dal gruppo per proseguire a piedi la strada, e ha le calze e le scarpette grigie, rimasuglio di eleganza della sua esistenza di signorina. Adesso ha marito, e ritorna dal fare la spesa. Coraggiosamente ha adottato, invece della ipocrita valigetta, una bella sporta contadinesca, dalla quale trabocca un fresco mazzo di spinaci: ma non è questo che ci commuove: è, invece, il bambino in maglietta rossa, che, rimorchiato dalla mano di lei, la segue quasi a volo, libero, per il sostegno e la protezione sicura ai quali si abbandona, di volgersi a guardare di qua e di là, con gli occhi azzurri pieni delle meraviglie che vede. Ed entrambi, madre e figlio, se ne vanno tranquilli fra la calca della gente attraversando felicemente gli ostacoli, evitando i pericoli, come circonfusi da un fluido miracoloso. Anche la spazzina con la testa di Medusa grigia, che si attarda sul margine della strada, ferma sullo scettro della sua scopa, e rosicchia un pezzo di pane impolverato, non ha paura del traffico: anzi ne sembra il pernio, poiché tutti girano intorno a lei, e sono i veicoli a evitarla.

Sente anche lei la bella giornata, e forse per questo s'indugia nella sua barbara faccenda: e più di lei sentono certamente il tempo i giovani operai che scavano le buche della strada in riparazione, perché canticchiano e scherzano fra di loro, minacciandosi graziosamente con le pale, insensibili al resto come contadini che zappano la loro terra.

Arrivati a questo punto della strada, bisogna scendere dall'automobile e proseguire a piedi: cosa piacevole anche questa, anzi la più piacevole di tutte. Questo tratto di strada, proibito ai veicoli, è selciato di fresco, e ci si può camminare come si vuole: tratto di strada in questo momento sontuosamente provinciale, e che anzi, a farlo senza osservare le debite proporzioni dei palazzi, delle vetrine e delle insegne, ci ricorda il Corso della città natìa nelle perlate mattine domenicali, quando lo si attraversava per andare alla messa cantata. Poca gente lo percorre, senza fretta, anzi indugiandosi in questa cuccagna di pedoni non minacciati di massacro: sono coppie forestiere, stagionate, lui in corretto costume da mattina, lei con la mantellina di percalle e il cappello in cima alla testa di giraffa curiosa: o pacifici pensionati nostrani, arzilli ancora per le recenti cure termali; e scolaretti che portano la borsa dei libri con atteggiamento equivoco, come lo zaino i soldati disertori; signore eleganti che hanno lasciato a casa la cuoca e girano per i negozi in cerca delle loro cianfrusaglie: e infine gente che va alla Banca. Alla Banca ci si entra in silenzio, come in chiesa; e delle chiese essa ha la scalinata d'ingresso, le vetrate, le colonne, le nicchie; l'usciere in tenuta nera può rappresentare il sagrestano; e, per la gente moderna, il rito che gl'impiegati compiono dietro gli sportelli non è meno sacro di quelli religiosi: sopratutto in quello dei pagamenti; i biglietti da mille vengono ricevuti come ostie consacrate, e chi li riceve se ne va poi compunto, abbottonato e santo. Non meno grave è l'aspetto di chi sta seduto davanti alla grande tavola centrale, e scrive sui moduli o fa i suoi conti con la concentrazione di un matematico o di un letterato; ed anche qui c'è gente d'ogni grado, poveri e ricchi, borghesi e militari: anzi, uno di questi attira la nostra più schietta ammirazione: è un bellissimo carabiniere, alto, con la vita sottile, i capelli color mogano che gareggiano col luccichìo della tavola; la sua ricca divisa ricorda quella di Napoleone: un carabiniere, insomma, che anche i banditi si fermerebbero ad ammirare.

E adesso è la nostra volta di accostarci al rito; ma esaminato l'assegno, l'impiegato solleva la testa di fungo porcino e ci domanda se abbiamo chi ci faccia garanzia.

– Non basta il nome?

Questa è la nostra presuntuosa replica; l'aspetto placido del funzionario ci ricorda però l'episodio postale di un nostro caro gloriosissimo amico, il quale, andato a ritirare un'assicurata, senza altri segni di riconoscimento che il suo celebre nome, si sentì rispondere:

– Mai conosciuto, mai sentito nominare.

Altra nostra replica: – Abbiamo il passaporto – ma non senza una certa contentezza che il numero dei nostri anni rimanga sconosciuto all'impiegato, ci viene risposto che neppure quello basta. E allora non ci resta che tornare un altro giorno, con un notaio che autentichi la nostra firma: cosa che, amaramente pensiamo, non sarebbe avvenuta nella polverosa e chiara Banca Agricola dove l'estate scorsa si andava a fare le nostre operazioni, e dove i coloni, i salinari, i sensali di pesce, ed anche i grossi fattori di grandi poderi, si scostavano rispettosamente dallo sportello, per farci posto, pronti tutti a garantire la nostra personalità.

Con questo primo sbollire del nostro entusiasmo per la vita cittadina, si esce dal tempio; e il viaggio di ritorno è quindi alquanto mortificato, non per la mancata riscossione, ma per l'accertamento che lustri e lustri di lavoro intellettuale contano meno che zero nel cuore di un impiegato di Banca. Si sente davvero, ancora una volta, quanto il mondo di noi poveri e orgogliosi lavoratori della penna è lontano dal mondo degli *altri*; eppure, dopo un momento, questo mondo ridiventa ancora nostro, ci riafferra nella sua ruota, ci trasporta nel suo movimento. Abbiamo in tasca ancora un po' di quattrini per poter entrare in una fabbrica di maglierie di lana, dove la commessa, bionda e opulenta come una vigna di ottobre, ci consola, riconoscendoci per suoi clienti, e con gentilezza ci domanda notizie della nostra salute; non solo, ma ci fa sapere che quest'anno c'è una forte vendita d'indumenti di lana, anche per signore e signori giovani, poiché il troppo strapazzo della vita moderna produce l'acido urico. Scarso è il conforto che questa notizia ci porta: e il nostro malumore si disperde piuttosto all'uscire di nuovo nella bella strada adesso tutta ricca di sole e di movimento. Alle logge degli appartamenti di lusso, nei piani nobili dei palazzi, si affacciano le cameriere di "bella presenza" col piumino da spolvero nascosto dietro la schiena; e giù, sui marciapiedi davanti ai caffè, ancora lieti di sedie e tavolini estivi, i forestieri incantati prendono l'aperitivo, godendosi a modo loro la città.

Godiamocela anche noi, a modo nostro, fermandoci davanti alla vetrina del libraio, dove i libri, ingenuamente vanitosi, ormai si lodano da sé stessi sulle fascette delle copertine; e poi risalendo in macchina e salutando a volo le fontane, le ville, i parchi, fino ai quieti sobborghi, pervasi ancora dalla musica biblica della chitarra e del violino ambulanti, e dove il viso della nostra dimora, scolorito per il lungo abbandono, ci avverte che è tempo di rientrare a casa e rimetterci a lavorare.

Finito di stampare nel mese di gennaio 1996
presso lo stabilimento della
Tipografia Torinese, Grugliasco (TO)